W0216495

LES ROUTES DU COTON

Jacques Anquetil

LES ROUTES DU COTON

L'épopée de l'or blanc

LE GRAND LIVRE DU MOIS

© 1999, éditions Jean-Claude Lattès.

INTRODUCTION

Non pas une nouvelle histoire ou une nouvelle géographie d'une matière première, mais le récit, le roman, la véritable et prodigieuse épopée du coton, souvent méconnue : parce qu'il a fourni pendant des millénaires plus des deux tiers de l'habillement, le coton a joué, bien plus que la soie et la laine, un rôle essentiel dans le développement de la civilisation humaine. Et, aujourd'hui encore, plus de la moitié de l'humanité l'utilise pour la couture ou l'ameublement. De cette importance économique est née une lutte acharnée pour conquérir les marchés internationaux. La chronique du coton est bien mondiale et traverse les âges.

En Europe, il n'y a pas de véritable opposition entre les soyeux et les cotonniers. Ils ont une histoire parallèle, celle de deux exotismes : l'un chinois avec la soie, l'autre indien avec le coton ; tous les deux sont liés au goût oriental des Occidentaux. Tous les deux, en dehors de leur spécificité textile, sont des supports d'impressions et suivent les influences des modes. Si la soie est le symbole du luxe et de la volupté, le coton, plus puritain, reste celui de l'économie et, par sa blancheur, de la pureté : il est pratique, léger, stable au lavage ; aujourd'hui infroissable, irrétrécissable et imperméalisable. Aussi est-il encore la matière première textile la plus employée et la moins chère.

Liée à plusieurs révolutions économiques, techniques, culturelles et politiques, cette épopée du coton, en Europe, commence réellement au milieu du XVIIe siècle avec l'importation massive de cotonnades peintes achetées à vil prix en Inde, qu'on appelait « indiennes ». Elles allaient être à l'origine de l'expansion industrielle et commerciale anglaise, puis française.

Ce pan est le plus connu mais, à notre connaissance, il n'existe aucune histoire mondiale du coton regroupant toutes les nombreuses disciplines le concernant. Au moment où l'on constate le retour en force de toutes les matières naturelles, le coton, depuis la moitié du XVIIIe siècle, constitue un exemple des rapports de l'industrie textile avec la modernité et le témoignage des mutations profondes d'une société artisanale transformée en société industrielle. Mutation qui peut être mise aujourd'hui en parallèle avec celle provoquée par l'informatique et l'automatisation, et le chômage qui en découle. Si effectivement l'arrivée du coton indien à Manchester a fait la révolution industrielle anglaise, elle a permis aussi une importante révolution politique et sociale grâce à la mobilisation des ouvriers exploités qui surent, par leurs luttes, gagner leur dignité et, par leur intelligence collective, obtenir peu à peu certains acquis sociaux. C'est là une page importante mais ce n'est pas la seule.

Nous avons donc présenté cette épopée par l'histoire de chaque grand pays directement concerné, des origines au XIXe siècle, consacrant un chapitre au XXe siècle afin de faire le point sur la nouvelle géographie du coton. Cette division ne doit pas masquer toutes les interpénétrations des pays et des continents entre eux, un peu comme un tissu avec sa chaîne (verticale) et sa trame (horizontale). Le lecteur aura donc une double lecture, verticale (l'espace) et horizontale (le temps). Nous nous sommes efforcés de faire à chaque chapitre des allers et retours entre toutes ces interférences : par exemple celles si importantes entre l'Inde et l'Angleterre, celles de la France avec la Louisiane et les Antilles. Il y aura donc parfois quelques répétitions et rappels indispensables afin de pouvoir reprendre le fil de cette histoire à travers plus de vingt siècles et tous les continents.

Après avoir évoqué les routes de la soie, voici donc celles tout aussi passionnantes du coton, en attendant les prochaines routes de la laine qui fermeront ce panorama des principales matières premières. Le tissage, comme l'habit, relève des mythes fondateurs et de l'anthropologie fondamentale. Bon voyage donc au sein de cette épopée du roi coton qui n'a pas fini de nous étonner...

I

L'OUVERTURE DES ROUTES DU COTON

Il y eut, dès les origines, trois grandes civilisations textiles, correspondant chacune aux trois fibres naturelles qui ont prédominé dans l'Antiquité : la soie en Chine, la laine chez tous les peuples pastoraux de la Mésopotamie à l'Asie centrale, et le coton aux Indes et dans une grande partie de l'Amérique précolombienne. Il y eut aussi, mais de moindre importance, une civilisation du lin en Égypte et une, encore plus modeste, du sisal en Amérique centrale. Mais, avant même d'évoquer les routes du coton, il faut en décrire les origines sauvages.

Les origines des tissus de coton

Le coton a existé à l'état sauvage depuis la création du monde végétal. À ce duvet blanc de la fleur d'un arbrisseau de la Haute-Égypte, Pline l'Ancien aurait donné le nom que les botanistes contemporains ont conservé : *gossypium herbaceum*. On l'appelle *karpôsa* en indien, *karpos* en grec, *carbasus* en latin, *al gothon* ou *al kutun* en arabe, *katan* en persan, puis en Europe, à partir du XIIIe siècle, *cottonum*, devenu par simplification en français coton et, en anglais, *cotton*.

La fleur du cotonnier, de la famille des hibiscus, est en forme de cloche. Une fois fanée, elle fait apparaître un fruit, sorte de capsule, qui s'ouvre pour laisser sortir des graines enveloppées dans la laine végétale de la fibre de coton. Il existe de nombreuses variétés de ce duvet floconneux à longues soies (*sea-islands, black-seed-cotton*) ou à soies courtes (*uplands, green-seed-cotton*). Les fibres longues et soyeuses sont les plus recherchées. Par ailleurs, le coton est naturellement coloré, du beige au crème jaunâtre. Ce colorant instable à la lumière est éliminé par un traitement de blanchiment, où il faut veiller à ne pas trop diminuer le degré de polymérisation de la fibre.

Pendant des siècles, on a égrené le coton à la main et cette pratique manuelle, longue et fastidieuse, a été longtemps l'une des raisons de l'esclavage. Le coton blanc naturel est en effet de qualité supérieure à celui qu'il faut blanchir artificiellement. Aujourd'hui, aux États-Unis, la récolte au moyen de machines dépouilleuses, appelées *trippers*, s'effectue après une défoliation chimique par saupoudrage de cyanure de calcium sur les plants. Avec ce traitement préalable, le cotonnier cesse de croître et les capsules, qui ne sont pas encore mûres, sèchent et éclatent sans se développer davantage. On récolte ainsi un coton blanc alors que les fibres non mûres sont en général de teinte jaunâtre, gênante pour la teinture.

Ce sont les conditions climatiques qui créent les différentes espèces, de longues ou courtes soies. Le *gossypium arboreum*, associé à l'Inde et le *gossypium herbaceum*, associé au monde arabe, ont tous les deux de courtes fibres. Ils ont eu un rôle historique important mais tendent aujourd'hui à disparaître en raison de la faible longueur de leurs fibres. Ces cotons, appelés « courte soie », sont utilisés soit localement, soit pour des usages paratextiles, comme par exemple dans la ouaterie.

Les soies longues les plus belles viennent du *gossypium barbadense* originaire du Pérou, puis répandu en Amérique du Sud et aux Antilles. Les graines de cette variété auraient été introduites des Antilles françaises en Égypte par Bonaparte au moment de sa campagne. Vers 1850, ce coton de Barbados donna naissance à la qualité « Jumel », qui porte le nom de l'ingénieur français, conseiller de Méhémet Ali, qui en développa intensivement la culture dans le delta du Nil, et qui fut donc à l'origine de la place qu'occupe encore aujourd'hui l'Égypte sur ce marché. De cette espèce ont été tirées toutes les variétés modernes dites de « longue soie » qui fournissent une fibre longue et fine pour la fabrication des cotonnades haut de gamme.

Enfin le *gossypium hirsutum*, originaire d'Amérique centrale et du sud du Mexique, fut introduit aux États-Unis vers 1800. Il donna naissance au coton *Upland* dont dérive la majorité des variétés appelées « moyenne soie ». Plus de 80 % de la production mondiale du coton vient de cette espèce, utilisée pour la fabrication d'articles de qualité moyenne. Le coton originaire des terres chaudes du Pérou possède vingt-six chromosomes, alors que le coton d'Asie n'en possède que treize ! Bizarrerie de la nature qui élimine ainsi une de ses parties, mâle ou femelle !

Après les opérations d'égrenage, le coton se présente en masse floconneuse. Pour son transport, on le comprime à l'aide de presses hydrauliques. Il est exporté en fibres, (« en laine » est l'expression utilisée par les spécialistes) dans de grandes balles pouvant contenir jusqu'à trois cents kilos. Sortie de la balle, la fibre compressée est livrée au batteur-éplucheur qui enlève toutes ses impuretés et au batteur-étaleur qui étend et égalise les fibres qui sont ensuite cardées — comme on carde la laine — pour obtenir un ruban léger et sans fin qui sera ensuite filé par différents procédés.

En Europe, à la suite du blocus anglais au moment des guerres napoléoniennes, le coton fut cultivé dans plusieurs pays comme en Italie, dans la région de Malte, et au sud de l'Espagne. Des essais de plantation dans le midi de la France, en Provence, n'ont pas donné de bons résultats. Au moment de la guerre de Sécession, le coton américain n'arrivant plus dans notre pays, de nombreuses manufactures cotonnières furent obligées de fermer. Le gouvernement français songea alors à utiliser les terres incultes de l'Algérie et de la Corse, et l'on créa même des plantations au Sénégal dans la région de Saint-Louis. À la fin de la guerre de Sécession, le retour du coton américain sur tous les marchés européens stoppa ces tentatives, sauf dans certaines colonies francophones africaines comme le Mali et le Tchad.

Aujourd'hui, en dépit de la concurrence des fibres

artificielles, le coton représente presque la moitié du tonnage mondial annuel des fibres textiles. Aussi allons-nous nous efforcer de suivre, depuis leurs origines, les différentes routes terrestres et maritimes qui ont transporté soit le coton brut, soit les premiers tissus en coton. Ce coton généralement cultivé par les hommes et filé par les femmes est tissé par les femmes en Amérique latine, par les hommes en Afrique et en Inde.

Les routes du coton de l'Inde à la Mésopotamie

Les plus anciens tissus en coton furent découverts à Mohenjo-Daro, dans un site archéologique du IIIe millénaire av. J.-C., situé sur les bords de l'Indus. Mais, plus passionnant encore, l'un de ces fragments, servant à envelopper un pot en argent, teint en rouge avec de la garance, une teinture végétale, avait conservé son éclat pendant presque cinq mille ans ! Ce sont les sels métalliques utilisés comme mordant pour fixer la teinture dans les fibres du coton qui avaient préservé ce tissu de sa décomposition par l'humidité de cinq mille moussons ! Ce qui a fait dire aux archéologues que les tisserands et teinturiers de Mohenjo-Daro étaient prodigieusement en avance par rapport aux teinturiers européens. Ces derniers ne découvriront le secret des mordants — qui rendent la couleur rouge de la garance solide au lavage — qu'au début du XVIIIe siècle ! Une véritable saga sur laquelle nous reviendrons plus en détail.

C'est sans doute par cette longue tradition que l'Inde — particulièrement le nord du pays — est considérée comme la plus grande civilisation textile du coton. Elle est encore étonnamment vivante aujourd'hui, et reste la plus importante avec celles des Mayas du Guatemala et des Quitchés du Pérou. Sur deux continents séparés par l'océan, les tisserands et tisserandes ont inventé, chacun à sa manière, tout un éventail de techniques de teinture et de décoration d'une grande richesse et d'une grande virtuosité.

En raison du climat humide, aucun autre tissu ancien en coton n'est, hélas, arrivé jusqu'à nous, sauf des fragments de cotonnades imprimées et de batiks, originaires de l'Inde de la région de Gujarât, retrouvés au XIXe siècle dans des tombes coptes du IIIe siècle, au cours des fouilles de Fustat, ville islamique construite à côté du Caire à la suite de la défaite des Byzantins en 641 av. J.-C. Ces fragments de tissus remonteraient seulement au XVe siècle. Toutefois, on a découvert en Asie centrale, à la fin du XIXe siècle, des tissus indiens en coton, dont les décors étaient réalisés avec des techniques de réserves, qui dateraient du XIIe ou XIIIe siècle. Mais sir Aurel Stein a trouvé, dans une tombe de la région de Turfan, des fragments d'un tissu en coton, teint à base d'indigo, avec un motif floral réalisé en négatif par un procédé de réserve par mordant, prouvant déjà un haut degré de connaissance tinctoriale. Stein lui attribua une origine indienne et le data d'environ du IIe millénaire av. J.-C.

L'autre source de renseignements sur les tissus imprimés indiens provient des fresques des sanctuaires rupestres d'Ajanta, au nord-est de Bombay, sur lesquelles on peut découvrir de nombreux personnages vêtus de somptueux ikats de la fin du VIe siècle. En Asie centrale aussi, le long de la route de la soie, sur une des peintures murales des grottes de Touen Houang, représentant l'entretien de Wei-Mo et Wen-Chou, datant du VIIe siècle, on peut apercevoir, juste derrière l'empereur de Chine, de nombreux dignitaires reconnaissables grâce aux tissus de leurs costumes : ceux des Perses et des Indiens dont les motifs peints sur coton contrastent avec ceux unis ou façonnés en soie, des Chinois. Dans la grotte nº 454 de la dynastie des Song, la fresque *Princes de différents pays* montre aussi plusieurs costumes d'origines indiennes avec leurs motifs floraux si caractéristiques. Ces fresques et ces peintures nous permettent de mieux imaginer la splendeur des tissus anciens de coton peints. Il n'en reste aucune autre trace matérielle.

Le coton utilisé en Inde dans l'Antiquité était une variété sauvage qui poussait dans la vallée de l'Indus. L'espèce la plus robuste (*gossypium herbaceum*) n'a été cultivée que vers le VIe siècle et sa culture s'étendit vers l'ouest. Des tablettes assyriennes et babyloniennes du VIIe siècle av. J.-C. font déjà allusion au commerce du coton entre la Mésopotamie et la péninsule indienne par les routes caravanières d'Asie centrale. Les grandes épopées hindoues comme le *Ramayana* — se situant entre le xe et le IIe siècle av. J.-C. — évoquent les différentes étapes de la fabrication des toiles de coton et leur impression par des techniques déjà très élaborées.

Le Livre de Job parle ainsi des « brillantes teintures des Indes » comme le symbole de la richesse et de la beauté du monde visible. Sous les Assyriens, le roi Sennachérib fit planter dans son jardin de Ninive quelques arbustes à laine venant de l'Inde ; une inscription sur tablette précisait : « On en arrache la laine des arbustes et on en tisse des vêtements. » Par ces témoignages, on sait que l'Inde s'était livrée au commerce des cotonnades unies ou peintes dès l'époque babylonienne. Les marchands ont ensuite utilisé le réseau de communication de l'Empire perse pour étendre leur commerce jusqu'en Grèce et aux principaux ports bordant la Méditerranée orientale. De même, le coton et les cotonnades furent, par les routes maritimes, introduits en Chine, à Java et Bornéo, et par le Bengale, à Ceylan et en Birmanie.

Hérodote (484 à 420 av. J.-C.) prétendait, à propos du coton, qu'en Inde « les arbres portaient, au lieu de fruits, de la laine dont le peuple se faisait des habits, laquelle était plus belle et meilleure que celle des brebis ». Il y avait parfois confusion avec l'arbre fromager ou kapokier, dont les fibres duveteuses des graines, appelées kapok, étaient trop courtes pour être filées. On les utilisait seulement pour rembourrer des couvre-lits ou des coussins.

Ce n'est qu'après les conquêtes d'Alexandre le Grand (356 à 323 av. J.-C.), qui le menèrent jusqu'aux portes de l'Inde, que les cotonnades indiennes commencèrent à se répandre dans toute la Grèce. À son retour de l'Inde par l'océan Indien l'amiral d'Alexandre, Néarque, avait mouillé sa flotte dans le port de l'île d'Ikaros — l'actuelle Faïlaka située juste en face du Koweït. Dans son journal de bord il a décrit les champs de coton qu'il avait traversés dans cette contrée lointaine et, à la manière d'Hérodote, il écrivait : « Il y a des arbres en Inde qui portent des touffes de laine. Les indigènes en font des vêtements, des chemises qui leur descendent jusqu'au milieu des jambes, des toges qu'ils plient sur leurs épaules et des turbans qu'ils enroulent autour de leur tête. La toile qu'ils fabriquent avec cette matière est plus fine et plus blanche que les autres. »

Les Grecs désignaient le coton indien (appelé *karpâsa*, mot dérivé du sanscrit) sous le nom de *karpasos*, qui deviendra chez les Romains *carbasus*. Avec les nouvelles routes commerciales créées par Alexandre, l'Inde s'ouvrit, sous la dynastie des Séleucides, puis sous celle des Parthes, au commerce avec Rome par les routes caravanières de la soie, des épices et du coton. Les marchands indiens fondèrent des comptoirs dans les villes d'Asie centrale comme Kashgar, Khotan et Turfan, principales étapes de ce que l'on appellera beaucoup plus tard la célèbre « route de la soie » qui reliait l'Orient à l'Occident. Ils y regroupaient toutes les variétés d'épices, si appréciées par les Romains, mais aussi les bijoux, les pierres précieuses, des animaux exotiques, l'indigo, les soieries chinoises et les cotonnades et mousselines indiennes.

Ce commerce avec tout l'Empire romain s'effectuait aussi par les ports du golfe de Cambay où des marins arabes, qui connaissaient bien les vents de la mousson d'été, parvenaient sur leurs dhaws à voile jusqu'aux ports d'Aden ou de Bassora, situés au fond de la mer arabique, à l'embouchure du Tigre et de l'Euphrate, dans la région de Chatt-al-arab. De Bassora, les cotonnades et les épices indiennes étaient ensuite transportées en caravane jusqu'à Alexandrie ou Antioche, pour arriver enfin à Rome par bateaux. Les prix des marchandises de « contrées lointaines » étaient si élevés que l'économie romaine fut menacée par ce goût effréné des produits exotiques, originaires aussi bien de Chine que de l'Inde. Les Romaines étaient émerveillées par la finesse des mousselines indiennes, appelées *ventis textilis* (vents tissés) ou *nebula* (vaporeuse). Ces tissus, pourtant en coton, coûtaient plus cher que les soieries chinoises, c'est-à-dire un peu plus que leur poids en or ! Au Ier siècle, la grande majorité des mousselines du Bengale étaient fabriquées pour les femmes romaines. Plus de 5 000 kilomètres séparaient les producteurs de leur clientes ! Que d'intermédiaires pour franchir tous les obstacles de cette longue route d'Accra à Rome !

Strabon (58 av. J.-C. à 21 ap. J.-C.) dans sa *Géographie* fut le premier à évoquer les indiennes, « ces toiles de coton à fleurs tissées et imprimées aux Indes. Elles ont la réputation de ne pas déteindre au lavage », alors que les teinturiers perses savaient déjà combien le coton — contrairement à la laine — était difficile à colorer avec des teintures végétales, résistant à la lumière et au lavage. Le savoir-faire des teinturiers indiens fit de l'Inde le premier producteur de cotonnades peintes, et ce jusqu'au XVIIIe siècle, date à laquelle les secrets de fabrication furent volés par des commerçants européens.

À la fin du Ier siècle, Arrien, marchand et navigateur, fit de nombreux voyages à travers la mer Rouge jusqu'aux extrémités de l'Inde. Dans son *Périple de la mer Érythrée*, il donne de précieux renseignements sur le commerce de cette époque. Il décrit les centres de tissage indien et évoque la mousseline du Bengale si prisée par les femmes riches de toute la Méditerranée orientale. Cette mousseline de coton était produite dès l'Antiquité dans le bassin du Gange et de la Jamara sous le nom de *chitra virali* (mousseline du roi) ou encore *pushpa pattas*, sans doute à cause de ses motifs de fleurs et d'oiseaux tissés ou imprimés au pochoir.

Pendant la période de l'expansion de l'Islam, il y eut une coupure commerciale, mais, avec la reprise des caravanes vers Alexandrie, les cotonnades indiennes arrivèrent en Égypte jusqu'à All Fostat. Les grandes migrations et expéditions guerrières, les échanges par les routes commerciales ont favorisé la diffusion de nombreuses matières premières comme le coton et la soie qui furent les plus importantes. Les marchands arabes accostèrent en Inde occidentale dès le début du VIIIe siècle pour s'emparer du commerce des épices et des cotonnades indiennes. Ce fut en partie grâce aux croisades que l'Occident découvrit la richesse des soieries chinoises en même temps que les premières cotonnades peintes de l'Inde, vite appelées « indiennes » en Occident.

Par l'Islam, les premières manufactures cotonnières remontèrent au XIVe siècle jusqu'à Grenade. Puis ce fut l'installation de celles de Venise et de Milan, et au XVIe siècle de celles de Bruges et de Gand. La première balle de coton indien n'est arrivée en Angleterre qu'en 1569, la filature et le tissage du coton débutèrent à Manchester en 1641, et c'est seulement en 1786 que sera installée à Rouen la *mule-jenny*, la machine anglaise à filer le coton.

Les routes du coton en Amérique précolombienne

En Amérique du Sud les civilisations précolombiennes situées en bordure du Pacifique comme celles des Mayas au Guatemala et les cultures de Chimu, Nazca et Paracas au Pérou connaissaient et utilisaient le coton sauvage. Les Indiens fabriquaient avec cette fibre des hamacs et des filets de pêche, puis ils tissèrent les tissus des ponchos et autres vêtements traditionnels, encore en usage aujourd'hui au Guatemala et au Pérou.

Lorsque Christophe Colomb débarqua à Saint-Domingue, il rencontra des Indiens vêtus de grossiers tissus en coton. Il décrit dans son journal « les cotonniers qui croissent en abondance dans toutes les îles ». Ferdinand Cortez, dans les présents envoyés à Charles Quint, avait réuni de nombreux vêtements et même des tapis, tissés en coton local. Il décrivit les murs des temples aztèques « couverts de tentures en coton, aux couleurs vives ». Puis le cotonnier fut progressivement cultivé au Brésil et dans de nombreuses îles des Caraïbes. Il fut implanté au Mexique par les Mayas du Guatemala.

Civilisation maya

Déjà, le roi Hunahpû, deuxième roi quiché, avait implanté le coton dans les basses terres chaudes de la côte pacifique où il devint le matériau de base pour les vêtements des hautes plaines. Encore aujourd'hui, la majorité des Mayas Quichés cultive le coton et le maïs. Les hommes plantent et récoltent, les femmes filent et tissent, selon les mêmes techniques qu'à l'époque précolombienne.

Celles-ci, après avoir préalablement retiré les graines à la main, disposent le coton brut sur une peau de chèvre, sur laquelle il est battu et frappé alternativement par deux bâtons fourchus pour le carder. Puis il est mis en boule pour être filé à l'aide du fuseau antique que les femmes font tourner même en marchant. Elles teignent ensuite les fils avec des couleurs végétales, minérales et animales : le bleu provenant de l'anis, le rouge fuchsia de la cochenille, le vert tiré d'une racine du curcuma, pour le jaune, elles utilisent de l'hydrate de fer ou des feuilles de mûriers sauvages, le violet était extrait d'un mollusque, le *purpura patula*, etc. Elles tissent leur *huipil* sur un métier à sangles dorsales, dit à poitrinière, qui permet à la tisserande de régler, avec la ceinture entourant ses reins, la tension de la chaîne. Ce métier précolombien, représenté dans les dessins du *Codex Mendoza*, est encore utilisé dans toute l'Amérique latine. Il est facilement transportable et peut être installé n'importe où. Il suffit d'accrocher le début de la chaîne à une branche d'arbre, un pilier ou encore un anneau fixé au mur extérieur de la maison, de placer la sangle autour de ses reins, de se mettre à genoux et de tendre la chaîne avec son propre corps pour pouvoir commencer à tisser, en écartant les groupes de fils de la chaîne suivant le motif à composer, un peu comme la technique actuelle du brochage des tissus de soie. Les costumes de chaque village ont des couleurs et des motifs différents dotés de significations sociales et religieuses remontant à leur lointaine civilisation, comme celle engloutie dans la forêt tropicale à Tikal. Par la richesse et la diversité des tissus mayas-quichés on peut parler, comme pour l'Inde, d'une véritable civilisation textile. Telle une écriture, les motifs tissés racontent leur histoire et leur mythologie contenue dans le *Popol Vuh*, avec la représentation stylisée des emblèmes des dieux et des astres.

Le costume féminin des Mayas se compose d'une jupe (*corte*), d'un corsage (*huipil*), d'une écharpe qui sert aussi de ceinture (*tzut*) et d'une petite cape en coton rouge (*perraje*). Les *huipils* sont d'une richesse décorative incroyable et permettent, grâce à leurs dessins et leurs couleurs, de reconnaître sur les marchés de quel village telle femme arrive, à quelle classe sociale elle appartient, si elle est mariée, divorcée ou jeune fille. Les motifs, stylisés par le brochage par fils de trame supplémentaires ou les broderies, sont surtout composés d'animaux mythiques comme le jaguar, le serpent à plumes, l'oiseau sacré à longue queue, le *quetzal*, etc. Ils atteignent parfois l'abstraction, les ailes d'un oiseau devenant des triangles, le serpent une série de chevrons, une ligne en zigzag évoquant l'éclair et le dieu Chac qui apporte, avec la pluie, la fécondité et les bonnes récoltes. Pas un motif, pas une couleur qui n'aient une signification symbolique précise.

Aujourd'hui, à Quezaltenango, ce sont les hommes qui tissent le coton sur des métiers à pédales importés par les Espagnols. Ils réalisent de magnifiques tissus multicolores, décorés par la technique d'ikat chaîne et trame. Ce fut par la civilisation maya que le coton arriva au Mexique qui ne possédait ni chanvre, ni laine, ni soie, mais seulement l'agave tiré d'un cactus et un peu de coton sauvage pour fabriquer filets et hamacs.

Civilisations précolombiennes du Pérou

C'est au Pérou que furent élaborées la majorité des techniques de tissage qui sont, encore aujourd'hui, une source d'inspiration pour les producteurs textiles du monde entier. Si beaucoup de tissus furent créés à base de laines tirées de la vigogne ou de l'alpaga, les tisserandes incas utilisaient aussi le coton, cultivé en bordure du littoral. Certains ponchos de la culture de Paracas étaient tissés en coton, chaîne et trame, d'autres comportaient seulement une chaîne en coton et une trame en laine vigogne, mais tous suscitent encore l'émerveillement du spectateur par leur riche décoration aux éblouissantes teintures végétales et animales. Les Chimus produisaient de grands tissus en coton peints avec un décor polychrome très riche. On n'a pas encore élucidé l'énigme des tissus de coton servant de linceul aux momies de Paracas et de Nazca. Larges de six mètres et longs de trente mètres, ils ont quatre lisières et aucun nœud en chaîne et trame. Ce phénomène textile reste et restera encore longtemps un mystère !

Mythologies et légendes se rapportant au coton

L'Inde

Dans les Upanishad le fil de coton (*sûtra*) relie « ce monde et l'autre monde et tous les êtres ». Il est à la fois *atmâ*, le Soi, et *prâna*, le souffle. Le fil tantrique est le symbole de la continuité, qui conduit du monde des ténèbres à celui de la lumière, un peu comme le fil d'Ariane dans la civilisation crétoise.

Les traditions religieuses bouddhiques impliquaient, dans leurs rituels, des tissus particuliers, comme la cotonnade appelée *Kashi* dont la trame était si serrée que même l'huile ne pouvait pas passer au travers ! Une fois tissée, cette cotonnade était lavée, calandrée, amidonnée et parfumée. Selon les récits mythiques, on utilisait ce tissu uniquement comme linceul pour l'empereur, et le premier tissu réalisé avait servi à recouvrir le corps du Bouddha lorsque celui-ci atteignit le nirvana ou repos éternel. Le cordon d'initiation des brahmanes était formé de neuf fils de coton tressés en trois torsades.

Les messages entre les communautés de moines s'écrivaient sur des pièces de coton blanchies, scellées de cire rouge. Pour satisfaire cette demande de tissus sacrés, des corporations de tisseurs et de brodeurs, de peintres sur tissu et de teinturiers se regroupaient autour des principaux temples de dévotion. Seuls les plus beaux tissus de coton pouvaient être offerts aux divinités. On réservait les plus fines mousselines aux statues du dieu Shiva. Les peintres représentaient sur une longue toile de coton des scènes tirées des épopées et des *Purana*, avec des dieux et des déesses en une sorte de bande dessinée qui servait à l'éducation religieuse du peuple inculte.

Cette insistance mystique est partout perceptible. En sanscrit, *sûtra* correspond à la racine « fil » et un livre peut alors être formé par plusieurs *sûtras*, comme un tissu est formé par l'entrecroisement de plusieurs fils verticaux et horizontaux ; la ligne verticale de la trame correspond au principe actif, masculin (*purusha*), et la ligne horizontale de la chaîne au principe passif, féminin (*prakriti*), symbole de l'alternance continuelle des deux états de la vie, « le va-et-vient de la navette cosmique sur le métier à tisser ». Le souffle, *prâna*, est associé à ce double mouvement d'aller et retour, comparé à la respiration : inspirer et expirer.

Dans plusieurs pays asiatiques bouddhistes, un moine noue aux poignets des mariés un même fil de coton blanc, qui doit leur assurer le bonheur et la longévité ; ce fil symbolise aussi la destinée qui leur est commune, la vie humaine étant souvent comparée dans de nombreuses mythologies au fil de la trame qui se dévide jusqu'à sa fin.

En Inde, les couleurs sont chargées d'un symbolisme particulier. Selon un spécialiste indien des textiles : « Les couleurs évoquent des états de l'humeur et de situations particulières. Le rouge est la couleur des amoureux, une chanson décrit les trois nuances de rouge qui correspondent à trois états amoureux. La garance *(manjitha)* est la couleur la plus durable, comme la teinture qui porte son nom ; le jaune est la couleur de *Vasant*, du printemps, des fleurs, des vents du sud ; l'indigo *(Nila)*, la couleur de Krishna, est comparé à un nuage chargé de pluie ; *hari nila*, une autre nuance de bleu indigo, est celle de l'eau reflétant le ciel. La couleur safran *(gerua)* est celle de la terre et des yogi, ainsi que celle du prophète et du poète qui renoncent à cette terre. Ces couleurs évoquaient, portées aussi bien par un modeste paysan qu'un empereur, l'humeur de chacun, liée aux différentes saisons. »

Paradoxalement, en Inde, qui fut à l'origine le principal producteur d'indigo, celui-ci était proscrit comme étant de mauvais augure : planter un indigotier pouvait entraîner la mort. Plus tard, les teinturiers d'indigo, les *niglar*, seront considérés comme impurs, issus de la caste la plus basse, et habiteront en dehors des villages. Beaucoup se convertiront à l'islam, qui n'avait pas d'interdit pour cette profession importante dans l'économie du pays.

On retrouve là le même problème que pour la sériciculture (l'élevage des vers à soie), les bouddhistes, refusant de tuer le papillon avant de dévider le cocon, ne pouvaient que filer le cocon percé, comme on file le coton, à l'aide d'un rouet. Seuls les musulmans purent fonder des magnaneries utilisant la technique chinoise qui consiste à ébouillanter le cocon avant la sortie du papillon afin de le dévider pour en faire un fil continu en regroupant le fil de plusieurs cocons. Religion et technique présentent parfois des incompatibilités insurmontables.

Le Pakistan oriental[1] *: les Murung*

En bordure de la Birmanie, dans des collines inaccessibles, se situe l'ethnie des Murung, étudiée par plusieurs ethnologues, dont A.B. Rajput. La grande simplicité de leurs tissus en coton et la sérénité de leur mode de vie les rendent exemplaires. Ce qui nous permet d'imaginer la vie des premières tribus vivant au Pakistan et en Inde et de connaître certaines pratiques magiques liées au coton, qui ont aujourd'hui disparu dans le reste du pays. Le passé aide souvent à mieux comprendre le présent.

Chaque famille subvient elle-même à ses besoins. Les hommes cultivent le coton avec lequel les femmes réalisent des étoffes assez grossières pour les vêtements de leur famille. Ceux-ci se réduisent, pour les femmes et les fillettes, à un petit morceau de tissu, teint en bleu indigo, enroulé autour de la taille et dont les deux extrémités pendent à l'extérieur de la cuisse gauche. Ce pagne, orné en son milieu d'un motif géométrique tissé, est attaché autour de la taille par une petite ceinture de perles. Les femmes tissent une pièce d'étoffe servant à porter sur le dos leur petit enfant. Les hommes s'enroulent aussi autour des reins un petit morceau de tissu de coton blanc, dont les deux extrémités assez longues leur pendent devant, entre les jambes. Ils portent un turban pour sortir du village ou lors de la visite d'un étranger. Ce sont les hommes qui égrènent le coton à l'aide d'une machine astucieuse en bambou, qui l'écrase entre deux rouleaux actionnés par une manivelle. Les femmes le filent et le tissent sur des métiers dits à poitrinière, très simples, du type du métier à sangle dorsale précolombien.

Le coton est, ici encore, lié à certaines pratiques magiques. Par exemple, en cas de maladie d'un adulte, le guérisseur, appelé *sara*, fabrique un arc miniature avec un éclat de bambou et y attache au milieu un brin de coton qu'il tient entre ses doigts. « Il évoque alors un à un les

1. Aujourd'hui, le Bangladesh.

trois esprits mauvais et lorsque, à un nom donné, l'arc suspendu commence à se balancer, le *sara* annonce que le patient est sous le pouvoir de cet esprit, que la famille doit apaiser par les sacrifices rituels qui conviennent », précise A.B. Rajput. On coiffe le cadavre d'un homme d'un turban neuf et on lui met un pagne autour des reins. Les orteils sont liés ensemble par un fil de coton blanc et tout le corps est ensuite enveloppé dans un drap neuf, du coton le plus blanc, tissé par sa femme avant sa mort.

Les tissus religieux d'Indonésie

Dewl Sri est la déesse du tissage à Bali. C'est elle qui apporta le coton aux hommes et, un peu comme le septième ancêtre dogon, fit de son corps le premier métier à tisser. Elle est l'énergie qui émane de Dieu, l'union par la chaîne et la trame du féminin et du masculin, du terrestre et du céleste, de la lune et du soleil, du levant et du couchant. Le rouge est la couleur d'en haut, le blanc celle d'en bas. Le tissage est de ce fait considéré comme un métier essentiellement féminin. Il est interdit à un homme de toucher au métier à tisser en activité. Si un fil de la trame casse en cours de tissage, la tisserande se trouve dans l'obligation rituelle de recommencer son travail en détissant toutes les trames passées, comme dans l'histoire de Pénélope.

À Bali, le tissu sacré, appelé *lamak*, entièrement tissé en coton, est techniquement l'un des plus extraordinaires au monde. Pour le Balinais, nous l'avons vu, la création du monde consiste en une union du principe masculin et du principe féminin, du terrestre et du céleste, en fonction de deux directions primordiales : le haut et le bas, l'amont et l'aval. Aussi pour les tissus sacrés *lamak*, il fallait arriver à modifier le sens horizontal habituel de la trame, en un sens vertical identique à celui des fils de la chaîne ! Or il est impossible de réaliser un tissu exclusivement à partir de fils de chaîne. Les fils n'étant pas liés entre eux, le tissu n'aurait aucune contexture. Il a donc fallu, aux tisserandes, inventer un procédé secret de brochage utilisant des trames supplémentaires invisibles. Celles-ci dissimulaient les liages avec la chaîne et étaient déviées dans le sens vertical — parallèlement aux fils de la chaîne — afin de rétablir l'équilibre du monde dans son axe central haut et bas. Une véritable prouesse technique pour satisfaire la déesse du tissage et un rituel religieux secret. Ce tissu décore le trône de pierre dédié au dieu solaire Surja, et on l'utilise lors de la fête de Njepi, le nouvel an qui correspond à la nouvelle lune de mars.

D'après une légende qui circule à Bali, une paysanne un peu sorcière avait le pouvoir de se transformer la nuit en un animal effrayant. Elle se retirait des semaines entières en des lieux secrets. Ce fut après l'une de ses disparitions qu'elle déclara aux habitants de son village avoir reçu, d'une inspiration divine, la révélation d'une nouvelle technique de tissage que personne ne connaissait. Aussi la garda-t-elle secrète et s'en servit-elle exclusivement pour tisser le *lamak*, enfermée pendant plus de six semaines dans sa maison sans voir personne. Seule une fillette lui apportait ses repas. Celle-ci observait furtivement le tissage si mystérieux et, à la mort de la vieille femme, elle put révéler aux autres tisserandes du village le secret de ce tissu sacré.

Dans plusieurs régions indonésiennes, l'ikat était utilisé aussi dans des cérémonies rituelles comme vêtement sacré. On enveloppait les morts dans un linceul d'ikat, orné du motif représentant le serpent mythique du monde des morts ou la tortue, symbole de la terre où l'on retourne. Avant la mise en terre, on l'accrochait au-dessus de la tombe comme un drapeau emblématique.

Dans ce bref inventaire des créations textiles en coton indonésiennes à caractère sacré, il ne faut pas oublier un magnifique tissu rituel de la région de Lampung, située au sud de l'île de Sumatra, et qu'on désigne sous le nom de tissu « des nefs des morts ». Les dessins ikatés évoquent les navires qui conduisent les âmes des défunts au royaume des morts, un peu comme le symbole de la barque des morts égyptienne. Rappelons aussi les tissus rectangulaires aux chaînes d'ikat du Sumba oriental, aux motifs curieux d'arbres-à-crânes et cacatoès, appelés *hinggi* et utilisés comme des châles portés sur l'épaule par les hommes.

Les mythologies dans la Chine ancienne

Si la soie est à la base de la culture textile chinoise, la mythologie se rattachant au tissage se réfère aussi bien à la soie qu'au coton. Selon la tradition, ce serait un empereur mythique, Fuxi, et sa fille, Nugua, qui auraient été les créateurs des hommes. Ils sont souvent représentés tous les deux enlacés, leurs longues jambes se métamorphosant en un fil torsadé (de soie ou de coton ?), ce fil conduisant du monde des ténèbres à celui de la lumière.

Mais le mythe de la « Tisserande et du Bouvier » se rattache à la culture du coton, car il est né dans le monde rural, rythmé par les saisons. L'été est la saison des hommes qui travaillent aux champs, l'hiver, la saison des femmes qui tissent le chanvre et le coton à la maison. Une légende évoque le mariage de ces deux divinités complémentaires, la Tisserande et le Bouvier. La Tisserande est identifiée à Véga, qui correspond à l'étoile alpha, située dans la constellation de la Lyre qui ressemble à un métier à tisser. Véga tisse, assise sur une rive du fleuve céleste, la Voie lactée. En face d'elle, se situe la constellation du Bouvier. Celui-ci laboure le champ céleste, attelé au chariot de la Grande Ourse. Le septième jour du septième mois, les deux constellations passaient le « fleuve » pour se rencontrer et se réunissaient sur le même côté de la Voie lactée pour célébrer leurs noces célestes. Ce mariage de la Tisserande et du Bouvier, du principe masculin — le printemps et l'été — et du principe féminin — l'automne et l'hiver —, se situe à la base de toute l'organisation rurale qui, comme l'univers, repose sur l'équilibre du yin et du yang.

Dans le langage populaire, « l'affaire rouge » est le mariage, souvent symbolisé par la torsion de deux fils rouges, qui représentent le fil unique de la destinée des deux époux et, le rouge, la joie de l'union. Rouge est aussi le costume de la mariée, en soie ou en coton suivant son origine sociale, cachée dans le palanquin qui la conduit vers la maison de son fiancé. Par contre, « l'affaire blanche » concerne les enterrements où l'on s'habille de blanc.

Les mythologies du tissage du coton chez les Mayas du Guatemala

À l'origine, Ixchel, la déesse de la Lune, avait enseigné le tissage au peuple maya. Dans le *Codex Tro-cortesiano*, la déesse est représentée avec un métier à tisser à sangle dorsale, attaché à un arbre. Elle porte sur la tête, comme un turban, un serpent lové. La tradition prétend que ce sont les mouvements ondulatoires du serpent et ses couleurs chatoyantes qui lui ont inspiré le tissage ! La lune et le serpent se retrouvent souvent associés dans des mythologies liées au tissage. La lune, symbolisée par cette déesse, tisse le voile cosmique et le destin de l'humanité. Dans la bible maya, le *Popol Vuh*, le fil du coton représente la liane dans la forêt et ce sont ces lianes entrecroisées qui composent les structures de tous les tissus. Le serpent intervient comme le créateur du tissage, son corps vivant se glissant dans cette chaîne végétale comme le fait la navette du métier à tisser dans les fils de la chaîne.

Après l'arrivée du christianisme avec les Espagnols, cette déesse est devenue progressivement la Vierge Marie. Elle a dit aux femmes de chaque village : « Regardez comme je file le coton à l'aide du fuseau, regardez comment je monte le métier, regardez comme je tisse. » Marie leur a enseigné ensuite comment réaliser chaque motif et « écrire » dans chaque tissu. Aussi un *huipil* symbolise-t-il à lui seul l'univers tout entier.

Les mythologies africaines liées au coton : Dogons du Mali

De nombreuses mythologies africaines sont étroitement liées au filage et au tissage, mais la mythologie dogon accorde une place considérable au tissage. Le septième génie est chargé par Amma, le dieu unique, d'apporter la parole aux hommes en leur apprenant la technique du tissage. Pour cela, il se métamorphose en métier à tisser et crache par la bouche les quatre-vingts fils de coton qui composeront sa chaîne. Pour les égaliser, il les sépare en deux parties identiques : les fils pairs sont placés entre ses dents supérieures, les fils impairs entre ses dents inférieures, évocation du peigne du métier à tisser. Puis, par le mouvement de va-et-vient de sa mâchoire, qui s'ouvre et se referme tour à tour, le génie crée le mouvement des lisses du métier à tisser qui se lèvent et se baissent successivement. Ce mouvement est symbolisé par sa luette qui monte et qui descend à chaque mot. Un anneau fixé à son nez évoque la poulie du métier qui sert de relais aux mouvements des lisses où chaque fil de la chaîne est enfermé dans un petit maillon. Le grincement de la poulie correspond à l'endroit où se forment les sons, c'est-à-dire les cordes vocales.

C'est grâce à la pointe de sa langue fourchue qu'il va pousser alternativement à gauche, puis à droite le fil de la trame « dans le souffle de la parole révélée ». En effet, tout en tissant, le septième génie parle et le tissu se forme en même temps que sa parole. Elle est tissée avec les fils et entre dans la contexture carrée de la toile de coton.

Dans cette mythologie, la fourmi avait préalablement cardé et filé les fils de coton de ce tissu-parole. L'ancêtre avait transmis sa parole à la fourmi et c'est elle qui enseigna aux hommes la technique du tissage et leur révéla les paroles articulées du génie, le maître de la parole. Depuis, en langage dogon, le tissu veut dire « c'est la parole », et, quand on se retrouve nu, on est sans parole. Le tissu est le Verbe du dieu incarné.

Chaque partie du métier à tisser dogon évoque ce mythe de la transmission de la parole : la poulie se dit en dogon « le grincement de la parole » et son support, sculpté en forme de tête, est appelé « ma bouche largement ouverte ». La navette correspond à la langue du Lébé, le serpent sacré. Les quatre montants du métier symbolisent son tombeau et ce sont les lisses, dans leur rythme alternatif pour diviser les fils de la chaîne en fils pairs et fils impairs, qui ouvrent et qui ferment la parole de la tombe du Lébé. Ce serpent mythique pénètre et sort sous la forme du fil de trame lancé par la navette. Le métier dogon devient ainsi un lieu sacré qui relie le tisserand directement à son dieu par la parole insérée dans le tissu qu'il tisse, trame après trame, ouvrant et fermant indéfiniment, comme les déesses du tissage, les cycles individuels et cosmiques. Les mythes sont les miroirs de nos croyances et de nos rêves.

Le fuseau symbolise chez les Dogons la rotation de l'ensemble cosmique, son tournoiement correspondant au mouvement de spirale vers le soleil. Le fil de coton, qui se forme et qui descend de la main de la fileuse, devient le lien qui relie le ciel et la terre, dieu et les hommes. C'est pourquoi la fileuse dogon joue un rôle important dans le système de la création du monde. Cette femme, à l'origine, était liée au premier ancêtre forgeron. Armé d'un arc de fer, celui-ci avait lancé dans la voûte céleste une flèche-fuseau pour s'en servir comme point d'amarrage. C'est de ce fil tendu entre ciel et terre que descendirent les sept ancêtres-génies, qui ont révélé tour à tour le système du monde. Aussi, en pays dogon, comme l'a dit un initié à l'ethnologue Griaule, « filer le coton, tisser le pagne en coton, l'homme et la femme qui rentrent à la maison pour se coucher et procréer, c'est tout un, les fils de coton des tisserands, les hommes nombreux de ce monde, c'est tout un ». À tel point que, afin d'imiter les dents limées qui servaient de peigne au septième ancêtre, les femmes et certains hommes ont les dents limées en pointe, pour que leurs paroles en sortant de leur bouche soient bien tissées.

Les mythologies et le symbolisme des tissus chez d'autres ethnies africaines

Il y a d'autres mythologies sur les origines du tissage. Le peuple des Toucouleurs, éparpillé du Sénégal au Tchad, comme les autres peuples nomades, Peuls et Touaregs, ne pratiquait pas le travail manuel, parfois le méprisait en tant qu'éleveur de chevaux pour les conquêtes en bordure du Sahel et de chameaux pour les caravanes. Aussi ont-ils amené dans les pays conquis des familles des principales castes d'artisans qu'on trouvait au Fouta-Toro (Sénégal).

Dans la caste des Maboulés, les hommes tissaient uniquement du coton et leurs femmes teignaient les fils ou les bandes tissées. Elles étaient aussi potières. Une légende évoque les origines des Maboulés à l'époque mythique où le métier à tisser n'était pas encore inventé. « Un pêcheur, nommé Dioutel Diabâli, surprit un jour un génie se livrant à une activité inconnue. Il tissait sur un métier primitif, celui encore utilisé aujourd'hui. Il suivit, caché, tous les mouvements du génie pour apprendre à tisser. Le génie, tout en lançant la navette, chantait à haute voix des *tiefi* (paroles magiques) concernant l'art du tissage. Ayant vite compris la technique du tissage, le pêcheur armé de sa rame se précipita sur le génie avec de grands cris. Celui-ci prit peur et se métamorphosa en vent, abandonnant sur place le tissu qu'il fabriquait et tout le matériel. Le pêcheur retourna au village, installa son métier et se mit à tisser. Ainsi Dioutel Diabâli fut le premier tisserand, l'ancêtre de tous les autres tisserands maboulés. »

C'est peut-être à la suite de cette légende racontée par les griots que le tisserand africain ne peut mener à bien son travail qu'avec la protection de certains génies, d'où la nécessité pour lui de pratiquer, avant et après le tissage d'un tissu à caractère sacré, toute une série de rites magico-religieux. Par exemple, les tisserands de l'ethnie baoulé en Côte-d'Ivoire se servaient d'une poulie de métier à tisser dont la forme sculptée était un symbole protecteur. Lorsque le tisserand tissait les bandes servant à confectionner un linceul, il utilisait une poulie évoquant le juge des amis de l'au-delà, représenté sous l'aspect d'un homme à tête de singe ou parfois à tête de chien. Chaque tisserand était un initié. Il connaissait la magie des matières, le symbolisme des motifs et des couleurs. Les motifs géométriques des poids à peser l'or, ceux des poids-proverbes figurant des animaux mythiques, des végétaux ou des objets servaient de modèles aux tisserands baoulés. Ils les reproduisaient avec la technique du brochage, par ajout de trames partielles dans les tissus. Certains motifs correspondaient à un dicton populaire. Un serpent en train d'avaler un crapaud évoquait le suivant : « Tout ce que possède le crapaud, même sa vie, appartient au serpent » ; un crocodile, « Quand on est au milieu du fleuve, on n'injurie pas le crocodile » ; une tête de bélier, « Ma force est dans mes cornes », etc.

Les pagnes peints portés par les Sénoufos, initiés au cours des danses du *Poro*, représentent également de nombreux animaux mythologiques comme le crocodile, le serpent, la tortue, le caméléon. Ces pagnes, servant aussi de tuniques de chasse, avaient un pouvoir protecteur magique.

Les couleurs des bandes tissées, toujours dotées d'une signification symbolique, sont souvent associées à un être mythique. Les Africains, lorsqu'ils portent un pagne composé de bandes de plusieurs couleurs, se vêtent de mythes. Ainsi les tisserands bambaras du Mali utilisent-ils dans leur tissage de coton essentiellement trois couleurs : le noir est identifié à la saison des pluies, à l'eau, à la végétation et tire son origine de la terre, il évoque aussi le ciel d'orage et le tonnerre ; le rouge est associé à la saison sèche où les herbes prennent une couleur rougeâtre, mais aussi au sang et au soleil ainsi qu'aux techniques de la forge et de la poterie, puisqu'il évoque le feu ; le blanc est la synthèse des deux couleurs précédentes, c'est la couleur originelle, la lumière et la couleur de dieu, et elle est liée à la technique du filage du coton ; le jaune, considéré comme la couleur du changement, est réservé à l'initiation ; et le bleu indigo, arrivé seulement au XIIe siècle, est souvent associé au noir lorsqu'il est très foncé.

Chaque bande de tissu, en fonction de sa couleur, correspond à un épisode de leur mythologie : la bande blanche est la représentation symbolique de dieu, la bande noire évoque les fautes graves, le malheur. Aussi, comme pour leurs voisins dogons, le tissu à damier noir et blanc reproduit un drame mythique : le blanc est la sagesse et la bonté de Dieu, le noir, la faute originelle de la première femme qui provoqua le désordre du monde. Le contraste du noir et du blanc symbolise le conflit permanent entre les forces du mal et celles du bien. On devine combien il est difficile à un étranger de comprendre un langage textile, souvent à plusieurs niveaux d'interprétation.

Le tissu en Afrique, on l'a vu avec les Dogons, est souvent lié à la mort, que ce soit comme linceul ou comme offrande. À l'occasion des enterrements, la famille et les voisins apportent au défunt des graines de coton, symbole de renaissance ; ils offrent aussi des pièces de tissu en coton ou en raphia selon les régions. Dans mes *Mémoires d'un tisserand*, je raconte une cérémonie mortuaire de l'ethnie batéké au Gabon au cours de laquelle j'ai offert à la famille un pagne en raphia très fin. Mais, dans son

Voyage à la côte occidentale d'Afrique, accompli dans les années 1786 et 1787, Louis de Granpré décrit les funérailles d'un grand chef de Cabinda (situé à l'embouchure du Congo, en Angola), encore plus spectaculaires. Il raconte que le corps de ce chef, nommé Ma-Kayi, était enveloppé d'innombrables tissus, un peu comme les momies de Paracas au Pérou, mais davantage encore puisqu'il fallut passer un an « à le paquer et à le pleurer ». La masse de tissus était si lourde et si haute qu'une grande charrette, réalisée par des charpentiers européens et tirée par plus de cent cinquante jeunes garçons attelés à des cordages, fut nécessaire pour transporter le catafalque du défunt jusqu'à son tombeau. Une gravure de cet ouvrage montre cette scène incroyable.

Ces quelques exemples soulignent l'importance des textiles dans les offrandes aux morts. Plus on offre de pagnes, plus le défunt poursuivra heureux son existence dans l'au-delà. « Riche de la parole des ancêtres », symbolisée par ces tissus, le mort « retisse » le réseau de sa parenté afin d'être dignement reçu. On retrouve ici la conception de la survie des pharaons entourés dans leurs tombeaux de tous les objets utilitaires de leur vie passée. Il y a beaucoup d'autres influences de l'Égypte en Afrique noire.

Les commandes des tisserands baoulés de l'actuelle Côte-d'Ivoire étaient surtout constituées de grands pagnes, en prévision des enterrements des hauts dignitaires. Souvent, les couleurs et les motifs étaient rattachés à des signes de protection contre les forces dangereuses pouvant empêcher le mort d'atteindre l'autre monde. Si nous avons constaté avec les Dogons le symbolisme dont se chargeaient les simples damiers noir et blanc de la couverture des morts, toute leur histoire et leur religion étaient insérées dans les fibres du coton, « riches en paroles », puisque, pour eux, le tissu est la parole.

Ainsi, loin d'être un simple artisan, le tisserand africain initié est investi de pouvoirs religieux ; il est le lien entre le quotidien et le sacré, entre la vie — le monde des vivants — et la mort — le monde des ancêtres —, en tissant les bandes de coton sur son métier primitif, de la première tunique de l'enfant à son linceul. Il puise son inspiration dans le monde naturel et surnaturel, à la fois artisan et religieux. La technique et le religieux sont comme l'envers et l'endroit d'un même tissu. C'est pourquoi le métier à tisser est investi de rituels et de tabous. Chez les Dogons, sa qualité d'instrument de création de la parole lui confère des attributs divins, et le tisserand est enterré avec sa navette, qui est là encore analogue au symbole de la barque des morts égyptiens.

Toutes ces mythologies l'indiquent, chacune à sa manière : pour découvrir la beauté et la variété des tissus de coton, il faut savoir déchiffrer leur langage et comprendre leur écriture.

II

L'INDE, L'INDONÉSIE, L'EXTRÊME-ORIENT ET L'ASIE CENTRALE

L'Inde avant la colonisation

Les routes du coton en Inde : les premières toiles de coton peintes

Depuis les débuts du tissage, l'Inde est connue pour la richesse et la diversité de ses tissus. Chaque région, chaque village, chaque caste a ses techniques propres, ses motifs et ses couleurs.

Le Livre de Job évoque déjà ces « brillantes teintures des Indes », symbole de richesse et de beauté matérielle ; plus tard, Pline et Strabon louent les coloris des « indiennes » qui charmaient les femmes grecques, au temps d'Alexandre.

Aujourd'hui, nous pourrions faire de même. En Inde, des traditions et des techniques textiles très anciennes sont restées vivantes, notamment dans les régions rurales dont la production n'a pas été touchée par le tourisme ou le mercantilisme citadin. Cette production traditionnelle a été miraculeusement conservée dans presque toutes les régions isolées, du sud au nord, de l'ouest à l'est. Cotonnades teintes, peintes, brodées ou ornées d'applications variées y sont les reines.

Aussi, certaines villes ont parfois donné leur nom au tissu produit. C'est le cas du *calicot*, provenant de la ville de Calicut dans le sud de l'Inde. Constitués de tissus peints à la main ou à la planche, ces cotons sont appelés indiennes en France, *pindadoes* au Portugal et *chintz* en Angleterre. Utilisés aussi bien pour les vêtements qu'en ameublement, ils sont fabriqués dans le Rajasthan ou dans le sud-est, sur la côte de Coromandel. Déjà, Marco Polo écrit que « ce sont les plus beaux et plus fins du monde ». Le calicot servant à l'impression des indiennes est réalisé en point toile mais les tisserands le tissent aussi en point sergé, celui du célèbre tissu des *blue-jeans*. Le tissu de coton appelé percale (du persan *pergâla*) est une toile fine originaire de Madras, qui a laissé son nom à un tissu de coton bayadère. Le *madapolam*, de la ville du même nom, est proche de la percale, mais ses fils de chaîne et de trame sont plus fins. En Inde, la longue saison chaude impose des tissus en coton frais et léger, s'adaptant parfaitement à la forme traditionnelle du vêtement sans couture, ample, comme les fascinants saris. Lorsque aujourd'hui une femme se baigne dans le Gange, son sari, mouillé, se plaque sur son corps nu et la transforme en une statue antique vivante, une sorte d'idole défiant le temps.

Chaque région a conservé son style de sari. Il se porte de deux façons : tandis qu'une extrémité entoure la taille, l'autre est soit plissée et rentrée dans le dos, soit rejetée sur l'épaule. Mais chaque femme possède une façon particulière de draper son sari. C'était, et c'est encore dans certaines régions rurales, un acte de création quotidienne, qui adoucit ou accentue les lignes du corps.

Cadeau le plus apprécié à l'occasion d'un anniversaire, d'un mariage ou encore d'une naissance, le sari est souvent, en milieu rural, le costume de la mariée. Il est alors en mousseline de coton blanc, parfois imprimé de pois de couleurs, dont la sobriété est compensée par de nombreux bijoux en or ou argent, colliers, ceintures, bracelets, anneaux de cheville. Le jour de ses noces, on teint de laque les pieds de la mariée, on enduit de safran son pagne de dessous et l'on applique sur son visage un onguent composé de santal et autres parfums, avec sur le front un point rouge (*bindi*). Un ondoyant *chadar* (châle) recouvre la coiffure décorée de fleurs.

Dans les villes, comme Bénarès, le sari de mariage des castes riches est en soie brochée, tandis que le sari de coton tout aussi beau est réservé aux castes plus modestes. Dans le nord de l'Inde, le rouge garance est la couleur de la mariée durant les jours qui précèdent le mariage. Ainsi dans le Gujarat, noue-t-on ensemble le sari *plangi* rouge de la mariée avec le châle blanc porté par le marié. Dans la région de Saurastra, le dais nuptial de la caste des fermiers Kanbi, qui représente la danse de Krishna avec les Gopi, les séduisantes laitières qu'il courtise, est d'un somptueux rouge garance sur fond blanc.

C'est particulièrement dans les différentes techniques de teinture des cotons, unis ou imprimés, des plus fines mousselines aux plus grossières toiles à sac, que les artisans indiens ont atteint un niveau remarquable égalé en Europe seulement à la fin du XVIIIe siècle.

Le secret des teintures

La teinture est l'art de fixer les couleurs sur un tissu, différemment suivant leur résistance à la lumière, à l'air, au soleil et aux lavages. C'est pourquoi en Occident on classera, dès la fin du XVIIe siècle, les coloris des teintures en « petit et grand teint ». Les matières premières comme la laine, la soie, le lin et le coton ont des structures moléculaires différentes et acceptent plus ou moins bien certaines teintures. Les fibres de coton par l'importance de leur « moelle intérieure » sont les plus difficiles à teindre. D'où la nécessité de nombreuses opérations de « décreusage » et de « blanchiment » : avant de procéder à la moindre teinture, il faut enlever tout corps gras. Ce sont les teinturiers indiens qui, les premiers, découvrirent les procédés de « mordants », comme l'alun, le tartre, les alcalis, la chaux, imprégnant les fibres du tissu avant la teinture, et ayant le pouvoir de « fixer » les colorants au moment du bain de teinture.

Sommairement, on distinguera en Inde les colorants à mordant, peu solubles dans l'eau comme la garance et la gaude, le kermès et la cochenille, et les colorants en cuve, comme l'indigo et la pourpre, insolubles dans l'eau et qu'il faut dissoudre dans une solution alcaline. Il n'est pas question ici de faire un nouveau *Traité des teintures*, mais de suivre deux des principales d'entre elles, végétales et indiennes, la garance et l'indigo — les couleurs les plus appréciées pendant des siècles, le rouge et le bleu, jusqu'à leur utilisation en Occident, à partir du XVIIIe siècle seulement.

Une vaste région, qui s'étendait du Sind (le Pakistan) à la frontière sud du Gujarat, était désignée sous le nom de « ceinture de couleur », car les peintures, les céramiques et les tissus de coton peints, connus sous le nom de *kalamkari*, utilisaient les mêmes colorants minéraux et végétaux, créant ainsi une unité chromatique étonnante, surtout avec les rouges de la garance et les bleus de l'indigo.

La garance

Cinq cents ans av. J.-C., un érudit indien décrivait les vêtements et tissus connus d'après leurs couleurs. Il cite le tissu *lohitaka* teint avec du *manjitha* rouge, qui n'est autre que la garance, cette plante tinctoriale produisant une gamme de coloris qui va du marron au plus beau des rouge vif. On la trouvait dans plusieurs régions du monde à l'état sauvage, mais, à l'origine, elle ne fut cultivée qu'en Inde sous le nom de *Rubia cordifolia* ou d'*oldenandia umbellata* suivant la variété. Puis, sous la domination de l'Islam, des marchands indiens l'exportèrent en Perse, en Turquie et dans tout le Levant où elle fut connue sous le nom de *Rubi tinctorum* (rouge des teinturiers), cultivée à Smyrne, à Alep et Andrinople (le fameux rouge turc, si convoité). Les marchands arabes, enfin, la propagèrent dans tout le bassin méditerranéen jusqu'à Alméria en Espagne.

En Inde, les tissus peints en rouge et en noir, destinés à la décoration des sanctuaires, sont à l'origine de ce rouge indien. Les procédés délicats de teinture étaient réalisés par la caste tsigane des *Vaghri*, spécialisée dans la peinture des tissus sacrés. À cette époque lointaine, les *chtrakatha* étaient des toiles de cinq mètres de long, enroulées sur deux tiges de bambou, reprenant les thèmes de la mythologie indienne ou les épopées des héros régionaux. Ces tentures servaient de base aux histoires des conteurs itinérants, souvent accompagnés de danseurs et de musiciens.

À l'origine, la teinture avec la garance ne résistait pas au lavage. Aussi, pour obtenir un rouge lumineux, solide à la lumière et au lavage, les teinturiers indiens procédèrent par tâtonnements appliquant des recettes variées selon les régions, mais toujours à base d'un mordant servant à fixer la garance dans la structure des fibres.

En général, du Xe au XVIIe siècle, et encore aujourd'hui dans certaines régions isolées de l'Inde, on appelle « indienneur » l'artisan qui peint des motifs variés sur une toile de coton. Comme pour les tissus sacrés, il prépare d'abord sa toile en la lavant plusieurs fois dans l'eau la plus pure et en la faisant sécher à l'air et au soleil, pour « blanchir » le coton. Il plonge ensuite le tissu dans un bain de lait de buffle — ou une autre substance huileuse —, puis, dans un bain à base de chaux (un astringent), ce qui empêche le mordant, directement appliqué sur les parties à peindre, de sécher trop vite avant l'opération de la teinture en cuve. Ce mordant est à base d'alun ou de composés de chrome, de fer, d'étain, de sel, de vinaigre ou encore de soude caustique, selon la teinte plus ou moins rouge qu'on veut obtenir. Il permet de « fixer » et de « mordre » (d'où le nom, mordant) la teinture rouge réalisée à base de racines de garance, mélangées avec des graines de tamarin broyées. La garance mélangée avec du tanin donne une couleur presque noire.

Un tissu en ikat de Chîrâla dans l'Andhra Pradesh, encore fabriqué aujourd'hui, sert de turban et porte le nom de *telia rumâl*, évoquant l'odeur assez forte de l'huile de palmier utilisée pour la préparation de la toile avant la teinture à base de garance.

Les secrets de toutes les compositions des mordants auxquels le teinturier ajoutait des préparations personnelles — par exemple, une mixture composée de feuilles, de fruits broyés et de cendre de bois — et aussi les dosages précis de chaque composant furent conservés dans les familles et les corporations pendant des siècles, mais, comme presque tous les secrets industriels de l'Orient, (tel celui de la porcelaine chinoise), ils commencèrent à être divulgués vers le début du XVIIIe siècle par des commerçants de la Compagnie française des Indes ou par des Jésuites dans leurs *Lettres Édifiantes*. Nous raconterons, dans le chapitre sur la France, cette saga de l'espionnage industriel à l'ère classique, un vrai roman policier !

L'indigo

Panini, un érudit du ve siècle av. J.-C., évoque le *nila*, tissu teint à base d'indigo, cet autre colorant végétal, lui aussi originaire de la région de Gujarat en Inde. Sa couleur, résistante, varie du bleu clair au bleu le plus foncé, presque violet. Le *Hari nila* est l'une des nuances de ce bleu évoquant l'eau qui reflète le ciel. L'indigo fut une source de richesse pour l'Inde pendant des siècles, pratiquement jusqu'à la découverte des colorants synthétiques à la fin du XIXe siècle. L'indigotier indien donne trente fois plus d'indigo que les espèces des autres régions, mais il faut trente tonnes de feuilles fraîches pour obtenir seulement soixante-quinze kilos de pâte d'indigo propre à la teinture ! Pour ses qualités, la fécule de l'indigo, moulée en pain ou en cube, était exportée en Égypte et dans toute l'Asie.

Afin de fixer la teinture, il fallait mélanger au bain d'indigo de la chaux provenant de coquillages et la faire cuire pendant trois jours. Le teinturier indien utilisait les feuilles d'un petit arbuste, traitées dans un bain d'alcali. Le tissu à la sortie de ce bain était blanc, puis passait au vert-brun et ce n'était qu'après une exposition à l'air, par un phénomène naturel d'oxydation, que la couleur bleue apparaissait progressivement. Par une succession de bains, on arrivait à obtenir un bleu très foncé, presque noir. En mélangeant de la pelure de grenade au bain d'indigo le teinturier obtenait un vert foncé. Dans son récit de voyage en Inde, Marco Polo évoque la ville de Quillon, sur la côte occidentale, où les habitants « font un très bon indigo en grande abondance et vous disent qu'il est fait de la sève d'une herbe, car ils prennent cette herbe et la mettent sans les racines dans une grande bassine où ils versent de l'eau. Ils laissent reposer jusqu'à ce que toute l'herbe soit dissoute et la sève reste dans l'eau, puis ils la prennent et la mettent au soleil pour la sécher. La pâte est coupée en morceaux tels que vous les voyez et devient l'indigo ». La région la plus réputée pour la culture du coton et de l'indigotier était le Rajasthan. Il n'est pas étonnant que ce soit aussi la région des cotonnades, imprimées à la planche ou au cadre, les plus renommées.

Les marchands de la Compagnie anglaise des Indes achetaient l'indigo à Ahmedabad en petites tablettes « de deux doigts de large et quatre de long ». Au XVIIIe siècle, devant la demande occidentale de plus en plus grande, les commerçants anglais développèrent les indigoteries du Bengale, et Calcutta devint le port principal de son exportation pour toute l'Europe. De leur côté, les commerçants français créèrent des indigoteries dans leur comptoir de Pondichéry.

Comme partout dans le monde, la découverte de l'indigo de synthèse vers 1897 entraîna progressivement l'abandon des indigoteries, sauf dans certaines régions isolées des grands centres. Entre 1895 et 1905, les champs cultivés d'indigotiers avaient été réduits aux quatre cinquièmes et si, vers 1886, l'Inde importait pour environ 20 000 roupies d'indigo synthétique, déjà en 1895 elle en importait pour plus de 300 000 roupies ! Aujourd'hui, pour le marché de l'exportation, on revient aux colorants naturels traditionnels, tout en utilisant, dans certains cas, des teintures chimiques meilleur marché. Sur la côte est, par exemple, les imprimeurs de *kalamkari* (toiles peintes) utilisent le bleu naturel de l'indigotier, abondant dans cette région, mais en revanche, ils ont remplacé la garance par de l'alzarine chimique.

Teintures par « réserve »

Doubles ikats en coton blanc et bleu indigo de Pochampalli de la région d'Andhra Pradesh, saris de mariage tissés en double ikat à Patan et à Surat, célèbres *patola* au décor « éléphant et tigre » *(vagh-na-kunjar)*, réserves par ligatures (les *bandhani*) des régions de Mandvi, du Kutch, de Jamnagar et de Saurastra, réserves à base de mordant comme les *odhni* du Saurastra et les cotonnades du Rajasthan, etc : presque toutes les techniques de ces tissus traditionnels sont arrivées jusqu'à nous et nous en évoquerons quelques-unes dans le chapitre sur le XXe siècle.

Pour réaliser des tissus réservés, les teinturiers utilisaient de préférence des tissus de coton fins et souples, proches de la mousseline. Faciles à nouer et à plier en plusieurs épaisseurs, ils étaient adaptés au climat chaud l'été et à l'utilisation d'un vêtement ample sans couture comme le sari. Pour réaliser les motifs des cotonnades, les artisans spécialisés utilisaient, et utilisent encore dans certaines régions, soit un pinceau, soit un pochoir, soit surtout un tampon en bois de teck gravé. Les motifs appliqués « en réserve » ne prenaient pas la teinture, protégés par différentes substances comme la cire, la pâte de riz, l'amidon, la boue, etc. Une fois le tissu teint, comme par magie, le teinturier retirait cette matière de réserve dans un bain d'eau chaude laissant alors apparaître le fond protégé. Les teinturiers utilisaient aussi, nous l'avons décrit, des réserves par mordants à base d'alun pour fixer le rouge de garance. En ce qui concerne l'impression à base d'indigo, celui-ci s'oxydant rapidement au contact de l'air, il était impossible de se servir d'un pinceau ou d'un pochoir. On réservait avec de la cire ou de la gomme les parties du dessin qui devaient rester blanches après la teinture.

Les artisans appelés *Khattrié* se spécialisèrent dans la teinture par nœuds des tissus appelés *bandhani* : les femmes faisaient les nœuds, les hommes, la teinture. On plongeait les fines cotonnades une fois nouées, selon la complexité des dessins à obtenir, dans un premier bain de couleur, puis le processus de réserves par nœuds et bains de teinture pouvait se répéter autant de fois que le dessin exigeait de coloris et de motifs. Une fois les fils retirés, on voyait apparaître des cercles, des rosettes, dans les coloris des bains successifs. Un enchantement.

Les autres procédés de teinture

La fabrication en série de toiles de somptueuses compositions florales — production concentrée surtout dans le sud-est, le long des côtes de Coromandel — répondait initialement aux besoins locaux, mais on en exportait déjà une grande quantité en Perse. Ces cotonnades, appelées *kâlahasti* dans la région de l'Andhra Pradesh ou *kalamkari* dans celle du Gujarat, étaient et sont encore, bien que de plus en plus rarement, peintes à l'aide d'un pinceau par des artisans spécialisés, sans aucune utilisation de blocs d'impression en bois gravé. À l'origine, il s'agissait de tableaux peints de grandes dimensions représentant des scènes tirées des grands poèmes épiques comme le *Râmâyana* et exposés dans les temples.

Voici comment l'artisan procédait il y a plusieurs siècles, et procède encore parfois aujourd'hui pour les besoins des conteurs ambulants : la toile de coton, large d'un mètre cinquante, est coupée tous les cinq mètres, lissée, puis le dessin est esquissé à l'aide d'un charbon de bois sur la toile posée directement sur le sol. Pour réaliser les parties les plus fines et délicates, l'artisan utilise une tige de bambou aiguisée dont l'extrémité, enveloppée dans un morceau de feutre, est fixée par une petite cordelette. Cette sorte de pinceau-stylo, appelé *kalam* (*kalam* = plume, *kalamkari* = ouvrage de plume), lui sert à déposer le mordant sur les parties en réserve où les couleurs rouge et noir seront ensuite ajoutées, le fond restant écru. L'œuvre est achevée au moment du dernier coup de pinceau lorsque l'artisan peint l'œil du héros, lui insufflant ainsi la vie.

Les teinturiers ont toujours recherché les eaux les plus pures pour rincer les tissus peints. Par exemple, dans le Gujarat, à Jâmngar, l'eau de la rivière a la réputation de donner le rouge le plus vif et le plus solide. Dans cette même région, la grande ville industrielle du coton d'Ahmedabad regroupe encore aujourd'hui, dans un quartier populaire, les *Vaghri*, cette caste autrefois nomade, spécialisée dans l'impression et la peinture des étoffes sacrées, dédiées à Mâtâ, la déesse mère qu'incarne Kali.

On connaît bien à présent les procédés invariables de teinture de ces tissus sacrés. L'opération se fait en deux étapes. Le *Vaghri* débarrasse d'abord la cotonnade de son apprêt en la trempant dans une solution de crottes de chameau, puis, après l'avoir lavée, il la fait sécher au soleil. Il la plonge dans un nouveau bain à base de bouse de vache séchée, ensuite dans un autre bain contenant de la soude caustique, un fruit desséché, le myrobolan, et de l'huile de castor, puis il refait sécher le tissu. Il peut alors commencer le travail d'impression des motifs *mâtâ-ni-pachedi* à l'aide de grandes planches gravées. La teinture noire servant à cerner les personnages est réalisée avec un mélange de rouille et d'une solution sucrée, épaissie avec des graines pulvérisées de tamarin. Cette mixture, proche d'une vraie recette de cuisine, va réagir au mordant du dernier bain à base de myrobolan et donner une couleur noire indélébile. Le fond, entre les personnages, est peint avec un mordant à base d'alun et d'amidon. Arrivé à ce stade, le *Vaghri* confie le tissu à des teinturiers musulmans qui le trempent dans une cuve contenant un liquide bouillant à base de racines de garance. La réaction avec le mordant à base d'alun fixe et crée le rouge du fond de ce tissu, qui sera ensuite encadré dans les sanctuaires de la déesse. Considéré comme sacré par plusieurs castes, il protège les fidèles de Mâtâ d'une maladie ou d'un malheur imprévisibles.

L'impression à l'aide d'un seul bloc de bois gravé permettait de réaliser un simple motif placé en semis, dont on pouvait varier les coloris ainsi que la couleur du fond. C'était le cas du motif distinctif de la caste *Patel*, fermiers de la région de Gujarat, appelé *panni hari*, ce qui veut dire « la femme qui apporte l'eau ».

L'exportation des cotonnades indiennes

Pendant des siècles cette production de tissus en coton, unis, teints en pièces ou peints par différents procédés de teinture en « réserve », fut utilisée par toute la population, avec seulement quelques exportations de toiles peintes et de mousselines vers le Moyen-Orient, la Perse en particulier, par le biais des caravanes de la route de la soie. Les Arabes possédaient l'exclusivité du marché de l'indigo fabriqué à Gujarat ainsi que celui des cotonnades imprimées en réserve d'indigo, réalisées spécialement pour le marché égyptien. Ce sont les fragments de ces cotonnades retrouvées à Fostat que nous avons évoqués dans le premier chapitre.

Le commerce des cotonnades peintes se développa considérablement avec la création de la route maritime passant par le cap de Bonne-Espérance, découverte par Vasco de Gama en 1498. Ce dernier jeta l'ancre au nord de Calicut, ville commerciale aux mains des négociants musulmans, qui exportaient par bateaux les épices indiennes — poivre, cannelle et gingembre — et qui s'opposèrent à la mainmise des Portugais sur ce commerce dont ils avaient depuis des siècles le monopole. Vasco de Gama créa les premiers comptoirs sur les côtes du Mozambique et du Dekkan dans le sud-est, où étaient regroupés les centres de production de toiles peintes. En 1524, il devint vice-roi des Indes portugaises. Il fut le pionnier d'un empire colonial en fondant les premiers comptoirs commerciaux. Dispersés autour de l'océan Indien, ils exportaient épices, coton, cotonnades écrues, blanchies, teintes à l'indigo, ou peintes de motifs floraux, mousselines, perles et coraux, révélant ainsi au monde occidental les richesses fabuleuses de l'Inde. Tous les marchands européens accouraient à Lisbonne pour y faire leurs achats « exotiques ». Les marchands portugais achetaient bon marché les cotonnades indiennes ou les échangeaient contre du vin et des articles de nouveautés. Ils les expédiaient à Lisbonne mais aussi les échangeaient en Asie du Sud-Ouest contre des épices. Leurs navires mouillaient presque une année entière dans le port de Masulipatnam et c'est seulement une fois les soutes remplies de cotonnades peintes dans la région d'Andhra Pradesh que les marchands se dirigeaient vers les îles aux épices pour y pratiquer leur troc et réaliser en arrivant à Lisbonne de fructueux bénéfices.

L'Inde moghole (1556-1739) et les mousselines de coton

Du XVIe au XVIIIe siècle, l'Inde moghole du Nord connut une période de prospérité, décrite par plusieurs voyageurs européens dont les Français François Bernier et Jean-Baptiste Tavernier. Attirés par ces richesses, les commerçants européens, anglais, hollandais et français, se disputèrent les premiers comptoirs portugais, et créèrent de nouvelles concessions, source de conflits périodiques. Les Portugais perdirent progressivement leur monopole commercial.

La cour moghole accaparait alors une grande partie de la production textile, les cotonnades peintes et les mousselines jouant toujours leur rôle traditionnel. Les mousselines de coton y étaient connues sous le nom de

Chitra Virali (mousseline du roi). Mais elles portaient aussi des noms plus poétiques comme *shabnam* (rosée du matin) ou *abrawan* (ondoyante comme l'eau) car elles étaient si transparentes qu'on les prétendait invisibles. Mouillées et séchées sur l'herbe, seule la rosée du matin permettait de les voir. Beaucoup de statues indiennes laissent deviner le modelé du corps à travers ces tissus impalpables, tel ce bouddha gupte du IVe siècle, dont le vêtement transparent, plissé, voile à peine le frémissement de la chair. Le climat de l'Inde, différent de celui des envahisseurs musulmans, requérait ces mousselines arachnéennes si légères et vaporeuses. Certaines mousselines étaient ornées de broderies en or ou en argent, incrustées de perles et de pierres précieuses. Les tentes en cotonnade peinte du Grand Moghol sont décrites par l'Anglais Edward Terry en 1616 dans son livre *Voyage en Inde*. On peut découvrir ces magnifiques tissus sur les riches miniatures de cette époque, la plus florissante pour l'art textile.

Les premiers comptoirs étrangers

À l'âge d'or de l'Empire moghol au XVIIe siècle, le commerce terrestre avec l'Asie centrale se développa. Les étoffes indiennes, par la vivacité de leurs coloris et leurs motifs floraux, continuaient à plaire à la clientèle occidentale. Cette production textile s'accrut considérablement avec l'arrivée des commerçants portugais qui conservèrent le monopole durant un siècle grâce à la maîtrise de l'océan Indien et la prise de Goa. Mais, à partir de 1580, les Hollandais prirent le relais en ruinant les comptoirs portugais. Puis, à leur tour, l'Angleterre et la France se firent la guerre pour la possession de ces comptoirs tandis que l'Espagne se réservait le monopole du Nouveau Monde. Dès 1600, la East India Company (la Compagnie anglaise des Indes orientales) se mit à développer le commerce textile avec les Indes. Ainsi les navires anglais, qui avaient accosté à Surat, transportaient un chargement de drap fin de couleur noire et d'autres lainages, destinés à être échangés contre des épices, du poivre, de la cardamome et de la cannelle. Sans succès. Ils durent payer en argent comptant ou en métaux précieux les marchandises souhaitées.

La plus grande réussite de la Compagnie sera le commerce des cotonnades peintes exportées depuis l'Angleterre sur tous les marchés européens et du Levant. En même temps, en 1602, se fondait la Compagnie hollandaise des Indes orientales qui avait le monopole de la navigation entre le cap de Bonne-Espérance et le détroit de Magellan.

À partir de 1650, ce fut la grande vogue de ces cotonnades indiennes, et on vit alors apparaître des motifs nouveaux inspirés par les commerçants anglais et hollandais. Un extrait de lettre de l'un des directeurs londoniens de la Compagnie des Indes montre l'importance de ce commerce au XVIIe siècle : « Deux millions d'articles du même genre (indiennes) pour une année ne serait pas trop sur le marché si nos directeurs (en Inde) pouvaient les fournir en temps voulu et régulièrement. » Ces commerçants supervisaient les ateliers de tissage de calicots et d'impressions, installés à Surat, au Fort-Saint-Georges et à Madras, pour obtenir la meilleure qualité possible.

François Bernier, après un séjour de dix ans en Inde moghole, dans un mémoire adressé à Colbert, s'efforça de le sensibiliser au commerce avec l'Inde, lui décrivant l'abondance des marchés du coton, de l'indigo, de la soie que l'on recueillait tout autour d'Agra. Colbert l'écouta et créa, en 1664, la Compagnie française des Indes orientales, qui aura d'abord son siège à Rouen, puis à l'Orient (Lorient). Chaque compagnie rivale chercha à s'assurer le monopole du commerce des régions occupées à son profit. D'où le développement plus tardif, après le pillage des ressources locales, des plantations d'indigo, de tabac et surtout de coton.

Jean-Baptiste Tavernier parcourut l'Inde vers 1665. Il nota dans son récit que l'indigo produit dans la province de Gujarat et la région d'Agra était le meilleur. Il y voyait aussi « un grand négoce de toutes sortes de toiles peintes qu'on appelle *Chites*, plus on les lave plus elles deviennent belles ». Les représentants de la Compagnie française des Indes orientales prendront position à Masulipatnam, Chandernagor et Pondichéry. Ils installeront des agents commerciaux au Gujarat en 1667, région riche en indiennes. Le port d'Ahmedabad deviendra par la profusion de manufactures d'indiennage « le Manchester de l'Inde ».

Les compagnies hollandaise, anglaise et française du XVIIe au XVIIIe siècle se disputeront les marchés européens, jusqu'au jour où les teinturiers hollandais, anglais, suisses puis français arriveront à imiter les indiennes et à plonger les artisans indiens dans une grande misère. Ces derniers ne recevront plus de commandes sauf de Perse, qui un jour, elle aussi, copiera les indiennes, avec en particulier la reproduction du motif si caractéristique de l'arbre de vie.

Exclue par le monopole hollandais des épices, l'East India Company se dirigera vers l'exploitation des textiles indiens. Ses navires rapportaient de Madras ou de Surat jusqu'à Londres les *calicots* du Gujarat, les mousselines du Bengale. La demande était de plus en plus grande : 120 000 pièces en 1614 et plus de 220 000 en 1625.

Pendant plus d'un siècle se succéderont des luttes acharnées entre les flottes anglaise et française afin de garder le monopole de ce commerce des toiles peintes, très prisées alors qu'on utilisait de moins en moins d'épices dans la cuisine européenne. La main-d'œuvre étant sous-payée, les différentes compagnies des Indes achetaient à vil prix les mousselines du Bengale et en grande quantité ces cotonnades imprimées. La mise en place d'un réseau d'espionnage industriel se fit par l'intermédiaire des agents de la Compagnie des Indes, des missionnaires, des voyageurs, et Pondichéry joua alors un rôle important dans la diffusion en France des secrets des teinturiers indiens.

À Chandernagor, les commerçants français regrouperont les mousselines du Bengale qui avaient, comme au temps des Romains, beaucoup de succès auprès des femmes européennes les plus élégantes. Ils exporteront aussi quelques *Kantha*, confectionnés par les femmes bengalis pour leur propre usage. Ce tissu était une sorte de *patchwork* qui servait aussi bien de couvre-lit que de manteau pour se protéger du froid. *Kantha* signifie rapiècement brodé. Les femmes découpaient dans leurs vêtements usagés des morceaux d'étoffes qu'elles assemblaient pour former des décors improvisés par la superposition de broderies à petits points, véritable écriture de fils. Ces femmes bengalis, vivant à la campagne, transposaient dans leurs tissus assemblés et brodés tout leur environnement et leurs traditions religieuses, avec de grandes variétés de style suivant l'imagination et la créativité de chacune. Elles employaient fréquemment des morceaux de saris de coton blanc comme support. Les fils à broder de couleur étaient prélevés sur les vieilles étoffes en soie ou en coton. C'était une technique proche des *Kesa* japonais portés par les moines bouddhistes en souvenir du vêtement rapiécé que le Bouddha portait pendant sa vie d'ascète. En Inde, cette robe de moine s'appelait *sanghati*, ce qui signifie assemblé.

Les *Kantha*, qui demandaient plus de six mois de confection, étaient souvent offerts aux membres de la famille lors d'un mariage. Œuvres d'art populaire, proches de la peinture, ces pièces furent très recherchées par les premiers collectionneurs européens d'art indien des XVIIIe et XIXe siècles. Les pièces anciennes sont rares et sont souvent devenues des panneaux décoratifs destinés à l'exportation. Ce fut aussi le déclin de la production des *kalamkari* et des *bandhani*, jusqu'à l'apparition du tourisme international offrant de nouveaux débouchés aux techniques anciennes de broderie, de patchwork et d'impressions.

La révolution économique de la Compagnie anglaise des Indes orientales

Plusieurs révolutions furent étroitement liées au coton. La plus spectaculaire, après la révolution industrielle de Manchester (racontée dans le chapitre consacré à l'Angleterre), se déroula en Inde que l'Empire britannique allait rapidement déposséder de son ancien monopole des indiennes. Si incroyable que cela puisse paraître, l'Inde, le plus grand producteur de cotonnades peintes, exportées en Asie et en Europe, devint, sous cet empire étranger, un simple producteur de coton brut !

À partir du début du XVIIIe siècle, la Compagnie anglaise des Indes orientales domina le marché indien. Par une série de batailles terrestres et maritimes, l'Angleterre établit sa suprématie sur de vastes territoires. La culture du coton y fut développée pour satisfaire les besoins de l'industrie textile de Manchester, où les premières machines à filer et à tisser le coton venaient d'être inventées.

Les rivalités franco-anglaises en Inde débutèrent avec la prise de Madras par La Bourdonnais en 1746. En représailles, la flotte anglaise, forte d'une armée de 4 000 hommes, bloqua le port de Pondichéry. Après trente jours d'une résistance héroïque du gouverneur Joseph Dupleix, les Anglais abandonnèrent la lutte. En dépit de la paix d'Aix-la-Chapelle en 1748, sept ans plus tard les Anglais, jaloux du développement de nos colonies en Inde et en Amérique, sans aucune déclaration de guerre, s'emparèrent de trois vaisseaux de guerre et de trois cents navires de commerce, dont plusieurs appartenaient à la Compagnie française des Indes. Ce fut le prélude de la guerre de Sept Ans qui sera un désastre pour la Compagnie française des Indes. La route du commerce commençait à être libre pour tous, au-delà du cap de Bonne-Espérance, juste au moment où la Grande-Bretagne allait dominer tout l'empire indien. En 1757, Robert Clive conquit le Bengale et monopolisa le commerce de la mousseline.

Le développement des exportations d'indigo et de cotonnades vers l'Angleterre fut en grande partie le résultat de la guerre d'indépendance des États-Unis. Il fallait répondre à un marché en pleine expansion. À partir de 1778, les Anglais investissent dans la culture de l'indigo au nord du Gange. Devant l'accroissement de l'importation de cotonnades indiennes, le gouvernement britannique, pour protéger son industrie cotonnière de Manchester, sera obligé d'imposer de lourds droits de douane sur tous les textiles indiens. Les cotonnades représentaient, jusqu'en 1800, environ la moitié des exportations du Bengale qui disposait d'une importante main-d'œuvre rurale pour les différentes opérations d'égrenage, de filage et de tissage du coton. À partir de 1802, celles-ci commencèrent à baisser en raison de la concurrence croissante des cotonnades anglaises meilleur marché. Les tisserands et les marchands indiens durent se reconvertir dans l'agriculture pour assurer leur survie matérielle.

En 1805, la Compagnie anglaise des Indes orientales, dotée d'une véritable armée, était toute-puissante. À la suite de ses différentes conquêtes, elle géra l'immense empire des Indes jusqu'en 1833, date à laquelle son monopole commercial fut aboli afin de favoriser le développement de sociétés privées, exportant les matières premières comme le coton et l'indigo, et important des produits manufacturés directement en Angleterre par bateaux.

En 1858, quand l'administration de l'Inde reviendra en totalité à la Grande-Bretagne, la colonie sera un élément important de l'économie mondiale. En Inde orientale les administrateurs anglais développeront les plantations de coton, mais les variétés locales donnant des fibres courtes n'intéresseront pas toujours l'industrie cotonnière anglaise. Elles répondront en revanche à la demande chinoise, et seront exportées depuis Bombay. Un peu plus tard, des industriels anglais installeront la première filature de coton en Inde et exporteront les fils fabriqués afin d'alimenter en priorité les usines de Manchester ! C'est surtout le coton de l'Inde du Sud, le plus beau, qui sera exporté au moment de la forte demande européenne provoquée par la guerre de Sécession qui interrompit la production du coton du sud des États-Unis.

En 1877, la reine Victoria est proclamée impératrice des Indes. Les progrès rapides du machinisme et l'importance prise par les filatures et le tissage du coton à Manchester inciteront les Anglais à puiser dans ce nouvel empire toute la matière première disponible. Pendant des siècles, la fabrication des cotonnades et leur impression à la main employaient dans presque toutes les régions indiennes une main-d'œuvre considérable. Avec la création de l'Empire, cette main-d'œuvre va être exploitée en grande partie pour la culture et la cueillette du coton afin de l'expédier brut à Liverpool ou en balles à Pékin et alimenter les filatures anglaises et chinoises. Les tisserands et tisserandes seront alors obligés de se consacrer exclusivement à la culture intensive du coton sous peine d'être réduits au chômage et à la misère. Aussi, partout où le climat le permettait, la culture du coton remplaçait les anciennes cultures vivrières. L'équilibre de l'économie indienne fut d'autant plus bouleversé que les marchands et entrepreneurs anglais, qui copiaient servilement les motifs des indiennes, arrivèrent à des prix de revient inférieurs à ceux de la fabrication artisanale locale.

Les capitalistes anglais importaient le coton brut, le transformaient dans leurs usines, puis le réexpédiaient vers d'autres continents sous forme de produits manufacturés. Les spéculateurs britanniques ont ainsi dépossédé l'Inde de son ancien monopole commercial. La fabrication d'indiennes en Angleterre a inondé le marché européen mais aussi, énorme paradoxe, celui de l'Inde où ces tissus industriels ont été revendus moins cher que ceux produits artisanalement sur place, avec une main-d'œuvre pourtant sous-payée ! Pour rester compétitifs, les rares tisserands du marché local se reconvertiront en utilisant le fil de coton industriel, importé d'Angleterre, moins cher que celui produit localement au rouet ! L'Inde sera alors considérée comme un marché important pour toutes les cotonnades tissées, teintes et imprimées à la planche en Angleterre, avec, il est vrai, des motifs spécialement créés pour ce marché. C'était le monde commercial renversé ! Le Mahatma Gandhi prendra cette situation comme exemple des conséquences de la colonisation anglaise et donnera l'ordre aux femmes de refiler le coton local et aux hommes de le retisser.

Le coton en Afghanistan et en Asie centrale

L'Afghanistan

L'Afghanistan est un pays aux riches traditions textiles dont les techniques et les productions n'ont pas beaucoup changé depuis le passage des armées d'Alexandre le Grand et de Gengis Khan. De nombreuses ethnies, restées nomades, y vivent en économie fermée en élevant des chameaux et des moutons. Les femmes utilisent la laine de leurs troupeaux pour réaliser des tapis tribaux. On connaît aussi les magnifiques tissus de soie de ce carrefour des « routes de la soie », les ikatés des artisans turkmènes, produits surtout à Aqcha et représentés sur de nombreuses fresques des grottes bouddhiques d'Asie centrale, comme à Dunhuang. Mais on connaît moins bien les beaux ikats en pur coton aux fibres soyeuses, fabriqués dans cette même région du Nord. Les khans remettaient aux ambassadeurs, pour les honorer, de splendides manteaux d'ikat. Les hommes très riches portaient plusieurs manteaux ikatés, les uns par-dessus les autres, pour montrer leur position sociale élevée.

Les cotonnades indiennes arrivaient par les routes caravanières d'Inde ou de Perse. Parvenant jusqu'en Russie par les voies longeant la mer Caspienne, ces cotonnades matelassées servaient de couvre-lits. Un mouvement commercial inverse se produisit vers la fin du XIXe siècle, où les commerçants russes exportèrent de grandes quantités de tissus de coton, imprimés industriellement mais s'inspirant des motifs très colorés des indiennes ou même parfois des motifs ikatés. Les femmes afghanes raffolaient de ces imprimés, qu'elles surbrodaient souvent pour leur donner un cachet artisanal. La production traditionnelle resta néanmoins vivante dans le Nord. En Ouzbékistan, un manteau en ikat deviendra, en réaction contre les influences étrangères, notamment russes, une sorte de costume national.

Le coton est cultivé dans les champs des environs d'Aqcha ct d'Andkhoy, et le long du fleuve Amu. Il est ensuite égrené à l'aide d'une machine en bois à deux cylindres, proche de celle des Sarong, puis les fibres sont cardées à l'aide de l'arc à carder, souvent par des cardeurs ambulants. À Jabal-Us-Seraj, ville assez proche de Kaboul, les hommes ou les femmes, suivant les saisons, tissaient sur un métier horizontal à deux lisses des serviettes blanches et des pièces plus longues à fines rayures bleues sur fond blanc, utilisées comme turbans et vendues dans tout le Nord.

Dans cette région, sans doute sous l'influence du Turkestan occidental, les femmes décoraient leurs châles de mince tissu de coton, grâce à la technique de réserve, au moyen de petits cailloux ligaturés avec un fil de coton très serré (*plangi*, technique, nous le verrons, d'origine malaise). Les ronds blancs des nœuds, parfois partiellement peints en bleu indigo clair, ressortaient sur un fond rouge garance. Certains foulards, constitués de deux bandes de tissu de coton assemblées par une couture, étaient teints selon la même technique, mais deux réserves successives permettaient d'obtenir de petits carrés blancs et rouges sur fond noir (indigo foncé) en une composition géométrique très élaborée.

En Afghanistan, pour leurs oiseaux chanteurs, les hommes tressent des cages en forme de cônes avec des tiges flexibles comme l'osier. La nuit, ils les recouvrent avec une housse de tissu de coton préalablement orné, selon la même technique de réserve d'un décor de ronds blancs sur un fond bleu uni.

À Istalif, les femmes tissaient le *satranji*, un tissu de coton à rayures multicolores, qui servait de couverture de sol. Avec une grosse toile de coton épais, parfois rayé de gris, de noir ou de rouge, les hommes fabriquaient de grands sacs destinés à contenir dans les bazars, aussi bien du grain que des épices, du sucre ou le coton à carder. De nombreux tisserands ouzbeks de cette ville, émigrés à Aqcha, sont restés spécialisés dans le tissage du coton. Dans cette même ville, les femmes tressent des ceintures de coton blanc qui servent à tenir les pantalons et brodent à l'aiguille des bonnets décorés de fils colorés de coton et de soie.

Les Tadjiks, vivant dans les vallées montagneuses, sont souvent des artisans itinérants, allant d'un village à l'autre pour proposer leurs services comme barbier, forgeron ou tisserand. Avec le coton filé par le client, ils tissent un tissu grossier servant à réaliser des sacs et reçoivent, en échange de leur travail, un cinquième de l'étoffe finie, plus quelques kilos de grains.

Pendant des siècles, la majorité de ces tissus était vendue au grand bazar de Kaboul, à côté des marchands de poustines, ces manteaux de mouton faits de peau à l'extérieur et de poil à l'intérieur, souvent brodés de fils de coton et de laine multicolore sur la peau teinte en jaune safran. Depuis la dernière guerre avec les Russes et les guerres tribales qui ont suivi, il est difficile de savoir ce qui reste aujourd'hui de l'ancien bazar de Kaboul, si renommé en Asie centrale. Aussi serons-nous obligé de parler au passé d'activités artisanales textiles encore vivantes il y a à peine vingt-cinq ans.

Installés dans le Chour Bazar, les marchands de tissus, la plupart hindous, vendaient des coupons de coton uni ou imprimé provenant de tous les pays voisins ou occidentaux, mais surtout originaires de Manchester à partir de l'occupation anglaise de 1809, alors que, jusqu'au XVIIIe siècle, les tissus de coton et de soie fabriqués en Afghanistan suffisaient largement à satisfaire la clientèle féminine. On retrouve ici le même phénomène de monopole commercial anglais qu'en Inde.

Pour décorer leur tente, certaines tribus musulmanes réalisaient des sortes de tapisseries en *patchwork* avec des morceaux de cotonnades fleuries et des kilims de prière, parfois en coton aussi brillant que la soie, représentant un seul ou plusieurs *mihrab*. On les appelait alors *saff*, kilims de prière de famille. Dans les tribus baloutches, entre l'Iran et l'Afghanistan, les femmes filaient le coton nécessaire aux chaînes de leurs tapis aux couleurs sombres. Dans la province d'Herat, le coton était cultivé dans les oasis, comme Mary (Merv aujourd'hui). Le tissu désigné sous le nom de *mulkam*, en chaîne de coton et trame de soie, était réputé dans tous les pays arabes. Une tribu tekké tisse encore aujourd'hui des tapis à chaîne et trame double en coton, dont seuls les nœuds sont en laine. Le coton de la chaîne est formé de quatre fils tordus ensemble, suffisamment robustes pour supporter le poids du tapis. Les tapis en coton et laine sont ainsi les plus résistants. Mis à part sur certains kilims, les nœuds sont généralement en laine dont la teinture est plus facile à fixer. Certaines tribus nomades utilisaient toutefois le coton en nouage mais dans sa couleur naturelle blanche et brillante. Depuis le début du XXe siècle, les femmes de cette région d'Herat utilisent pour leurs tapis noués du coton mercerisé (industriel) qui donne un brillant aussi beau que la soie.

Le costume traditionnel des hommes afghans se compose d'une ample chemise, le *peran*, d'un pantalon, le *tomban*, et d'un long turban, le *longhi*. Ces vêtements sont fabriqués par les tailleurs du bazar de Kaboul dans une cotonnade blanche appelée *carbâz*. La façon de porter le turban, différente selon chaque région, permettait un repérage ethnique et social. Par exemple, les hommes de Kandahar le nouaient sur leur tête avec une grande ampleur, laissant une assez longue extrémité pendre derrière leur dos, et qui est appelée *shaf*. Quant aux mollahs, ils se couvraient d'un turban blanc, noué sans torsade, ni plis, avec juste un court *shaf*. Le turban, en dehors de sa fonction première de couvre-chef, peut aussi servir comme lien, ceinture, sac, ou même mouchoir et serviette. La majorité des turbans vendus au bazar étaient tissés en coton local dans les bourgs des environs de Kaboul, mais certains, moins chers, arrivaient du Pakistan.

Au bazar de Kaboul, les *Kouladouz* vendaient des calottes brodées, la *koula* traditionnelle. D'autres boutiques étaient spécialisées dans la vente d'oreillers et de matelas dont le tissu, souvent à rayures rouges ou bleues, contenait plus de quatre kilos de coton finement cardé ; le *liaf* était une courtepointe matelassée. Le coton cardé était vendu au marché du coton *Pakhta Froushi*. À côté, des cardeurs *(Nadaf)* le démêlaient avec des peignes à carder en fer avant de remplir les matelas, qu'ils frappaient à l'aide d'un bâton pour bien répartir le coton, puis livraient au bazar. Leurs femmes faisaient les piqûres des tissus matelassés et celles des coussins à la maison.

Heureusement pour nous, André Velter et sa femme, Marie-José Lamothe, à la suite de nombreux séjours en Afghanistan, ont pu effectuer en 1975, avec le concours du Pr Emmanuel Delloye, un inventaire complet des artisans et des commerçants de ces bazars de Kaboul, juste avant que la guerre civile ne les détruise en grande partie. Dans un très beau livre illustré, ils évoquent poétiquement tous ces métiers et, en particulier, les teinturiers : « Des ruisselets bleus, verts ou rouge sang creusent le chemin (des teinturiers) et se repèrent avant les étendards multicolores qui sèchent sur des fils, au-dessus des têtes. Mais tous ces signes éclatants participent de la même activité, celle des Rângrez, des teinturiers, car une fois les étoffes ou les écheveaux passés dans la coloration, les bassines se renversent au seuil des échoppes, laissant sur le sol les traces d'un arc-en-ciel. » Ces scènes du quartier des teinturiers n'ont pas changé depuis des siècles et on les retrouve encore aujourd'hui dans certains bazars d'Asie ou souks d'Afrique du Nord, comme celui si célèbre de Marrakech.

Les autres tissus en soie ou en coton arrivaient par caravanes de l'Inde et de la Perse par les routes de la soie. Les Pathans, originaires de Perse, nomades des montagnes, aujourd'hui agriculteurs ou bergers, étaient les meilleurs caravaniers pour franchir les cols enneigés. Selon la légende, ils descendaient des dix tribus d'Israël ou d'un saint guerrier du VIIe siècle que le Prophète appelait Addur Rashid.

Nomades, les femmes musulmanes se voilaient rarement. En revanche, sédentarisées dans un village ou une ville, elles se drapaient dans leur robe, portant de grands voiles amples de coton de toutes les couleurs, souvent plissés et reliés sur la tête à une sorte de bonnet tressé, auquel était fixé un autre voile avec, à la place des yeux, une sorte de lucarne grillagée qui camouflait complètement le visage. Même le regard de la femme était caché derrière ce masque ou cette cagoule inquiétante. Ce n'est qu'en privé, à l'occasion d'un mariage, qu'elles montraient leurs visages tatoués, et se paraient d'un grand châle brodé orné de pièces de monnaie et de perles. Aujourd'hui encore, dans les rues, comme pour toutes les femmes voilées des pays musulmans extrémistes, on croirait voir en plein jour des sortes de fantômes, semblables aux ombres des chœurs de la tragédie grecque, hiératiques, fuyant les regards indiscrets.

Asie centrale

Après avoir franchi la frontière montagneuse, les caravanes arrivaient en Perse, lieu de rencontre de l'Orient et de l'Occident aussi bien du temps des Parthes que des Sassanides. Ce sont sans doute des imprimeurs indiens qui ont appris aux teinturiers perses les techniques d'impression sur coton, le *kalam-kar*, qui servait aux paysans de tapis, de tenture ou de vêtement. Dans les villes comme Chiraz ou Ispahan, des corporations d'imprimeurs sur tissu rivalisaient avec la production indienne la plus raffinée, copiant le thème de l'arbre de vie et plus tard imitant en impression sur coton gratté les châles cachemire à la mode en Occident.

D'Afghanistan, par le Turkménistan, on retrouve, tout le long de ces anciennes routes commerciales longeant la mer Caspienne, des influences textiles communes, à la fois indiennes, persanes et ottomanes, particulièrement dans la région caucasienne du Daghestan où les tissus de soie et de coton, brodés par les femmes des villages de la montagne éblouissent par la richesse de leurs motifs et de leurs coloris. Ces tissus brodés avaient souvent un usage rituel, lié soit à la naissance pour recouvrir le berceau et éviter le mauvais œil au nouveau-né, soit au mariage pour constituer la dot de la mariée, soit enfin à la mort comme coussins rembourrés d'herbes pour cacher le visage du défunt. Les motifs géométriques ressemblaient à ceux des kilims et tapis caucasiens, dont la hardiesse de coloris et les dessins stylisés sont d'une grande modernité. On pense à des œuvres de Klee ou de Matisse.

L'influence de l'Islam accentua la géométrisation des motifs végétaux comme la tulipe, l'œillet ou la grenade d'influences persanes et ottomanes, ou animaliers comme le dragon chinois, symbole de sagesse, et le « simurg », l'oiseau magique des Perses sassanides. L'influence du christianisme, par l'intermédiaire de l'Arménie orthodoxe, se retrouve dans les variations de croix en tau.

Les femmes brodaient leurs motifs avec des fils en soie sauvage locale et en coton, sur des tissus de coton qu'elles avaient tissés elles-mêmes avec des fils vendus sur le marché de Dorbent. Ils provenaient d'Arménie où le climat plus chaud permettait la culture du coton. Ces tissus assez grossiers servaient de sacs à céréales. Les brodeuses utilisaient les tissus les plus fins, préalablement teints en bleu indigo clair, ou laissés souvent écrus, afin de faire ressortir les vifs coloris des nombreux points de broderies. Le point de chaînette et le point de croix servaient parfois à rehausser des détails et à donner un effet de relief comparable à celui des tapis du Caucase, composés d'applications de feutre découpées et cousues, ou encore à la technique des tapis « soumak » du Daghestan méridional.

Les couleurs vives provenaient des teintures végétales, en particulier pour les rouges des racines de la garance, qui était cultivée localement et que les marchands de Derban exportaient jusqu'en Perse. Plus tard, les teinturiers d'Andrinople utiliseront la même garance pour leur fameux rouge turc, dont l'éclat fut si envié par les teinturiers européens du XVIIIe siècle. Le rouge écarlate était exporté du Turkménistan sur l'autre rive de la mer Caspienne. Il provenait d'un petit insecte, proche de la cochenille du Mexique, qui vivait par essaims de larves sur les feuilles d'un chêne vert dont il se nourrissait. On appelait cet insecte *kermés*, en persan. Des tribus nomades, comme les Bakhtyâri de Perse, le récoltaient pour la teinture rouge de leurs tapis en laine. Au moment de la formation de la chrysalide, comme le ver à soie, la larve s'enduisait d'une sécrétion blanche en forme de cocon, qui, de loin, ressemblait à une fleur de coton. Si on appuyait sur cette sorte de petite boule blanche de *kermés* desséché, de l'abdomen sec jaillissait comme une goutte de sang, qui une fois recueillie servait de teinture. D'Arménie, le *kermés* arrivait sous le nom fameux du « rouge d'Arménie », exporté dans tout l'Orient jusqu'en Chine.

L'indigo provenait toujours de l'Inde par la route de la soie. Cet art textile du Daghestan de la région du Kaitag a été découvert récemment en France grâce à une très belle exposition organisée par l'Institut du Monde arabe. Aujourd'hui, tous ces territoires d'Asie centrale, anciennement rattachés à l'Union soviétique, sont devenus indépendants et leurs productions textiles sont encore inconnues à cause des conflits ethniques et religieux de certaines régions frontalières. Espérons que, avec tous les bouleversements politiques de ce siècle, ces lointaines techniques de broderie Kaitag n'ont pas disparu et que nous pourrons prochainement les admirer sous de nouvelles formes artistiques, comme tout art populaire authentique.

Le coton en Indonésie et en Extrême-Orient

Les ikats et batiks en coton d'Indonésie

Les ikats de Bornéo, Java, Sumatra, Sumba ou Bali ont toujours fasciné les voyageurs occidentaux. On y retrouve des techniques de réserves et des influences culturelles indiennes, mais les artisans indonésiens ont su créer leur propre vocabulaire textile, issu de leur position privilégiée entre l'Asie et le Pacifique. Certes, ces tissus sont utilisés dans l'habillement traditionnel mais ils ont surtout une fonction rituelle, religieuse et cérémoniale, comme les tissus « des nefs des morts » dont les motifs sont originaires des premières cultures indonésiennes. Le symbole du navire, nous l'avons constaté dans le chapitre sur les mythologies du coton, est associé à la vie et à la mort dans l'au-delà, le navire, comme la barque des morts égyptienne, allant d'une rive à l'autre.

Si certains ikats indiens suscitent l'admiration, ceux d'Indonésie sont encore plus élaborés et raffinés tels les magnifiques ikats (simples, chaîne ou trame, ou doubles, chaîne et trame) en coton de Java, de Bali et de Flores. Le mot ikat serait dérivé du terme malais, *mengikat*, qui veut dire : attacher ou nouer. Voici comment la teinturière procède : elle entoure les parties des fils de chaîne correspondant au dessin de lanières de feuilles de palmier. Une fois les ligatures terminées, elle plonge les fils en écheveaux dans plusieurs bains d'indigo pour obtenir différents tons de bleu. Après chaque bain, les couleurs qui doivent rester les plus claires sont liées à leur tour. La teinturière enlève ensuite les ligatures du dessin à teindre en rouille foncé. Les fils sont enfin prêts pour être utilisés en chaîne ou en trame suivant l'ikat choisi, en un montage très précis pour bien raccorder les éléments du dessin au fil de la chaîne. C'est un travail long et difficile. On se sert des ikats dans l'habillement quotidien, les motifs désignant le statut social de chaque individu. Avant le mariage, la fiancée et sa famille offraient au fiancé et à ses parents des tissus ikatés, ornés de symboles de fertilité, d'abondance et de richesse ; ceux-là apportaient en échange du bétail comme dot. Les ikats en coton de Bornéo sont recouverts de représentations d'ancêtres « aux mains levées ». Ils servent de linceuls.

Bali

Dans le chapitre sur les mythologies et légendes des tissus indonésiens, nous avons évoqué le tissu sacré appelé *lamak*. Il y en a d'autres, comme les ikats doubles qui nécessitent un travail plus long, qu'on appelle *gringsing*. On les fabrique encore aujourd'hui dans les montagnes du sud-est de l'île de Bali, dans le village de Tengganan Pageringsingan. On leur attribue des pouvoirs magiques et une légende prétend qu'auparavant le sang humain servait à la teinture du *gringsing* ! On peut traduire *gring* par « maladie » et *sing* par « non », ce qui signifierait que cet ikat rejette la maladie, d'où son côté magique. Les Balinais croient encore en sa force « qui rafraîchit l'âme ».

Sumba

Dans l'île de Sumba, la couverture d'épaule pour homme, portée pliée, et appelée *hinggi*, est encore rituelle. Elle est tissée par les jeunes filles à marier, en ikat chaîne par paire, les deux pièces étant ensuite cousues ensemble. Ces tissus étaient le monopole des familles princières qui avaient des plantations de coton et des tisserands attachés à leur service. Au moment du mariage, la famille du futur marié devait offrir cent buffles et plusieurs mesures d'or en échange de quelques *hinggi* apportés en dot par la mariée. Au moment des funérailles du mari, un membre de la famille enfonçait une lance dans la terre de la tombe pour y accrocher un de ces *hinggi*, symbolisant la voile de la barque qui transporte le défunt dans l'autre monde. La fabrication de ce tissu, qu'on considérait comme immortel et qui servait à plusieurs générations, pouvait durer plusieurs années. Le décor en réserve de ses fils ikatés se composait de motifs zoomorphes, comme des cerfs, des poissons, des chevaux, ou des animaux sacrés.

Dans le Sumba oriental, les principaux motifs sont de curieux arbres-à-crânes et des cacatoès, avec des bandes transversales de cerfs. Parfois, on associe aujourd'hui à ce décor sacré divers objets du monde industriel, comme une bicyclette, un bateau à vapeur, un fusil. Les couleurs varient selon le rang de l'homme à qui l'ikat est destiné : bleu indigo et blanc pour les classes inférieures, et bleu indigo, brun-rouge et beige du fond, qui est la couleur naturelle du coton local, pour les classes supérieures.

En revanche pour la tenue de tous les jours, l'*hinggi* est simplement teint en brun ou bleu-noir. Le brun est obtenu à base d'une boue tinctoriale contenant de l'oxyde de fer. Traditionnellement, le filage était réservé aux jeunes filles qui rivalisaient pour obtenir le fil le plus fin. Aujourd'hui, le fil de coton industriel a remplacé celui filé à la main. En ikat, les dessins sont devenus plus simples et plus grands, mais la technique est toujours la même.

Java

Les spécialistes ont inventorié plus de dix techniques de réserves, mais la plus spectaculaire est incontestablement le batik javanais, le plus sophistiqué des batiks indonésiens. Il ne fut découvert par les Européens qu'à la fin du XIXe siècle grâce aux collections de gouverneurs anglais rapportées en Angleterre. Mais c'est surtout l'Exposition universelle de Paris, en 1900, qui révéla à un vaste public les batiks indonésiens. Ils influencèrent de nombreux artistes européens comme Klimt, Mucha, Modigliani et de nombreux créateurs textiles Art déco.

Si la base est la même, chaque région a ses tours de main particuliers. Ainsi, à Java, la cotonnade est d'abord trempée dans de l'huile de coco mélangée à de la chaux, puis battue avec un maillet en bois jusqu'à ce qu'elle soit suffisamment lisse pour permettre à la cire liquide de glisser dessus. C'est un travail d'hommes. En revanche, ce sont les femmes qui appliquent avec un pinceau particulier — le *canting*, outil en fer à plusieurs becs verseurs — cette cire liquide qui servira de réserve pour chaque motif et chaque couleur. Ce sont de nouveau les hommes qui sont responsables de la teinture à base de colorants naturels. Ils n'utilisent en général que trois à quatre couleurs, nécessitant trois ou quatre applications de réserves pour chaque coloris. Après séchage, la cire de chaque élément du motif est retirée en plongeant la pièce dans un bain d'eau chaude. Pour réaliser un sarong de deux mètres cinquante de longueur sur un mètre de large, il faut plus de vingt jours, parfois cinquante pour les plus complexes ! C'est un art qui se transmet avec les secrets de fabrication de famille en famille. Le sarong, cousu en fourreau, est ensuite porté aussi bien par les hommes que par les femmes.

Sumatra

À Sumatra, les carrés qui servent de turban pour les hommes de la famille princière sont d'une rare beauté. C'est un art encore plus raffiné qu'à Java. Le décor naît de la superposition d'un fond de réserve en batik, teint à l'indigo en plusieurs bains, composé de losanges emboîtés les uns dans les autres, mais teints à chaque bain dans plusieurs nuances de bleu. La cire retirée, le tissu est recouvert en bordure et sur un angle droit par une autre impression à l'or qui laisse apparaître quelques traces du fond bleu. Dans cette région d'Indonésie, les textiles jouent un rôle important à toutes les époques de la vie, des langes au linceul. On dit d'ailleurs de certains tissus rituels qu'ils sont « la chaîne et la trame de la vie » ; symboliquement, la chaîne évoque ce qui est inchangeable et prédestiné alors que la trame correspond aux changements de vie dans l'existence terrestre, toujours transitoire.

Les motifs, plus d'un millier, constituent une sorte d'écriture codifiée, comprise par plusieurs groupes ethniques d'îles souvent très éloignées les unes des autres. Les légendes traditionnelles évoquées dans ces batiks sont issues du même patrimoine populaire et comportent un mélange de symboles religieux de l'hindouisme, du bouddhisme et de l'islam. À partir de l'ouverture du canal de Suez, de nombreux Indonésiens ont pu effectuer le pèlerinage à La Mecque. Sur certains batiks, les musulmans évoquent ce voyage sous la forme d'un bateau à vapeur, comme les tisserandes de Gafsa en Tunisie le représentaient par un chameau, puis par un avion, dans les magnifiques kilims qui ont influencé Klee à la suite de son voyage dans ce village en 1914. Mais, quelle que soit sa signification rituelle et religieuse, le batik de Java reste un chef-d'œuvre textile. Chaque fois unique, variant selon l'interprétation personnelle des motifs traditionnels, il permet un passage vers l'inexprimable, l'inaccessible.

Ces techniques d'ikat se sont malheureusement transformées pour satisfaire la demande de touristes, qui ne veulent pas acheter de pièces chères requérant de nombreux mois de travail. Les industriels indiens ont même fait des imitations d'ikat par impression sur coton, en s'efforçant de reproduire le côté un peu flou des motifs ikatés ! Aujourd'hui, les anciens ikats somptueux ne sont plus visibles que dans les musées textiles du monde entier ou chez quelques collectionneurs privés.

Asie du Sud-Est

Les autres pays de l'Asie du Sud-Est, comme le Cambodge, le Laos, la Thaïlande, sont composés d'une multitude d'ethnies qui tissent surtout la soie, souvent avec la technique de l'ikat, sauf dans les montagnes où des tribus cultivent le coton. Les femmes le cardent avec un arc archaïque, le filent et le tissent sur un métier à sangle pour la confection des vêtements de toute la famille. C'est le cas, par exemple, des Lua vivant dans les montagnes du nord de la Thaïlande, qui tissent des sarongs en coton rayé noir et blanc, décorés d'un galon d'ikat sur une chaîne écrue, ou des Karen à la frontière de la Birmanie. Les femmes Karen troquent leurs tissus, en coton indigo avec une décoration de petits motifs géométriques en broderies au point de croix, contre des nattes et des paniers de rotin fabriqués par les vanniers birmans, ou du riz et de la poterie. Les cotonnades à trame d'ikat fond indigo sont tissées dans la région Nong Khai ; elles sont aussi belles que les soieries tissées.

La production textile cotonnière du Japon

Dans le Japon traditionnel, les tissus ont aussi joué un rôle fondamental au cours de différentes cérémonies, rituelles et religieuses, comme la cérémonie du thé, les mariages, les représentations théâtrales de Nô, les rites religieux bouddhistes et shintoïstes, les vêtements militaires également puisque tisser le coton était le rôle des femmes des samouraïs. C'est seulement à partir de 1544 que les missionnaires et les marchands portugais, par la route maritime de Canton à Nagasaki, firent découvrir aux Japonais les tissus de coton, parfaitement appropriés aux techniques d'impression et de réserves, plus économiques que les dessins des tissus de soie façonnée réalisés sur les métiers à la tire d'origine chinoise.

Si, comme en Chine, les tissus de soie dominaient, on fabriquait aussi des kimonos en coton uni, imprimé ou brodé. À la période Edo, des peintres célèbres décoraient des kimonos de coton blanc de paysages à l'encre monochrome, puis des graveurs réaliseront des blocs en bois pour l'impression. Le nom japonais de peintre sur tissu est *somemono* ; il se transmet de père en fils, depuis l'époque Nara.

Les artisans utilisaient des techniques de teinture avec réserves, à base de colle de riz, pour remplacer la cire des batiks indonésiens. Le *kata-yûzen* est un pochoir en feuilles de mûrier, permettant de répéter le motif sur tout le tissu, feuille après feuille. D'autres pochoirs, les *katagami*, sont réalisés avec plusieurs feuilles de carton collées ensemble et évidées au burin, mais les dessins sont parfois si fins qu'il faut les faire tenir avec des cheveux collés ou de la gaze de soie. On badigeonnait le cache avec un pinceau ou une brosse trempée dans le colorant, en général de l'indigo, pour obtenir en positif le motif reproduit sur le tissu. Le *kamishimo*, vêtement masculin de notable composé d'une sorte de jupe-culotte et d'un haut, était ainsi confectionné dans un tissu de coton imprimé d'un décor discret au pochoir.

Pour la décoration des tissus de coton, le Japon était, avec l'Inde, l'un des grands centres utilisant la technique de réserve appelée *plangi* (lier-ligaturer) et désignée au Japon sous le nom de *shibori*. Très variée, cette technique donne des compositions décoratives différentes. La méthode la plus simple consiste, sur une toile de coton uni, à passer un fil dans toutes les parties d'un motif qui ne doit pas recevoir de teinture : on fronce le fil pour former des plissés bien serrés et on trempe le tissu préparé presque toujours dans un bain d'indigo. Les plus riches kimonos décorés avec cette technique pouvaient comporter jusqu'à 300 000 points noués !

Les *kasuri* étaient réalisés en double ikat, les fils de

coton de la trame étaient préteints par réserves de ligatures aux endroits du dessin qui ne devaient pas prendre la teinture. On en faisait des couvre-lits aux damiers en dégradés de bleu indigo et de blanc. Les contours flous des motifs des *kasuri* leur donnent un effet optique moderne. D'autres décors de kimonos étaient composés de grands motifs en forme de losange, accolés les uns aux autres. Curieusement, on se servait encore de ce tissu, il n'y a pas si longtemps, pour envelopper les cadeaux de mariage ou ceux du nouvel an.

Pour la cérémonie du thé, la femme utilisait des fragments d'étoffes *kasuri* fixés entre deux rouleaux de bambou, roulés et placés avec respect dans une niche à la fin de la cérémonie. On appelait ces rouleaux *kakémono*. Les motifs, blancs sur fond indigo, réalisés en double ikat chaîne et trame, étaient chargés de symboles. Un temple entouré de pins avec une frise d'oies sauvages et des tortues, la représentation de Bouddha ou un immortel chinois chevauchant une carpe étaient des signes de longévité. Le dessin, d'une grande finesse, ressortait sur un fond blanc légèrement bleuté. On en faisait aussi des vêtements de travail résistants et chauds, des dessus d'édredons surpiqués appelé *futons*, ainsi que de grandes capes de voyage, doublées intérieurement de papier huilé imperméable placé entre deux épaisseurs de tissu de coton. Ces costumes traditionnels sont adaptés à notre époque par les grands couturiers japonais comme Kenzo.

Les teinturiers de Kyoto, grand centre textile, se regroupaient sur les bords de la rivière Karre dont l'eau avait les propriétés de fixer les colorants. Des livres de dessins pour l'impression des kimonos, par blocs de bois gravés ou par patrons en feuilles de mûrier découpées, circulaient dans les ateliers, permettant de se tenir au courant des nouvelles tendances de la mode et de proposer des interprétations plus libres de motifs traditionnels tels le bambou, le pin ou le prunier. Les estampes populaires et les impressions sur tissus au bloc évoquaient l'univers textile japonais et ses costumes traditionnels.

Comme en Chine et en Inde, le *kesa* (châle) était porté par les moines bouddhistes. Dans les textes sacrés, il est dit que le moine doit réaliser son châle en assemblant des morceaux de tissus « souillés et mis au rebut, et les coudre comme un acte de dévotion ». La plupart étaient constitués de soieries usagées, mais, à la fin du XVIIIe siècle, les moines utilisèrent aussi les morceaux d'indiennes, qu'on appelait au Japon *sarasa*, ce qui n'est pas sans évoquer certains patchworks américains du XIXe siècle.

Les somptueux costumes du théâtre Nô, l'art des samouraïs, reprenaient parfois la technique *kesa* : on assemblait plusieurs tissus, notamment des imprimés sur coton mat et de la soie brillante, ce qui produisait un effet de relief par contraste de matières. Mais les costumes du théâtre Kabuki, réservé aux classes populaires, étaient plus extravagants : ils associaient le tissage façonné en soie à la broderie et à la teinture *shibori* en réserve sur coton.

Vers 1870, après la restauration du gouvernement impérial, la période de « civilisation et de lumière » qui suivit permit l'industrialisation de la production cotonnière, au détriment des techniques traditionnelles. Celles-ci furent cependant maintenues en milieu rural, dans les îles, et, dans certains centres textiles comme Kyoto, les tisserands à bras et les imprimeurs artisanaux furent considérés avec respect et honneur comme un « trésor vivant national ». Entre 1913 et 1925, le Japon deviendra le premier producteur de tissus de coton. Nous l'évoquerons dans le chapitre consacré au XXe siècle.

La production textile cotonnière de la Chine

La Chine est surtout célèbre pour ses poteries vernissées et ses magnifiques soieries, fabriquées depuis la période Han sur des métiers à la tire et exportées en Occident. Si le cotonnier était déjà connu des Chinois comme plante d'agrément dans les jardins, on utilisait la soie, pour tous les tissus, même les vêtements des paysans les plus rustiques. Jusqu'au XIIIe siècle, le coton et les cotonnades imprimées étaient importés d'Inde. Les plantations de cotonniers et la première manufacture de coton ne furent réalisées qu'au XIVe siècle, à l'arrivée des Mongols, alors que cette industrie prospérait tout près, depuis plus de 3 000 ans. Les Chinois, par contre, savaient fabriquer une poudre explosive, faite de coton en poudre, d'acide nitrique et d'acide sulfurique concentrés. Cette poudre-coton se distinguait à peine du coton en fibre et explosait au simple contact d'une étincelle. Les mineurs chinois se servaient de cet explosif environ quatre fois plus fort que la poudre à canon. Les chirurgiens utilisaient le coton mélangé à de l'éther pour réduire les fractures, et les marins en calfeutraient les interstices des planches de leurs bateaux en bois.

Marco Polo écrit à propos de la cité de Cambuluc : « Chaque jour entrent en cette ville plus de mille charrettes uniquement chargées de soie, car on y fait beaucoup de draps de soie et d'or. Et ce n'est pas merveille, car en toutes les contrées environnantes, il n'y a point de lin : il convient donc de faire toutes les choses de soie. Bien il est vrai, cependant, qu'ils ont en certains lieux coton et chanvre, mais non tant qu'il leur suffise, mais ils n'en produisent pas beaucoup, pour la grande quantité de soie qu'ils ont à bon marché, et qui vaut mieux que lin et coton. » Marco Polo qui a suivi les routes des caravanes jusqu'en Chine et au cours de son voyage par la Perse, la Petite Arménie et l'Asie centrale, décrit ainsi le commerce local. Dans l'ancienne Césarée, « il y a abondance de coton et les marchands de Venise, de Pise et de Gênes y viennent acheter et vendre et tiennent leurs entrepôts ». À Kashgar, en Asie centrale, « la terre est fertile, le coton y pousse, planté avec le lin et le chanvre ». S'il signale que certaines régions de l'Inde produisent des cotonnades imprimées, il ne relève rien de semblable en Chine.

Dans toutes les dynasties, il y avait des codes d'habillement très stricts, aussi bien pour les nobles que pour les gens du peuple. Les couleurs des robes indiquaient la profession de chacun. Les vêtements et les parures des lettrés étaient soumis à un code très élaboré. Sous les Ming, les étudiants devaient porter des robes de toile de coton, à manches larges bordées de décorations noires, et des turbans de gaze de coton noire. Lorsqu'ils entraient à l'Académie impériale, les robes de coton étaient remplacées par des robes en soie. Mais l'habillement variait également selon les régions de la Chine. On ne s'habillait pas en Mongolie comme dans la région de Shanghai. Les vêtements de fête des femmes des minorités du Yunnan étaient somptueusement brodés de motifs colorés.

Dans les provinces méridionales, comme dans le Yunnan, on fabriquait des tissus de coton décorés avec la technique de réserve *plangi*, les ronds des ligatures restant blancs sur un fond bleu indigo. On utilisait ces tissus pour emballer des vêtements, comme couvertures de lit, rideaux, ou foulards.

Le *kesa*, ce patchwork des moines bouddhistes comparable au vêtement des moines du Japon, mêlait de façon étonnamment moderne, les soies les plus somptueuses aux tissus en chanvre ou en coton les plus rustiques. Les femmes du peuple de l'époque Ming s'emparèrent de cette technique d'assemblage de tissus pour réaliser des robes aux motifs rectangulaires superposés. Ce vêtement s'appelait *shuitianyi*, ce qui voulait dire robe à motifs de rizières, car les motifs entrecroisés reproduisaient la géométrie des champs superposés des rizières. Puis, pour récupérer toutes les chutes de tissus de soie ou de coton, elles donnèrent toutes sortes de tailles et de formes aux bandes cousues. Cette robe très décorative, appelée *bainayi*, fut portée plus tard par les femmes de la noblesse comme robe d'apparat *(fuguiyi)*.

À l'ouverture de la Chine au monde occidental, après la guerre de l'opium en 1840, les hommes et les femmes commencèrent à se vêtir à l'européenne. Seul le tissu *nankin* fut apprécié par les premiers marchands occidentaux. C'est un tissu lisse et serré, tissé en armure toile avec des cotons teints en fil, formant des rayures ou des carreaux. Il se fabriquait à Nankin et dans la province de Kiang-Sou. À tort, les douanes européennes lui donnaient le nom de « nankin des Indes », car toutes les contrées en Extrême-Orient étaient désignées sous le nom d'Inde. Au début du XIXe siècle, on fabriquait à Manchester de grandes quantités d'imitation de nankin exportées ensuite au Brésil et en Amérique.

À Canton, à la même époque, on a recensé plusieurs ateliers d'imprimeurs d'indiennes à la planche mais utilisant une technique complètement opposée à celle des Indiens : au lieu d'appliquer le moule en bois gravé sur le tissu, c'est le tissu qui était appliqué, bien tendu, sur le moule resté fixe. L'imprimeur suivait avec un pinceau, trempé dans la teinture, les contours du dessin, voilés par le tissu, mais coïncidant avec les parties en creux, seules destinées à recevoir la couleur.

Une autre technique consistait à appliquer un pochoir de carton huilé, sur lequel on frottait la couleur avec une brosse. Il fallait autant de pochoirs qu'il y avait de coloris sur le dessin. Les motifs s'inspiraient de la nature, reprenant beaucoup d'animaux sacrés, comme l'oiseau phénix ou le dragon, le lion ou la licorne, mais aussi des fleurs de prunus, des orchidées, ou des chrysanthèmes. Il y avait aussi le thème des huit génies (les *baxian*), des huit trésors (les *babao*), et des caractères symbolisant le bonheur, la longévité, la prospérité.

Si, à cette époque, les cotons filés chinois provenaient souvent de l'Inde, et les cotonnades unies, teintes sur place, d'Amérique ou d'Angleterre, aujourd'hui, la Chine est devenue le premier producteur mondial de coton. Que de bouleversements sur ces routes du coton !

III

L'ANGLETERRE ET LA RÉVOLUTION INDUSTRIELLE

L'arrivée des premières « indiennes » en Angleterre

Jusqu'au XVIIe siècle, l'expansion commerciale des indiennes fut en grande partie le résultat de la colonisation européenne en Orient et aux Indes orientales ainsi que celui des demandes occidentales en tissus exotiques. Dès le XVIIe siècle, des compagnies commerciales nord-européennes installèrent des comptoirs commerciaux dans tout l'Orient.

À partir de 1698, les Anglais et les Français réussirent à évincer les Portugais qui se tournèrent alors vers le Brésil pour y développer les plantations sucrières. Les principaux comptoirs français au Bengale se fixèrent à Chandernagor, dans le Deccan, et à Pondichéry, tandis que la Compagnie anglaise des Indes orientales, qui avait fondé ses propres comptoirs à Madras, Bombay et Calcutta, subissait l'importante concurrence des premiers comptoirs hollandais.

La puissante compagnie hollandaise des Indes orientales, qui établit son quartier général à Batavia, à l'emplacement de la petite ville de Jakarta, devait éliminer impitoyablement tous les concurrents européens de l'époque, d'abord les Portugais restant en place, puis les Anglais qui voulaient s'y implanter. Si la compagnie hollandaise s'intéressait en priorité au marché des épices, elle s'engagea très vite dans l'importation des cotonnades de luxe dont elle allait submerger l'Europe.

La prohibition des indiennes à partir de 1721

Avec les débuts de la Compagnie des Indes anglaises, la fameuse East India Company, tous les tissus de coton peints, vendus à Londres et dans toutes les autres grandes villes, venaient directement des Indes. La nouveauté et la beauté de ces tissus créèrent une demande croissante et la mode, comme toujours, fut la première à profiter de cet engouement. En 1708, Daniel De Foe écrira dans une revue : « On vit des personnes de qualité s'affubler de tapis des Indes que, fort peu de temps auparavant, leurs femmes de chambre auraient trouvés trop vulgaires pour elles ; les indiennes reçurent de l'avancement, elles montèrent de leur parquet sur leur dos, de carpettes elles devinrent jupons, et la reine elle-même, en ce temps-là, aimait à se montrer vêtue de Chine et de Japon, je veux dire de soieries et de calicots de Chine. Et ce n'est pas tout, car nos maisons, notre cabinet, notre chambre à coucher en furent envahis ; rideaux, coussins, chaises, et jusqu'aux lits eux-mêmes, ne furent plus que calicots et indiennes. » Ce texte révèle que les indiennes étaient utilisées comme tapis, « de carpettes elles devinrent jupons », mais aussi que De Foe, comme beaucoup de ses contemporains, confondait l'Inde et le Japon et se trompait sur l'origine des *calicots*, produits en Inde et non en Chine.

On comprend mieux que la mode des indiennes, leur importation et leur première imitation dans la région de Manchester, ait touché de plein fouet l'industrie lainière et soyeuse, et cela bien avant l'industrialisation. À tel point que, en 1700, une loi protectionniste prohiba l'importation des tissus peints de l'Inde, de la Perse et de la Chine : toute marchandise saisie était confisquée et réexportée. En 1719, on cite le cas de tisserands de laine qui, exaspérés par leur chômage prolongé, avaient attaqué en pleine rue des femmes vêtues de robes en indiennes, déchirant puis brûlant leurs vêtements, et les laissant rentrer chez elles en jupons ou en culottes !

La prohibition des tissus imprimés en Inde profita en priorité aux manufactures cotonnières anglaises. Un chroniqueur écrit à l'époque : « Comme si notre pays ne devait jamais manquer d'ennemis acharnés à sa ruine, à peine eut-on prohibé les calicots de l'Inde et tous les tissus imprimés de provenance étrangère, que des enfants dénaturés de la Grande-Bretagne se mirent à l'œuvre pour tourner la loi de prohibition, en dressant des ouvriers à imiter la dextérité hindoue. » Devant cette situation, une nouvelle loi, plus radicale que la première, fut promulguée : « Il est interdit de vendre ou d'acheter des calicots imprimés, peints ou décorés, qui portent préjudice aux industries nationales de la laine et de la soie et tendent à accroître la misère, interdiction sous peine d'une amende de 5 £ pour les particuliers et de 20 £ pour les marchands. »

À partir de 1730, en dépit des interdictions, les toiles de coton imprimées remplacèrent en grande partie les soieries, les tapisseries et les tissus brodés, leur prix de vente étant plus accessible en période de récession. Paradoxalement, ce sera grâce au coton que l'Angleterre deviendra, très rapidement, le pivot de ce qu'on peut appeler d'abord une révolution technique et qui conduira très vite à une révolution industrielle. Le travail du coton dans la région du Lancashire représente encore aujourd'hui 85 % de l'industrie textile nationale.

L'Angleterre sera ainsi à l'origine de la civilisation industrielle, grâce aux moyens techniques mis en œuvre pour permettre d'abord la transformation du coton brut — importé en grande partie des Indes orientales et occidentales, jusqu'au port de Liverpool — en fils de différentes grosseurs, puis de le tisser et enfin de l'imprimer « à la façon des Indes ».

À l'époque, les différentes opérations de traitement du coton brut se déroulaient ainsi : les balles de coton arrivaient dans les filatures, fortement comprimées. Pour les ouvrir plus facilement, un contremaître inventa un dispositif, amélioré ensuite par d'autres mécaniciens. Le coton passait alors dans des batteurs-éplucheurs qui terminaient l'égrenage manuel du pays d'origine. Cette machine rétablissait les fibres, comprimées dans leurs balles, à leur état floconneux d'origine, par un système composé de bras tournant à grande vitesse qui éliminait les graines et autres impuretés restées fixées dans les fibres. La poussière dégagée par cette machine était nocive pour les ouvriers des filatures, et ce ne fut qu'au début du XIXe siècle qu'elle fut évacuée par l'aspiration d'un ventilateur. Après ces différents traitements, on obtenait une nappe de coton en forme de rouleau, transportée à la machine à carder afin d'avoir un ruban encore lâche qui était bobiné pour pouvoir être filé. La filature continue, c'est-à-dire le regroupement de toutes ces opérations, sera inventée par Arkwright vers la fin du XVIIIe siècle, avec le *water-frame*.

Mais cette révolution industrielle cotonnière fut surtout le résultat de plusieurs inventions. Sans le savoir ces inventeurs géniaux, parfois un peu escrocs, qui se copiaient les uns les autres, et commerçants redoutables, allaient entraîner les luttes ouvrières. Car si l'industrialisation capitaliste accrut considérablement la production, elle contribua peu — même encore aujourd'hui — à la redistribution des richesses mondiales. En revanche, la transformation rapide de l'industrie du coton, grâce à toute une série d'inventions techniques, peut être considérée comme le premier exemple spectaculaire du développement des grandes industries modernes. Elle permettra, à la fin du XVIIIe siècle, l'essor des manufactures d'impressions d'indiennes qui allaient faire la fortune de nombreux entrepreneurs et être la cause de rivalités commerciales entre la France et l'Angleterre. C'est une autre saga que nous raconterons un peu plus tard.

Les grands inventeurs des premières machines textiles

La suprématie technique anglaise est d'abord due à l'invention de la navette volante par John Kay, en 1733, qui va non seulement permettre à une seule personne de tisser des pièces plus larges, mais surtout d'aller beaucoup plus vite. Puis viendront, pour la filature, la *spinning-Jenny*, inventée par Hargreaves en 1765, et le *water-frame*, par Arkwright vers 1767, machines à peigner et à filer le coton. L'invention et la mise en place de ces machines dans les premières grandes manufactures provoquèrent le début de cette révolution technologique et, aussitôt, l'hostilité des ouvriers menacés de chômage. Puis, à la fin du XIXe siècle, l'extension du tissage mécanique avec la machine à vapeur de James Watt amena une autre grande révolution, appelée plus tard la révolution industrielle.

Voici comment cette évolution rapide des techniques liées au tissage du coton put se réaliser en Angleterre. Les tisserands, comme ceux de la laine, travaillaient à la campagne dans leur cottage. À la morte saison ou en cas de crise, ils redevenaient agriculteurs et pouvaient survivre. Leurs femmes cardaient et filaient le coton brut. Dès 1750, devant la demande accrue de calicots, se créa une classe nouvelle d'entrepreneurs qui achetaient le coton brut indien, le distribuaient aux familles de tisserands à domicile et venaient chercher les pièces tissées qu'ils revendaient aux marchands. Bientôt les tisserands manquèrent de fils pour répondre aux commandes des imprimeurs d'imitation d'indiennes.

À cette époque, le fil n'était plus filé avec un fuseau archaïque mais à l'aide d'un rouet. Cette production lente ne répondait plus à la demande accrue. Les doigts des femmes du comté de Lancastre [1], moins souples que ceux des femmes indiennes, produisaient un fil plus grossier. Au moment de la moisson, les fileuses étaient toutes employées aux champs et la production de fils se trouvait ainsi complètement paralysée. Un métier à bras donnait de l'ouvrage à cinq ou six fileuses au rouet. Sans fileuses, plus de fils pour le tisserand qui dépendait entièrement de ce procédé archaïque de filature manuelle.

John Kay et la navette volante

Cette situation s'aggrava avec l'invention de la navette volante par John Kay, à la fois tisserand, mécanicien et fabricant de peignes pour les métiers à tisser. Son procédé, qui permettait de tisser plus vite, semble simple et évident

1. Aujourd'hui, Lancaster.

à un tisserand mais il est difficile à expliquer. En gros, la navette dans laquelle est inséré le fil de la trame, au lieu d'être lancée à l'aide de la main du tisserand dans l'ouverture de la chaîne, est projetée par l'intermédiaire d'un fouet, correspondant à un système de cordelettes, sur lesquelles le tisserand agit, en déplaçant brusquement vers la gauche, puis vers la droite, une poignée en bois qui relie les ficelles entre elles. D'un coup sec dans les deux sens, des taquets, reliés à ces deux ficelles, chassent la navette qui se déplace rapidement sur les glissières horizontales du battant et aboutit, de chaque côté, dans une « boîte » qui la reçoit en fin de course. Sur chacune de ces boîtes, coulisse une petite pièce en bois dur, portant un taquet en cuir, qui reçoit la pointe de la navette et permet ainsi de la relancer dans l'autre sens. Pour ce lancer en vol libre, la navette a changé de forme : de galbée, afin d'épouser le lancement à la main dans l'ouverture de la chaîne sans casser de fils, elle devient droite, pointue et ferrée de cuivre aux deux extrémités. Elle est munie de deux roulettes pour franchir plus vite la largeur du battant, qui sert aussi à tasser chaque fil de la trame insérée dans la chaîne. Chaque fil de chaîne passe dans les dents d'un peigne, glissé dans le battant. C'est lui qui guide la navette dans sa course.

La navette volante a surtout l'avantage de pouvoir tisser certains tissus en grandes largeurs, comme les toiles des voiles des bateaux ou les draps de lit, qui auparavant nécessitaient le concours de deux tisserands, un seul ne pouvant tisser qu'une largeur maximale de un mètre dix, ce qui correspondait à l'espace permettant le lancement de la navette, d'une main à l'autre. Ce dispositif libérait la main gauche du tisserand : la main droite actionnait le fouet de la navette volante alors que la main gauche ne quittait plus le milieu du battant, lui permettant de frapper chaque fois la trame insérée par la navette. Ce fut une vraie révolution : la cadence, le rythme du tissage étaient complètement changés par la rapidité du synchronisme de ces deux mouvements des mains. Les chansons de tisserands sont depuis basées sur ce rythme à deux temps ; c'est le clic-clac des chansons des canuts lyonnais. Un métier à tisser donnait de l'ouvrage à cinq ou six rouets actionnés par des femmes ou des enfants, mais, lorsque la navette volante rendit le travail plus rapide, le fil vint à manquer et de nombreux tisserands furent obligés de réduire leur production, d'autres de cesser leurs activités. Tout se tient.

Dès la mise en application de cette navette volante dans tout le comté de Lancastre, certains tisserands de cette région accusèrent John Kay de les mettre au chômage et, en juin 1753, ils entrèrent de force dans sa maison et la saccagèrent. Devant cette hostilité, il s'enfuit d'abord à Manchester, caché dans un sac de laine, puis s'embarqua pour la France. Philippe de Lasalle, le grand dessinateur et technicien textile lyonnais, sera l'un des premiers tisserands à utiliser le principe de la navette volante, qui augmentait la capacité de tissage d'au moins 25 à 30 %. Il améliora le système de Kay en inventant un battant avec trois « boîtes » de chaque côté, pouvant ainsi recevoir trois navettes de fils de trame de couleurs différentes.

Les inventeurs et les fabricants de coton et de soie circulaient beaucoup entre l'Angleterre et la France. Des tisserands protestants français avaient émigré en Angleterre au moment des premières persécutions religieuses, ils venaient surtout du nord de la France et de la Normandie. Dans ces régions, on tissait le lin, la laine mais aussi le coton du Levant. Ils entrèrent dans les corporations de tisseurs comme tisserands de siamoises, tissu composé d'un mélange de coton et de lin, et travaillèrent pour le compte d'entrepreneurs. La révocation de l'édit de Nantes, en 1685, attira un nombre accru de familles de tisserands français. Certains fondèrent leur propre entreprise, un siècle avant le traité de libre-échange négocié avec la France en 1786.

On a vu que l'équilibre entre la production du fil et la consommation du tisserand était difficile à maintenir. La quantité de fils produits au rouet ne correspondait plus à la quantité de calicots qu'il fallait tisser en même temps. Faute de fils, de nombreux métiers cessèrent de battre et les tisserands anglais accusèrent injustement John Kay d'une situation dont il n'était que partiellement responsable. Pour arriver à un juste équilibre, il fallait absolument produire davantage de fils, ce qui nécessitait l'invention d'une machine à filer le coton. Mais comment la réaliser ? Beaucoup d'inventions sont restées sans suite. Nous n'évoquerons que celles qui aboutiront, en dépit de toutes les difficultés et hostilités, au développement de l'industrie cotonnière, les techniques étant différentes pour la soie et la laine.

John Wyatt et sa machine à filer

Vers 1733, John Wyatt, avec l'aide financière de Lewis Paul, fils d'un réfugié français, inventa la première machine à filer, mais son brevet ne fut enregistré que le 24 juin 1738. Il y donnait une description claire de sa machine. Wyatt affirmait que celle-ci devait, selon ses calculs, supprimer un tiers de la main-d'œuvre, mais il se posait aussi la question de savoir si ce bénéfice pour le fabricant ne serait pas une perte pour les ouvriers et le public. Il ne le pensait pas et écrivait à un ami, dans une lettre du 21 septembre 1736 : « Un profit additionnel réalisé par le fabricant l'encouragera à de nouvelles entreprises et lui permettra de développer son industrie en raison de l'économie que les machines auront rendue possible. L'extension de ses affaires l'amènera sans doute à donner de l'ouvrage à quelques-uns des ouvriers qu'il avait cessé d'employer. Il faudra aussi plus de personnel dans toutes les autres branches de l'industrie textile. » Il avait vu juste : cette invention, perfectionnée ensuite par Hargreaves avec la *spinning-jenny*, et les inventions suivantes, comme le *water-frame* d'Arkwright, vont enrichir prodigieusement l'Angleterre. Un chroniqueur anglais proclamera à cette époque : « Le coton, le coton et encore le coton : c'est maintenant la marchandise unique, celle qui donne du travail à tous [...], les vieux rouets sont jetés au rebut, on ne se sert plus pour filer que de *jennies* qui fonctionnent sans le secours d'aucune force motrice artificielle. »

James Hargreaves et la **spinning-jenny**

James Hargreaves était un modeste charpentier sans instruction. Il fut tisserand et s'intéressa aux progrès déjà apportés, comme la navette volante de Kay. Il avait comme voisin un fabricant de toiles imprimées qui lui fit part de ses difficultés pour s'approvisionner en fils. Il construisit d'abord, vers 1762, une machine à carder le coton. Puis, il perfectionna le premier métier à filer de Wyatt qu'il appela *spinning-jenny*, sorte de rouet à plusieurs fuseaux qui fonctionnait à la main au moyen d'une manivelle actionnant l'ensemble des broches. Elle permettait à une seule fileuse de produire plusieurs fils à la fois.

Cette machine à main ne bouleversa pas encore les petits ateliers des maîtres artisans travaillant pour les entrepreneurs à la campagne. Par contre, comme elle produisait un travail équivalent à celui de trente à quarante fileuses au rouet, celles-ci eurent de moins en moins de travail à domicile, et furieuses, elles assiégèrent l'atelier de Hargreaves et brisèrent ses premières machines.

Devant cette hostilité, il quitta le Lancashire et s'installa à Nottingham où il créa la première filature sous la protection des autorités locales et commença l'exploitation de son invention. Son procédé simple fut vite copié dans tous les comtés d'Angleterre et il se ruina en procès pour obtenir ses droits. Il finit sa vie sans pouvoir bénéficier de la vente de ses *jennies*, mais il laissa quand même en 1778 un héritage de plus de 4 000 £. Vingt ans après sa mort, on calcula qu'il y avait plus de vingt mille *jennies* en fonction rien que dans la région de Manchester. Elles remplacèrent presque partout le rouet.

Richard Arkwright et le water-frame

Richard Arkwright est né à Preston, dans le comté de Lancashire, le 23 décembre 1732. Simple barbier-perruquier d'un village des environs de Manchester, sachant juste lire et écrire, il est considéré aujourd'hui comme le véritable fondateur de la grande industrie moderne. Comme tous les génies, des légendes l'entourent. Sa vie est pourtant assez exceptionnelle. Autant l'histoire de son invention d'une nouvelle machine à filer en continu à base de cylindres, appelée le *water-frame*, est obscure — amalgame d'inventions antérieures, comme ce fut le cas pour la mécanique Jacquard —, autant celle des entreprises d'Arkwright est plus facile à suivre. C'est le premier manufacturier, tout à la fois inventeur et homme d'affaires remarquable.

Après avoir exercé son métier de barbier-perruquier jusqu'en 1760, il voyage dans tout le comté pour acheter et vendre des chevaux. Il épouse, un an plus tard, Marguerite Biggins, de la ville de Leigh où habite Thomas Highs, alors fabricant de peignes à tisser et qui plus tard, nous le verrons, se proclamera le premier inventeur de la *jenny* et l'accusera de plagiat.

On sait que sa filature de Cromford, près de Derby, se développa en peu d'années. Ses métiers à filer étaient mus par l'énergie hydraulique et non plus à l'aide des mains par une manivelle. Cette force motrice du début de l'industrialisation obligea les ateliers à s'installer en bordure de cours d'eau et de chutes. En 1779, sa filature compte déjà deux mille broches et trois cents ouvriers et ouvrières. Avec ses associés, il monte des ateliers de tissage où l'on fabrique pour la première fois des calicots de pur coton, en chaîne et trame, prêts à être imprimés à l'imitation des « indiennes », si appréciées à l'époque par toutes les classes sociales. Mais les mesures de prohibition des cotonnades imprimées en Inde le touchent directement. Il plaide sa cause devant le Parlement : « Cette loi ne doit pas s'appliquer aux cotonnades fabriquées en Angleterre par des ouvriers anglais. Cette industrie se développera rapidement, elle donnera du travail à des milliers de pauvres gens et augmentera les revenus du royaume. » Le Parlement accepte toutes les demandes d'Arkwright, qui multiplie ses entreprises avec l'aide d'associés apportant des capitaux. Mais, là aussi, la mécanisation de ses filatures provoque des émeutes des anciennes fileuses à domicile, sans travail, et la destruction des premières machines à filer. On incendie la manufacture d'Arkwright. La plus grande fabrique, située à Birkacre près de Chorley, brûle en 1779 au moment des graves émeutes contre les machines. En 1780, de nouveaux incidents graves ont lieu, à tel point que l'armée est utilisée pour garder, jour et nuit, ses nouvelles fabriques, ce qui n'empêchera pas le sabotage de plusieurs centaines de machines.

En 1781, Arkwright poursuit des filateurs pour contrefaçon de sa machine à filer. En réaction, des manufacturiers concurrents l'accusent d'avoir plagié plusieurs inventions, dont celle de Thomas Highs qui prétend avoir construit, avant lui, une machine presque identique à la sienne. Ce dernier affirme que le nom de *jenny*, qu'il a donné à sa machine à filer, est le prénom de sa fille et qu'Arkwright a embauché Kay, un horloger qui avait réalisé pour lui avant tous les engrenages de cette machine !

On peut se demander pourquoi Highs, s'il était le véritable inventeur de la machine, avait attendu plus de vingt ans pour porter plainte en contrefaçon et pourquoi il n'avait pas attaqué James Hargreaves avant Arkwright. Un jugement, à défaut de preuves contraires, condamna Arkwright en déclarant tous ses brevets caducs, et ses inventions tombèrent aussitôt dans le domaine public. Cette décision eut pour effet immédiat d'accélérer la propagation de sa machine.

Les archives montrent, il est vrai, qu'Arkwright a employé l'ancien ouvrier de Highs, l'horloger Kay, pour tourner des pièces destinées à la construction de la machine et il est possible que, par ruse, il ait obtenu de Kay les plans de la machine de son ancien patron. Pauvre et peu combatif, Highs ne disposait pas des moyens nécessaires pour défendre à ce moment-là ses droits d'invention, d'autant plus qu'il n'en avait pas déposé le modèle. Ce serait en montrant ses plans à de futurs associés qu'Arkwright aurait obtenu des fonds pour construire sa première filature. On connaît la suite de son ascension rapide, puis son procès perdu.

Toutes ces épreuves ne l'empêchèrent pas de continuer à développer ses nombreuses entreprises. Il employa pour la première fois la machine à vapeur de James Watt à la place de la force motrice des chutes d'eau. À ce sujet, on raconte qu'à la suite d'un acte de malveillance — des réservoirs d'eau mis à sec —, il avait demandé à Watt de lui trouver un moyen mécanique pour alimenter en eau de façon permanente ses roues hydrauliques. Ce fut le premier exemple de l'utilisation de la nouvelle machine à vapeur pour l'entraînement, encore indirect, d'un mécanisme. En appel de son premier procès perdu, il fit citer Watt comme témoin. Celui-ci se déclara prêt à entreprendre la construction d'une machine à filer en bon état de marche en se servant uniquement des plans d'Arkwright, alors que ses détracteurs prétendaient que son brevet était volontairement rédigé d'une façon vague. Arkwright gagna cette partie de son procès mais finit par perdre tous ses droits, il n'en continua pas moins d'exploiter avec succès ses nombreuses entreprises.

Il mourut à Cromford en 1792, à l'âge de cinquante-neuf ans, riche et honoré du titre de chevalier par le roi. Même s'il n'était pas réellement l'auteur de ses machines, il sut en tirer le meilleur parti, les améliorer, travaillant sans relâche pour agrandir ses manufactures. Le *water-frame* fut vite fabriqué en série, et les progrès que cette machine apportèrent à l'industrie anglaise du coton furent bien plus considérables que ceux produits par la *jenny*.

C'est à partir de ce moment historique que l'industrie du coton va se développer à une vitesse folle et susciter en réaction d'autres révoltes ouvrières plus sanglantes.

Samuel Crompton et la **mule-jenny**

En 1774, un artisan mécanicien, Samuel Crompton, perfectionne à la fois la *spinning-jenny* d'Hargreaves, qui ne produisait que des fils lâches ne pouvant être utilisés qu'en trame par manque de solidité, et le *water-frame* d'Arkwright, qui donnait un fil trop gros, en créant la *mule-jenny*, ainsi désignée avec une certaine moquerie en raison de son caractère hybride. Pourtant, grâce à elle, ses utilisateurs arrivaient à produire un fil qui dépassait en finesse et en régularité le fil de coton filé à la main en Inde, ce qui permettait de l'utiliser aussi bien en chaîne qu'en trame. La pauvreté de Crompton l'empêcha de réunir la somme nécessaire pour breveter son invention, et lui non plus ne profita pas des bénéfices de sa machine, qui remplaçait la *jenny* dans presque toutes les filatures et permettait de produire sur place en grande quantité le calicot des indiennes et de réduire ainsi les importations de l'Inde.

Arrivée à ce stade du machinisme des filatures, la situation se renversa. D'abord les cardeurs de coton furent dans l'impossibilité de fournir les quantités demandées pour alimenter les filatures. Il fallut perfectionner la machine à carder inventée par Hargreaves, déjà améliorée par Arkwright. Des contremaîtres ingénieux, à qui on imposait des normes de production intensive, furent les premiers à apporter d'importantes modifications aux machines pour les rendre plus performantes. La situation s'inversa alors : les filatures produisirent plus de fils que ne pouvaient en tisser les métiers à bras, même si le tisserand utilisait la navette volante, seul perfectionnement apporté au métier à tisser depuis des siècles.

Maintenant, paradoxalement, le tisserand se trouvait en retard par rapport à la production de fils. Le prix du fil baissa et, en revanche, les salaires des tisserands montèrent très vite. Certains s'enrichirent et devinrent entrepreneurs. La disproportion entre la production de fils et celle de tissus fut telle que les filateurs furent obligés d'exporter une grande partie de leur production, l'extension de la navigation permettant l'augmentation des échanges intercontinentaux. Cette surproduction entraîna aussi la ruine des entrepreneurs de filage à la main et, avec eux, celle des fileuses des campagnes. Des inventeurs avaient bien créé des prototypes de métiers mécaniques, comme celui de Vaucanson à Lyon, mais aucun n'était suffisamment au point pour être industriellement utilisable et rentable.

Edmund Cartwright et le premier métier automatique

En 1784, devant cette situation bloquée qui paralysait totalement le développement de l'industrie cotonnière naissante, un pasteur bricoleur et ingénieux, fasciné par les automates, nommé Cartwright, mit au point pendant plusieurs années le premier métier à tisser automatique, mû d'abord par les roues à eau des moulins, puis par la machine à vapeur.

Après ses études de pasteur à Oxford, Cartwright s'installa dans le presbytère d'un petit village rural. Dès 1784, son attention fut attirée par les difficultés des débuts de l'industrie cotonnière. Il constatait que, avec la mise en place des filatures, il se filait tant de coton qu'on ne trouvait plus assez de métiers à tisser à bras pour l'utiliser.

Ingénieux, il décida de trouver un moyen de mécaniser ce métier. Aidé d'un menuisier et d'un forgeron du village, il parvint à mettre au point un métier mécanique qui fonctionnait tant bien que mal. Il le fit néanmoins breveter en 1785. Mais, obstiné, il ne cessa de l'améliorer, et ce premier métier arrivait même à s'arrêter automatiquement à chaque fil de chaîne cassé ! C'est alors que commencèrent tous ses déboires. Avec l'argent de sa famille, il voulut exploiter lui-même son invention. En 1787, il prit une patente pour le tissage et monta une petite fabrique située dans le comté de Lancastre, dans la région du Yorkshire, composée d'une vingtaine de métiers dont la force motrice, comme dans les premières filatures éloignées d'un cours d'eau, était fournie alors par des bêtes de somme. En 1789, il fit venir de Birmingham l'une des premières machines à vapeur de James Watt. Fort de cette expérience réussie, il s'associa, en 1791, avec des filateurs de Manchester pour construire une grande fabrique pouvant contenir quatre cents métiers automatiques mus par la machine à vapeur de Watt. Des bâtiments importants et très modernes furent construits tout exprès. Deux métiers à tisser, surveillés par un simple adolescent, produisaient trois pièces et demie de tissus, alors que le plus habile tisserand à bras, utilisant la navette volante, tissait à peine une pièce, et celle-ci était rarement sans défaut, le serrage inégal des trames provoquant des barres dans le tissu, alors que le métier automatique par la régularité de son battage n'en produisait pas.

Il n'était donc pas étonnant, devant ce bouleversement technique considérable, que les premiers métiers automatiques à peine installés, les tisserands à bras de la région, à l'exemple des fileuses, se révoltent et envoient des lettres de menaces à Cartwright, pour qu'il arrête l'installation de cette fabrique, gigantesque à l'époque, qui allait tous les ruiner. À titre d'exemple, voici l'extrait d'une de ces lettres, datée de mai 1792 : « Messieurs, nous avons fait le serment entre nous de détruire votre fabrique, quand cela devrait même nous coûter la vie et d'avoir vos têtes pour le tort que vous faites à notre métier. Si vous continuez, vous savez ce qui vous attend. » Tout occupé à l'installation de cette fabrique, Cartwright fut insensible aux milliers de lettres de menaces ; un mois plus tard, les tisserands en colère saccagèrent les métiers et mirent le feu au bâtiment. Cartwright perdit aussitôt tous les contrats passés avec les filateurs et ne trouva plus aucun associé pour renouveler cette tragique expérience. Il fut obligé de donner tous ses brevets aux créanciers, et le premier inventeur du métier à tisser automatique fut ruiné.

En 1803, Horrocks, un mécanicien de Stockport, construisit, sur le modèle de Cartwright, le premier métier totalement en bronze qui connut un grand succès. Devant le triomphe de cette invention, Cartwright demanda en 1809 une indemnité au Parlement, en démontrant que son invention, exploitée dans tout le comté de Lancastre, devait être considérée comme un objet d'utilité publique. On lui accorda une somme de 10 000 livres, avec laquelle il put acheter une petite ferme dans le Kent pour y finir tranquillement ses dernières années. Mais son invention qui enrichit toute l'Angleterre ne fit pas sa fortune pour autant.

C'est à partir de 1818 qu'on peut parler véritablement de révolution industrielle. Rien que dans le secteur cotonnier, on recensait, dans la région de Manchester, 14 fabriques dont l'ensemble utilisait 2 000 métiers et trois ans plus tard le nombre de fabriques passa à 32 et celui des métiers à 5 800. On évalue à plus d'un million le nombre des ouvriers travaillant dans le coton. Créées au départ pour le coton, toutes ces machines purent être rapidement adaptées pour l'industrie lainière, en retard sur le plan technique.

Le développement de l'industrie cotonnière

L'augmentation de la production

L'industrie nouvelle du coton va se développer considérablement à la fin du XVIIIe et au début du XIXe siècle. La création du *water-frame* avait permis la production de fils fins pour le tissage des calicots servant à l'impression des motifs des indiennes. En 1775, on fabriquait 56 814 yards de calicots de coton et on en importait 2 111 439, alors que, en 1783, ce fut le contraire avec une production anglaise de 23 578 590, pour une importation indienne de seulement 770 922 ! On peut imaginer les profits énormes que ce renversement de situation procura aux manufacturiers de l'industrie cotonnière naissante qui utilisèrent la machine de Crompton, et, par ailleurs, la misère profonde provoquée chez les ouvriers et ouvrières fileurs, sans travail. Sans parler de la situation identique en Inde où la main-d'œuvre était concentrée sur les plantations de coton, le tissage local étant réduit considérablement par cette production anglaise concurrente.

Déjà, afin de produire plus, Arkwright avait organisé dans son usine, juste avant sa destruction, un roulement de deux équipes lui permettant un travail de vingt-quatre heures sur vingt-quatre ! La *mule-jenny*, produisant des fils encore plus fins, permit de tisser des mousselines aussi légères que celles qui arrivaient de l'Inde à des prix plus élevés. Rien que dans la ville de Glasgow en Écosse, on comptait plus d'un millier de métiers à « mousseline » et la population de 40 000 habitants en 1780 passera, en 1835, à plus de 400 000 ! En dehors de cette production, Glasgow possédait plus de 1 500 métiers pour tisser des mouchoirs en fil teints en rouge turc, connus sous le nom de *bandannas*, exportés surtout en Amérique.

Quelques années avant, Robert Owen, propriétaire d'une filature située à proximité de Glasgow dans la localité de New Lanark, se rendant compte de la gravité du problème posé par l'accroissement de la production locale, calcula que 2 500 ouvriers et ouvrières produisaient maintenant ce qu'auraient produit un demi-siècle auparavant plus de 600 000 individus ! Il se posa alors la question : Qu'adviendra-t-il de la différence ? La réponse se trouvait dans le développement considérable de l'industrie en à peine un demi-siècle. Qu'on ne s'étonne pas si les fabricants anglais arrivaient ainsi aux prix les plus bas, leurs manufactures ayant en moyenne six fois plus d'importance que les manufactures françaises de l'époque, regroupant cardage, filature, tissage et impression, préfigurant les regroupements industriels cotonniers futurs, comme celui de Boussac dans le nord de la France.

Les filateurs, pour produire plus et moins cher, cherchèrent à perfectionner le *water-frame* qui restera le principal métier à filer existant, bien que les anciennes *jennies*, actionnées à la main, se maintiendront dans certains milieux paysans les plus pauvres. Des mécaniciens, entre 1818 et 1825, arriveront à transformer l'invention d'Arkwright en un métier entièrement automatique dit *self-action*. Cette nouvelle machine fut appelée à l'époque « l'un des plus merveilleux et plus utiles automates de l'industrie moderne ». Grâce à la production accrue de fils de coton de toutes les grosseurs (titrage), en 1827, plus de 11 000 métiers à tisser battaient dans le comté de Lancastre, axé uniquement sur le coton.

En quelques décennies, l'accroissement de la population fut considérable. Manchester méritera pendant deux siècles le titre de « capitale du coton », et la population de 4 000 habitants en 1774 passa, en 1801, à 95 000, et, en 1834, on comptera plus de 400 000 habitants ! Une forêt de cheminées de chaudières dominait la ville. Liverpool était le port principal du coton, qui arrivait brut par balles d'Inde ou d'Amérique ; dans l'autre sens, il servait à exporter les cotonnades fabriquées dans toute cette vaste région du Lancashire, presque exclusivement dominée par l'industrie cotonnière. La plus grande concentration de filatures était à Manchester, les ateliers de tissage étaient regroupés dans la région de Preston, et on revenait à Manchester pour les apprêts des cotonnades et leur commercialisation à l'échelle mondiale. Cette révolution industrielle en Angleterre coïncida avec la Révolution française, dont les bouleversements furent une des causes du retard industriel en France.

Parallèlement à ces progrès techniques, le blanchiment et la teinture bénéficièrent des progrès de la chimie. Les découvertes du chimiste français Berthollet sur les propriétés décolorantes du chlore furent aussitôt appliquées en Angleterre. On n'exposait plus au grand air, sur pré, les pièces d'étoffes avant teinture. Avec le climat pluvieux de cette région, ce fut un gain de temps énorme. C'est ici qu'intervient un Alsacien, Frédéric Steiner, oncle de Charles Émile Steiner, dont nous évoquerons la vie dans la partie consacrée aux grands fabricants-entrepreneurs français.

La vie de Frédéric Steiner (1788-1868)

Frédéric Steiner est né en Alsace, à Ribeauvillé, le 30 mars 1788. Dans sa jeunesse, il travailla avec son père dans la manufacture de teinturerie et impression familiale, puis il représenta en Italie une grande manufacture française, se familiarisant avec les problèmes du commerce international. Après une série d'épreuves provoquées par les guerres napoléoniennes, au moment de la paix de 1810, alors âgé de trente ans, il se rendit à Londres. Il fut engagé aussitôt comme chef du laboratoire de chimie de la manufacture d'impression la plus prestigieuse du Lancashire, la *Board Oak*, située à Accrington près de Manchester. Dans ce laboratoire, il devint l'ami de James Hargreaves et fut accueilli dans sa famille. Vers 1824, il loua une partie des ateliers d'impression de Church, construits par le sénateur Robert Peel, afin de poursuivre ses recherches sur le rouge turc commencées dans la manufacture familiale.

En 1831, il fit venir d'Alsace son neveu Charles Émile Steiner, chimiste, élève de Chevreul. En 1836, il acheta à la famille Peel les ateliers où il travaillait depuis douze ans pour perfectionner, avec Charles, les procédés d'impression en rouge garance par « enlevage ». Leurs recherches s'orientèrent aussi vers la réduction du temps de séchage des toiles, afin de ne plus le réaliser sur prés, avec tous les risques d'intempéries, mais à l'intérieur, en atelier, par un séchage artificiel à 180°. Ils essayèrent également de réduire le nombre des manipulations complexes du processus même de teinture à la garance, qui passèrent de dix-sept à huit opérations. En 1836, Frédéric acquit la nationalité britannique et s'enrichit considérablement. Comme Robert Peel, il fut très généreux avec ses ouvriers et devint juge de paix dans sa ville. Son neveu resta avec lui jusqu'en 1839 et partit à Ribeauvillé, sa ville natale, ouvrir une filiale française de Steiner et Cie, dont nous parlerons plus loin.

L'expansion de la manufacture anglaise est spectaculaire. Un professeur de chimie, J. Persoz, écrit en 1846 « que les produits de Frédéric Steiner jouissent d'une très grande supériorité, sous le triple rapport de l'économie, de la vivacité de la couleur et de la régularité de la fabrication ». Dans la tradition alsacienne de Daniel Koechlin, son aîné, il ne breveta pas ses nouveaux procédés de teinture, et de nombreuses fabriques anglaises les utiliseront sans payer aucun droit. Après une vie de réussite et d'honneurs, cet Alsacien naturalisé anglais mourut très riche en 1869.

Si le secret du « rouge d'Andrinople » fut révélé aux indienneurs de Manchester par un Français, c'est en revanche un fabricant anglais de Manchester, John Holker, qui, parti pour des raisons politiques, s'installa à Rouen et y créa la première filature utilisant la *jenny*. Il fit copier la machine et installa sa manufacture pour tisser du velours de coton. Nous évoquerons sa vie dans le chapitre consacré à la France.

Chaque invention entraînait une production accrue et de nouvelles machines pour y faire face. En 1850, la quantité de coton brut importée de l'Inde était égale à la quantité de coton manufacturée en Angleterre et exportée en Inde, mais le coton brut indien avait quadruplé sa valeur en arrivant manufacturé dans son pays d'origine. Nous découvrirons que, plus tard, Gandhi fera de cette situation de dépendance économique une des bases de sa révolution non violente afin d'obtenir l'indépendance de son pays.

Les problèmes sociaux de cette révolution industrielle

Le regroupement de cinq à six cents ouvriers, ouvrières et enfants, dans ces nouvelles manufactures, posa aussitôt de nombreux problèmes sociaux. Ceux-ci furent étudiés par Paul Mantoux dans son livre édité en 1928 sur *La Révolution industrielle au XVIIIe siècle*. Le livre est un peu confus et démodé aujourd'hui, mais contient de nombreux documents inédits intéressants.

La vie était devenue plus difficile pour les fileuses qui ne travaillaient plus à domicile, comme du temps de la petite machine à filer *jenny* installée dans leur cottage, mais étaient maintenant « déportées » dans ces premières filatures de coton de Manchester, situées dans une zone urbaine. Nous avons évoqué les résistances aux nouvelles machines, qui menaçaient de chômage ou déplaçaient des milliers d'habitants des campagnes, et les révoltes qui en étaient résultées. On promulgua des lois draconiennes pour les réprimer : la peine de mort pour les incendiaires ! À Liverpool, la troupe dispersa les émeutiers, et les personnes arrêtées furent condamnées à la potence.

L'insalubrité des ateliers, les souffrances physiques et morales des femmes et des enfants y travaillant « comme dans un bagne » seront révélées par de nombreux auteurs de l'époque. C'est ainsi que la « fièvre des fabriques » était provoquée par les plafonds bas et la bourre de coton pulvérisée, flottant comme un nuage, qui s'introduisait dans les poumons.

Pour beaucoup d'anciennes fileuses ou tisserands à bras, entrer dans une fabrique, c'était entrer dans une prison : ils allaient perdre leur liberté de pouvoir travailler sans contrainte ni heures régulières. Ceux qui possédaient des terres se consacrèrent entièrement à la culture. Ce furent les plus pauvres qui formèrent cette nouvelle classe ouvrière et particulièrement les femmes et les enfants que les manufacturiers préféraient aux hommes, car ils pouvaient plus facilement les exploiter et les payer moins cher, leur donnant souvent uniquement un logement et deux maigres repas, composés de pain noir, de bouillie d'avoine et de lard rance. Une femme témoignera de cette condition déplorable : « Nous subissions un véritable esclavage de plus en plus inhumain. »

L'exploitation des enfants

Le travail en filature n'exigeait pas beaucoup de force musculaire. Pour les opérations comme le nouage des fils cassés, la finesse des doigts des enfants, leur petitesse, étaient un avantage. Les contremaîtres pouvaient aussi les réduire à plus d'obéissance que les adultes qui supportaient mal la terrible discipline de la fabrique. Travaillant douze à seize heures par jour, les enfants étaient liés par un contrat d'apprentissage de sept ans. La majorité d'entre eux étaient des enfants dits assistés, fournis dès l'âge de quatre à cinq ans par les paroisses qui en avaient la charge et s'en débarrassaient sans scrupule. Mais beaucoup de parents, poussés par la misère, y envoyaient aussi leurs propres enfants tout en sachant dans quelles conditions déplorables ils allaient travailler. Les contremaîtres, poussés par les normes de production, faisaient régner une discipline féroce, utilisant le fouet et brutalisant les plus petits sans défense.

Certains récits des conditions de travail des apprentis sont terrifiants, à peine croyables. Une commission d'enquête de 1787 évoque les souffrances, les épreuves et les sévices que ces enfants subissaient : petites filles de moins de dix ans violées, contremaîtres sadiques suspendant par les pieds les enfants ayant commis une petite faute, au-dessus d'un métier en mouvement et le va-et-vient du battant les obligeait à tenir leurs jambes repliées pendant des heures, membres mutilés par des accidents du travail, etc. Le rapporteur concluait : « La face blême et molle, la taille rabougrie, le ventre gonflé, c'étaient des victimes toutes désignées pour les contagions. Leur état intellectuel et moral n'était pas meilleur : ils sortaient de la fabrique ignorants et corrompus. Par cette situation, ils étaient condamnés à rester toujours des manœuvres, attachés à la fabrique comme le serf à la glèbe. »

Toutes ces souffrances pour arriver à vendre moins cher en Inde les indiennes fabriquées à Manchester avec leur propre coton, et pour enrichir les premiers patrons capitalistes qui ne faisaient aucun sentiment dans leurs affaires, puisque aucune loi ne les empêchait d'agir avec cruauté envers de faibles femmes et des enfants ne bénéficiant d'aucune protection sociale.

Il y eut, heureusement, quelques manufacturiers plus humains, mais tout aussi exigeants sur les cadences intensives de production. La demande était là, il fallait, si nécessaire, travailler nuit et jour avec deux équipes de douze heures chacune, afin de livrer les commandes dans les délais fixés. On cite souvent l'exemple du philanthrope David Dale qui, en 1784, avait installé avec l'aide d'Arkwright, et de son gendre Robert Owen, dont nous avons déjà parlé, une filature de coton près de Glasgow, située le long des chutes de la Clyde.

Pour loger ses ouvriers, la plupart originaires de la campagne, il fit construire un village modèle qui, en 1892, regroupait deux mille habitants. Il y employait quatre cents enfants mais interdisait à ses contremaîtres de les faire travailler après sept heures du soir. Les garçons et les filles dormaient dans des dortoirs séparés et il y avait un lit par enfant. Il prenait grand soin de leur nourriture et de leur habillement et des maîtres d'école étaient chargés à certaines heures de travail de les instruire pour qu'ils sachent au moins lire, écrire et compter. Les récréations avaient lieu en plein air dans la campagne voisine.

Son établissement modèle fut visité par des personnalités qui s'occupaient des questions sociales des ouvriers. Nous possédons le témoignage d'un de ces visiteurs qui écrira : « Quatre cents enfants sont nourris, habillés, instruits aux frais de ce vénérable philanthrope. Les autres vivent avec leurs parents dans des habitations propres et confortables, et reçoivent un salaire pour leur travail... Les mesures prises afin de préserver leur santé morale et physique présentent le contraste le plus frappant avec celles qui régissent la plupart de nos grande fabriques, véritables foyers de maladie et de corruption... Sur près de trois mille enfants employés dans cette fabrique depuis douze ans, quatorze seulement sont morts et pas un seul n'a encouru de condamnation. » Son exemple généreux et humanitaire va s'appliquer à toutes les manufactures par une loi du 22 juin 1802. Les conditions inhumaines des apprentis, surtout dans les filatures, furent partiellement modifiées par cette loi.

Sir Robert Peel

Sir Robert Peel était un grand fabricant cotonnier capitaliste, devenu membre du Parlement comme représentant influent de la grande industrie cotonnière naissante. Il dirigeait de loin toutes ses entreprises. Or, un jour, en visitant l'une de ses filatures, il fut bouleversé par l'état maladif des milliers d'apprentis qui y travaillaient plus de treize heures par jour, de six heures à vingt et une heures. Il apprit avec stupeur qu'ils avaient été engagés à la suite de marchés odieux entre les contremaîtres et les paroisses. Scandalisé, il modifia aussitôt les conditions de travail pénible de ses apprentis, et proposa en même temps une loi au Parlement pour réglementer le travail des apprentis et éviter leur dégradation morale par une instruction obligatoire, donnée sur place.

Il proclama devant l'Assemblée : « Mes occupations ne me permettaient pas de visiter souvent les fabriques, mais chaque fois que j'y suis allé, j'étais frappé de l'air maladif commun à tous ces enfants, de la croissance tardive ou incomplète de la plupart d'entre eux. Les heures de travail étaient réglées par l'intérêt du contremaître : comme ses appointements variaient en proportion de la somme d'ouvrage exécutée, il était souvent tenté de faire travailler ces pauvres enfants au-delà du temps prescrit, en leur donnant quelque bagatelle pour les empêcher de se plaindre. Après avoir vu de quelle manière étaient dirigées mes propres fabriques, j'appris que les mêmes pratiques prévalaient dans d'autres parties du royaume, où l'on employait le même outillage. C'est alors qu'avec le concours du Dr Perceval et de plusieurs médecins distingués je préparais mon projet de loi. » Un peu plus loin, il poursuit : « On comprendra sans peine que, dans un endroit où un grand nombre de personnes vivent dans une étroite promiscuité, la corruption s'introduise et, à sa suite, la maladie. La recherche de la fortune se poursuit dans ce pays avec une passion devant laquelle tout s'efface, et donne lieu à des excès faits pour attirer la vengeance du ciel. »

Le Parlement fut ému d'entendre cet aristocrate capitaliste s'insurger contre les abus d'un capitalisme industriel dont il avait été lui-même le promoteur, sans avoir pris conscience des conséquences sociales du « laisser-aller » qu'il allait entraîner. La loi fut votée par le Parlement, puis reçut la sanction royale le 22 juin 1802, avec les compliments pour l'humanité et le dévouement pour la chose publique de sir Robert Peel. C'est lui qui loua puis vendit les ateliers de Church à Frédéric Steiner dont nous avons évoqué plus haut la vie professionnelle.

Pour surveiller l'application de cette loi dans toutes les fabriques, des inspecteurs, nommés par les juges de paix de chaque comté, avaient le droit d'entrer dans les ateliers à toute heure. Toute infraction à la loi était soumise à de fortes amendes. Malheureusement, la loi fut souvent détournée. D'abord elle ne s'appliquait qu'aux grandes entreprises, et les petits ateliers continuèrent à maltraiter les enfants. Les grandes manufactures embauchaient de jeunes ouvriers dès l'âge de treize ans, sans leur signer de contrat d'apprentissage. Dès lors, ils travaillaient de jour et de nuit, n'étant plus protégés par la loi qui concernait exclusivement les apprentis. Chez les imprimeurs d'indiennes, ces enfants étaient souvent plus nombreux que les ouvriers. On cite l'exemple d'un atelier qui faisait travailler, hors contrat d'apprentissage, soixante enfants pour seulement deux ouvriers ! Mais néanmoins, cette loi, même si elle fut mal appliquée, permit de poser le principe d'où sortira au XXe siècle la législation du travail.

Les crises sociales

Le début du XIXe siècle fut pour la classe bourgeoise une période d'abondance relative. L'Angleterre victorienne, avec l'industrialisation intensive des indiennes imprimées et bon marché, avait trouvé, bien avant le tissu du *jean* américain, un signe relatif d'égalité entre les classes sociales. Tout le monde, sauf les plus pauvres, avait enfin accès aux toiles de coton imprimées, alors que les tissus de soie restaient toujours le privilège des riches. Quant à la nouvelle classe ouvrière, elle était toujours plus ou moins exploitée par les grands entrepreneurs capitalistes, pour qui l'époque fut prospère. La crise politique que l'Angleterre subit entre 1793 et 1815, à la suite des guerres napoléoniennes, fit baisser les salaires déjà si maigres des ouvriers et ouvrières des manufactures cotonnières. Les autorités locales obligèrent les paroisses à distribuer des secours en argent aux plus démunis afin de compenser cette baisse des salaires, mais ces dispositions ne furent pas appliquées dans toutes les régions.

Dès 1799, on vit la naissance des premiers syndicats et coalitions ouvrières. C'est ainsi que, dans le Lancashire, se créa une Société des tisseurs de coton dont l'action principale était de regrouper les doléances des ouvriers et de les présenter aux pouvoirs publics afin de susciter des lois au Parlement, et de protéger les ouvriers tisseurs contre toute oppression patronale. C'était le début d'une révolution sociale, bien modeste cependant comparée à la

Révolution américaine et à la Révolution française. Des lois plus anciennes interdisaient aux ouvriers des manufactures de coton ou de laine de se coaliser et les patrons réclamèrent au Parlement leur application. Devant l'interdiction de s'unir, des grèves éclatèrent dans tout le pays. Celle de Manchester, en 1810, mobilisa des milliers d'ouvriers et fit de nombreux morts.

La création de l'empire des Indes sera le symbole de la grandeur et de la prospérité de l'époque victorienne. C'est l'époque où l'Angleterre importe le coton brut indien et exporte ensuite les cotonnades fabriquées à Manchester vers l'Inde et le monde entier. L'exploitation de la main-d'œuvre indienne rurale est dirigée vers la culture et la récolte du coton. Le tissage local est interdit, et le tisserand ou la tisserande pris en faute risquent d'avoir la main droite coupée ! Ces pauvres Indiens exploités sur leur sol n'ont rien à envier aux ouvriers anglais, eux aussi exploités et maltraités dans les premières filatures et manufactures d'indiennes.

Les nouvelles inventions de machines textiles

C'est à ce moment-là que les fabricants anglais inventèrent les chintz glacés. À l'origine, on plaçait un bloc de silex à la surface polie dans un coffrage en bois, avec lequel l'ouvrier frottait la surface du calicot à lustrer. Les fabricants engageaient encore des enfants pour ce travail long et pénible. Au début du XIXe siècle, on inventa une machine pour supprimer l'exploitation honteuse des enfants.

L'impression sur calicot se faisait au milieu du XVIIIe siècle à l'aide de planches en bois gravé en relief que l'ouvrier appliquait à la main, autant de fois qu'il était nécessaire pour couvrir la superficie de la pièce et autant de fois que le nombre de coloris différents du dessin l'imposait. Ce procédé manuel était long et coûteux. Aussi, en 1783, un Écossais, Thomas Bond, inventa une nouvelle machine révolutionnaire. Il remplaça les planches en bois par des cylindres en cuivre gravé. Une seule machine faisait le travail de cent ouvriers !

Un voyageur anglais, Arthur Young, se trouvant en

Normandie constatait que, à l'époque où son pays s'industrialisait à outrance et que le secteur cotonnier développait considérablement sa production annuelle, « la France restait fidèle à son système de fileuses et tisserands travaillant à façon pour les marchands ou des fabricants lointains ». Il remarquait aussi que, dans le pays de Caux, les imprimeurs d'indiennes, comme en Angleterre, étaient tributaires des cycles saisonniers, car les étoffes de lin et de coton ne pouvaient être blanchies dans les prés en hiver. Il avait raison de souligner l'importance du climat et des variations saisonnières de la main-d'œuvre dans la fabrication des calicots des Indiennes.

Devant tous ces bouleversements techniques, les hommes ont dû rapidement s'adapter à de nouvelles machines, passer de la civilisation artisanale à la civilisation industrielle, parfois sans aucune transition, surtout pour la génération plus jeune. Il fallut désarmer l'opposition entre les deux civilisations, qui répondaient chacune à des besoins différents. La nouvelle civilisation industrielle ne supprimait pas d'emplois comme les ouvriers le craignaient ; on constate en effet qu'elle en avait créé de nouveaux qui nécessitaient de la part des travailleurs une meilleure formation et une prise de conscience de leur force dans l'union. Mais les luttes ouvrières seront encore nombreuses.

Lamartine, au début du XIXe siècle, écrira : « C'est une cruelle question que celle des machines. L'inventeur, qui est un bienfaiteur à distance, devient un ennemi de près, au moment où il apporte sa machine au monde, il condamne sans le vouloir les mains humaines qui étaient employées à faire le métier qu'il fait faire à des rouages inanimés... l'avenir n'avance qu'en foulant aux pieds le passé. »

L'économiste genevois, Jean Sismondi, dira de son côté, à la même époque charnière : « Il faut avoir visité, comme moi, les villes industrielles anglaises et avoir vu la classe ouvrière dans ces taudis bas et sombres, puis avoir constaté le monstrueux contraste offert par le luxe établi par une relative minorité de la nation, pour en venir à l'opinion que rien, dans le monde, n'est sans raison d'être. Du fait de leur licenciement, la consommation des ouvriers diminuera et, par suite, leur demande. De ce fait, je ne le cache pas, les machines sont généralement néfastes, sauf si leur introduction est précédée d'un accroissement de revenus et, par suite, d'une possibilité nouvelle pour les ouvriers remplacés. Je suis profondément pessimiste sur l'avenir du monde de demain. Soyez assuré que tous les ouvriers d'Angleterre seraient mis sur le pavé si le fabricant pouvait à leur place employer des machines. Ainsi donc, la richesse est tout et les hommes ne sont rien. En vérité, il ne reste plus qu'à désirer que le Roi, demeuré tout seul dans son île, en tournant constamment une manivelle, fasse accomplir par des automates tout l'ouvrage de l'Angleterre. »

Cet économiste du début du XIXe siècle avait parfaitement raison. Aussi longtemps que les demandes de cotonnades avaient fait prospérer les manufactures, on a vu le nombre des travailleurs s'accroître. Mais lorsque, par la concurrence, le marché mondial a été suffisamment satisfait, de nouvelles réductions d'ouvriers textiles se sont produites, les journaliers ont été renvoyés des campagnes, les fileurs et fileuses, des filatures de coton et les tisserands des manufactures. Lorsque, par les progrès techniques, une machine nouvelle venait remplacer le travail de plusieurs familles, aucune nouvelle embauche ne leur était proposée et c'était la misère.

On aura un exemple d'un nouveau bouleversement technologique et social important, une vraie révolution dans le textile façonné, avec l'invention de la mécanique Jacquard et ses cartons perforés, qui supprimaient le travail des tireurs de lacs de l'ancien métier à la tire pour la réalisation des tissus façonnés en soie ou en coton. Par cette programmation de la levée individuelle de chaque fil de la chaîne dans l'ordre de la composition de chaque dessin, cette mécanique préfigurait l'informatisation du tissage dans tous les secteurs.

Jacquard avait présenté son métier à Napoléon en 1801, mais il ne sera utilisé par les fabricants lyonnais, après quelques améliorations techniques, que dans le courant des années 1820-1830, au moment où un Anglais, Stephen Wilson, obtint subrepticement cette nouvelle mécanique Jacquard pour l'implanter dans son pays. Juste retour des choses après le vol de la *Jenny* par les Français, aidés il est vrai au départ par un Anglais, John Holker.

Pourtant, au début du XIXe siècle, la révolution industrielle n'était pas achevée. Dans de nombreuses régions rurales on continuait à tisser sur des métiers à bras et à filer au rouet, mais c'était souvent pour un simple usage familial, la vente de cette production artisanale n'étant pas compétitive avec les tissus industriels, moins chers et de qualités égales. Partout, en Europe et aux États-Unis, les machines se substituèrent aux activités artisanales parce qu'elles produisaient plus, à meilleur marché, et souvent beaucoup mieux. L'homme allait devenir étranger à lui-même, avec le morcellement de la production, et l'esclave de la machine, un petit rouage indifférent dans une chaîne immense et impersonnelle.

John Ruskin, en 1850, ressentait déjà les dangers de ce monde étranger et hostile, les puissances obscures des machines à filer et à tisser automatiquement qui déshumanisaient l'individu. Il préconisait, en réaction, les beautés et les bienfaits du travail fait à la main. Il oubliait ou ignorait dans quelles conditions souvent misérables se faisait ce travail à son époque. Le tisserand, par le lancement de sa navette volante dans la chaîne entrouverte à chaque trame et le mouvement de ses pieds pour actionner les pédales qui ouvraient ou fermaient la chaîne, était réduit à un rôle de mécanique vivante. Comme beaucoup d'individus de son temps, Ruskin, dans une vision un peu trop utopique, refusait le progrès et le modernisme. Son influence sera considérable et il inspira à travers toute l'Europe les divers mouvements *Arts and Crafts*, dont William Morris sera le pionnier, prônant un retour à l'artisanat et affirmant que l'utile devait être beau. Paradoxalement, cette devise « beau et utile » deviendra au milieu du XXe siècle celle de l'esthétique industrielle avec la production en grande série de tous les objets de notre vie quotidienne, où les cotonnades jouent un rôle important.

Au début du XXe siècle, juste avant la guerre de 1914, si on évalue la production anglaise de cotonnades en mètres carrés, sur les dix milliards produits, les fabricants en exportaient sept, faisant vivre plus de cinq millions d'ouvriers et ouvrières dans les différentes branches de l'industrie cotonnière. L'expansion du coton fut telle que, de 12 % du poids total des matières premières textiles consommées dans le monde entier au XIXe siècle, il passera à plus de 50 % à l'aube du XXe siècle !

L'évolution des styles anglais

Pendant que les fabricants français se renseignaient discrètement sur toutes les nouvelles inventions techniques du filage du coton pour les voler aux Anglais, les Britanniques de leur côté surveillaient toutes les tendances de la décoration et de la mode françaises pour les copier ou les adapter à leur goût. William Sherwin déposa, en 1676, un brevet sur l'authentique méthode d'impression indienne des textiles. Les premières toiles imprimées avec cette technique indienne le furent dans la région de Londres, les eaux de la Tamise fournissant la qualité de l'eau requise pour le lavage de calicots avant l'impression. Les marchands appelaient ces toiles imprimées chintz, ce qui correspondait à une transcription d'un mot indien signifiant « colorié ».

Dès le début du XVIIIe siècle, on a vu tout se concentrer dans la région industrielle cotonnière de Manchester. Des cahiers d'échantillons d'indiennes françaises seront introduits clandestinement chez des indienneurs anglais. Aussi les styles des tissus en coton imprimés anglais suivront, avec de légères variations, ceux des textiles français, selon les modes passagères. Par exemple, entre 1690 et 1760, les soieries furent plus recherchées en couture et en ameublement, puis, entre 1760 et 1790, ce seront les cotons imprimés qui domineront. Le damas de coton de deux ou trois couleurs en camaïeu sera beaucoup utilisé dans les intérieurs de cette époque.

Au XVIIIe siècle, la mode anglaise était déjà très influencée par celle de la France. Le *french style* envahit toute la décoration intérieure. À tel point que les Britanniques interdiront les importations de tissus français ou leur feront payer de lourdes taxes d'entrée. La popularité des chintz est si grande que, comme en France, les fabricants de soieries et de lainages vont se plaindre au roi de cette concurrence qui risque de ruiner leurs industries. Et, pour les protéger, nous avons vu qu'une loi interdira la fabrication des chintz et l'importation des indiennes fabriquées aussi bien en Inde qu'en Europe, particulièrement en France, à Nantes et à Mulhouse. Les fabricants de calicots anglais arriveront à contourner la loi en tissant le coton sur une chaîne en lin. Comme toute prohibition, cette interdiction des textiles français accrut la fascination qu'ils exerçaient, mais le goût typiquement anglais ne sera pas pour autant sacrifié.

La prohibition sera abrogée en 1774. Le traité d'Eden en 1786 rétablira le libre-échange entre l'Angleterre et la France, et un vif engouement naîtra alors pour les styles Louis XV et Louis XVI. La maison Sheringham, située au cœur de Londres, ouvrira une entreprise de décoration qui emploiera des artisans et des décorateurs français.

Jean Pillement, dessinateur textile français, travaillait pour les soyeux lyonnais et toutes les manufactures européennes, et créait des dessins aussi bien pour des soieries façonnées que pour des toiles imprimées. Entre 1755 et 1760, il grava à Londres des planches aux motifs d'inspiration chinoise, mais dans le style rococo, imité par les dessinateurs anglais pendant plus de cinquante ans. Déjà, en 1749, dans une lettre, Mme Montagu se plaignait avec un certain humour que les chinoiseries rococo arrivaient en force dans toutes les demeures anglaises : « Et voilà, c'est arrivé... nous voici tous contraints de suivre ce goût criard et barbare des Chinois ; et des dieux à grosses têtes, des mandarins dodelinant du chef l'emportent dans nos faveurs sur les chefs-d'œuvre de l'Antiquité : Apollon et Vénus doivent laisser la place à une idole obèse au crâne couronné d'un bougeoir. » Pourtant, on sait que cette femme se vantait, un an plus tard, de posséder dans sa maison une « chambre chinoise » !

Les Anglais ont toujours été sensibles à la mode française, bien que se plaignant de « cette ridicule imitation du goût français qui s'étend désormais comme une épidémie à tout notre royaume ». Une certaine interférence stylistique européenne entre le style des soieries et celui des cotonnades imprimées sera encore plus forte au moment de l'utilisation de la mécanique Jacquard, qui permettait une baisse spectaculaire des prix des soieries façonnées. Mais n'anticipons pas. Entre-temps, les guerres napoléoniennes vont susciter un mouvement antifrançais, et le blocus continental supprimera toutes relations commerciales entre l'Angleterre et la France, sauf par contrebande.

On découvre, dans les dessins des chintz anglais, l'influence de l'Orient et de l'Extrême-Orient, due aux importations des compagnies des Indes orientales, aussi bien anglaise, hollandaise que française. Un style bizarre est né avec la mode des chinoiseries aux motifs souvent inspirés de gravures illustrant les récits de voyages. Au milieu du siècle, l'interprétation anglaise du style rococo et des imitations de dentelles aboutira, comme en France, à l'avènement du style néo-classique, tel le chintz inspiré d'un dessin de Robert Jones appelé *Peacock in the Ruins*, dont les indienneurs de Mulhouse feront des copies. À cette époque, les modèles n'étaient pas déposés et tout le monde pouvait s'approprier un dessin. Beaucoup de gravures ont été à l'origine de dessins de chintz, qui eux-mêmes seront recopiés pour une utilisation en papier peint. Il y avait à cette époque une véritable synthèse de tous les arts décoratifs.

Le goût des scènes pastorales des imprimés français sévit aussi en Angleterre. Les chintz sont alors peuplés de scènes de bergers et de bergères dans des ruines romantiques. La famille royale est représentée dans ces toiles imprimées, dans le cadre de chasse à courre aux environs de Windsor. Les scènes, encadrées par des branches d'arbres ou de petits bosquets d'un style assez naïf, font penser à certaines compositions des toiles de Jouy.

À ce propos, en 1773, Oberkampf se rend à Londres pour rapporter des échantillons de cotonnades fabriquées en Inde, mais ne semble pas s'intéresser à la production anglaise. Il utilise le procédé d'impression à la planche de cuivre qui fait ressortir la délicatesse des motifs, alors que les imprimeurs anglais perfectionnent la machine à imprimer au rouleau de cuivre, inventée par Thomas Bell en 1783, capable de réaliser le travail de quarante imprimeurs à la planche. Déjà se dessine la répartition commerciale entre les cotonnades françaises, de haute qualité de finition et de dessin mais chères, et les anglaises, de qualité moyenne et vendues bon marché, qui vont inonder le marché européen, entre autres, les indiennes aux fleurs exotiques tirées des dessins des livres des botanistes qui reviennent de voyages d'études en Inde ou aux Amériques.

À la suite des guerres napoléoniennes, on ne trouve plus beaucoup de traces de l'influence française dans les imprimés anglais du début du XIXe siècle dont le style évolue dans une direction différente. Un sentiment antifrançais se répand, doublé d'une nouvelle interdiction d'importer des indiennes françaises. Au retour de la paix, en 1815, les fabricants anglais vont exporter à bas prix leurs stocks de cotonnades imprimées, faisant chuter vertigineusement les prix des toiles imprimées en France, comme celles de Jouy et de Nantes. Alors que la production française de cotonnades baissait, les Anglais imprimaient déjà dix fois plus d'indiennes en 1810 qu'en 1800.

Bien que plus coûteuses, les toiles de Jouy furent mises à la mode en Angleterre par le prince de Galles qui, vers 1811, commanda ces toiles françaises à médaillons sur fond noir ou blanc pour décorer entièrement sa chambre de Carlton House. Les imprimés anglais se sont toujours différenciés des productions françaises par le choix des coloris. Les couleurs du style Regency (1795-1825) sont douces, un peu mièvres, avec des vert délavé indéfinissables, situés entre le vert d'eau et le vert amande, ou des bleu pâle, des roses orchidée un peu mauves, et des teintes neutres, dites naturelles, comme le blanc nacré, l'ivoire et le gris-blanc. Par contraste, les couleurs des imprimés français étaient beaucoup plus vives et le rouge éclatant de la garance dominait.

Vers 1825, les perfectionnements apportés à l'impression au rouleau vont améliorer la qualité des dessins, et la création des chintz appelés « glacés », raides par un apprêt, permettra une utilisation plus facile en doubles rideaux. Ils vont connaître un vif succès aussi bien à l'intérieur du pays que sur les marchés étrangers. Grâce à l'avance technique anglaise, plusieurs fabricants français, comme Dollfus et Cie à Mulhouse, utiliseront des rouleaux de cuivre gravés à Manchester pour imprimer sur percale des dessins classiques de fleurs en tiges ou en bouquets ou encore des scènes gothiques à la mode dans les deux pays.

L'Angleterre exercera une grande influence sur l'industrialisation du secteur textile cotonnier alsacien, en avance sur tout le reste de la France. Les industriels alsaciens seront les premiers à fabriquer les métiers à tisser automatiques utilisés à Manchester et les machines d'impression au rouleau capables d'imprimer jusqu'à huit couleurs simultanément. Plusieurs fabricants, comme la famille Steiner, s'associeront avec des confrères anglais, d'autres ouvriront des dépôts à Manchester et leurs représentants en profiteront pour assimiler les expériences commerciales des Anglais à l'exportation. Cette ville est alors la plaque tournante du commerce textile cotonnier européen. Des cahiers d'échantillons circulent dans les deux sens. De 1840 à 1850, les motifs rococo sont réinterprétés dans le goût de cette période, attirée aussi par un style néo-Renaissance.

Les expositions universelles, comme celle de 1855 à Paris, seront des lieux de confrontation pour les créations textiles et la présentation de nouvelles machines. La reine Victoria s'y rendra et, quelques mois plus tard, Napoléon III fera une visite officielle à Londres, créant ainsi un rapprochement entre les deux pays, favorable aux échanges commerciaux. Le style second Empire se retrouvera dans le style victorien des intérieurs anglais. C'est l'époque de la mode des motifs indiens et des châles cachemire. Cette période heureuse aimait le confort textile et les combinaisons de riches étoffes, comme ce chintz imprimé à Manchester aux motifs floraux exotiques et aux couleurs vives sur un camaïeu de rouge.

Les motifs japonais, turcs et indiens seront à la mode jusqu'à la fin du XIXe siècle. À Manchester, on imprime sur des cretonnes en sergé des dessins inspirés directement des kilims turcs et perses ou des motifs de tapis à points noués. Des toiles peintes imiteront de véritables tapisseries et même des dessins de soieries de style Louis XIV ou Empire ! Ces impressions en trompe-l'œil serviront en décoration à revêtir les murs, à recouvrir des divans et des coussins ou à réaliser des portières. Les Anglais, par leurs possessions en Orient, seront particulièrement sensibles à ce style oriental, d'autant plus qu'il était à la mode dans toute l'Europe.

À l'Exposition universelle de 1862 à Londres, la société Cummersdale, Stead Mc Alpin, fondée en 1835, exposa des chintz glacés d'un grand raffinement avec des décors de roses épanouies sur un fond pastel et reçut la médaille d'or. La section japonaise, avec ses tissus et ses estampes, l'éclat des couleurs posées à plat, influencera de nombreux artistes textiles comme le jeune décorateur Arthur Lasemby Liberty. Un nouveau style floral japonisant fut apprécié par le public. Le fabricant, diffuseur et dessinateur J. Baker imprima des planches de fleurs à la manière des planches des botanistes. Les fleurs, traitées dans un style sobre sous l'influence néoclassique précédente d'un Robert Adam, devinrent plus naturelles, imprimées dans des couleurs vives avec souvent des oiseaux exotiques posés sur des branches. De nombreux tissus de cette fabrique portaient des noms de fleurs : le Volubilis, le Pois de senteur, etc. Un dessin de Lindsay Butterfield, appelé *Tiger lily*, fut commercialisé par J. Baker en 1880. Il se composait d'une fleur de lis à la tige et aux feuilles stylisées, dont les contours étaient cernés de gris, avec une corolle orange ressortant sur un fond indigo. On trouvait aussi dans sa collection des animaux fantastiques, comme son modèle *Pékin* envahi de dragons, de fleurs et d'oiseaux exotiques.

John Ruskin, historien d'art à Oxford, poursuivit ses réflexions sur l'art industriel de la société victorienne et fit scandale à l'époque en proclamant : « L'art d'un pays est le représentant de ses vertus sociales et politiques, de sa vie morale. » Il eut une influence capitale sur le mouvement Arts and Crafts Society — qui préluda au Modern Style —, fondé sur un retour à la pureté originelle pour retrouver les vertus du Moyen Âge que venait juste de réhabiliter le romantisme.

William Morris

William Morris, dans le groupement d'arts et d'artisanats qu'il avait créé, voulait retrouver le système médiéval des corporations de métiers et renouer avec la simplicité et l'exigence des artisans du passé. Ses motifs textiles s'inspiraient des formes végétales de la nature et d'un retour à l'esprit de création du Moyen Âge. Il travailla avec Thomas Wardie, fabricant d'indiennes, commercialisées par la société Liberty à Londres. Avec son aide technique, Morris expérimenta des coloris végétaux et revint au procédé d'impression à la planche, à contre-courant de la technique du rouleau utilisée dans toutes les entreprises d'impression pour obtenir un bas prix, mais qui figeait les dessins et souvent faisait jurer les couleurs entre elles. En réaction, il voulait rénover l'artisanat. Pour trouver des teintures végétales, et entre autres le rouge garance et l'indigo, il visita à Paris plus de trente boutiques spécialisées. Son premier chintz s'appela *Tulip* et fut exploité par la nouvelle société Morris and Co. Il créa, avec la collaboration de Thomas Wardie, une collection de vingt-huit imprimés sur toile de coton. Il proclama : « Tout art doit être produit par les hommes et pour les hommes, comme une forme de bonheur, à la fois pour le créateur et pour l'usager. » Son idée que l'utile devait être beau et sa recherche d'une synthèse de tous les arts, sans hiérarchie entre artiste et artisan, seront reprises au moment de la création du Bauhaus par Walter Gropius et plus tard par des mouvements d'esthétique industrielle, comme « Forme Utile ».

À la fin du XIXe siècle, des dessinateurs et fabricants industriels seront les premiers à relancer les créations issues de ce mouvement, en s'inspirant directement des motifs des impressions sur coton réalisées artisanalement par William Morris. Son influence sur les dessinateurs textiles sera grande, jusqu'aux États-Unis où un groupe d'artistes, dont Louis C. Tiffany, fonda en 1879 l'association Associed Artists, qui exploitera les idées de base du mouvement anglais Arts and Crafts. Otto Wagner, à Vienne, découvrit ses principes et la nécessité de renouveler les arts appliqués, en particulier les textiles qui devaient répondre aux exigences contemporaines. Nous évoquerons ses créations dans le chapitre consacré au XXe siècle.

Si l'avènement d'un style floral anglais Art nouveau trouve son origine dans les recherches de William Morris, ce mouvement se développera presque en même temps dans toute l'Europe avec les créations à Nancy d'Émile Gallé, à Paris d'Hector Guimard, à Barcelone d'Antonio Gaudi, et chez tous, on retrouve le même foisonnement ornemental floral. L'Écossais Arthur H. Mackmurdo et sa Century Guild créèrent des papiers peints et des chintz où primaient les entrelacs de faune et de flore, propices aux stylisations les plus poussées. Charles Voysey, architecte membre du mouvement Arts and Crafts, s'intéressa aussi aux dessins d'imprimés de végétaux et d'oiseaux, commercialisés par Liberty. On retrouve aussi la recherche de thèmes inspirés de la nature dans les créations du Silver Studio, fondé à Londres par Arthur Silver en 1880. Ce dernier acheta et diffusa des dessins de J. Baker comme le « Pois de senteur », qui représentait des feuilles d'acanthe et des liserons dans des tons pastel de vert, bleu, violet et jaune. Les dessins de nénuphars sortis de ce studio seront achetés par plusieurs fabricants français.

La revue *Thé studio* fut la première, en 1893, à faire connaître le foisonnement de cet Art nouveau. Les fabricants européens s'intéressèrent aux motifs des dessinateurs textiles anglais, et le « style anglais » sera prisé par de nombreux décorateurs français. Un critique allemand n'hésita pas à affirmer : « Le centre de la civilisation est à présent à Londres. »

Cette revendication de la nature comme unique source d'inspiration nous ramène à notre point de départ, avec les indiennes dont les motifs associent les lignes courbes aux éléments floraux et végétaux de l'arbre de vie. Cette recherche d'un art nouveau, née en Angleterre, va trouver un développement d'une ampleur exceptionnelle dans les créations de nombreux artistes d'outre-Manche, qui vont se trouver réunis, comme nous le verrons, dans le cadre de l'Exposition universelle de 1900 et dans celle des Arts décoratifs de 1925 à Paris.

IV

LES DÉBUTS DE L'INDUSTRIE COTONNIÈRE EN FRANCE

Les origines des routes du coton en France

Afin d'aborder l'histoire des routes du coton en France, il faut revenir en arrière, au XIIIe siècle, à Marseille. La France fut plus longue que les autres pays européens à se lancer dans le commerce des indiennes avec l'Inde. En revanche, l'indigo apparaît à Marseille dans « les tables de la mer » (droits de douanes) comme marchandise taxée en 1228, au même titre que le café, le sucre et le coton brut. Ce dernier ne sert alors que de rembourrage aux armures et aux édredons et, surtout, filé et torsadé, à la fabrication des mèches de lampes et des cierges.

Vers le XIIIe siècle, la laine se fit rare en raison de la diminution de l'élevage de moutons. Pour y remédier, les tisserands vont inventer un tissu hybride, appelé « futaine », composé d'une chaîne en lin ou en chanvre et d'une trame en coton. L'envers de la futaine était pelucheux car on le grattait avec des chardons pour lui donner l'aspect du drap de laine. Dès le début du XIVe siècle, les femmes nobles en feront des robes et des corsages. Ce mélange lin-coton a donné le nom de métis à tous les tissus mélangeant le coton à une autre fibre, comme le lin ou la soie. Ainsi, le guingan originaire de l'Inde, était un tissu à carreaux, avec une chaîne en soie et une trame en coton.

Au moment du séjour des papes en Avignon, des tisserands italiens fabriquèrent avec des cotons filés, importés du Levant, un tissu très serré, appelé « papeline », à l'origine en pure soie, mais qui, tissé en pur coton, fera plus tard la réputation de l'Alsace, sous le nom déformé de popeline. Au moment de la papauté en Avignon, une grande partie de l'indigo arrivant à Marseille était destinée aux teinturiers de draps de cette ville.

Jusqu'au XVIe siècle, on ne trouvait aucune différence entre les cotonnades utilisées pour se vêtir et celles affectées à la décoration de la maison. Les courtines du lit ainsi que les jupes et les corsages de la maîtresse de maison étaient coupés dans la même toile de coton. Pour personnaliser ces tissus et les enrichir, les artisans inventèrent toutes sortes d'ornementations utilisant des techniques variées comme la passementerie, la broderie, la dentelle, dont chacune devenait un art qui se greffait à celui du tissage.

À toutes les époques que nous allons traverser, nous constaterons que la vie est étroitement liée aux tissus, particulièrement ceux en coton, les moins chers, qui jouent un rôle considérable dans notre vie quotidienne, des langes au linceul, en passant par les robes de baptême et les robes de mariée. À partir du XVIIe siècle, l'introduction des tissus de coton dans toute la France et, progressivement, leur fabrication locale vont permettre, grâce à leur faible coût et leur solidité, de rendre des services à toutes les classes de la société. Les couturières réaliseront avec ces tissus des blouses, des pantalons, des tabliers de paysans, mais aussi des draps, du linge de corps et de table, des bas, de toutes les qualités, des plus raffinées pour la haute bourgeoisie, comme les jupes piquées-matelassées de Marseille, aux plus grossières pour le peuple, sans oublier de grands sacs de voyage pour les marins. Des toiles à voile seront tissées et du coton filé pour la confection des cordages et des mèches de lampe. Plus tard, le sergé teint en bleu indigo — tissu originaire de Calicut en Inde —, servira à Nîmes et dans les Vosges à confectionner les vêtements de travail des ouvriers, appelés bleus de travail, De ce sergé bleu indigo sortira au XXe siècle le costume Mao de millions de Chinois et le pantalon *jean*, le fameux *Levi's*, porté par les hommes et les femmes dans le monde entier. Mais n'anticipons pas.

Au XVIIe et surtout au XVIIIe siècle, les tissus décorant les chambres des reines, des rois et des seigneurs seront l'apothéose de cet univers textile, certains lits comportant plus de trente éléments : ciels de lit, chevets, courtines extérieures et intérieures, draperies, cantonnières et bonnes grâces, embrasses, couvre-lits, draps, matelas en coton rayé. Même les murs seront souvent tapissés de toiles peintes fabriquées soit à Jouy-en-Josas, soit en Provence ou en Alsace, ou encore d'indiennes authentiques provenant de Perse ou de l'Inde à des prix plus élevés.

On peut affirmer que l'arrivée du coton en Europe fut une révolution sociale, économique et culturelle, puisqu'il fut lié à tous les courants de la mode, à tous les différents styles décoratifs, et aux inventions de nouvelles machines. À la fin du XVIIe siècle, époque fastueuse du règne de Louis XIV, le grand Colbert, son ministre, encouragea le développement des premières manufactures royales, comme les Gobelins pour la tapisserie, Sèvres pour la porcelaine, et Lyon pour la soie. Rien encore n'est mis en place pour l'industrie du coton, à ses balbutiements.

Dans les premières manufactures royales de filature et de tissage de la laine, la discipline était dure mais moins terrible que dans celles de coton en Angleterre. Cependant dès leur implantation, étatique ou privée, la séparation du travail artisanal et du travail industriel, la séparation du capital et du travail allaient commencer, avec tous les bouleversements sociaux et économiques qui en découleront. Avec un certain retard, le même scénario que celui que nous avons décrit pour la révolution industrielle en Angleterre va se dérouler en France, aussi tragiquement. Les vies tumultueuses des premiers fabricants d'imitation d'indiennes en France sur des cotonnades unies venues de Pondichéry, puis celles des premiers fabricants de calicots unis avec du coton provenant du Levant ou de l'Inde, permettent de suivre chronologiquement ces nombreuses routes du coton. Mais auparavant nous allons nous efforcer de comprendre comment sont nés, dès la fin du XVIe siècle, les premiers centres d'importation massive des somptueuses cotonnades peintes de l'Inde et de la Perse, cela bien avant le vol des secrets des teintures solides indiennes.

Plusieurs routes maritimes vont permettre le transport du coton cultivé dans les champs de cotonnier de l'Inde, puis dans ceux de la Louisiane et des Antilles, jusqu'aux ports de Bordeaux, Nantes ou Rouen, pour sa transformation en tissus de coton unis ou imprimés. Ces routes, quoique moins connues et moins étudiées, ont une histoire aussi passionnante que celles de la soie. Avant que les premiers fabricants français arrivent à produire des imitations d'indiennes, les bateaux reliant l'Inde aux principaux ports océaniques de l'époque, Nantes, Lorient et Rouen, transportaient les tissus en coton les plus riches pour satisfaire une demande de plus en plus forte. Le port de Marseille, en revanche, par sa position méditerranéenne, reliait les ports d'Alexandrie et de Constantinople et importait des tissus de coton imprimés au Levant ainsi que ceux de l'Inde, importés directement par les longues routes caravanières. Avec le coton brut du Levant, Marseille sera la première ville française à le manufacturer.

Marseille, port franc, porte de l'Orient et sa région

À partir de 1550, une partie du coton importé du Levant à Marseille est filée au rouet et tissée sur place pour fabriquer la cotonnine, tissu proche de la futaine avec sa chaîne en chanvre et sa trame en coton, mais non gratté. Cette fabrication, contrôlée par le Conseil de la ville, offre deux qualités : une qualité fine pour les vêtements et une plus grossière qui sert de toile à voile ou à confectionner des tabliers teints en indigo pour les ménagères. Le basin ou bombasin est originaire du Levant : c'est un tissu croisé, tout en coton, à effet de rayures avec des côtes obtenues par opposition de deux armures — la toile et le sergé —, c'est un tissu solide utilisé en Provence pour le linge de maison, nappes, serviettes et draps, et pour faire des jupons. Il commença à être fabriqué à Marseille dès le XVIe siècle, toujours avec du coton filé du Levant.

À cette époque, Marseille est pour la France « la porte

de l'Orient ». Depuis deux siècles, les commerçants de la ville importaient l'indigo en provenance de Baghdad. Sous le règne de Soliman le Magnifique, Constantinople retrouva son rôle commercial de carrefour entre l'Orient et l'Occident. Son alliance avec François Ier permit aux commerçants marseillais d'avoir le privilège du « droit de pavillon », qui consistait à imposer à tous les marchands occidentaux qui voulaient commercer dans le vaste Empire ottoman de « le faire exclusivement sous la bannière et protection de la France ». Ce privilège exceptionnel durera jusqu'en 1580. Un grand marchand comme Nicolas du Revel avait établi, dès les années 1550, un comptoir à Marseille pour trafiquer avec le Levant, en liaison avec celui qu'il avait installé à Rouen pour faciliter son commerce atlantique. En 1580, un de ses navires ramena du Brésil au port de Marseille du bois rouge utilisé en teinture, du poivre et le premier coton originaire d'Amérique ! Les grands marchands avaient déjà des réseaux commerciaux qui couvraient toutes les grandes places européennes.

Devenu port franc en 1669, Marseille affirma encore plus sa vocation de plaque tournante du commerce avec l'Orient, suivi des ports de Nantes, de Lorient (l'Orient) et de Bordeaux qui, eux, ne bénéficiaient d'aucun privilège. Les marchands marseillais achetaient ou troquaient dans les villes des Échelles du Levant — comme Alep, gigantesque bazar du Moyen-Orient — contre de la quincaillerie, du savon et de la poterie vernissée provençale, une grande diversité de toiles en coton, unies ou peintes, originaires des Indes, de Perse mais surtout de Turquie, où ces toiles moins coûteuses étaient fabriquées particulièrement dans les villes de Smyrne, Constantinople, Diyarbakir, Alep et Andrinople (actuelle Edirne). Cette dernière ville avait donné son nom à une teinture d'un rouge brillant à base de garance, afin de la différencier des centres indiens et perses qui utilisaient aussi cette plante tinctoriale, si importante dans l'histoire de la fabrication des indiennes.

Les marchands provençaux appelaient ces toiles peintes du Levant importées à Marseille, des *chafarcanis*, à l'imitation phonétique des indiennes désignées sous le nom de *jafracanis*, une simple différence de prononciation qui arrangeait bien les marchands malhonnêtes. Sur le fond rouge ou violet, le décor se composait uniquement de petites fleurs blanches, obtenues avant teinture par une technique de réserves à l'aide de matières, comme la cire d'abeille, qui empêchaient le colorant de pénétrer dans les fibres. De tissage assez grossier, elles étaient d'une qualité de coton et d'impression inférieure à celles de l'Inde, mais vendues beaucoup moins cher. Les importateurs marseillais les revendaient directement à des commerçants qui les écoulaient ensuite sur tous les marchés et foires de Provence, comme celle de Beaucaire, l'une des plus importantes. Aussi, devant cet engouement pour les « toiles peintes », il n'est pas étonnant que Marseille soit devenue la première ville française à imiter les cotonnades produites en Orient. De plus, les premières manufactures d'impression bénéficiaient du savoir-faire des fabricants de tarots des ateliers marseillais, qui imprimaient avec une technique de gravure au trait sur bois, applicable à l'impression des motifs des indiennes sur une toile de coton unie. Des maîtres cartiers et des maîtres graveurs s'associèrent vers 1648 pour « graver les modèles propres et convenables à la fabrique qu'ils ont entrepris à teindre toiles pour servir à faire des indiennes, ce fait pour les appliquer sur toile ». Mais leurs coloris « petit teint » n'étaient pas résistants au lavage, et les femmes préféraient acheter plus cher les cotonnades « grand teint » du Levant et de l'Inde.

À l'origine de ces premières manufactures d'impression, l'ennoblissement des calicots unis importés de l'Inde ou du Levant se faisait soit par une simple teinture unie, en général de l'indigo, soit par une impression à la planche, à « l'imitation des indiennes ». La couleur était considérée un peu comme le luxe du pauvre qui ne pouvait s'offrir les magnifiques soieries façonnées d'origine chinoise ou italienne ou les belles cotonnades peintes en provenance de l'Inde. Certaines couleurs, comme le rouge, restaient le privilège de la noblesse, sans doute en référence au rouge pourpre réservé aux empereurs romains puis aux cardinaux. Par exemple, les bourgeois de Nantes payaient une forte amende s'ils portaient des vêtements teints en rouge, réservés à l'aristocratie, alors que nous verrons que le bleu indigo sera la couleur la plus populaire, utilisée pour teindre les tabliers des ménagères et les pantalons et vestes assorties des ouvriers et paysans. Le rouge indien et le rouge turc dit « d'Andrinople », tous deux à base de teinture de garance, solides au lavage et à la lumière, resteront longtemps un secret pour les teinturiers européens.

À partir de ces tissus de coton importés, des brodeuses fabriquaient à Marseille et ses environs des molletons rembourrés de coton cardé, puis piqués à la main, point par point, qu'on appelait « boutis », du nom de l'aiguille qui servait à faire les piqûres. On les désignait aussi sous le nom de « piqués de Marseille ». Les motifs des piqûres, extrêmement variés, donnaient plus ou moins de relief et de complexité à ces piqués ; ils étaient souvent géométriques ou floraux. Le matelassage consistait à glisser des mèches de coton entre les piqûres du décor, composé de ramages et de fleurs, de chardons et de grenades. Les couturières en faisaient des couvre-lits et des jupons. Souvent, dans un angle du boutis, elles plaçaient en guise de symbole de bonheur ou du mariage deux cœurs, deux tourterelles ou encore simplement les initiales entrelacées des fiancés, avec la date de leur mariage.

Plus tard, à la fin du XVIIIe siècle, la technique de matelassage des boutis sera utilisée pour confectionner des couvertures d'indiennes piquées, dont le succès sera considérable dans toute la Provence, et qui seront exportées jusqu'aux États-Unis. Les ateliers marseillais employaient à cette époque des milliers de couturières spécialisées dans la confection des piqués les plus raffinés. À tel point que le piqué-matelassé deviendra la technique textile provençale la plus originale et la plus caractéristique de cette région du Midi. Pour aider et développer les ateliers de fabrication de boutis à l'aiguille, Colbert accorda à Marseille, en 1669, le privilège d'une exemption de taxes sur toutes les importations de cotonnades d'Inde et du Levant. Par l'intermédiaire des marchands de Constantinople, les négociants marseillais importaient aussi les mousselines de coton les plus fines et transparentes fabriquées au Bengale, désignées sous le nom de cambrésines, qui servaient à confectionner des coiffes et des fichus.

Ce furent les lisats, toiles de coton blanc originaires

aussi de l'Inde, qui servirent à la fabrication des « couvertures de lits piquées de Marseille ». Dans un registre de la chambre de commerce de cette ville, on mentionne un cadeau « fait à Madame Bellinzani, femme du premier commis de Colbert dans notre ville, composé de six pièces de *Cambrazini*, remplies de fleurs, et de trois jupes piquées achetées au prix de dix pistoles ». Est-ce à la suite de ce cadeau que le premier commis de Colbert obtiendra si facilement de celui-ci le privilège accordé à Marseille ? Dans une *Histoire du commerce de Marseille*, on apprend que le mari de cette même Mme Bellinzani avait ouvert la route commerciale des colonies françaises d'Amérique et des Antilles et demandé au capitaine Nicolas Arnoul d'embarquer avec lui « des toiles marseillaises de bonne qualité ». En échange du privilège commercial, Colbert incita des teinturiers du Levant à venir s'installer à Marseille ; ce que certains firent à la suite des privilèges accordés. Dès 1672, des « peintres d'indiana », d'origine arménienne, s'installèrent à Marseille et réalisèrent de meilleures copies d'indiennes, à l'aide de moules en bois de poirier gravés par les graveurs de cartes à jouer. Ces artisans connaissaient presque le secret de la teinture rouge turc, le fameux rouge d'Andrinople, remarquable par son intensité et sa solidité. Ils le fixaient avec un mordant gras à base de sels d'aluminium et de calcium au moment de la teinture. Ils ajoutaient au bain en ébullition, du sang de bœuf ou de mouton. L'albumine contenue dans le sang permettait à la fois de dissoudre la poudre de la garance et de la débarrasser de toutes les impuretés gommeuses et sucrées qui restaient encore dans les structures moléculaires des racines et qui ternissaient le rouge.

Les Arméniens, comme les Perses, possédaient dès le XIIIe siècle des manufactures de cotonnades peintes, imitant parfaitement les motifs floraux des indiennes. Des commerçants de Constantinople, voyageant sur les routes de la soie, avaient comme Marco Polo fait un détour par l'Inde. C'est l'un d'entre eux, sans doute, qui rapporta dans son pays le secret du rouge garance indien, resté longtemps mystérieux en Europe. Mais ce seront les rapports d'agents de la Compagnie des Indes orientales qui révéleront en détail tous les secrets des teinturiers indiens. Nous en raconterons bientôt la saga prodigieuse.

Comme pour les tissus de coton imprimés au Levant, les motifs des premières cotonnades peintes de Marseille étaient de petits semis de fleurs ou de feuilles rouge et vert sur fond écru. Sur un fond rouge, le motif floral était réalisé avec une technique en réserve avant teinture, et restait blanc, de la couleur naturelle du tissu. Marseille fut en avance de presque un siècle sur la mode des cotonnades peintes qui envahira toute l'Europe au XVIIIe siècle.

L'indigo indien parvenait à Baghdad par les routes de la soie, puis à Marseille par les ports du Levant. Le coton provenait des plantations du Levant, mais, en 1685, les premières cargaisons d'indigo et de coton arrivèrent de Saint-Domingue, l'une des principales colonies françaises des Antilles. Les armateurs marseillais se sont vite intéressés au commerce avec les Antilles, échangeant de l'huile d'olive, du savon, des raisins secs, des toiles peintes de Smyrne et des piqués de Marseille, contre du sucre, du café, du cacao, de l'indigo et du coton, avant que celui-ci n'arrive directement des plantations de la Louisiane française. Une histoire que nous raconterons bientôt.

Rouen et les débuts de l'industrialisation

Dès 1534, on fabriquait, dans la région de Rouen, des futaines et des siamoises avec le coton arrivant du Levant par bateaux. Les négociants de Rouen furent les premiers Européens, avec les Portugais, à organiser vers la fin du XIVe siècle un trafic commercial avec les côtes africaines de l'embouchure du Sénégal, jusqu'à l'extrémité du golfe de Guinée. Ils troquaient des siamoises et des toiles de lin, de la verroterie, des couteaux et de l'eau-de-vie contre de la « maniguette » ou poivre de Guinée, de l'ivoire, de l'ambre gris, de la poudre d'or et des plumes d'autruche. En 1626, ils créèrent la Compagnie des marchands de Rouen qui commercialisait surtout l'ivoire et la gomme du Sénégal, tirée de petits arbrisseaux ressemblant à l'acacia.

Un peu plus tard, les Portugais et les Espagnols s'emparèrent de cette côte. Mais les marchands rouennais reprirent plusieurs comptoirs et créèrent en 1664 une nouvelle association sous le nom de Compagnie des Indes occidentales, soutenue par Colbert. Ce dernier leur donna, pendant quarante ans, le monopole du commerce africain du Cap-Vert au cap de Bonne-Espérance. Certains navigateurs normands furent entraînés par les courants jusqu'aux côtes du Brésil actuel. Ils rapportèrent à Rouen le fameux bois de teinture rouge, des oiseaux exotiques et des plumes de toutes les couleurs, des plantes médicinales que les Indiens leur avaient échangées contre de la pacotille, et aussi le premier coton filé par les Indiennes arrivant des Amériques, comme ce fut le cas à Marseille.

Déjà, sous François Ier, une autre société de négociants rouennais avait été la pionnière des relations commerciales entre la France et l'Inde. Des Dieppois, les frères Parmentier, allèrent jusqu'aux « grandes îles au-delà des Indes », les Moluques, et revinrent en 1529 avec deux navires chargés d'épices. Mais l'échec d'une seconde expédition découragea les négociants rouennais et dieppois d'affréter de nouveaux vaisseaux pour l'exploration hasardeuse des Indes orientales, jugées si lointaines.

William Lee et sa machine à bas

Rouen, par sa position géographique, établit très vite des contacts directs avec l'Angleterre, et implanta dans sa région des techniques textiles nouvelles, originaires de ce pays. Nous en avons un exemple avec l'arrivée en France de la première machine à bas.

En 1589, William Lee, un inventeur anglais, conçut et construisit la première machine à faire des bas. Pour la première fois, un homme imaginait et réalisait le remplacement de la main humaine par une série de doigts d'acier, qui, mis en action simultanément, formaient tout un rang de mailles. La légende veut que, devant la vision de sa fiancée, pauvre, tirant de ses aiguilles à tricoter un maigre revenu, il voulut, en inventant sa machine, la libérer de ce travail répétitif et peu rentable et lui permettre de meilleurs profits par l'exécution plus rapide de ses bas. Toujours est-il que sa machine fut mal accueillie, menaçant, disait-on, de supprimer du travail aux tricoteuses de bas à domicile. Il n'arriva pas à obtenir de la reine Élisabeth le privilège indispensable pour créer une manufacture. Devant cette hostilité, ressentie par tous les premiers inventeurs de machines, il se rendit à Paris pour se placer sous la protection du gouvernement d'Henri IV qui lui accorda des lettre patentes.

Il s'établit avec son frère James à Rouen, où ils construisirent plusieurs machines en les perfectionnant. Sa petite entreprise employait dix ouvriers, anglais pour la plupart. Après l'assassinat d'Henri IV, en 1610, William Lee était devenu suspect, à la fois comme étranger et comme protestant. Devant les menaces dont il était victime à Rouen, il se réfugia à Paris où il mourut obscurément en 1612. Son frère et les ouvriers anglais de Rouen retournèrent dans leur pays et y installèrent un atelier aux environs de Nottingham pour y fabriquer les machines *stocking-frame* de William Lee. Utilisables à domicile, elles purent se développer dans toute la région sous le nom de Compagnie des tricoteurs au métier. Devant le succès de cette machine qui se répandit dans toute l'Angleterre, le gouvernement interdit son exportation sous peine de mort.

Ce n'est qu'en 1656 que Colbert encouragea un certain Jean Hindret à voler les plans de cette machine en Angleterre, car les ouvriers de Lee avaient tout emporté au moment de leur départ de Rouen. Jean Hindret remplit sa mission d'espion industriel et, à son retour, sur le plan recopié, il fit fabriquer la machine de Lee et la mit parfaitement au point dans la manufacture du château de Madrid à Neuilly, qui avait pour objet « la fabrication des bas, canons, camisoles et autres ouvrages et la formation d'artisans-maîtres pouvant s'installer dans toute la France ». Les planches de l'*Encyclopédie* de Diderot et d'Alembert montrent en détail les différentes parties de cette machine assez complexe à l'époque.

En 1686, elle fonctionne dans plusieurs villes de Provence, comme Avignon, Aix, Nîmes et Orange. Avec cette technique nouvelle de tricot-machine, les fabricants réalisent des bas et des caleçons en coton et en soie. Le travail à domicile du tricotage à la main est abandonné, et les tricoteuses viendront se plaindre aux autorités locales d'avoir perdu une activité complémentaire de l'agriculture saisonnière. En revanche, à Troyes, la bonneterie « au métier anglais » se répand rapidement dans les campagnes, procurant du travail à façon à de nombreuses paysannes. Cette formule de travail à domicile durera jusqu'au début du XIXe siècle où Troyes deviendra, avec l'invention de nouvelles machines plus performantes, l'une des premières places dans l'industrie mondiale de la maille.

L'histoire de William Lee montre à nouveau, comme nous l'avons constaté en Angleterre, que la technique, à ses débuts, fut l'œuvre de modestes ouvriers, concevant et réalisant souvent avec de faibles moyens leurs remarquables inventions ; elle souligne aussi combien le progrès technique peut être retardé par la peur des « machines » qui remplacent au départ de nombreux ouvriers. Cette peur aboutira à toutes les émeutes ouvrières, d'abord en Angleterre, dans l'industrie cotonnière à la fin du XVIIIe siècle, puis en France, au début du XIXe siècle, particulièrement à Lyon avec la révolte des canuts.

Curieuse coïncidence : la première manufacture de coton fut financée à Richemond en Angleterre, en 1690, par un huguenot français, appelé Cabannes, qui vint plus tard s'installer à Paris à l'Arsenal, et ce fut un Anglais, John Holker (1719-1786), qui établit près de Rouen, à Saint-Servin, en 1751, la première filature de coton, en copiant des machines anglaises, afin de produire sur place le fil nécessaire à la fabrication du velours de coton, qui sera la spécialité d'Amiens jusqu'à aujourd'hui. Rouen fut le berceau de l'impression, d'abord sur lin, puis sur lin et coton, et enfin sur du pur coton en 1709. Une teinturerie s'y spécialisa dans un procédé de teinture en réserve permettant d'obtenir des cotonnades indigo avec de petits motifs écrus. Au début du XVIIIe siècle, des manufactures d'impression s'installeront le long des boucles de la Seine, à Bolbec, Bapeaume-lès-Rouen, Lyons-la-Forêt, Darnétal. Leur production servira surtout pour la traite des Noirs. Certaines de ces maisons sont encore en activité.

L'Histoire de la Compagnie des Indes orientales

Ses débuts jusqu'à son implantation à Lorient en 1680

Déjà en 1604, sous Henri IV, était née l'idée d'une Compagnie française des Indes orientales, ayant le monopole commercial de cette vaste région, encore inconnue en grande partie des Français. Le roi accorda une première charte à une compagnie de marchands de Dieppe, Rouen et Saint-Malo, désignée sous le nom de Compagnie des Moluques, commercialisant en priorité les épices de toute l'Indonésie. La découverte du Canada permit à Champlain, en fondant la ville de Québec en 1608, de jeter les bases de la colonisation française en Amérique avec la création de la Nouvelle-France. Mais c'est vers l'Amérique tropicale et les Antilles que Français, Hollandais et Anglais allaient désormais diriger leurs expéditions. Ils engagèrent une lutte sans merci pour gagner l'enjeu commercial et politique que représentaient ces territoires vierges.

Richelieu élargit les privilèges de la Compagnie des Moluques au commerce avec les Indes. Après la découverte de plusieurs îles des Antilles, il accorda à Pierre d'Esnambuc la création d'une nouvelle compagnie, la Compagnie des Isles de l'Amérique, « qui avait pour but de faire habiter et peupler les isles de Saint-Christophe et de la Barbade et autres situées à l'entrée du Pérou et d'avoir le droit d'y introduire des esclaves ». Le Pérou était en réalité le nom donné par erreur au Venezuela. C'est par cette compagnie que furent colonisées les îles de la Guadeloupe et de la Martinique et, un peu plus tard, Sainte-Lucie et Saint-Barthélemy, les autres colonisateurs européens se disputant les autres îles antillaises.

C'est beaucoup plus tard, en 1664, devant la suprématie commerciale des Hollandais, puis des Anglais, que Colbert organisa la mise en place de comptoirs en Inde par la création d'une nouvelle Compagnie des Indes orientales, avec un poste établi à Ceylan en 1676 et à Pondichéry, en 1686. Ce dernier comptoir va jouer un rôle important dans notre histoire du coton. Colbert chargea l'académicien François Charpentier de rédiger une brochure, destinée à présenter le projet et à attirer des actionnaires à cette compagnie, intitulée : *Discours d'un fidèle sujet du Roi touchant l'établissement d'une Compagnie française pour le commerce des Indes orientales, adressé à tous les Français* ; elle sera diffusée en avril 1664.

Afin de séduire les actionnaires potentiels, le texte énumérait tous les produits exotiques commercialisables par cette compagnie : « Ce sont des Indes orientales que l'on tire l'or et les pierreries, c'est de là que viennent ces marchandises si renommées et d'un débit si assuré, la soie, la cannelle, le gingembre, la muscade, les toiles de coton, unies ou imprimées, la ouate, la porcelaine, le poivre, les bois qui servent à toutes les teintures, l'ivoire, l'encens, le bézoard et mille autres commodités. » Des affiches placardées sur les murs de Paris vantaient les avantages accordés aux colons s'installant, entre autres, à l'île Dauphine (Madagascar) où à l'île de France (l'île Maurice), pour faire de ces deux îles des points de relais et d'entrepôts avec l'Inde et la Chine. Ce monopole commercial s'étendait aux Indes, aux mers orientales et aux mers du Sud, et cela pendant une durée de cinquante ans. La compagnie avait le droit de conclure des traités avec les rois des Indes, de déclarer la guerre, de battre pavillon français dans tous les comptoirs et d'y établir des garnisons pour les protéger de toutes attaques étrangères.

Lc roi fut mis à contribution pour aider le financement de cette compagnie et Colbert lui-même souscrit au capital pour 30 000 livres afin d'inciter les grands seigneurs, les marchands et les armateurs à participer à cette nouvelle aventure commerciale et maritime. Pour animer le port de La Rochelle qui ne se consacrait qu'à la pêche à Terre-Neuve, Colbert y plaça le siège de cette compagnie et y associa des armateurs protestants. Mais la politique belliqueuse de Louis XIV ne facilita pas le développement de cette entreprise difficile, puisqu'il fallait tout à la fois organiser la traite des Noirs, assurer la colonisation des terres nouvelles pour y cultiver la canne à sucre, le café, le tabac et plus tard le coton et, de plus, les défendre contre les visées étrangères.

D'une façon incompréhensible, que nous tenterons toutefois d'expliquer, ce fut la même année, exactement le

26 octobre 1664, que fut promulgué l'édit de prohibition des toiles peintes et des étoffes des Indes, qui porta un rude coup au développement de cette nouvelle compagnie, en dépit des différentes autorisations d'exporter les toiles de coton teintes en indigo et appelées *guinées*, fabriquées à Pondichéry, qui servaient essentiellement au troc des esclaves. Nous verrons aussi qu'un peu plus tard, vers 1718, le banquier John Law rachètera les privilèges de toutes les compagnies créées par Colbert, première tentative d'unification du commerce avec les colonies.

Après Marseille et Rouen, Nantes va aussi devenir l'un des grands centres d'indiennage, privilégié par sa double situation de port de haute mer et de port fluvial, la proximité de Port-Louis puis celle de l'Orient (Lorient), port créé à côté par la Compagnie des Indes. Le marché des authentiques indiennes arrivant par bateaux directement de Calicut était encore le monopole des Anglais et des Hollandais. Les ports d'Amsterdam et de Londres alimentaient l'Europe en marchandises diverses venant de l'Inde, épices, pierres précieuses, indigo, mousselines et cotonnades peintes, les si fameuses indiennes. Ce fut l'une des raisons qui poussèrent Colbert, toujours infatigable défenseur du développement du commerce en France, à profiter des richesses des pays conquis et à faire ainsi échec aux monopoles des négociants hollandais. C'est lui, on s'en souvient, qui avait créé au Havre en 1664 la Compagnie des Indes orientales, afin de faciliter les échanges commerciaux directs avec Madagascar (l'île Dauphine), l'Inde et la Chine. Il écrivait au directeur de cette compagnie : « Je continueray de vous dire que vous ne devez point avoir d'autre vue en ce pays-là que celle du commerce. » Colbert fonda ensuite à Marseille, en 1670, la Compagnie du Levant pour les échanges commerciaux méditerranéens et, à Rouen, en 1673, la Compagnie du Sénégal qui devait en grande partie, hélas, se consacrer à la traite des Noirs regroupés dans l'île de Gorée. En effet, malheureusement, dès 1679, des lettres patentes donnèrent à cette compagnie un nouveau privilège, celui de transporter tous les ans, pendant huit années, dans les îles et la terre ferme de l'Amérique, deux mille Noirs, et d'en fournir aussi à Marseille pour les galères du roi. La traite des Noirs ne faisait que commencer ! Nantes, Bordeaux, La Rochelle, Le Havre participeront aussi à ce trafic négrier ainsi que Saint-Malo et Marseille, mais moins activement.

Louis XIV concéda à la nouvelle « Compagnie des Indes orientales » le monopole du commerce et de la navigation dans toutes les mers d'Orient, ainsi qu'une prime pour toute marchandise exportée ou importée. Colbert fournissait, à chacune des compagnies mises en place, des capitaux et nomma des directeurs qu'il surveillait avec rigueur. Afin de dominer les flottes anglaise et hollandaise, il augmenta le nombre des vaisseaux et créa une marine marchande puissante, tout en reconstruisant une flotte de guerre pour, disait-il, « nettoyer la mer des corsaires et procurer à ses sujets la liberté de trafiquer dans les pays étrangers les plus lointains comme l'Inde ».

Devant les difficultés de colonisation de l'île Dauphine et les problèmes financiers de la compagnie, le roi apporta de nouveaux capitaux du Trésor, mais exigea qu'on envoyât les vaisseaux marchands de la compagnie, escortés de la flotte royale, directement aux Indes, sans faire escale à Madagascar qui n'était pas assez organisé pour servir encore de port de relais. La guerre avec les Anglais rendait dangereuses toutes les sorties et entrées au port du Havre. Un vaisseau de la nouvelle Compagnie des Indes, la *Vierge-du-Bon-Port*, qui revenait de l'océan Indien fut coulé en 1666 devant Guernesey par deux frégates anglaises. En revanche, le *Saint-Jean-Baptiste*, en janvier 1669, rentra mouiller dans la rade bien protégée de Port-Louis, sans pénétrer dans la Manche et sans problème.

C'est pourquoi, au cours d'une réunion du 11 février 1669, les premiers actionnaires de la compagnie délibérèrent et en décidèrent ainsi : « la Compagnie conservera l'établissement qu'elle a commencé à établir au Port-Louis et il sera donné ordre à tous les vaisseaux qui iront aux Indes de faire leur retour à Port-Louis pour une plus grande sûreté ». La compagnie fonda le premier comptoir chinois à Canton et, le 3 août 1700, la frégate *Amphitrite* débarqua, à Port-Louis, cent soixante-sept caisses de porcelaine chinoise qui allait vite devenir à la mode comme les indiennes fabriquées en Inde.

La création du port de l'Orient (Lorient)

Le mouillage était difficile dans la baie de Port-Louis où se jetait la rivière Blavet qui déposait beaucoup de vase. Aussi, dès 1680, le directeur de la compagnie décida de s'installer plus bas dans la rade, pour y construire « port, quais, chantiers, magasins et autres édifices nécessaires à la construction de ses vaisseaux et armements de ses flottes, et d'assurer ainsi par des fortifications une plus grande sûreté des bateaux revenant des Indes ou de la Chine ». Ce fut la création du port de l'Orient, devenu Lorient par assimilation phonétique. Exclusivement réservé à la Compagnie des Indes, celui-ci deviendra rapidement la base d'une entreprise prodigieuse dont l'épopée sera mêlée de conflits, de rivalités, de passions, d'intrigues, de convoitises, de défaites et de victoires, d'héroïsme et de mort.

Il est parfois difficile de suivre l'histoire de ces armateurs lorientais également conquérants de comptoirs aux Indes et en Chine, de ces capitaines qui, à l'origine, sont aussi des commerçants, disposant de tout pouvoir sur les représentants locaux de la compagnie, de cette marine marchande qui est aussi une marine de guerre destinée à assurer la défense contre les ennemis de la France ou les pirates.

La compagnie importait surtout de l'Inde, sans droits d'entrée, de l'indigo et des indiennes, marchandises regroupées au comptoir français de Pondichéry dès 1674, et que la compagnie acheta en 1686 au souverain de la région. Le directeur, fixé à Lorient, écrivait à ses agents en Inde que la clientèle française désirait des toiles avec des motifs de branches de fleurs en couleur, sur fond blanc et non rouge, qui ne plaisait pas. Le trafic du port de la compagnie augmenta, ainsi que celui de Nantes, où les marchandises transportées par route ou par cabotage étaient vendues aux enchères dans des entrepôts, directement aux commerçants venus de toute l'Europe, mais particulièrement de Suisse et de Hollande.

Les négociants nantais avaient vite compris que la curiosité pour les toiles peintes de l'Inde pouvait s'accroître si l'on adaptait les coloris et les dessins au goût occidental. C'est ce qu'ils firent avec succès. Des modèles, à la mode européenne, furent envoyés en Inde. On trouva ainsi, sur le marché indien, des toiles peintes d'après des albums d'ornements de Jean Bérain ! Colbert, pour exploiter ces nouvelles colonies, favorisa leur peuplement par l'octroi d'une pension annuelle aux jeunes couples qui s'y exileraient. Il voulait aussi, en développant la population des Antilles françaises et de la Louisiane, fournir de nouveaux débouchés aux manufactures qu'il avait mises en place en métropole.

Pour concurrencer le marché étranger, il s'efforça d'attirer en France, à prix d'or, des ouvriers et même les fabricants étrangers les plus réputés. C'était ce qu'Henri IV et François Ier avaient déjà fait en introduisant à Tours, puis à Lyon, les meilleurs tisserands vénitiens de soieries façonnées et ceux spécialisés dans la fabrication du velours ciselé de Gênes, afin de transmettre leur savoir-faire aux tisserands de ces deux villes, qui deviendront rapidement les capitales mondiales de la soie. Pour éviter la désertion des ouvriers les plus qualifiés, il leur interdisait de quitter le royaume « sous peine de mort » !

Les guerres incessantes de Louis XIV, avec la Hollande, l'Angleterre, puis l'Espagne, ne facilitèrent pas le développement du commerce. Le roi chargea le port de Lorient de construire des vaisseaux de guerre, et la compagnie végéta sous la domination de la marine royale. Le succès des indiennes était pourtant considérable. Il est vrai qu'à la cour de Versailles, depuis le voyage des ambassadeurs siamois, la mode des indiennes et des « siamoises » s'était intensifiée. Les bateaux de la compagnie ou des armateurs privés accostant désormais à Nantes, les soyeux se sentirent menacés par l'importation massive d'indiennes. Devant leurs plaintes répétées, le gouvernement prit alors la décision d'en prohiber l'importation à partir du 26 octobre 1686.

La prohibition et ses conséquences économiques pour la compagnie

La prohibition est une histoire incroyable, avec de nombreux épisodes et des conséquences économiques désastreuses, un vrai roman policier qui mérite quelques explications.

La prohibition des toiles de coton peintes fut décidée malgré l'engouement, vestimentaire et décoratif, pour ces cotonnades colorées, venues des Indes mythiques et lointaines, dont la mode fut comparable à celle des premières soieries arrivées par la longue route de la soie jusqu'à Rome, et vendues au poids de l'or ! Cette interdiction se produisait aussi en totale opposition avec les initiatives de Colbert pour développer le commerce avec les Indes en créant cette fameuse compagnie dont nous avons commencé à raconter l'histoire mouvementée. Les débuts de la traite des Noirs, pour assurer la main-d'œuvre des premières colonies américaines, ne justifiaient pas encore de bloquer toutes les cotonnades indiennes qui servaient de monnaie d'échange avec des captifs africains. En revanche, au début du XVIIIe siècle jusqu'à la fin de la prohibition en 1759, la demande constante de tissus de traite par les négriers des principaux ports français aurait pu motiver cette interdiction, la production française n'était pas encore assez développée pour répondre à ce marché africain considérable.

À Marseille, malgré les transports et tous les intermédiaires, les cotonnades peintes se vendaient moins cher que celles fabriquées sur place et, même, moins cher que certaines soieries lyonnaises ! Cette situation permit à toutes les classes de la société de s'offrir des étoffes des Indes. Devant cette invasion de cotonnades de l'Inde et du Levant sans compter celles fabriquées à Marseille et transformées en somptueux piqués-matelassés, les soyeux et lainiers se plaignirent au roi que cette concurrence allait les ruiner. Savary, dans son *Dictionnaire du commerce*, écrivait : « L'autorité royale travailla à opposer une digue à cette espèce de torrent d'étoffes des Indes qui inonda Paris et les Provinces. »

Le 14 octobre 1670, le tissu de la robe de chambre que Molière fait porter à M. Jourdain dans *Le Bourgeois gentilhomme* est une « indienne », et le roi, présent à cette première représentation, en veut aussitôt une pareille. Toute la noblesse suivra cet exemple. Les femmes du peuple de la Provence n'avaient pas attendu la mode de l'aristocratie versaillaise pour se vêtir avec des indiennes du Levant, ou leurs copies locales. À tel point que l'emploi presque exclusif d'Indiennes pour la fabrication des costumes provençaux sera leur originalité principale jusqu'au début du XXe siècle. Aujourd'hui, seuls les groupes folkloriques en maintiennent la tradition, et certaines manufactures produisent encore à la planche ces cotonnades dites « provençales. »

Un an avant la prohibition, le démarrage de l'industrie cotonnière en France avait déjà été perturbé par les graves conséquences économiques de la révocation de l'édit de Nantes, ce triste 18 octobre 1685. Dès 1680, les protestants avaient été exclus de toutes les professions libérales. Aussi, certains d'entre eux se dirigèrent vers la nouvelle profession d'« indienneur » qui n'était pas sur la liste des métiers interdits. Après la révocation de l'édit de Nantes, les persécutions provoquèrent le départ de ces indienneurs huguenots qui apportèrent leur savoir-faire en Suisse, en Allemagne, en Hollande et en Angleterre, et même jusqu'en Russie. Plus de 200 000 protestants partiront pour l'exil, livrant des secrets qui faisaient la force du commerce et de l'industrie française dans les secteurs textiles en plein développement. Tous les efforts de Colbert furent anéantis et la Compagnie des Indes se trouva au bord de la faillite. Ces conséquences désastreuses se firent sentir jusqu'aux Indes, les vaisseaux de la Compagnie française des Indes ne pouvant plus faire escale au Cap, toujours tenu par les Hollandais, en grande partie huguenots, qui saisissaient tout navire français.

À la suite des plaintes répétées des soyeux, un premier arrêt, en 1686, interdit l'introduction d'étoffes de coton peintes dites « indiennes ». Puis, influencé par de nouvelles réclamations, le 26 octobre 1687, Louvois, alors directeur du Commerce et des Manufactures, assisté pourtant d'un fils de Colbert, lance l'arrêt de prohibition totale contre toutes les indiennes, prétextant la ruine des manufactures de France. Le roi et la reine sont obligés de montrer l'exemple et de revenir aux costumes somptueux réalisés avec les soieries de Lyon, mais la noblesse défia souvent cette loi, nous aurons l'occasion de le constater, car cette interdiction n'empêcha pas, à Lorient comme à Marseille, le développement du commerce des indiennes de contrebande, jusqu'à Paris.

Mme de Sévigné, dans une lettre à sa fille, Mme de Grignan, datée du 12 août 1688, raconte sa visite à Lorient, juste au moment des accords commerciaux conclus après l'audience solennelle de Louis XIV aux ambassadeurs du roi de Siam, le 1er septembre 1686 à Versailles. Elle écrit à sa fille : « Un monsieur Céberet qui arrive de Siam et qui a soin de ce commerce, et sa femme qui arrive de Paris et qui est plus magnifique qu'à Versailles, nous y donnèrent à dîner. Nous fîmes bien raconter au mari son voyage, qui est fort divertissant. Nous vîmes bien des marchandises, des porcelaines et des étoffes. Cela plaît assez. » Les étoffes dont parle Mme de Sévigné sont en grande partie des indiennes venant de Pondichéry qui, prohibées, se vendaient en contrebande à Lorient même.

La prohibition dura en France soixante-treize ans et favorisa, avec l'exil des protestants indienneurs, un développement important des manufactures européennes. Paradoxalement, ce fut aussi le cas de Marseille, à partir du 10 juillet 1703, avec le rétablissement de la franchise du port permettant « le port et l'usage de toiles peintes » dans cette ville. Un marché clandestin d'indiennes du Levant, les fameuses *chafarcanis*, s'installa dans toute la Provence.

Un arrêt du 30 mars 1720 permit « dans la ville port et territoire de Marseille l'entrée, le commerce et l'usage des toiles de coton blanches venant en droiture du Levant, lesquelles néanmoins ne pourront être introduites dans le royaume qu'après avoir été piquées et employées en couvertures, bonnets, et autres ouvrages faits en ladite ville de Marseille ». Pour échapper à l'interdiction des étoffes peintes, les couturières rehaussaient ces piqués de broderies aux décors de fleurs dans le style des indiennes. Cet engouement des indiennes s'accentuait d'autant plus qu'on les interdisait. Pour contourner la prohibition, les hommes et les femmes portaient chez eux des robes de chambre, confectionnées en indienne. On les appelait « robes d'Arménie », certaines étant réalisées avec des cotonnades du Levant. En 1716, Saint-Simon écrit à ce propos : « La mode de toiles peintes l'emporte sur toute règle et raison. Les plus grandes dames et toutes les autres, à leur imitation et à l'abri de leur exemple, en portent publiquement et impunément avec le plus scandaleux mépris des défenses et des peines portées et si souvent réitérées. »

On raconte qu'on trouva et confisqua une robe en indienne de la marquise de Nesle. Pour se venger de cet affront, elle se rendit au bal de la cour « en simple robe de chambre, brodée de fleurs à la façon des Indes ». On verra des agents de la douane arracher en pleine rue, à des femmes élégantes de l'aristocratie, leurs robes imprimées, les laissant rentrer chez elles en jupon ! Les meubles tapissés d'indienne seront saisis. Devant le non-respect des ordonnances, une autre, datée de 1717, proclame que « le port et usage des toiles sont aussi punis de galères perpétuelles ». Aller aux galères pour porter une jupe ou une robe en indienne semble aujourd'hui paradoxal !

Les nobles défiaient les lois. On sait, par exemple, que le duc de Bourbon protégeait un atelier clandestin à son propre usage, situé dans les communs de son château de Chantilly. Mme de Pompadour et la duchesse du Maine en soutenaient un autre situé à Paris à l'Arsenal. La favorite du roi meubla ses appartements en indiennes et y parada en robes de coton imprimé en Inde.

Avant de continuer l'histoire du port de Lorient et d'évoquer le règne éphémère de la Compagnie des Indes de John Law en Louisiane, il est nécessaire de mieux connaître l'histoire de ce fameux comptoir de Pondichéry qui semblait pour beaucoup être un eldorado. La production des manufactures textiles installées dans ce comptoir joua un rôle important, servant de base de monnaie de traite pour le commerce triangulaire Europe-Afrique-Amérique. Au cours de cette longue prohibition, la Compagnie des Indes se trouva dans l'obligation de réexporter ses cargaisons de belles indiennes vers les colonies des Antilles. Par contre, les *guinées* et les indiennes de moins bonne qualité arrivant de Pondichéry servaient, hélas, de troc pour l'achat des esclaves et favorisèrent encore plus le développement de la traite des Noirs, car les planteurs de canne à sucre, de café, d'indigotiers et de coton de la Louisiane et des îles des Antilles françaises avaient des besoins toujours plus grands de main-d'œuvre. Aussi, les planteurs dont la production augmentait sans cesse furent-ils entièrement dépendants du commerce négrier. Vers 1733, la demande de café en Europe fut telle que de nombreux exploitants abandonnèrent la culture du cacao et du coton au profit du café qui demandait moins de main-d'œuvre.

Pondichéry et autres comptoirs indiens de la Compagnie des Indes orientales

La création du comptoir de Pondichéry

Vers 1686, le premier poste français de Pondichéry fut transformé en une petite ville par François Martin, directeur de la Compagnie française des Indes orientales. Durant la guerre européenne de la ligue d'Augsbourg, les Hollandais, en lutte contre les Français, s'emparèrent de Pondichéry en septembre 1693 et tous les Français du comptoir furent arrêtés et embarqués pour l'Europe. Mais, par le traité de Ryswick, le comptoir fut restitué aux Français en 1697 et, en 1699, Pondichéry devint le chef-lieu des possessions françaises de l'Inde.

De Pondichéry, situé au sud de Madras, dépendaient quatre autres comptoirs — Karikal, Masulipatnam, Yanaon et Surate — gérés chacun par un directeur de comptoir assisté de quelques employés, et administrés par un gouverneur colonial résidant à Pondichéry. Parmi les plus célèbres on peut citer Lenoir (1721-1735), Dumas (1735-1741) et Dupleix (1697-1763). Ce comptoir jouera, au milieu du XVIIIe siècle, un grand rôle dans la révélation des secrets des teintures indiennes, dévoilés en grande partie par *Les lettres édifiantes et curieuses* des missionnaires de la Compagnie de Jésus, qui étaient installés dans ce comptoir depuis 1662 et allèrent à Chandernagor à partir de 1688. Nous raconterons ces vols industriels en détail dans le chapitre consacré à la France au XVIIIe siècle.

À la fin du XVIIIe siècle, d'Hardaucourt, ancien directeur de la Compagnie des Indes à Pondichéry, mettait en avant dans un mémoire la qualité particulière des toiles peintes de cette ville, attribuée aux vertus de l'eau des étangs dans lesquels les toiles étaient lavées avant la teinture. Sans doute cette eau contenait-elle du tanin qui fixait les colorants.

On trouvait dans ce comptoir des ateliers artisanaux de production d'indiennes, avec la présence de dessinateurs européens qui créaient sur place le style « Compagnie des Indes » adaptant des motifs traditionnels indiens aux goûts occidentaux et d'autres aussi à ceux des Africains pour la traite. Des négociants marseillais avaient également des représentants dans cette ville, et certains fondèrent des sociétés pour la culture de l'indigo. Vers 1740, on y comptait de quinze cents à deux mille Européens pour une population de plus de cent mille habitants, composée de chrétiens, musulmans et hindouistes.

Au mois de mai, les courtiers de la compagnie réunissaient les marchands indiens, leur indiquaient les quantités de cotonnades unies ou peintes qu'ils souhaitaient et leur donnaient des avances pour leurs achats. Ces marchands se déplaçaient dans les villages de tisserands pour passer les commandes et verser des acomptes. En octobre, toutes ces commandes étaient regroupées dans les entrepôts de Pondichéry et examinées avec soin par les courtiers afin d'éliminer toutes les cotonnades non conformes aux critères de qualité exigée pour l'exportation. Cette rigueur fit la réputation des cotonnades de la compagnie sur tous les marchés européens.

Au XVIIIe siècle, des sujets « chinois » tirés des modèles de Pillement ou Huet furent copiés par les artisans indiens. Par modifications successives des motifs originaux, les sujets chinois se transformèrent en une imbrication de motifs indiens et chinois. En Europe, on confondait volontiers la Chine et l'Inde et tout était indien, même les toiles de Jouy d'Oberkampf aux motifs décoratifs à la « chinoise » ou les bouquets de fleurs à « l'indienne ».

Pendant plus d'un siècle les cotonnades connues sous le nom de *Guinées*, commercialisées exclusivement en Afrique, furent une exclusivité des Territoires français de l'Inde et particulièrement de son chef-lieu Pondichéry. Une partie de la production des plus belles indiennes et des *madras* était dirigée vers le port de Lorient avec les épices, comme le poivre, la cardamome, la cannelle, le gingembre et le safran, avec aussi le café, le thé, l'opium, les ailerons de requins, les bois de teinture, le santal et l'indigo.

Le bruit avait couru dans les milieux commerciaux français qu'on y faisait fortune et qu'on revenait vite « cousu d'or, les mains remplies de diamants et de perles ». Le maître de *Jacques le Fataliste*, du roman de Diderot, lui donnera comme conseil pour gagner de l'argent rapidement : « Voyez vos parents, proposez-leur de vous avancer une pacotille de bijoux. Embarquez-vous pour Pondichéry, arrivé, vous ferez fortune. » De nombreux récits de voyageurs le confirmeront. Dans le roman *Le Génie du foyer* de Jenny Lensia, le personnage principal, sans ressources, s'engage comme chargé d'affaires d'un grand industriel français qui possède une indigoterie à côté de Bénarès. Les produits français vendus dans les ports indiens étaient l'eau-de-vie, le vin, l'huile d'olive et de la quincaillerie de toute espèce, allant des bijoux de pacotille aux armes à feu.

Dupleix de Bacquecourt, homme de finance, était devenu le directeur de la Compagnie des Indes. Il avait un frère cadet, Joseph, qui voyagea très jeune en Amérique et en Inde et qu'il fit nommer, à vingt-trois ans, membre du Conseil supérieur de Pondichéry. En 1730, Joseph devint gouverneur de Chandernagor, comptoir français situé à l'entrée du Bengale. Il se livra pour son compte à un trafic d'Inde en Inde. Son frère aîné le laissa faire, comme d'ailleurs ce fut le cas pour d'autres fonctionnaires de la compagnie qui trafiquaient et s'enrichissaient très rapidement. En 1742, Joseph Dupleix est nommé gouverneur général de Pondichéry et de toutes les possessions de l'Inde. Il fera de ce comptoir une ville moderne, avec de larges avenues, deux superbes églises, un hôpital et un palais somptueux construit dans la citadelle, située au milieu de la ville, face à la mer.

La Bourdonnais, gouverneur de l'île de France (l'île Maurice), dut venir avec son escadre protéger les comptoirs français d'une attaque importante de la flotte anglaise. Il la battit devant Madras, qui capitula en 1756, mais il rendit la ville aux Anglais moyennant une forte rançon, ce qui fâcha Dupleix qui le fit rappeler en France. À son arrivée, il fut enfermé à la Bastille, mais en sortit trois ans plus tard, absous de tous les griefs qu'on avait contre sa mauvaise gestion de l'île de France.

Dupleix reprit Madras aux Anglais. En représailles, le 29 avril 1748, l'amiral anglais Boscawen, à la tête d'une escadre de treize vaisseaux de guerre et de dix-neuf bâtiments de transport de 4 700 hommes de troupe, bloqua Pondichéry, défendu par Bussy-Castelman et Dupleix qui tous deux se conduisirent en héros. Malgré leur résistance de trente-huit jours, ils furent obligés d'abandonner la ville aux Anglais mais, à la suite du traité d'Aix-la-Chapelle, elle fut vite restituée à Dupleix. Les affaires de la compagnie reprirent avec beaucoup de succès et Dupleix, fort de ses victoires, se fit nommer par le Grand Moghol nabab du Carnate, la vaste province de Pondichéry. Il s'entoura alors d'un luxe et d'un faste dignes des plus grands princes indiens. Sa femme, veuve d'un négociant français d'origine portugaise, se prenait pour une souveraine en se faisant appeler *Jan Begum*, princesse Jeanne !

Cette double fonction de Dupleix, gouverneur et nabab, agaça le nouveau directeur de la Compagnie qui décida de le faire revenir en France. Il ne connut sa disgrâce que le jour de l'arrivée de son successeur, M. Godeheu, un « franc marchand » selon l'expression de Voltaire. Il partit en France rendre des comptes aux dirigeants de la compagnie et ne survécut pas longtemps à l'humiliation qu'il avait subie après avoir donné à la France ses plus grandes limites en Inde, face aux attaques anglaises dont il était sorti victorieux. La France, à cette époque précise, si elle avait soutenu la politique d'expansion en Inde de Dupleix, aurait pu prendre la place des Anglais et en faire un grand empire français. On a murmuré à la Cour que, avec la paix d'Aix-la-Chapelle, les Anglais, effrayés par les conquêtes de Dupleix et son prestige en Inde auprès des princes et du Grand Moghol, exigèrent son rappel en France et que le gouvernement aurait eu la faiblesse d'y consentir ! Le roi n'avait pas d'ambition de conquête en Inde, il voulait seulement que la compagnie soit une association de marchands efficaces, sans rechercher d'autres possessions que les seuls comptoirs commerciaux. Aussi, peut-être à cause des pressions anglaises, rendit-il la province de Carnate au Grand Mohgol, ne conservant que la ville de Pondichéry et ses environs.

Le voyage d'Anquetil-Duperron en Inde

D'autres Français seront attirés par l'appel de l'Orient, mais pour d'autres motivations que celles des commerçants ou des missionnaires. C'est le cas exemplaire d'Anquetil-Duperron, voyageur-savant, qui à l'âge de vingt-trois ans s'embarqua pour l'Inde du port de Lorient, à la recherche de textes anciens sur la religion de Zoroastre, encore pratiquée en Inde par les parsis, lointains parents des Perses sassanides. Il séjourna à Pondichéry, Chandernagor, Surate, au moment précis des rivalités de territoire avec les Anglais. Lorsqu'il débarqua à Pondichéry en 1756, c'était une ville prospère à la suite de l'œuvre de conquête de Dupleix, qui venait juste d'être relevé de ses fonctions, dans les conditions humiliantes que nous avons évoquées. Anquetil s'intéressa aussi aux comptoirs des compagnies commerciales étrangères et écrivit en France, en 1789, *De la dignité du commerce et de l'état de commerçant*, et d'autres livres qui donnent de précieux renseignements sur les aspects de la vie coloniale, les routes commerciales de l'Inde, dont il dressa une carte. Il décrivit aussi les cultures et les productions artisanales des régions qu'il traversa.

Le coton tient une place importante dans ses notes de voyages. Il dit que le meilleur coton se trouve au Bengale et sur la côte de Coromandel. Il en recense deux qualités : l'une appelée *ilava* qui, poussant à l'état sauvage sur les montagnes, n'exige pas de culture et dont la fibre grossière sert à rembourrer les matelas, l'autre, appelée *paroute*, croît dans les plaines et fournit les longues fibres de la plus belle qualité de coton indien. Il décrit toutes les opérations d'égrenage à l'aide déjà d'une petite machine ingénieuse mise au point par les paysans eux-mêmes, composée de deux cylindres en bois qui, actionnés par une manivelle, séparent la fibre de la graine, avant de former des balles de coton compressé pour le transport vers les grands ports indiens, en particulier Surate.

Lorsqu'il passe à Monpour, il découvre un atelier textile dirigé par des Arméniens qui font fabriquer des toiles : « Je passais à côté des grands hangars où travaillaient les tisserands. » À Ganjam, il signale une fabrique de mousseline de coton d'une grande finesse et remarque que « les fileurs au rouet sont capables de faire des fils si fins que dix cannes de toiles tiennent dans les deux poings ». Curieusement, il ne dit rien des techniques de teinture mais il savait que des missionnaires jésuites avaient fait des travaux sur l'artisanat textile indien en interrogeant directement les artisans au travail. Sur sa route, il rencontre un prêtre irlandais chargé d'une enquête sur les techniques de fabrication des tissus de coton. Un espion industriel de plus avec les Jésuites ?

De retour en France, il consacrera toute sa vie à une meilleure connaissance de l'Inde et sera le fondateur de l'indianisme français. Il restera en contact avec les jésuites de Pondichéry et de Chandernagor, comme le prouve sa correspondance avec le père Cœurdoux sur la syntaxe du sanscrit, les mythologies et religions des Indiens. Ce père, on le verra plus tard, s'intéressa aussi, comme son collègue le père Turpin, aux secrets des teinturiers indiens et leurs études permettront le développement des premières manufactures d'indiennage en France.

Le voyage de Bernardin de Saint-Pierre de Lorient à l'île de France, relais de la Compagnie des Indes

Bernardin de Saint-Pierre est plus connu de nos jours comme l'auteur de *Paul et Virginie* que pour son *Voyage à l'isle de France*, publié en 1773. Cette île, appelée aujourd'hui île Maurice, abandonnée par les Anglais en 1715, fut occupée par le capitaine du vaisseau le *Chasseur*, et baptisée île de France. La Compagnie française des Indes y fit aussitôt un port de relais et d'asile pour ses nombreux vaisseaux sur la route des Indes, appelé Port-Louis. Nous allons, grâce au récit de Bernardin de Saint-Pierre, sous forme de lettres, suivre son voyage éprouvant, qui fut celui de tous les agents de la compagnie allant à Pondichéry pour rapporter à Lorient les indiennes et mousselines, si prisées en Europe.

De Paris, Bernardin arriva en janvier 1768 à Lorient,

qu'il décrivit ainsi : « L'Orient est une petite ville de Bretagne que le commerce des Indes rend de plus en plus florissante... La noblesse demeure à Port-Louis, mais les marchands, les mousselines, les soieries, l'argent, les jolies femmes se trouvent à l'Orient... Le bruit des charpentiers, le tintamarre des calfats, l'affluence des étrangers, le mouvement perpétuel des chaloupes en rade, inspirent je ne sais quelle ivresse maritime. L'idée de fortune qui semble accompagner l'idée des Indes ajoute encore à cette illusion... Le peuple de la campagne ne parle plus français, celui de la ville ne connaît d'autre maître que la Compagnie. Les honnêtes gens s'entretiennent de l'île de France et de Pondichéry, comme s'ils étaient dans le voisinage. » Bernardin embarqua le 3 mars pour l'océan Indien sur un navire marchand, le *Marquis de Castries*, commandé par un de ses oncles. Il partait avec un brevet d'ingénieur du roi à l'île de France où il allait séjourner trois ans.

Au cours de son voyage, il connut les tempêtes, la foudre qui brisa le grand mât, les risques d'attaques de vaisseaux ennemis, la chaleur, la corruption de l'eau et la mauvaise qualité des vivres qui faisaient de terribles ravages parmi l'équipage, entraînant la mort de nombreux matelots par le scorbut et la dysenterie, le passage difficile du cap de Bonne-Espérance — le 26 mars tout l'équipage chanta le *Te deum*, pour remercier Dieu d'avoir passé ce cap si dangereux. Bernardin arriva enfin devant l'île de France le 15 juillet, ayant tenu la mer sans relâcher pendant quatre mois et douze jours. Dans ses lettres, il décrit avec soin la flore et la faune de l'île, son commerce et son agriculture : « Cette colonie fait venir sa vaisselle de Chine, son linge et ses habits de l'Inde, ses esclaves et ses bestiaux de Madagascar, une partie de ses vivres du cap de Bonne-Espérance, son argent de Cadix et son administration de France. Monsieur de La Bourdonnais [alors gouverneur de l'île en 1745, avant son retour en France provoqué par Dupleix] voulait en faire l'entrepôt du commerce de l'Inde, mais il y a quinze-cents lieues de l'île de France à Pondichéry... À quoi l'île est-elle bonne ? À donner du café et à servir de relâche à nos vaisseaux. » Il s'embarqua pour son retour à Lorient le 9 novembre 1770, s'arrêtant à l'île Bourbon (La Réunion) jusqu'au 21 décembre. Le 16 janvier, le vaisseau fit escale au Cap, colonie hollandaise, où Bernardin resta jusqu'au 2 mars. Il partit sur un nouveau vaisseau, la *Digue*, qui arriva devant les côtes françaises en mai 1771.

Grâce à son récit détaillé, on peut revivre tous les dangers d'un voyage maritime de Lorient à l'île de France aller et retour. On imagine ceux que traversaient les navigateurs poursuivant leur voyage jusqu'en Inde, avec les cyclones, les attaques des pirates et la dépendance des vents de la mousson pour le retour en France ! Au début du XVIIe siècle, un navire portugais sur trois revenait des Indes ! À l'aller, les vaisseaux étaient trop chargés de soldats, embarquant à destination des forteresses échelonnées le long de la route maritime des Indes, et, au retour, trop chargés des marchandises de l'Inde, épices, bois précieux et surtout indiennes et cotonnades de toutes sortes. De retour à Lorient, il s'étonna que cette région ne produise pas des cotonnades peintes comme à Pondichéry. Il faudra en effet attendre la fin de la prohibition pour que s'installent à Nantes les premières manufactures de toiles pour la traite.

La suite de l'histoire de Pondichéry

En novembre 1755, après la prise par les Anglais de trois cents navires de commerce français et la capture de tous les équipages, les hostilités reprirent en Inde. Chandernagor tomba le 23 mars 1757, supprimant ainsi le commerce français des mousselines du Bengale. Devant les menaces d'une attaque anglaise du port de Pondichéry, une expédition, placée sous le commandement du général Lally, mit en 1758 un an pour arriver jusqu'à Pondichéry ayant été obligée de s'arrêter à l'île de France afin d'attendre les vents favorables.

Lally perdit Madras qu'il abandonna aux Anglais et, à la suite, il fut obligé de leur céder toutes les meilleures places. Il se retrouva bloqué à Pondichéry par une armée de quatre mille Européens et quatre mille Indiens et par quinze vaisseaux du côté de la mer. Le blocus dura neuf mois et, faute de vivres, il fut obligé de se rendre le 16 janvier 1761. Les Anglais l'embarquèrent comme prisonnier avec ce qu'il lui restait de troupes, mais aussi avec tous les employés de la Compagnie. Après la fuite des habitants, les soldats anglais, en représailles du pillage de Madras par les troupes françaises de La Bourdonnais, démolirent non seulement les fortifications mais aussi les églises, les comptoirs, le palais du gouverneur, et laissèrent le moderne Pondichéry de Dupleix complètement en ruine.

Le 10 février 1763, le traité de Paris mit fin à la guerre de Sept Ans, mais livra à l'Angleterre, le Canada, la Louisiane et la majorité des comptoirs français en Inde. Le traité ne laissa aux commerçants français que cinq comptoirs dont celui de Pondichéry, mais il était en ruine à la suite des pillages anglais. Les agents des compagnies commerciales anglaises reléguèrent les directeurs de la Compagnie française des Indes orientales à un rôle subalterne et leur interdirent même de fortifier leurs comptoirs. La compagnie française subit alors la suprématie commerciale anglaise, dont les commerçants vendront les indiennes et autres marchandises locales, comme les mousselines, aux commerçants français, obligés de les acheter au prix fort.

Une fois libéré, Lally se rendit en France où il fut jugé coupable du désastre des comptoirs français de l'Inde. Il fut exécuté le 6 mai 1766, juste au moment où la Compagnie française des Indes reprenait possession des comptoirs dévastés, envahis par la végétation tropicale, et trois ans avant la fin des privilèges de la compagnie prononcée en 1769 par le roi. Ce dernier s'emparait des ports, des navires, des constructions, des marchandises et des esclaves, aussi bien sur la côte bretonne à Lorient que dans les places et comptoirs de l'Inde.

À la Compagnie des Indes orientales qui disparaît en 1766, vont se substituer des entreprises françaises autonomes qui deviendront vite florissantes dans les enclaves redevenues totalement françaises par le deuxième traité de Paris du 30 mai 1814. Pondichéry est restitué à la France, mais sous la tutelle d'un « résident » britannique qui jouit des mêmes privilèges que les résidents de l'East india Company, restés dans la ville pour commercer et empêcher ainsi la France d'y retrouver sa prospérité économique. Cependant, grâce à des gouverneurs dynamiques, ce comptoir reprit vigueur et encouragea les industriels français à venir investir dans cette lointaine colonie asiatique, riche en matières premières et en main-d'œuvre bon marché. Le premier atelier de teinture y fut implanté en 1828. Puis, des industriels français, tenant compte à la fois des privilèges fiscaux, des facilités d'approvisionnement en coton brut et de la culture de l'indigo dans la région, construisirent une filature, liée à un tissage mécanique, avec Bordeaux comme siège social. L'encadrement technique était originaire de l'est de la France.

En 1848, à la suite de l'abolition de l'esclavage dans toutes les colonies françaises, un trafic de coolies vers les îles à sucre et à coton des Antilles va enrichir les négociants recruteurs et les armateurs, qui assurent le transport de cette nouvelle forme d'esclavage déguisée en « main-d'œuvre engagée par contrat ». Les investissements de ces spéculateurs « marchands d'hommes » vont permettre le développement de l'industrie cotonnière locale. Les trois manufactures implantées à Pondichéry employaient plus de sept mille ouvriers locaux, qui bénéficiaient des avantages sociaux français acquis par les luttes ouvrières du XIXe siècle. Avec les graines du coton, des industriels fondèrent des usines de savon et d'huile de coton.

Ces manufactures textiles produiront jusqu'à trente-cinq millions de mètres par an de *guinées*, appelées localement *shandorahs*, exportées directement au Sénégal, en transitant par Bordeaux, sans payer les droits de douane des importations en France. Elles ne servaient plus de monnaie pour payer des captifs, l'esclavage étant aboli. La longueur de chaque pièce correspondait à celle d'un pagne dont les femmes et les hommes d'Afrique de l'Ouest s'enveloppaient le corps, de la ceinture jusqu'aux genoux. Ces toiles teintes en indigo eurent surtout un vif succès auprès des ethnies nomades situées en bordure du Sahara, comme les Peuls et les Touaregs. Ceux-ci furent d'ailleurs appelés « hommes bleus », car le surplus d'indigo déteignait sur leur peau. Ils appréciaient aussi l'odeur et la saveur particulière des toiles indigo de Pondichéry, à tel point que lorsque, vers les années 1930, la teinturerie de Pondichéry passa de l'indigo végétal à l'indigo chimique, cette population saharienne refusa les nouvelles toiles, l'odeur n'étant plus la même. Il fallut alors les recherches de chimistes pour retrouver le goût et l'odeur de l'indigo naturel !

Grâce aux progrès de la navigation des steamers des Messageries impériales, Pondichéry n'était plus qu'à vingt-sept jours de Marseille, et l'ouverture du canal de Suez en 1869 réduira la traversée à vingt-deux jours ! Nous évoquerons la fin de cette épopée de l'Inde française dans le chapitre consacré au XXe siècle. Mais revenons à l'histoire de Lorient, ce grand port de la Compagnie des Indes.

Lorient et la nouvelle Compagnie des Indes sous le règne du banquier John Law

L'affaire John Law

En 1702, la Compagnie des Indes fut menacée de disparaître avec le blocus anglais. En revanche, le port militaire de Lorient se développait pour augmenter la flotte de guerre royale. En 1712, devant l'accumulation de ses dettes, la compagnie se vit contrainte de remettre le reste de ses capitaux aux négociants de Saint-Malo pour qu'ils règlent ses créanciers indiens, le roi leur ayant accordé un nouveau privilège de dix ans. Mais les Malouins envoyèrent peu de vaisseaux en Inde de crainte qu'ils ne soient saisis pour les dettes de la compagnie. C'est à ce moment précis qu'intervint le banquier écossais John Law, qui créa en 1719 une nouvelle compagnie des Indes.

Dès le début du XVIIIe siècle, le commerce avec les colonies se développa, les financiers et les négociants y trouvant une occasion de profits rapides. C'est à cette période que se situe ce que l'on a appelé plus tard « l'affaire Law ». Banquier habile, pour éviter la banqueroute du royaume de France, Law proposa au Régent « d'abolir la monnaie d'or et d'assurer la monnaie de banque. La monnaie d'or tire sa valeur de la matière, qui est un produit étranger, la monnaie de banque tire sa valeur de l'action d'une compagnie commerciale qui est un produit de la France. L'action de cette compagnie a, plus que l'or, les qualités essentielles pour devenir monnaie ». Avec l'autorisation du Régent, il obtint le monopole de toutes les anciennes compagnies mises en place par Colbert qui, depuis la prohibition de 1686, végétaient. Il avait ainsi le monopole de tout le commerce maritime. Sous son nom, il créa une nouvelle société, la Compagnie des Indes orientales, pour la première fois par actions, et dont le but était d'exploiter toutes les richesses des colonies. Il lança cinquante mille actions. Dans ses bureaux parisiens de la rue Quincampoix, une foule de spéculateurs se pressa d'échanger la monnaie d'or et d'argent contre du papier monnaie qui rapportait un plus grand intérêt. De deux cents pour cent, les actions s'élevèrent à sept ou huit cents pour cent ! Devant ce succès incroyable, le roi accorda à Law la création de cinquante millions de nouvelles actions !

Au départ, le banquier semblait redonner tous ses droits au port de la compagnie, à Lorient. Il affirmait dans un mémoire de 1719 que « les grands services, qu'on a tirés de ce port dans les deux dernières guerres, prouvent d'une manière incontestable la nécessité d'y continuer l'établissement du roi pour le bien de l'État et du service de la Marine ». Quelques mois après cette déclaration, il récupérait toutes les installations de l'ancienne Compagnie des Indes et expulsait les militaires, comme l'y autorisait une ordonnance royale. La marine se replia à Brest et à Port-Louis. Ribby, le nouveau directeur de la compagnie, redonna vie à Lorient. Il y créa une manufacture de toiles à voiles avec le coton venant du Levant et de l'Inde et arma de nombreux bâtiments.

En 1716, à la suite des plaintes des armateurs contre les privilèges de la traite de Noirs par les compagnies, des lettres patentes les autorisèrent à faire « le commerce des Nègres, de la poudre d'or et de toutes les autres marchandises qu'ils pourront tirer des côtes d'Afrique... à condition qu'ils ne pourront armer ni équiper leurs vaisseaux que dans les ports de Rouen, La Rochelle, Bordeaux et Nantes ».

La création de la Compagnie du Mississippi

John Law, avec la reprise de toutes les compagnies crées par Colbert, avait aussi obtenu le privilège exclusif du commerce avec la Louisiane. Il fonda la Compagnie occidentale du Mississippi, filiale de la Compagnie des Indes, lancée à l'aide d'une grande campagne publicitaire qui prétendait qu'on trouvait, comme au Pérou, de l'or dans ces régions. Dès 1717, de nombreux colons français immigrèrent vers cette immense colonie d'Amérique, attirés par les promesses d'y faire fortune. En fait d'or, beaucoup de ces premiers colons, ouvriers mineurs et fondeurs, périrent à la suite des fièvres des marais du delta du Mississippi.

Au début, la valeur des actions des compagnies de Law ne cessait de monter. Devant cette hausse constante, des spéculateurs commencèrent à vendre leurs actions. Pour éviter la baisse, Law hâta la colonisation de la Louisiane. Des sergents recruteurs furent chargés de rafler les mendiants, les prostituées (on se souvient de l'histoire de Manon Lescaut !), des proscrits, des prisonniers et même les enfants des maisons de redressement pour les expédier faire fructifier les terres vierges des rives du Mississippi. La compagnie fonda le port de La Nouvelle-Orléans sur la rive gauche du Mississippi. Mais, avec la rumeur qu'on n'y avait pas trouvé l'or promis, beaucoup d'actionnaires vendirent leurs actions et il fut impossible à Law d'enrayer la baisse à plus de 50 %. En 1720, ce fut la faillite de la compagnie, le scandale financier qui en découla et la ruine pour tous les petits actionnaires. En Louisiane, on appela cette panique financière « la peste du Mississippi ». Mais la compagnie conserva son monopole du commerce jusqu'en 1731. Law mourut ruiné en 1729.

Suite et fin de la Compagnie française des Indes

Après la faillite de toutes les compagnies de Law vers 1723, la Compagnie des Indes continua néanmoins ses activités avec d'autres actionnaires, qui avaient compris que le commerce et l'industrie étaient les véritables sources de la fortune et non pas les spéculations financières « à la Law ». Pourtant, souvent soupçonnés de détournement de fonds et de marchandises, de nombreux directeurs se succédèrent à la tête de cette compagnie, assurant toujours la prospérité de Lorient, en particulier par le développement de la construction navale et celui du commerce négrier pour les Amériques.

La compagnie retrouva progressivement son autonomie grâce à son important capital immobilier, ses cinq cents vaisseaux, son stock de marchandises entreposées à Lorient et à Nantes et ses nombreux privilèges qui n'avaient pas tous été bien exploités — Law s'étant surtout concentré, nous l'avons vu, sur le développement commercial de la Louisiane. En 1730, la compagnie s'assure l'exclusivité du commerce négrier. Elle est tenue de porter au moins à trois mille Nègres par an les cargaisons, pour les besoins en main-d'œuvre des Amériques, et d'organiser sur les côtes d'Afrique des établissements qui prépareront les envois des Noirs afin que les navires de la compagnie n'y séjournent pas longtemps. C'est le cas de l'établissement de l'île de Gorée, au Sénégal, et des ports des côtes guinéennes. La compagnie gagna beaucoup d'argent avec ce trafic, qui compensait largement les pertes commerciales dues à la prohibition des étoffes peintes indiennes, réexportées en partie en Hollande, mais dont la plupart étaient utilisées comme monnaie de la traite des Noirs.

Lorient va connaître un développement considérable grâce à la décision royale de vendre les marchandises arrivant des Indes, non plus à Nantes, mais sur place, avec une franchise d'octroi. Dès 1732, trois bateaux sont construits chaque année pour le compte de la compagnie avec un tonnage qui s'accroît d'année en année : de quatre cents tonneaux en 1730 on passera à sept cents en 1760 ! Avec l'intense activité portuaire, la population augmente sans cesse. Un édit du roi érige en 1738 Lorient en corps de ville et précise « qu'actuellement on peut y compter plus de quinze mille personnes ». C'est une ville artificielle, entièrement dépendante pendant un siècle de la Compagnie des Indes. Dans son journal Trévoux en 1746, écrit : « L'Orient, qui était il y a peu d'années un village, est à présent une belle ville, décorée de superbes bâtiments, peuplée, riche, industrieuses, le magasin de toutes les marchandises de l'univers et le rendez-vous de tous les négociants de l'Europe. Un coup d'œil jeté sur l'Orient rappelle l'idée de Tyr et de Carthage et prouve, mieux que tous les livres, les avantages du commerce. » Mais, il y eut des hauts et des bas dans cette expansion, en grande partie à cause des nombreuses et coûteuses guerres du roi : entre 1744 et 1748, la guerre de Succession d'Autriche ; en 1747, l'attaque de Lorient par cinq mille Anglais venus pour détruire le port, mais qui échoua en raison de vents contraires ; puis la guerre de Sept Ans avec le blocus de la rade, en 1756, et la prise de Gorée au Sénégal par les Anglais, en 1758.

Tous ces événements politiques eurent de graves répercussions sur le développement de Lorient. Chaque fois, les attaques anglaises entraînaient le licenciement d'ouvriers de l'arsenal et d'employés de la compagnie, avec toutes les misères que cela pouvait provoquer dans la population. Heureusement, par un arrêté, Nantes bénéficia des mêmes faveurs que le port de Lorient pour la vente de toutes les marchandises de l'Inde, tant permises que prohibées, exemptes de tous droits d'entrée et de sortie. Le relais commercial était ainsi assuré.

Dans les périodes d'accalmie entre deux guerres, dès l'annonce de l'arrivée d'un vaisseau, les acheteurs arrivaient à Lorient et les ventes aux enchères s'étalaient sur plusieurs semaines selon la cargaison. On y vendait en grandes quantités les indiennes, mais aussi de l'indigo en bloc, du bois de teinture, des épices, et des coquillages des Maldives, les cauris, qui servaient aux négriers, avec les cotonnades de Pondichéry, à acheter des esclaves en Afrique. Les matières premières comme la soie ou le coton étaient trop taxées pour être commercialisées en France. En revanche, les mousselines et les calicots de coton blanc furent très vite convoités par les acheteurs, car libres de commerce en France. Les indiennes prohibées ne faisaient que transiter, d'où le développement d'un commerce de contrebande, comme celui qui se pratiquait à Marseille.

Pour la clientèle locale, la compagnie organisait des ventes de marchandises saisies en contrebande. Par un permis officiel, les membres des équipages de la compagnie avaient le droit d'acheter pour leur propre compte, mais selon un quota correspondant à leur grade, des marchandises, surtout des indiennes, et de les revendre à leur retour. Ce qui n'empêcha pas certains marins de faire en plus de la contrebande, vendue à bord, à peine le navire arrivé sur le quai. Ces indiennes, interdites en dehors du port, étaient d'autant plus précieuses pour les acheteurs. Avec les bénéfices réalisés, l'équipage achetait de la « pacotille » pour les échanger en Inde contre des Indiennes. Ces ventes étaient tolérées par la compagnie, ce qui lui permettait de payer moins cher les équipages. Elle employait près de cinq mille marins, et engageait aussi des soldats pour protéger ses navires contre les pirates et ses comptoirs contre les attaques anglaises, particulièrement celui de Pondichéry, dont nous avons raconté l'histoire, alors en pleine prospérité grâce à l'administration dynamique de Joseph Dupleix, gouverneur de tous les comptoirs et possessions en Inde.

Chaque expédition durait de deux à trois ans selon l'importance et la diversité des cargaisons. En 1757, le directeur de Port-Louis constate que « même les officiers de la compagnie font commerce public de marchandises prohibées. Elles sont vendues à Lorient. On y tient boutiques ouvertes de toutes espèces et des mieux choisies, malgré toutes les défenses que l'on a pu faire à ce sujet ». En 1761, tous les officiers du vaisseau *Villevault* sont licenciés par le directeur de la Compagnie après constat d'une trop lourde surcharge de marchandises de contrebande : plus de vingt ballots d'indiennes prohibées furent saisis.

À la suite de la décision royale d'établir les ventes de la Compagnie des Indes orientales à Lorient, les armateurs nantais vont s'orienter vers le trafic négrier. Ils chargent leurs bateaux d'indiennes et de guinées achetées bon marché pour pratiquer le trafic triangulaire de la « traite », puisque ces toiles de coton servent toujours de monnaie — un esclave adulte et mâle s'échange contre cinquante pagnes de guinée ! Les esclaves sont vendus en Amérique, au Brésil et aux Antilles. Les voiliers des marchands reviennent dans le port de Nantes ou de Lorient chargés d'or, de café, de sucre, et bientôt du premier coton brut américain. Le trajet durait dix-huit mois si le bateau n'essuyait pas de violentes tempêtes, ne rencontrait pas des vents contraires ou de redoutables pirates. À l'arrivée au port de Lorient, la cargaison, composée de balles d'indigo et de coton et de tous les autres produits exotiques, était déchargée et transportée dans les grands magasins de la douane pour être contrôlée et afin de payer les droits de certains produits.

C'est le fameux commerce triangulaire entre trois continents : Europe, Afrique, Amérique, mais qui dépendait encore d'un quatrième, l'Asie, avec en Inde la fabrication des guinées et indiennes servant de troc à l'achat des esclaves. Bientôt ces textiles indiens seront fabriqués dans les premières manufactures d'indiennage françaises. Entre 1725 et 1755, les négociants nantais s'enrichissent et construisent de magnifiques hôtels particuliers dans l'île Feydau, sur la quai de la Fosse. Plus de quarante armateurs nantais armaient chaque année cent navires pour ce trafic avec les îles. C'est l'époque où la Compagnie des Indes envoyait à ses agents en Inde des dessins à reproduire ou à interpréter par les artisans indiens eux-mêmes, excellents copistes. La devise de la Compagnie des Indes est terrible et annonce déjà le colonialisme : « Je prospecterai en quelque lieu que je me rende. Je fleurirai partout où je serai porté. »

En 1763, survient le traité de Paris, paix honteuse de la guerre de Sept Ans, qui réduit les colonies françaises à si peu de chose que la Compagnie des Indes n'avait plus beaucoup de raison d'exister, tous les comptoirs indiens ayant été démantelés et dévastés par les Anglais avant cette paix. Necker prit la direction de la Compagnie et s'efforça, en dépit de toutes les difficultés rencontrées, de lui donner une nouvelle impulsion, mais sans résultats avant la fin des privilèges dont elle bénéficiait en 1769. Sans doute cet échec ne permit pas, à la date d'échéance, le renouvellement des privilèges. La Compagnie des Indes fut dissoute et, pour payer ses dettes, le roi s'empara de ses ports, de ses navires, de ses bâtiments, de ses magasins et marchandises, de ses esclaves dans les îles et de ses comptoirs de l'Inde. La Marine royale reprit son arsenal.

Cette nouvelle situation sembla catastrophique au maire de Lorient qui écrivit au roi : « Toutes les maisons de commerce de l'Inde vont se trouver sans activité et par là même tous les habitants réduits à la misère. » Ces craintes étaient excessives. Désormais, si la route de l'Inde et le commerce qui s'y rattachait étaient devenus libres, les navires marchands ne pouvaient débarquer leurs marchandises d'Asie qu'au port de Lorient. Les acheteurs devaient payer un droit de monopole de la ville, et ainsi, jusqu'à la Révolution, Lorient restera le premier port des Indes, grâce aux armements privés de nombreux banquiers européens.

Aussi, lorsqu'un voyageur anglais Arthur Young arriva à Lorient en septembre 1788, il admira cette ville moderne aux larges rues bien pavées qui se coupaient à angle droit, ses belles demeures mais « surtout ce qui fait la renommée de Lorient, c'est que ce port a été créé pour le commerce de l'Inde et qu'il abrite les vaisseaux et les magasins de la Compagnie, les magasins étant immenses et d'une architecture splendide ». Il fut aussi ébloui par Nantes qui, deux ans avant son passage, en 1786, possédait déjà neuf manufactures d'indiennage.

Nantes : la création des manufactures d'indiennage

Les négociants nantais s'orientèrent davantage sur le trafic négrier et la fabrication d'indiennes pour la traite, ce qui fit leur fortune. Nantes étant relié à la fois par terre et par cabotage au port de Lorient, les armateurs avaient toutes facilités pour acheter directement à la Compagnie des Indes les cotonnades indispensables à la traite. Mais, pour ne plus en dépendre totalement, des entrepreneurs avisés fondèrent les premières manufactures d'indiennage nantaises et, comme à Marseille, ils bénéficièrent du savoir-faire des fabricants de cartes à jouer qui gravèrent leurs premiers blocs d'impression.

Le même climat pluvieux qu'en Angleterre ne facilitait pas l'étendage des toiles à blanchir sur pré. Aussi y avait-il de nombreux arrêts de la production, surtout l'hiver. En 1759, un graveur, Gorgerat, et un indienneur, Landry, tous deux originaires de Couvert près de Neuchâtel, installèrent une manufacture rue du Vertais. Ils produisaient surtout des indiennes pour la traite, le « bois d'ébène » permettant à cette période charnière l'exploitation maximale des colonies, Traite déjà favorisée, on s'en souvient, par Colbert afin de développer le commerce avec Saint-Domingue et la Louisiane.

En 1785, Nantes regroupait neuf manufactures. La fabrique la plus importante, qui fonctionnera plus d'un siècle, était celle des frères Petit-Pierre, fondée en 1770 au pont du Vertais. Wetter et Oberkampf, Gorgerat et Landry, les deux frères Petit-Pierre étaient tous originaires de Suisse.

Au XVIIIe siècle, il était d'usage pour les tentures de lit d'utiliser plusieurs cotonnades imprimées à la planche de cuivre du même motif pour le dessus-de-lit, le lambrequin et les rideaux. Les dessins étaient soit rouge garance sur fond blanc, soit indigo sur fond blanc ou légèrement rosé. Sur la contrepointe d'un ensemble de toiles imprimées à la plaque de cuivre pour un lit d'angle, on lit très bien le chef de pièce « Pierre et Cie, Nantes, Bon Teint ». Le sujet du dessin correspondait à « Psyché et l'amour », réalisé dans un rouge garance sur fond blanc uni. Devant l'importance des commandes, les frères Petit-Pierre firent travailler « à façon » d'autre petites manufactures de la région et s'associèrent avec leur oncle, Ferdinand Favre. Cette manufacture se maintiendra jusqu'en 1866, en dépit de toutes les crises politiques et de la concurrence alsacienne. Elle avait publié, en 1815, une liste des « Noms des dessins pour meubles » qui permet d'identifier ses créations et modes de fabrication.

Avant cette date, on constate que beaucoup de motifs inventoriés étaient réalisés à la planche de bois gravé. Ferdinand Favre, qui succéda en 1818 à Favre-Petit-Pierre et Cie, acheta une machine anglaise à imprimer au rouleau de cuivre. Il se spécialisa dans les scènes bucoliques, comme des fêtes champêtres, et aussi des reproductions d'œuvres d'art célèbres, telle la toile intitulée *Moïse sauvé des eaux*, reproduction en impression à la planche de cuivre, vers 1825, d'un tableau de Nicolas Poussin. L'influence anglaise se remarque dans les paysages romantiques des dessinateurs de Manchester, de nombreux rouleaux gravés dans cette ville étant exportés en France.

À la fin de la traite des Noirs, les toiles de Nantes s'orientèrent encore plus vers les sujets pour « meubles », chacune évoquant soit un fait historique, comme une *Histoire d'Alexandre*, soit un récit mythologique, *Diane et*

Actéon, ou encore des scènes de la vie des pays exotiques, avec leur flore et leur faune, et même des sujets inspirés d'une comédie musicale, comme *Nina ou la folle par amour*, produit par la manufacture Gorgerat Frères et Cie.

Un retour à l'antique se manifesta vers 1786 dans une somptueuse cotonnade de Nantes, imprimée tout à la fois à la planche de cuivre et de bois, connue sous le nom de *La toilette de Vénus*. On prétend que le personnage de Vénus était la représentation de Marie-Antoinette entourée de ses servantes, puisqu'on remarque, à la droite de cette scène, le temple d'Amour construit à Versailles en 1778 sur les ordres de la reine. D'autres scènes bucoliques font penser au Petit Trianon.

De son côté, Lorient poursuivait son florissant commerce en Inde et développait ses chantiers navals. Au moment de la guerre d'Indépendance des États-Unis, Lorient se transforma en port des insurgés et, en mai 1784, il disposera d'un port franc afin de développer les échanges commerciaux avec l'Amérique. Mais les espoirs de refaire une nouvelle « route des Indes » seront déçus. Les dirigeants souhaitaient un retour à l'exclusivité du commerce avec les Indes pour le libre débarquement de toutes les marchandises. Lors d'un vote de la municipalité pour le budget de l'État, un rapport précise : « Les dons patriotiques de Lorient se seraient élevés à des sommes bien plus considérables, si Lorient eut joui du commerce libre de l'Inde au lieu d'être faiblement alimenté par le petit nombre de vaisseaux que la Compagnie emploie au commerce, si enfin la franchise du port n'eut mis d'autres entraves à l'industrie de ses habitants, ce qui a produit le renversement d'une infinité de fortunes. »

Le privilège de la Compagnie des Indes fut aboli le 5 avril 1790, et Lorient partagea alors avec Toulon le monopole des débarquements. Mais, en 1791, la Révolution va faire de ce port, considéré comme une place forte sûre, un port militaire avec comme conséquence la suppression de toutes les activités commerciales dans le port et l'enclos. D'autant plus que Robespierre, à la Constituante, condamna l'argument économique de l'esclavage en proclamant : « Périssent les colonies si nous les conservons à ce prix. » Les Amis des Noirs obtiendront de la Convention l'abolition de la traite. Mais elle ne survivra pas à la République et sera rétablie par Bonaparte en même temps que l'esclavage.

De 1817 à 1843 se maintiendra une traite des Noirs un peu clandestine, et plus de 652 000 esclaves furent transportés ainsi au Brésil et à Cuba afin d'assurer la continuité d'une main-d'œuvre bon marché pour les plantations de canne à sucre, de café et de coton. Les cotonniers de Louisiane, bien que l'esclavage ait été aboli par les États-Unis, continuaient à faire venir clandestinement des Noirs par le détour de Cuba. Il faudra attendre 1848, pour que, sur l'initiative de Victor Schoelcher, l'esclavage soit enfin aboli.

L'Orient devenu Lorient, cette ville commerciale, qui fut si longtemps la propriété de la Compagnie des Indes et lui assura sa prospérité et son développement, sera au XIXe siècle dans la totale dépendance de la Marine nationale, et est encore aujourd'hui l'un des arsenaux les plus actifs de France. Une partie du bassin de Keroman se transformera en un grand port de pêche. Nantes bénéficiera de cette situation en développant toutes ses activités commerciales et ses manufactures d'indiennage.

Mais, avant de produire ces cotonnades imprimées, il fallait connaître le secret des teintures indiennes. C'est cette nouvelle saga que nous allons maintenant raconter.

V

LA RÉVÉLATION DES SECRETS DES TEINTURES INDIENNES

Les origines de la découverte des teintures exotiques

La teinture est un art capital dans l'histoire du coton, aussi bien celle des fils en écheveau que celle des pièces écrues. L'impression de motifs par différentes techniques fut découverte en Inde. Comment cette invention tournant vite à la chronique d'espionnage de secrets industriels a-t-elle commencé ? Il nous faut d'abord revenir un peu en arrière pour en comprendre le formidable enjeu commercial.

Au début du xve siècle, Jacques Cœur ouvrit à Montpellier les premiers chantiers navals au petit port de Lattes. Cette ville commerçante avait obtenu un privilège exceptionnel du pape Urbain V, le droit d'envoyer chaque année deux nefs, appelées « nefs absoutes » dans tous les ports du Levant, où les marchands pouvaient traiter librement avec les infidèles, sans avoir au retour aucune taxe à acquitter. Jacques Cœur, avec les bateaux de sa propre flotte, profita de ce privilège papal pour commercer intensivement avec le Levant.

On connaît les produits qu'il acheta aux infidèles : d'abord les épices, girofle, poivre, cannelle, gingembre, qui arrivaient directement par les caravanes de la route de la soie jusqu'à Alexandrie, mais aussi les produits du Moyen-

Orient et de l'Arabie, le sucre de Damas, de Candie et de Chypre, les parfums d'Arabie, l'encens, le musc, le nard, l'eau de rose de Damas et l'essence de violette d'Alep. Jacques Cœur importait aussi des produits utilisés en droguerie comme le camphre, le borax, l'alun, les graines de paradis, le sang-dragon, la barbotine. Bien entendu, la cargaison ramenait, dans des coffres en fer, les pierres précieuses de tout l'Orient : perles, rubis, émeraudes, diamants, saphirs, et des marchandises de grand prix comme les soieries brochées de Chine, l'ambre, le corail, l'ivoire, les plumes d'autruche, etc.

Jacques Cœur importait déjà des produits tinctoriaux : l'indigo de Baghdad, le jaune safran, le rouge orange du henné, le noir de la noix de galle d'Alep ou noix d'acajou, le rouge marron de l'orcanette, le rouge violet du bois de campêche et le rouge sang du bois rouge du Brésil, le marron des écailles des bulbes de la scille maritime, le fruit de l'anacarde qui donne aussi un beau noir fixe, le cinabre ou vermillon, le rouge des fleurs du chardon carthame appelé safran bâtard, mais aussi des teintures animales encore inconnues en Europe, comme la cochenille, originaire d'Amérique du Sud, petit insecte qui permit aux drapiers de Montpellier de se spécialiser dans le drap « teint en rouge écarlate » bien avant l'utilisation de la garance ou du kermès.

Il ne faut pas confondre cette couleur cochenille, si belle et si estimée dans tout l'Orient, avec celle qu'on appelle kermès, à base, elle aussi, d'un petit insecte desséché. La cochenille vit uniquement sur un cactus d'Amérique latine et du Brésil ; elle se nourrit de son suc. Elle donne un rouge cramoisi, ou « couleur de feu », encore plus intense que celui du kermès. Pour réussir cette teinture, il faut mélanger la poudre de cochenille avec de l'alun et du jus de melons jaunes et bien mûrs. En y ajoutant un peu de poussière d'indigo, on obtenait un rouge violet, et avec du chlorure d'étain un rouge foncé magnifique, appelé fuchsia. Le rouge écarlate du velours de Venise provenait de cette cochenille qui resta longtemps un secret des teinturiers vénitiens. Jacques Cœur, en bon commerçant, n'avait pas oublié d'importer les mordants comme l'alun, la couperose ou vitriol bleu — sulfate hydraté de cuivre en provenance de Chypre —, qui joueront, nous le découvrirons bientôt, un rôle si important pour fixer la garance sur les premières toiles de coton imprimées en Languedoc et en Provence au milieu du XVIIIe siècle.

Au début du siècle précédent, les principaux colorants végétaux étaient déjà cultivés dans toute la région d'Avignon, certains « petit teint », comme le safran ou « grand teint » comme le jaune de la gaude. La garance sauvage était utilisée en Europe comme colorant végétal depuis les croisades pour garancer les draps de laine. Les draps tissés en Basse-Normandie, teints dès le XIIIe siècle avec cette garance sauvage, s'appelaient alors « écarlates de Caen ». Puis, les Flamands la cultivèrent au XVe siècle pour leurs draps « écarlates ». La laine, matière textile animale, n'avait pas besoin d'un mordant pour fixer le rouge, comme cela est nécessaire pour les fibres végétales du coton. La garance, en dehors de celle originaire de l'Inde, se cultivait dans plusieurs régions du Levant. Avec les transports, elle revenait très cher aux teinturiers. Nous verrons bientôt que le grand chimiste Chaptal implantera son laboratoire de produits chimiques à Montpellier et améliorera la teinture en rouge garance par ses recherches sur l'alun et autres mordants, qui ont la particularité de produire des coloris différents pour un même colorant.

Pour la garance et certaines autres plantes tinctoriales, l'alunage est l'opération par laquelle le teinturier imprègne d'alun les fibres de coton afin de les disposer à recevoir la teinture et la fixer. Mais, avant, les teinturiers européens ne savaient pas fixer la garance sur des toiles de coton et leur teinture ne tenait pas aux premiers lavages. Aussi, jusqu'au début du XVIIIe siècle, ils n'eurent qu'un but, découvrir les secrets des teinturiers indiens, dont les toiles peintes si renommées firent leur succès en Occident par leur grande solidité à la lumière et au lavage.

Le rouge d'Andrinople ou rouge turc

Au milieu du XVIIe siècle, l'Empire ottoman fut la première étape du vol d'une partie du secret indien par un marchand de tissus de Constantinople voyageant régulièrement en Inde. Avec beaucoup de difficultés, il ramena clandestinement en Turquie un teinturier de la région de Bénarès. Celui-ci transmit le procédé de teinture en rouge indien, fixé par un mordant, à des teinturiers arméniens qui s'installèrent dans la ville d'Andrinople, cette région du Levant ayant l'avantage de cultiver à la fois le coton et la garance. Ils deviendront rapidement les spécialistes de ce rouge brillant, si apprécié par la clientèle orientale et européenne. Les teinturiers de cette ville, devenue célèbre par son beau rouge turc, travaillaient à façon pour de nombreux clients étrangers, aussi une partie du secret de ce rouge d'Andrinople arriva un jour de 1672 jusqu'à Marseille, par l'intermédiaire de teinturiers arméniens, sollicités de venir s'installer dans cette grande ville cosmopolite qui avait déjà une importante colonie d'Arméniens exilés politiques.

Juste avant l'arrivée de ces teinturiers arméniens, le secret pour teindre le coton en un rouge aussi beau que celui d'Andrinople aurait été découvert à Aubenas par un certain Goudar, qui avait espionné, chez les teinturiers turcs, les procédés compliqués de teinture de la garance. Jean Giono raconte dans *Le Hussard sur le toit* qu'un commerçant achetait et revendait aux teinturiers marseillais l'urine des bagnards de Toulon, soumis par son aide financière à un régime strict de viande rouge et de vin de Bordeaux riche en tanin. Cette urine avait, paraît-il, le pouvoir de fixer encore plus la garance des pantalons de l'armée !

Mais le vrai rouge indien, plus beau et plus solide à la lumière que celui d'Andrinople, fascinait les fabricants d'indiennes de Marseille. Les gouvernements successifs envoyèrent des agents en Inde pour aller voler tous les procédés de fabrication de la teinture des indiennes. Cette teinture en rouge garance fut l'enjeu de luttes commerciales entre les différents pays européens. Deux siècles plus tard, un rapport, datant de 1860, sur l'inventaire des principaux centres européens de ce rouge garance établit que « l'Alsace produit un rouge cerise riche et velouté, la Suisse un rouge reflétant un peu le ton jaunâtre du ponceau, l'Angleterre un rouge accusant un léger ton brun, alors que le rouge de Rouen est plus intense et se rapproche davantage du rouge turc ».

L'indigo et les autres colorants exotiques

L'indigo, le beau bleu lumineux obtenu de la plante *indigofera tinctoria*, est, on l'a vu, également originaire de l'Inde. Il ne nécessite pas de mordant, la teinture étant faite directement en cuve. L'indigo, pourtant d'un prix élevé, sera le colorant le plus estimé et le plus utilisé dans le monde entier et sa teinture restera longtemps un secret des teinturiers indiens. La première cargaison d'indigo arriva à Lisbonne en 1516. Ce fut le capitaine Duarte Barbosa qui la ramena directement de Calicut par la nouvelle route maritime des Indes, par le cap de Bonne-Espérance découvert par Vasco de Gama. La préparation de la cuve d'indigo est, d'après Diderot, « l'opération la plus difficile de tout l'art de la teinture ». Comme il est insoluble dans l'eau, il faut d'abord mélanger l'indigo à chaud avec de la soude ou de l'urine putréfiée pour obtenir une fermentation. Ce n'est qu'au milieu du XVIIIe siècle qu'un chimiste découvrira que l'indigo pouvait se réduire à froid en mélangeant au bain du sulfate de fer et de la chaux, ce qui facilita un peu le travail des indigotiers, surtout pour teindre le coton.

On reconnaissait les ouvriers teinturiers d'indigo par leurs mains bleues, car on ne travaillait pas encore avec des gants protecteurs en caoutchouc. Plus tard, vers 1880, l'auteur du *Tour de France par deux enfants*, G. Bruno, dans un autre livre moins connu, *Francinet*, raconte l'histoire de ce petit orphelin aux mains bleuies par l'indigo. À neuf ans, il travaille comme apprenti dans une cave où son rôle est de tourner à la main la lourde meule du moulin à indigo ! On constate que, à la fin du XIXe siècle, l'exploitation des enfants était la même qu'en Angleterre au XVIIIe siècle !

En Inde, le teinturier trempait le tissu dans la cuve d'indigo après le dépôt d'une réserve de cire placée par tampons à tous les endroits du motif qui ne devaient pas être teints en bleu. Au XVIIIe siècle, les indigotiers français utilisèrent une technique particulière de pliures, afin d'obtenir un genre de tissu à rayures irrégulières bleu et blanc, appelé « lapi » parce que ses marbrures rappelaient celles de la pierre lapis-lazuli. On pratiquait aussi des réserves par un rongeant à base d'acide sulfurique qui, sur un tissu bleu d'indigo uni, détruisait la couleur aux endroits des motifs qu'on voulait laisser en blanc. D'autres procédés d'enlevage au moyen d'oxydants furent inventés pour obtenir toutes sortes de coloris dégradés de bleu sur bleu ou de bleu sur blanc. Les fabricants alsaciens seront les plus inventifs dans cette recherche d'effets nouveaux par des procédés de teintures inconnus des Indiens eux-mêmes.

L'*Encyclopédie* recense treize bleus obtenus à base d'indigo, du plus clair au plus foncé, suivant le nombre de bains et les ingrédients employés. Au Bengale, les connaisseurs identifiaient jusqu'à quarante-trois variétés d'indigo. Les teinturiers français donnaient à chacun des bleus obtenus un nom particulier : bleu beau, bleu de roi, bleu turquin, bleu céleste, bleu clair, bleu naissant, bleu brun, bleu mourant, bleu surfin, bleu violet ardoise, fin cuivré, etc. Plus le ton du bleu réalisé était rare, plus sa beauté éclatait. Pour identifier les différentes qualités des pains d'indigo, les marchands se servaient dans le commerce d'expressions imagées comme indigo grand cassé (ce qui signifiait à carreaux brisés en plusieurs gros fragments), ou indigo demi-pierre (un carreau coupé en deux), ou encore l'indigo en grabeaux (en poussière, brisé en de nombreux petits morceaux). Les commerçants employaient aussi d'autres expressions pour désigner les qualités inférieures, par exemple, l'indigo sablé qui contenait des matières terreuses, ou l'indigo piqueté de couleur pointillée, l'indigo brûlé jugé trop sec, l'indigo éventé, etc. Il y avait aussi des fraudes sur l'origine des pains d'indigo, et on pouvait vendre l'indigo originaire du Brésil, de médiocre qualité, à la place de celui de Saint-Domingue, le meilleur de toutes les Antilles. Pour éviter les fraudes, dès le début du XVIIIe siècle, le Conseil d'État prit un certain nombre de dispositions. Il prescrivit que l'indigo devait être grabelé, c'est-à-dire passé au crible par un grabeleur-juré, pour trier la marchandise et la débarrasser par tamisage de toutes ses impuretés, cela en présence de l'acheteur et du vendeur. Un certificat de cette opération était obligatoire pour l'exportation.

Par rapport au pastel, produit en France, dont il fallait extraire le peu d'indigotine de ses feuilles, l'indigo était très cher. Il fallait réunir trente tonnes de feuilles fraîches pour obtenir seulement soixante-dix kilos de pâte d'indigo ! À l'origine, comme il venait des Indes ou de la Perse par les routes commerciales de la soie, les marchands caravaniers le centralisaient à Baghdad sous forme de petit pain compact d'environ cent grammes. Plus tard, les cargaisons d'indigo proviendront directement des colonies de la Louisiane et des Antilles françaises, la culture de l'indigotier étant particulièrement développée à Saint-Domingue, alors possession française des Indes occidentales. En 1785, on y comptait plus de 3 000 indigoteries ! Cette production des Amériques bouleversa le commerce traditionnel de l'indigo avec l'Inde et le Levant. Les marchands marseillais le réexportèrent vers toute l'Europe et même au Levant, à Alep dont les teinturiers faisaient une grande consommation d'indigo et de cochenille. Ils échangeaient ces produits tinctoriaux et des draps du Languedoc contre des indiennes locales, connues sous le nom de *chafarcanis* et *Mecque*. L'indigo était vendu ensuite dans les grandes foires de Provence, comme celle de Beaucaire. Utilisé par les nombreuses manufactures royales de draps du Languedoc, il arrivait directement de Bordeaux par le canal du Midi.

Colbert, qui avait créé les manufactures royales du Languedoc, permit l'emploi de l'indigo, mais de façon limitée et seulement mélangé au pastel pour ne pas concurrencer les pasteliers du midi de la France. À partir de 1723, son usage fut déclaré libre et cette teinture connut alors une vogue croissante. L'invention par les chimistes d'Oberkampf d'un nouveau procédé d'impression de coton en bleu indigo clair sur un fond blanc permit l'impression bon marché des sujets de « chinoiseries, à la mode, à la manière de Pillement ». Une grande diffusion de ces cotonnades rapportera de gros bénéfices à la manufacture.

L'indigo est le colorant végétal le plus solide à la lumière. On en a la preuve en découvrant dans les panneaux de *L'Apocalypse* d'Angers, tissés au XIVe siècle, que les bleus à base d'indigo sont restés foncés, à la différence des autres teintures végétales qui se sont décolorées avec le temps. Le grand chimiste Michel Eugène Chevreul (1786-1889), directeur des teintures de la manufacture des Gobelins, consacra de nombreuses études à l'analyse chimique de l'indigo, comme dans son *Mémoire sur l'indigo* de 1807. Il fera aussi des recherches sur *La Teinture en bleu par le moyen du pastel*. Au moment du blocus continental décrété par Napoléon, les Anglais s'assurèrent le monopole commercial de l'indigo produit en Inde et de celui de toutes leurs autres colonies.

La découverte de l'alizarine chimique permit de remplacer la garance et, à partir de 1897, celle de l'indigo chimique, découvert par Bayer, l'indigo naturel. Les teintures chimiques, importées en Inde dès la fin du XIXe siècle, supprimeront en partie les teintures végétales. En France, les blanchisseuses utiliseront jusqu'au milieu du XXe siècle des boules d'indigo pour l'azurage de leur linge. On l'appelait, chez les droguistes, le « bleu ». En Inde, l'indigo était aussi employé pour teindre les cheveux, et, mélangé avec du henné, il donnait au noir de beaux reflets bleus. L'indigo fut aussi utilisé par les peintres de la Renaissance pour des techniques de lavis sur papier teinté, avec des rehauts de blanc.

Nous arrivons maintenant à l'histoire du vol industriel des secrets de ces teintures indiennes, par les agents de la Compagnie des Indes, s'embarquant dans la longue route maritime de Lorient à Pondichéry, et aussi par l'intermédiaire de certains pères de la Compagnie de Jésus qui les accompagnaient afin de rejoindre leurs missions en Inde.

La saga du vol des secrets des teintures indiennes

Roques

Roques, engagé de la Royale Compagnie de France, voyage en Inde orientale et, à l'usage de ses amis de la Compagnie des Indes, il rédige, en 1678, un rapport concernant l'impression sur coton à Ahmedabad. Il est un des premiers Français à bien expliquer les nombreuses manipulations et les différents dosages des produits tinctoriaux, liés aux secrets de cette fabrication des authentiques indiennes. C'est ainsi qu'il explique avec précision : « Auparavant que le peintre donne aucune couleur à la toile, il la fait laver pour lui ôter le fard (l'apprêt) que le tisserand lui a donné, jusqu'à ce qu'elle est à demi blanche, ensuite la met tremper dans l'huile de gingely pendant cinq jours si c'est en temps de chaleur et doublement dans le froid. » Puis, il explique clairement toutes les autres opérations de traitement de la toile à base de fiente de chameau avant la pose du mordant à l'aide de moule en bois.

Le père Turpin

Lors de la prohibition, nous avons déjà parlé de la mission officielle d'Antoine de Beaulieu pour rapporter de Pondichéry les secrets des teintures, mais le deuxième à jouer ce rôle d'espion fut le père Turpin. Ce dernier séjourna à la mission de la Compagnie de Jésus de Pondichéry et, en 1718, révéla dans un mémoire comment les Indiens traitaient le fil de coton avant de le tisser, et les opérations de préparation des toiles avant la teinture. Il écrivit : « Le fil ainsi préparé est bien sec, il est si beau, si net, si égal, qu'il ressemble à du fil de soie. » C'était déjà un premier pas dans la révélation des opérations préalables à la teinture, car sans elles aucune teinture ne peut tenir sur du coton.

Antoine de Beaulieu

Dans l'ordre chronologique, vient donc Antoine de Beaulieu (1699-1739), capitaine de vaisseau naviguant pour la Compagnie des Indes et qui se rendait souvent à Pondichéry pour affaires. À Paris, Charles-François de Cisternay Du Fay (1698-1739), inspecteur des teintureries et des mines du royaume sous le règne de Louis XVI, fit les premières réglementations sur le classement des cotonnades teintes en « grand ou petit teint », réparties en fonction de la solidité de leurs coloris à la lumière, au soleil et au lavage — les couleurs ne devant pas dégorger. Il savait que les teinturiers indiens connaissaient des recettes pour fixer les colorants sur leurs indiennes. Aussi, Du Fay confia-t-il à Antoine de Beaulieu la mission délicate d'espionner à Pondichéry toutes les étapes de la fabrication des indiennes.

Beaulieu arriva en 1734 à Pondichéry, ville riche en

teinturiers, et remplit aussitôt sa mission. Il rédigea un rapport à Du Fay sur la *Manière de fabriquer les toiles peintes dans l'Inde, telle que Monsieur de Beaulieu, capitaine de vaisseau, l'a fait exécuter devant lui à Pondichéry*. Très consciencieux, il avait fait exécuter par « un ouvrier intelligent » toutes les opérations et il prélevait, à chacune d'elles, un échantillon qu'il joignait à son rapport, illustrant parfaitement les différentes étapes de teintures. Il révéla surtout le secret de la teinture en cuve à base d'indigo, avec tous les ingrédients qu'il fallait y ajouter, comme des cendres et de la chaux épaisses avec du sirop de sucre. Mais il ne communiqua aucun renseignement précis sur les mordants utilisés pour fixer le rouge de la garance des indiennes.

L'inspecteur Du Fay avait comme protecteur le duc de Bourbon, ancien ministre de Louis XV. C'est sans doute par cette relation que le duc s'intéressa en pleine prohibition aux toiles peintes, qu'il produisit clandestinement dans des annexes de son château de Chantilly, où l'on fabriquait à son usage exclusif « des toiles qui imitent si parfaitement celles des Indes qu'elles vont ensemble dans des meubles sans qu'on puisse en connaître la différence ». Son ami, en bon chimiste, avait dû lui révéler les dernières informations sur les mordants et les techniques de réserve, recueillies par lui en Inde.

Le père Cœurdoux

Du Fay mourut en 1739. Il n'a donc pas pu avoir connaissance de la lettre du père Cœurdoux, datée du 18 juillet 1742, adressée de la mission de Pondichéry au père du Harde, son supérieur au siège de Paris. Dans cette lettre, le religieux décrit avec beaucoup de détails la réalisation d'une indienne et donne de précieuses informations sur les plantes tinctoriales utilisées en Inde. Elle est publiée en 1743 dans le XXVIe recueil des fameuses *Lettres édifiantes et curieuses écrites des missions étrangères par quelques missionnaires de la Compagnie de Jésus*. La lettre du père d'Entrecolles, en mission en Chine, y révélait de son côté le secret de la porcelaine chinoise !

Mais il ne faut pas en vouloir aux pères de cette Compagnie de Jésus. Ils participèrent aux rapprochements entre l'Europe et l'Orient et furent à l'origine de la mode des étoffes des Indes en coton. En 1723, dans son *Dictionnaire de commerce*, Savary des Brusions écrivait : « L'autorité royale travailla à opposer une digue à cette espèce de torrent d'étoffes des Indes qui inonda Paris et les Provinces. »

Un peu plus tard, en 1748, le même père Cœurdoux, de plus en plus passionné par les teintures végétales, découvrit à Pondichéry un rapport de « feu Monsieur Paradis », un ingénieur français qui avait accompagné d'Epresmil à la bataille de Madras en janvier 1748. Fixé à Pondichéry à partir de 1737, il avait rédigé ce mémoire sur *Les différentes façons de teindre en rouge les toiles*, et était mort sans avoir pu le communiquer en France. On se souvient qu'en 1748, les Anglais avec 30 000 hommes, avaient mis le siège devant Pondichéry, que le gouverneur Joseph Dupleix défendit avec beaucoup de courage. Les Anglais se retirèrent et le Grand Moghol félicita Dupleix de son succès. Le mémoire de Paradis était sauvé.

Le Pileur d'Apligny

Ces documents d'Antoine de Beaulieu et du père Cœurdoux vont ensuite être compilés dans de nombreux traités de teinture du coton, publiés en France pendant la seconde moitié du XVIIIe siècle, entre autres dans celui de Le Pileur d'Apligny, publié en 1776, avec plusieurs rééditions, sur *L'Art de la teinture des fils et étoffes de coton, précédé d'une théorie nouvelle des véritables causes de la fixité des couleurs de bon teint et suivi des cultures du pastel, de la gaude et de la garance, à l'usage des cultivateurs et des manufactures*. Son objectif était de compléter les traités des chimistes Jean Héliot sur *La Teinture des laines et étoffes de laine en grand et petit teint*, publié en 1750, et Pierre-Joseph Macquet, en 1768, sur *L'Art du teinturier en soie*. Le Pileur d'Apligny redonna dans son traité toutes les recettes pour obtenir le beau rouge indien, et décrivit toutes les expériences qu'il avait faites pour y parvenir.

Au milieu du XVIIIe siècle, grâce à ces informations, la majorité des indienneurs français et étrangers connaissaient parfaitement les secrets de la solidité des colorants des indiennes, par l'apport de certains mordants longtemps inconnus. Toutefois, certaines recettes n'ont pas été révélées par Le Pileur d'Apligny, qui, dans son avertissement, en donne les raisons : « On me permettra, sans doute, de taire des procédés qui me sont particuliers... comme le procédé d'une teinture bleue, qui surpasse en beauté tous les bleus qu'on tire du pastel et de l'indigo... On conçoit bien que ces découvertes ont dû coûter du temps, du travail et de la dépense, avant de les amener à la perfection. Il est donc naturel, non seulement que leurs dépenses ne soient pas en pure perte pour eux, mais encore qu'ils soient récompensés. Ceux qui perfectionnent les arts trouvent cette ressource en Angleterre, où l'on a établi, depuis quelques années, une société pour leur encouragement, et assigné des fonds pour récompenser les nouvelles découvertes. Cette ressource n'existe pas en France : les manufacturiers, au profit desquels elles doivent tourner, seraient-ils donc indifférents sur leurs propres intérêts ? Ne craindraient-ils pas d'en voir profiter les étrangers ou penseraient-ils que c'est à l'État à donner ces récompenses ? »

Il avait raison. D'autant plus qu'on sait qu'il soutint financièrement la manufacture d'Antoine Legrand, installée près du port de la Rapée en 1759 et qui fit faillite en 1763.

Nous constatons, au cours de cette saga du coton, de sa teinture et de son tissage, combien de procédés nouveaux et de découvertes techniques précieuses furent ignorés ou mal accueillis dans leur propre pays, mais appliqués aussitôt dans un pays concurrent par des fabricants mieux avisés.

La révélation du secret

Le secret du rouge indien tenait, on s'en souvient, au fait que, après la longue préparation des toiles, leur blanchiment, l'indienneur appliquait le mordant à base d'alun, mélangé avec de l'amidon, directement sur le calicot, à l'aide de blocs d'impression en bois gravé, avant de tremper le tissu dans le bain de garance. Il fallait autant de blocs qu'il y avait de motifs différents et c'est seulement après cette longue opération qu'on procédait à la teinture proprement dite.

La réussite des différentes opérations de teinture dépendait de la préparation de la toile et du dosage précis des mélanges afin d'obtenir un rouge aussi solide et aussi beau que celui d'Inde ou même celui d'Andrinople. Peu de teinturiers y parviendront. Ceux qui réussirent ne communiquèrent pas leur tour de main ni leurs secrets particuliers, comme l'emploi de crottes de brebis et de liqueur d'intestins pour mieux fixer et exalter la couleur, en y ajoutant des cendres d'herbes aromatiques pour chasser les mauvaises odeurs ! On a vu aussi comment, à Marseille, on recourait au sang de bœuf et à l'urine des bagnards afin d'aviver les couleurs ! Devant la complexité de ces opérations empiriques, plusieurs chimistes français vont intervenir, apportant des simplifications au travail des teinturiers et permettant la création de teintureries beaucoup plus rentables. Au début de l'ère industrielle l'artisanat ne survivra que dans les campagnes isolées.

Les chimistes français simplifient les opérations de teinture

Louis-Claude Berthollet (1748-1822)

Toutes les opérations de teinture empirique étaient longues et coûteuses par la multitude de produits qu'il fallait mélanger aux différents bains, avant et après teinture. C'est sans doute la raison pour laquelle le grand chimiste Louis-Claude Berthollet s'intéressa à cet art. Pour lui, tous les procédés de son époque étaient un amas de recettes incohérentes qui demandaient de trop nombreuses opérations dispendieuses.

Il s'attaqua d'abord à la première opération avant teinture, le blanchiment du coton. C'était, nous l'avons décrite, une opération longue, nécessitant parfois des mois de blanchiment à l'air et au soleil des toiles étendues sur une prairie, sans oublier les nombreux lessivages coûteux en temps et matières premières employées. Berthollet eut l'idée d'appliquer la découverte du chlore au blanchiment du coton. Il s'aperçut que les vapeurs (gaz) du chlore agissaient comme l'air et la lumière solaire en très peu de temps, mais n'excluaient toujours pas les différents lessivages. Pour réduire toutes ces opérations en une seule, il inventa l'eau de Javel, qu'on appela aussitôt « eau Berthollet », et qui donna au fil ou au tissu de coton en pièce un blanc éclatant et solide, dans un seul bain qui n'abîmait pas les fibres. Cette économie de temps réduisit le prix de revient des indiennes et accrut leur production dans toute la France. Dans les ateliers, on disait, pour cette opération de blanchiment, « bertholler », ou encore « berthollage », et les ouvriers qui s'en chargeaient étaient appelés « bertholleurs ».

Son application sur la pâte de chiffon de papier donnait à celui-ci un blanc très pur. Toutefois ce procédé de blanchiment avait des inconvénients pour la teinture en rouge garance. En 1797, Berthollet est nommé par Bonaparte chef de la délégation scientifique de la campagne d'Égypte. Il examine et emporte des échantillons de toutes les plantes tinctoriales égyptiennes comme le cathame, le henné, le pastel.

Jean-Antoine-Claude Chaptal (1756-1832)

De son côté, son ami chimiste, Jean-Antoine Chaptal, est chargé à la nouvelle École polytechnique de donner des cours sur la chimie végétale. Devenu ministre de l'Intérieur et de l'Éducation nationale sous le Consulat, il crée le conservatoire des Arts et Manufactures, institue des concours pour le perfectionnement des machines et fonde la Société d'encouragement de l'industrie, qui organise des expositions en 1798, puis en 1801. Il visite les ateliers, discute avec les fabricants pour connaître leurs difficultés, leur donne des conseils et des encouragements sous la forme de subventions, soit pour moderniser leur entreprise, soit pour des travaux de recherches. En 1781, il crée une chaire de chimie à Montpellier et une fabrique de produits chimiques. En 1805, il donne sa démission à Napoléon, non par opposition à ce nouveau régime impérial, mais pour consacrer la fin de sa vie à la recherche, par exemple celle qu'il avait commencée à Montpellier sur une nouvelle préparation des aluns afin de mieux fixer la garance sur le coton.

Les teinturiers de Rouen avaient fait venir des teinturiers spécialisés de Smyrne pour les aider à obtenir le beau rouge d'Andrinople, sans résultat. Chaptal, ayant une fabrique de cotonnades à Rouen, réalisa de son côté de multiples expériences d'où il tira son traité sur *L'Art de la teinture du coton en rouge d'Andrinople*. C'est au cours de cette période qu'il trouva le temps de rédiger d'autres traités, comme celui sur *L'Art du teinturier et du dégraisseur*. Il lui revient le mérite d'avoir fondé, toujours sur la base de ses recherches scientifiques, des applications à l'industrie naissante de la teinture, remplaçant des méthodes empiriques anciennes par des procédés modernes. Surtout, par la production de son laboratoire, il rendit la France indépendante des importations de mordants.

L'introduction de la garance en Provence par Jean Althen

On connaissait la garance sauvage d'Europe, mais personne, avant Jean Althen, n'avait eu l'idée d'utiliser des graines de garance du Levant pour essayer de les cultiver dans les régions chaudes et humides du Midi. Cette introduction, vers 1754, de la garance dans le Vaucluse par un certain Jean Althen est une histoire édifiante et passionnante.

Pour les Marseillais, il était d'origine arménienne ou syrienne puisqu'il arrivait du Levant. En réalité, il était originaire de Perse — Ehan était son véritable prénom, Jean, celui francisé. Sa vie mouvementée est peu connue, elle mérite qu'on s'y arrête. Fils d'un gouverneur de province, il vécut en Perse, à Chaouc, dans l'opulence, jusqu'au moment de l'usurpation du trône par Nadir-Chah. Ses parents furent tous massacrés et lui, arrêté par une horde arabe, fut déporté en Anatolie où il travailla comme esclave pendant quatorze ans dans une plantation de coton et de garance. Il parvint à s'évader et se réfugia à Smyrne, une des villes des Échelles du Levant, Alep étant la plus prospère. Jean Althen y rencontra un agent consulaire français qui l'introduisit auprès du consul. Il lui fit part de son désir d'implanter en France à la fois la sériciculture et la culture de la garance.

Peu de temps après, en 1759, muni d'une lettre de recommandation de l'ambassadeur de France à Constantinople, il s'embarqua pour Marseille. Il ne reçut pas l'accueil qu'il attendait des autorités de cette ville cosmopolite, afin de lui permettre de réaliser ses projets. Le manque d'argent l'empêcha de se rendre à la cour de Versailles. Malgré ses difficultés, il eut la chance de faire la connaissance d'une jeune et belle Marseillaise. La riche famille de la jeune fille exigea, pour accepter le mariage, qu'il se convertisse à la religion catholique. N'étant pas un chiite pratiquant, il accepta cette proposition. Sa femme lui apporta une dot de 30 000 écus, somme considérable à cette époque, qui allait lui permettre de réaliser en partie son ambitieux projet.

D'abord, il se rendit à Versailles où, grâce à la lettre de recommandation de l'ambassadeur, Louis XV lui donna une audience. Jean Althen sut convaincre le roi qui lui accorda la mission qu'il sollicitait, à savoir, établir un établissement séricicole dans la région de Montpellier. Mais, de retour dans le Midi, il rencontra une certaine hostilité de la part des paysans méridionaux et ne parvint pas à les convaincre de cultiver des mûriers dans leurs champs. En raison des nombreux événements politiques de cette période, il se sentit abandonné par le roi et son gouvernement. Toujours grâce à la dot de sa femme, il fit quelques essais infructueux de culture de garance sauvage, mais ne se découragea pas devant ce premier échec.

En traversant à cheval le Comtat Venaissin, il fut frappé par les similitudes du sol et du climat de cette région avec l'Anatolie. Il se rendit à Avignon, espérant trouver dans ce petit État du Saint-Siège le patronage dont il avait besoin. Une riche famille avignonnaise s'intéressa à son projet et lui donna une terre pour ses essais de plantation. Entre-temps, il s'était procuré, par espionnage, environ 90 grammes de graines de garance de Smyrne. Il les avait payées très cher, car, à cette époque, la peine de mort était prononcée contre toute personne exportant à la frontière des graines de cette plante, prospérité de la région.

Le résultat fut ce qu'il escomptait et il put au bout de deux ans récolter les premières racines de garance, les réduire en poudre par broyage et faire quelques essais de teinture sur coton. L'avantage de la garance est qu'on peut obtenir non seulement les couleurs primitives de base, comme un rouge tirant sur le rose crevette, ou le rose saumon, ou le rouge capucine, et surtout le rouge vif intense si recherché, mais aussi des couleurs différentes suivant le mordant utilisé. Devant ce succès, le marquis de Caumont lui accorda son soutien et, en 1767, il réussit par ses efforts à récolter 2 500 kilos de racines. Il établit la première garancière sur la propriété de Caumont. Mais une fois les racines de garance de sa récolte réduites en poudre pour la vente, il ne trouva pas assez de débouchés dans ce petit Comtat Venaissin.

Althen rencontra alors en Avignon un négociant originaire de Constantinople, qui avait installé une filature de coton et une teinturerie de rouge d'Andrinople à Saint-Chamond. Pour éviter les importations onéreuses de garance de Smyrne, il lui donna des graines de sa récolte et des conseils de plantation. Cet homme avisé consacra alors ses terres incultes à cette culture et utilisa les racines récoltées et moulues pour ses teintures en rouge turc. Cette manufacture de Saint-Chamond deviendra Royale en 1756.

Jean Althen ne profita pas de cette nouvelle source de richesse. Il mourut le 17 novembre 1774, à l'âge de soixante-trois ans, presque dans l'indigence, dans une petite maison que le marquis de Caumont avait mise à sa disposition. Sa femme et sa fille restèrent pauvres au milieu d'une population enrichie par l'apport de Jean Althen. Devant ce succès, Bertin, responsable du département de l'Agriculture sous Louis XV, fit venir des graines du Levant qu'il fit distribuer gratuitement dans le Midi ainsi que des mémoires sur *La Garance et sa culture avec la description des étuves pour la dessécher et des moulins pour la pulvériser*. Cette culture se développa encore plus au moment du blocus continental où les manufactures d'indiennes avaient tant besoin de garance. Des garancières se répandirent dans toute la Provence, permettant vers 1855 d'exporter plus de 17 000 tonnes de garance dans toute l'Europe.

En 1821, le conseil général du Vaucluse se rappela, un peu tard, la dette de reconnaissance que la région avait envers Althen. Une plaque de marbre avec un texte commémoratif fut placée dans le musée Calvet en Avignon, presque dans le même temps où la fille d'Althen mourait pauvre et oubliée dans un hospice de la ville. Plus tard, en reconnaissance de la prospérité qu'il avait apportée au département du Vaucluse, on donna son nom à un village, Althen-le-Paluds, situé à dix kilomètre de Carpentras.

Cette plante, apportée clandestinement par Althen, sera pendant plus d'un siècle (jusqu'à la découverte de l'alizarine artificielle en 1869) une manne pour de nombreux cultivateurs du Vaucluse et des Bouches-du-Rhône, qui purent exploiter leurs terres en friches, particulièrement celles un peu marécageuses qui permettaient aux racines de s'étendre plus profondément. En 1843, rien que dans le département du Vaucluse, on récoltait pour plus de vingt millions de francs de garance ! En 1881, la Provence produisait à elle seule 25 000 tonnes de garance, ce qui représentait plus de la moitié de la production mondiale ! La récolte se faisait tous les trois ans afin d'obtenir une racine plus riche en colorant. Une fois séchées à l'air et au soleil ou en étuve, les paysans transportaient les racines dans les moulins de la région d'Avignon, puis vendaient aux manufacturiers la garance réduite en poudre dans de grands sacs en toile de jute.

Les autres teintures végétales, animales et minérales du coton

En dehors du rouge garance et du bleu indigo, les deux couleurs principales qui suscitèrent tant de passions et de rivalités commerciales, les teinturiers connaissaient d'autres teintures végétales ou animales, venues elles aussi en grande partie d'Orient.

En plus de ces teintures « exotiques », en provenance du Levant, de l'Inde ou des Amériques, comme le bois de campêche, la cochenille du Mexique ou encore le bois rouge du Brésil, les teinturiers du midi de la France utilisaient, et cela dès le Moyen Âge, toutes les ressources locales des plantes tinctoriales sauvages ou cultivées. Ils en retiraient les sucs tinctoriaux des racines, des écorces, des graines, des feuilles, des fleurs ou des fruits.

Les plantes tinctoriales du midi de la France

Le sumac par exemple, donnait une couleur fauve orangé comme le brou de noix, on tirait de l'orcanette des rouges, des bleus ou des violets suivant le mordant utilisé, les racines de génestelle renfermaient un beau jaune lumineux, comme celui des pistils du safran, et des feuilles séchées de la gaude. En mélangeant au bain jaune d'or de la gaude quelques morceaux d'indigo, le teinturier créait un bleu-vert somptueux, proche de celui de Véronèse. Un autre beau jaune était réalisé après mordançage avec l'écorce de pommiers sauvages et, en y ajoutant de l'indigo, cette teinture devenait verte. Une teinture jaune d'or tirant sur la moutarde, appelée en provençal le *baiso-mamio*, était obtenue grâce à un mélange savant d'une variété de sumac sauvage (la graine d'Avignon), de fleurs de genêt, de safran et de pétales de tournesol. L'écorce d'aulne et de châtaignier donnait un beau gris clair, et les feuilles de noyer, un beige avec des reflets olive. Certaines mousses prélevées sur les pierres donnaient aussi des colorants somptueux. Chaque teinturier gardait pour lui seul les secrets de ces mélanges.

Le kermès, appelé aussi graine d'écarlate, importé d'abord du Levant, est un petit insecte qui ne se trouve que sur les feuilles d'un certain chêne vert qui pousse en Méditerranée. On parlait déjà de cette teinture au temps de la Perse sassanide. Le teinturier mélangeait parfois le kermès avec la pourpre, un colorant très cher, tiré des glandes du coquillage méditerranéen appelé murex, la fameuse pourpre antique des empereurs romains. Ces teintures animales sont, comme la garance, des coloris rouges classés « grand teint ». Beaucoup de ces teintures naturelles ne se fixaient pas sur le coton sans un mordant ou ne pouvaient rentrer que dans la catégorie « petit teint ».

Le bleu pastel

Le bleu pastel ou guède, importé du Levant par les Maures en Espagne, se cultiva en France dès le XIIe siècle, surtout en Languedoc. Cette plante avait le pouvoir de guérir des plaies et servait aussi comme fourrage aux moutons et aux vaches, mais sa principale qualité était de contenir la fécule bleue de l'indigo qui avait les mêmes qualités tinctoriales que l'indigotier des Indes, indissoluble dans l'eau, soluble uniquement par la chaux, la potasse et l'acide nitrique. C'est pourquoi les paysans reprochèrent au pastel, en tant que plante fourragère, de donner aux vaches un lait bleu. Le roi René encouragea les plantations de pastel particulièrement dans la région toulousaine, mais sa culture ne connut un essor extraordinaire qu'à la fin du XVIe siècle. En 1552, Henri II accorda par lettre patente à tous les marchands de Toulouse l'autorisation de continuer, en pleine guerre, le commerce du pastel avec les Anglais et les Espagnols.

Pour accroître la culture du pastel en Languedoc, Henri IV, par un édit de 1605, condamna à mort tout fabricant qui utiliserait l'indigo indien en teinture ! Les princes locaux et les gouvernements prélevèrent des taxes sur le commerce du pastel dans tout le midi de la France, mais aussi en Picardie et dans le nord de l'Allemagne. Mais, dans ce pays, l'interdiction de l'indigo se fondait sur d'autres considérations, la population jugeant cette teinture « couleur du diable, nocive et corrosive ». À ces époques, on risquait sa vie pour des teintures prohibées ! Ce qui n'empêcha pas l'indigo pur de supplanter le pastel.

La culture du pastel, comme celle de l'indigo, demande des soins constants et une main-d'œuvre abondante. Il faut cueillir les feuilles à la saison chaude dans de grands paniers d'osier. On plonge les paniers dans l'eau courante pour y laver les feuilles et enlever toutes les poussières. On réduit les feuilles en pâte à l'aide d'une meule, on verse ensuite les feuilles broyées dans un grand cuvier rempli d'eau pure pour opérer une fermentation qui colore l'eau en jaune. Des bulles montent à la surface, d'abord blanches, elles deviennent cuivreuses et enfin bleuâtres au contact de l'oxygène de l'air. La fermentation arrivée à son terme (vingt heures en été), on filtre la liqueur bleue du dessus, on la mélange avec de la chaux afin d'obtenir une écume bleue qu'on enlève avec soin pour la porter au séchoir, jusqu'au moment où l'indigo prélevé prend la consistance d'une pâte ferme. On divise alors celle-ci en petites pelotes bien serrées, appelées coques ou coquaignes, ce qui a donné son nom au « pays de cocagne » pour désigner un pays riche.

De Toulouse, les marchands expédiaient les coques par la Garonne jusqu'à Bordeaux et, de ce port, le pastel en petits fûts de chêne partait pour Londres ou Anvers. Pierre Assézat fut un des grands marchands de pastel fixé à Toulouse. On sait que, en 1557, il expédia pour Anvers 9 284 balles de pastel, et 16 343 au cours de l'exercice 1558-1559. Il avait des représentants dans toutes les villes européennes.

Mais ce que l'on a appelé le « miracle du pastel » ne dura pas longtemps. Ce bleu, qui se fixait difficilement sur le coton par sa faible quantité d'indigotine, va être concurrencé par l'indigo pur, déjà importé du Levant par Jacques Cœur. Colbert, on l'a dit, autorisait l'usage de l'indigo s'il était seulement mélangé en petite quantité dans un bain de pastel. Un décret de Napoléon du 25 mars 1811 prohiba l'importation de l'indigo pour promouvoir en France la culture du pastel et proposa un prix de 100 000 francs à celui qui parviendrait à donner, à la fécule colorante du pastel, la finesse et l'éclat de l'indigo !

Le baron de Puymaurin, originaire de Toulouse, réalisa vers 1810 un catalogue des plantes qui fournissaient des couleurs bleues et vertes, avec une notice *Sur le pastel pour relancer l'industrie pastellière en Albigeois*. Il révéla le secret pour extraire l'indigo du pastel afin d'obtenir un bleu aussi solide que l'indigo originaire du Bengale ou du Guatemala. Il créa en 1812 la fabrique d'indigo-pastel d'Albi mais, avec la chute de l'Empire, il ne put jamais toucher le prix proposé.

La fin de la prohibition

Si l'art de la teinture est important dans l'industrie cotonnière, il faut au départ disposer de toiles de qualité. On a vu que les premiers indienneurs marseillais et nantais utilisaient des calicots, originaires de l'Inde ou du Levant. Pour devenir autonomes, il fallait arriver à produire en France des toiles de coton, comme le faisaient déjà les tisserands anglais dans la région de Manchester. L'industrialisation du coton proviendra en grande partie de l'espionnage industriel des procédés anglais de filature et de tissage du coton.

Ce n'est que le 28 octobre 1759 que la prohibition fut enfin levée. Les importations de coton brut originaire du Levant vont alors s'accroître dans des proportions considérables. En 1668, on importait 450 000 livres de coton brut et 1 450 000 livres de coton filé ; en 1750, le coton brut importé s'élevait à 3 850 000 livres et le coton filé à 2 015 000 livres, ce qui prouve qu'à cette époque le coton était encore en France filé à la main. Ce n'est que plus tard que les premières filatures, mises en place avec la machine anglaise *jenny*, seront en mesure de satisfaire la plus grande partie du marché cotonnier français. De ces premières manufactures d'indiennage, celle des frères Wetter à Orange représente un cas exemplaire.

Jean-Rodolphe Wetter et sa manufacture d'indiennage à Orange

En 1744, Jean-Rodolphe Wetter, originaire de Genève, crée avec son frère aux environs de Marseille, à Saint-Marcel exactement, une entreprise d'impression « d'indiennes riches » à la planche, qui échappe à la prohibition comme port franc. Ils y emploient alors sept cents ouvriers, hommes, femmes et enfants. La cherté de la main-d'œuvre, le manque d'eau pour les teintures, les complications réglementaires du régime de port franc et de mauvaises affaires conduisent les frères Wetter à la faillite. En 1757, ils déplacent leur manufacture à Orange, cours Pourtales, mais en y produisant des « siamoises », imprimées à la planche qui, en tant que tissu appelé métis (trame en coton et chaîne en soie), ne rentraient pas dans les étoffes prohibées en « pur coton » bien que la ville d'Orange dépende du domaine papal.

La mode des siamoises remonte à 1683 lorsque les ambassadeurs du roi du Siam en se rendant à Versailles pour y rencontrer le roi débarquèrent à Marseille : la mode locale s'empara aussitôt des motifs rayés de rouge et de bleu de leurs costumes. À la fin du XVIIe siècle, Rouen et toute sa région imiteront les siamoises de Marseille mais en tout coton, donc meilleur marché qu'avec une chaîne en soie. C'est sans doute la raison qui poussera les fabriques marseillaises à imiter dès le début du XVIIIe siècle cette qualité, sous le nom de « Rouenneries de Marseille ». La production des Wetter est connue sous le nom de « toile d'Orange » et aura beaucoup de succès.

La description de la manufacture des frères Wetter par les peintures de G.M. Rosetti

Cinq grandes peintures de G.M. Rosetti, datant de 1764 (visibles aujourd'hui dans une salle du musée municipal d'Orange), commandées par les frères Wetter, sont pour nous un témoignage exceptionnel de la vie d'une manufacture d'indiennage au XVIIIe siècle. Présentées comme une véritable bande dessinée, on peut suivre, pas à pas, la vision du peintre pour chaque étape de fabrication. Ces grandes toiles vont nous permettre de mieux comprendre la complexité des différentes opérations techniques pour arriver à la réalisation d'une indienne prête à être vendue.

Le premier panneau représente l'extérieur de la fabrique. On aperçoit dans le fond le mont Ventoux, afin de bien situer la région. Des ouvriers réceptionnent des colis. Sans doute, avant la fabrication en France de belles toiles de coton, devait-il s'agir de calicots arrivant directement des Indes par le port de Marseille. D'autres ouvriers lavent les toiles dans de l'eau courante après les avoir fait macérer pendant trois jours dans un bain d'eau de son, pour y éliminer les apprêts d'amidon et les taches diverses au moment du tissage. Puis, ils les font bouillir dans des cuves avec une lessive caustique pour un dernier nettoyage avant l'impression des mordants. Dans le fond, on voit le séchage de ces toiles étendues sur un pré pendant plusieurs jours pour obtenir un blanchiment parfait à l'air et au soleil. Une autre partie du panneau montre un coin de l'atelier de teinture en cuve, sans doute d'indigo. Un plus petit panneau présente le laboratoire de préparation des teintures et des mordants et la confection des bois gravés pour l'impression des motifs.

Le troisième grand panneau est un plan en perspective de l'atelier d'impression, avec au centre les deux frères Wetter en compagnie d'un hôte de marque richement habillé. Sur chaque grande table, un ou, parfois, deux imprimeurs sont debout pour imprimer les mordants et un petit enfant est chargé d'alimenter le baquet en mordant avant teinture, ou directement en teinture pour surimpression. Certains mordants ont la particularité de produire des coloris différents pour un bain d'un seul colorant. C'est le cas ici pour la garance qui, avec un mordant d'étain, donne un ton orange, avec un mordant d'aluminium, un beau rouge, avec un mordant de chrome, un brun avec un mordant à base de cuivre et de fer, un violet.

Cette vaste salle est bordée de chaque côté de grandes fenêtres pour donner le maximum de lumière aux imprimeurs. Sur la droite du panneau, dans une salle attenante, des ouvriers plient les toiles préparées à la teinture et les pendent au plafond sur des montants de bois. Sur la gauche du panneau, un ouvrier passe les toiles, une par une, dans une machine à calandrer afin de bien écraser le grain du tissu avant l'impression.

Le quatrième grand panneau montre « l'atelier des pinceauteuses ». Elles travaillent à plusieurs sur la même toile déjà imprimée de motifs floraux, posée sur une grande table. Elles retouchent les toiles avec un pinceau trempé dans un petit godet rempli d'indigo, ou d'autres couleurs, entre les parties déjà gravées, aux endroits précis où les retouches sont nécessaires. On prétend qu'elles utilisaient des pinceaux confectionnés avec leurs propres cheveux pour réaliser les dessins les plus fins ! Certaines pièces, vendues très cher, pouvaient être peintes à la main à l'imitation des anciennes indiennes.

Au premier plan, on voit une ouvrière debout, tenant

dans une main un petit godet, et dans l'autre, des fleurs des champs, très proches de celles imprimées sur le tissu. L'ambiance est détendue et n'a rien de comparable avec la description de certaines manufactures, assimilées à des bagnes. Seules deux contremaîtresses, armées d'un gourdin, situées au premier plan, laissent supposer une discipline assez rude. On voit aussi M. Wetter assis à une petite table, notant sans doute des instructions de fabrication.

Enfin, le cinquième petit panneau est réservé à l'opération des chintz glacés, sur lesquels les ouvriers étalent de la cire, lissée à l'aide de galets de silice ou « à la bille d'agate ». Sur ce dernier panneau, un singe et un chat s'amusent avec un livre de voyages ouvert, le peintre voulant sans doute faire là une allusion aux Indes d'où sont originaires les indiennes.

Après une période de grande prospérité, la fabrique sera victime d'un trop rapide développement, employant plus de cinq cent trente ouvriers. Aussi, avec la fin de la prohibition, la concurrence d'autres fabricants de cette région et les impôts trop lourds, les frères Wetter connurent de graves difficultés financières et furent obligés de fermer leur manufacture en 1802. Turgot, par un édit, avait bien essayé de réformer le commerce en le rendant accessible à toute personne, quelle que soit sa nationalité ou sa profession : « Nous devons à nos sujets de leur assurer la pleine et entière jouissance de leurs droits. » Mais sa réforme, jugée trop libérale par l'opposition conservatrice, l'obligea à démissionner.

VI

LES ROUTES DES GRANDS CENTRES COTONNIERS FRANÇAIS JUSQU'AU XIXe SIÈCLE

Bordeaux, Marseille, Nantes, Lorient et Rouen : l'histoire des grands ports français, et donc des routes maritimes comme terrestres, aboutissent aux nombreux centres cotonniers qui jalonnent la France au XVIIIe siècle, au fur et à mesure d'une industrialisation très en retard sur le plan technique, par rapport à la révolution industrielle de l'Angleterre.

Bordeaux et la traite des Noirs

Dès le XVe siècle, juste après son rattachement à la France, Bordeaux deviendra comme Marseille le grand port du transit des produits exotiques. Avec les conquêtes du Nouveau Monde, ce trafic du commerce colonial apportera la prospérité aux négociants et armateurs bordelais. Comme d'autres ports français, par ordonnance de Colbert — que nous retrouvons sur tous les fronts —, Bordeaux aura aussi le droit de se livrer à la traite des Noirs et des lettres patentes l'autoriseront à armer des vaisseaux pour les colonies. Les négociants pourront alors exporter dans les îles toutes les denrées et marchandises du royaume sans payer de droits. Un mémoire de 1769 évaluait à 15 000 par an le nombre d'esclaves arrivés aux

Antilles depuis 1760. Ce trafic mobilisait quatre-vingt-douze bâtiments français.

Encouragés par le gouvernement, les armateurs bordelais, en général d'origines irlandaise et portugaise, alléchés par les énormes profits de la traite, décidèrent d'armer des navires négriers. Par exemple, on sait qu'en 1776 un armateur bordelais expédia vers la Guinée, et de là vers Saint-Domingue, quinze navires négriers et qu'en 1787 il en affréta vingt. Cette même année, neuf cents navires français font le trafic avec les Antilles.

L'indigo arrive directement de Saint-Domingue, et le coton des autres îles antillaises et de la Louisiane. En une année plus de 6 000 quintaux d'indigo entrent à Bordeaux. Curieusement, contrairement aux autres ports déjà cités, Bordeaux n'aura aucune implantation de manufactures d'impressions avant 1779, alors que les négriers demandaient des guinées bleues et autres cotonnades genre indiennes pour la traite. Aux Archives nationales, on a retrouvé une lettre, datée du 22 avril 1786 et portant de nombreuses signatures, intitulée « Demande d'armateurs de Bordeaux faisant le commerce de la traite des Nègres ». En résumé, ces négociants demandaient l'autorisation d'établir dans leur ville « une manufacture de fabrication de guinées bleues (comme celles fabriquées à Pondichéry), salampourys et limenas (toiles blanches ou bleues du Coromandel), coutils (toiles de coton rayées originaires du Bengale), et mouchoirs de Madras (généralement de couleur rouge avec des bordures colorées) », qu'ils seront sinon obligés d'acheter à l'étranger. Comme argument en leur faveur, ils avançaient que leur établissement « favoriserait le commerce de la traite et éviterait le transport par mer, les longs retards, les nombreuses avaries, et donnerait du travail à un grand nombre de personnes de la région bordelaise ». Ils utiliseraient de plus l'indigo des colonies françaises acheté à Bordeaux même et s'engageaient de leur côté à réaliser une teinture bleue de toute solidité et beauté. On ne sait pas si leur demande fut bien accueillie, car elle faisait directement de la concurrence aux ateliers de teinture de Pondichéry, tenus en grande partie par des entrepreneurs bordelais et nantais.

Dans un autre mémoire adressé à la chambre de commerce de Bordeaux, on trouve une réclamation véhémente en faveur du maintien de l'esclavage, un bruit s'étant répandu que le gouvernement projetait de rendre la liberté aux Noirs : « Ce sont les Nègres qui font la richesse des habitants des îles... L'esclave n'est-il pas une marchandise de qualité ? Et puis, pour le colon, pauvre surtout, quel bon animal reproducteur ! » etc. Au lieu de réagir à de tels propos scandaleux, la chambre, portant un intérêt croissant à ce trafic si lucratif, répondit aux négriers en s'apitoyant sur le sort des armateurs : « De tous les commerces maritimes, il n'en est pas de plus hasardeux que celui de la traite des Noirs : l'on a vu des négociants perdre plus que leur capital sans autre accident que la mort naturelle et il n'en est pas qui mérite plus de faveur et de protection... une épidémie de variole peut ravager toute une cargaison et en même temps l'équipage. » Et un peu plus loin, on donne des chiffres terrifiants : « Depuis la paix, cent cinquante navires furent expédiés de nos ports pour la Guinée. Ils doivent avoir introduit dans nos colonies plus de 40 000 esclaves, surtout à Saint-Domingue où les habitants achètent les Noirs plus cher qu'en Martinique ou en Guadeloupe, surtout les plus beaux Noirs qu'on appelle pièces d'Inde. Les colons éclairés savent qu'il n'en est point de meilleure qualité, c'est-à-dire qui soient mieux constitués, plus sains, plus robustes, plus propres aux travaux de la culture du coton et de l'indigo, plus soumis enfin que ceux de la traite française. »

Les négociants bordelais protestent encore contre les fraudes dans le trafic colonial. Dans une lettre adressée au ministre de la Marine en 1784, ils s'inquiètent de l'avilissement des prix par ce trafic de contrebande avec des bâtiments étrangers, les produits étant vendus en Jamaïque pour les armateurs anglais, afin d'augmenter le travail des manufactures anglaises de coton, aussi « la majeure partie des navires français, arrivés à la Guadeloupe ou à la Martinique pour charger, se trouvèrent forcés d'attendre les récoltes de coton et d'indigo pour faire leur retour à Bordeaux ».

Un Suisse arrivant de Neuchâtel, Jean-Pierre Meillier, achète en 1797 le domaine de Lalande pour y installer la première manufacture d'indiennage de la région d'Aquitaine. Dès 1805, cette entreprise regroupera plus de deux cent cinquante ouvriers et produira annuellement environ 9 000 pièces de cotonnades, imprimées à la planche de cuivre. Une fabrique, dirigée par les Leclerc père et fils, s'installera au Pont-de-la-Maye. Les Leclerc travailleront à façon sur des calicots de la Compagnie des Indes pour le compte de certains négociants bordelais. Plusieurs fabricants d'indiennes ont des entrepôts à Bordeaux. Les acheteurs hollandais, suédois et danois se fournissent à Bordeaux et revendent ensuite l'indigo et les indiennes françaises dans toute l'Europe.

Rouen et sa région

John Holker introduit la **jenny** *à Rouen*

Rouen, on l'a vu, avait été la première ville à introduire la machine à bas et à réaliser l'impression sur siamoise en soie et coton. Elle allait plus tard être la première à industrialiser ses filatures avec l'implantation de la *jenny* anglaise par un certain John Holker, dont voici l'histoire : John, modeste apprenti tisserand de Manchester, défend la cause du jeune prétendant au trône, Charles Edouard Stuart. Emprisonné pour ses idées politiques, il arrive à s'évader et s'enfuit en France où il s'engage dans l'armée royale. C'est seulement en 1751, à l'âge de trente-deux ans, qu'il quitte l'armée. En 1754, au péril de sa vie, il retourne en Angleterre pour faire passer clandestinement en France vingt-quatre ouvriers, un mécanicien qualifié et tous les plans des machines, dans le dessein d'installer à Rouen la première fabrique de filature et de tissage du velours de coton.

Le musée des Arts de la mode et du Textile à Paris possède un *Livre d'échantillons* de cent quinze échantillons de tissus de pur coton ou coton et lin mélangé, d'origine anglaise, qui fut constitué par John Holker et dédié à M. de Montigny, membre de l'Académie royale des Sciences. Les échantillons sont complétés par des explications techniques sur les matériaux et les contextures utilisés, ainsi que les prix pratiqués et les usages en Angleterre.

Dans ces échantillons, on trouve plusieurs étoffes « nommées *jeans*, en chaîne de fil et trame de cotton [coton, avec deux t en anglais]. Elle est employée à faire des habits d'hommes et de femmes aux personnes de tout état. Ces étoffes “croisées” ont la propriété de se pouvoir laver comme une pièce de linge lorsque le cas le requiert... Il s'en fit un très grand débit ». Nous reparlerons de cette découverte du sergé de coton anglais au cours de l'histoire passionnante du *blue-jean*.

Les ouvriers anglais formèrent les ouvriers rouennais à ces nouvelles machines, comme la *jenny*, afin de filer le coton, non plus au fuseau et au rouet, mais industriellement comme en Angleterre. Pour cette production nouvelle en France, il obtint un privilège du roi en 1752. En 1775, Louis XV le nomma « Inspecteur des Manufactures travaillant avec des machines de l'étranger ». Tout un programme d'espionnage industriel ! C'était déjà la guerre économique. Chaque pays protégeait jalousement ses créations et inventions, mais le passage des frontières était facile à l'époque avec l'aide des contrebandiers.

En 1778, après l'alliance franco-américaine, Roland de la Platière, inspecteur officiel des manufactures, rapporte que le fils de John Holker fut nommé consul de France à Philadelphie. En dehors de sa charge, on sait qu'il importa des siamoises, des toiles, des piqués et des cannelés français, aussi bien pour le gouvernement des États-Unis que pour lui-même. La *jenny* améliorée se répandit dans toute l'Europe. L'État de Pennsylvanie accordait une prime pour la construction d'un moulin à carder le coton. Un certain Slater, qui avait travaillé dans une des fabriques d'Arkwright, passa clandestinement en Amérique en 1789 et y construisit de mémoire un *water-frame* du type à vingt-quatre broches. Ce fut, dit-on, le commencement de l'industrie du coton en Nouvelle-Angleterre avec, dans les États du Sud spécialisés dans la culture intensive du coton, l'invention en 1793 de l'égreneuse par Elie Whitney. Une autre passionnante histoire que nous raconterons dans le chapitre sur les États-Unis.

Grâce à l'installation à Rouen des premières machines anglaises, on comprend mieux pourquoi la Normandie, dès le début du XVIIIe siècle, était déjà un centre important de filature et de tissage du coton, « la forte humidité du climat l'y prédestinait ». On produisait, aux environs proches de la ville, du basin, mélange de lin et de coton tissé en point chevron, et plus loin, à Creton dans l'Eure, on fabrique la célèbre cretonne, d'abord en lin puis en pur coton, réalisée en point toile.

Rouen, grand centre de l'industrie cotonnière de cette région, s'intéressa à la fin de la prohibition aux cotonnades imprimées. Plusieurs ateliers d'impression s'installèrent le long de la Seine afin d'utiliser la force hydraulique. Dans ces manufactures d'indiennage on imprimait surtout des toiles aux sujets historiques. La fabrique d'Abraham Frey était la plus importante. Il arriva de Genève en 1750 et fonda sa manufacture rouennaise en 1759. Comme tous ses confrères suisses installés en France, il fit venir de son pays d'origine des ouvriers spécialisés qui possédaient une plus grande expérience de la gravure des planches de bois et de l'utilisation des mordants que les ouvriers de la région rouennaise. Il employait aussi des ouvriers anglais et néerlandais.

En 1776, des teinturiers turcs, encouragés par le gouvernement, s'installent à Darnétal, près de Rouen, pour produire le fameux rouge andrinople, si envié et si difficile à obtenir. Une teinturerie voisine, la maison Varon Frères et Dubos, vola leurs procédés et obtint une patente royale pour teindre dans toutes les couleurs, dont ce rouge turc. Grâce à cette impulsion, Rouen était bientôt réputé pour cette teinture rouge andrinople. À tel point que ce sont deux Rouennais, Louis et Abraham Heury Borelle, qui, contre une subvention de 2 500 livres accordée par le Parlement britannique, introduiront, en 1786, le secret du rouge andrinople à Manchester. Deux ans plus tard, un teinturier rouennais, Pierre Jacques Papillon, créait à Glasgow la première teinturerie en rouge turc. Juste retour de secrets aux Anglais à qui on avait volé les plans de leurs machines à filer le coton.

Comme on peut le constater, il n'y a pas, à ce moment-là, de frontières pour travailler à l'étranger, et tous les fabricants européens s'efforcent de s'entourer des meilleurs spécialistes, sans tenir compte de leurs pays d'origine. En 1773, Turgot proclame : « Il faut encourager les recherches des savants et des artistes qui tendent à perfectionner l'art, et surtout en étendant la connaissance des procédés que la cupidité cherche à faire autant de secrets. » Des missions de fabricants furent organisées aussi bien en Angleterre qu'en Allemagne pour y étudier les techniques textiles les plus avancées. Le traité d'Eden, après 1786, instaura le libre-échange entre l'Angleterre et la France. C'est une des raisons de l'influence des styles français, particulièrement celui de Louis XIV, sur les fabricants anglais. De nombreux négociants textiles français ouvrent alors des magasins de « nouveautés » à Londres. Mais il y a le revers de la médaille : les indiennes et les cotonnades anglaises se vendent en France moins cher que celles fabriquées sur place et elles inondent le marché, créant une crise économique grave pour beaucoup de cotonniers français. Les fabricants rouennais réagirent vite en créant des cotonnades bon marché, qu'on désignera sous le nom de « rouennerie ».

Les rouenneries

Cette dénomination comprend une grande variété de tissus de coton mais dans lesquels les fils sont toujours teints avant le tissage, permettant aux fabricants de nombreuses combinaisons de bayadères ou de damiers, en chaîne et trame, comme le nankin, cotonnade imitée de Chine, ou le madras originaire de l'Inde. Des rayures sont aussi imprimées à la planche avec réserve afin d'utiliser par économie le même bain de teinture : certaines bandes imprimées à base d'alun devenaient rouges et d'autres, imprimées avec un mordant à base de fer, se métamorphosaient en noir. Les nécessités économiques ont souvent été à la source d'inventions nouvelles. Une autre caractéristique des rouenneries, afin de concurrencer la production anglaise, était son prix assez bas. Cette production n'ayant pas la qualité plus fine de celle d'Alsace ses coloris « petit teint » et ses effets simples de carreaux s'adressaient surtout à la consommation courante. Mais il existait aussi, dans toute la région de Rouen, une production raffinée d'indiennes « façon des Indes » aux coloris « grand teint », exportées en Angleterre et dans toute l'Europe, ainsi que dans les colonies du Nouveau Monde, notamment en Louisiane et à Saint-Domingue dans les Antilles françaises. Cette exportation vers les territoires d'outre-mer fut importante. Madagascar et La Réunion seront les principaux acheteurs avec l'Afrique du Nord. Cette industrie cotonnière rouennaise exigeait un grand approvisionnement en coton d'Amérique. Aussi, les négociants normands eurent-ils besoin d'intensifier la traite des Noirs pour échanger les esclaves contre du coton. Plus de quarante-huit navires furent utilisés pour le trafic triangulaire et plus de cent bâtiments étaient destinés aux voyages directs avec les îles des Antilles.

Le marché du coton du Havre

À cette époque, le coton brut arrivait en balles directement par bateaux au port de Rouen, mais surtout, à la fin du XVIIIe siècle, au port du Havre où se trouvait le marché des cotons. Ce marché regroupait les importateurs de coton, les négociants, les courtiers et les contrôleurs de la qualité. Le coton étant une plante annuelle, il fallait que l'industrie cotonnière soit assurée d'un approvisionnement permanent. Le but de ce marché était de constituer et de maintenir des stocks toute l'année afin d'éliminer les risques de fluctuations des cours, fixés à New York. Pendant la période de la cueillette du coton, les offres étaient abondantes sur les marchés d'origine et permettaient aux courtiers d'obtenir sur place des prix plus intéressants. D'autres variétés de coton provenaient du Levant. Il était de meilleure qualité et filé à la main ou au rouet, dans les villages autour de Rouen, créant du travail à domicile à plus de vingt mille fileuses. Le voyageur anglais, Arthur Young, de passage en 1788 dans le pays de Caux, avec Bolbec pour centre, remarqua que les femmes filaient et que les hommes tissaient le coton dans presque toutes les fermes. On y produisait à façon des foulards, des mouchoirs ainsi que des siamoises à la chaîne en soie et la trame en coton, ou pur coton moins coûteuses.

Lorsque, vers 1789, des fabricants rouennais employèrent les premières machines à filer anglaises, ces femmes, comme l'avaient fait les fileuses de la région de

Manchester, se révoltèrent et détruisirent tous les métiers à filer. Mais, progressivement, grâce au travail procuré dans les nombreuses manufactures, Rouen et la région de Bolbec allaient posséder d'importantes filatures de coton et fournir du travail à une grande partie de la population normande.

Châle imprimé en imitation « cachemire »

À la fin du XVIIIe siècle, l'engouement pour l'orientalisme et les châles cachemire, importés du nord de l'Inde, fut tel que les fabricants français en feront des imitations. Un entrepreneur de Rouen et Reims, Guillaume Ternaux, lança un décor de châle moins chargé. Il demanda au peintre Jean-Baptiste Isabey de les dessiner. Dans *Le Moniteur universel* de février 1813 on peut lire, à propos des châles de M. Ternaux : « Les dessins s'éloignent des dessins bizarres et confus que l'on remarque sur les schalls étrangers. Les palmes sont remplacées par des bouquets et des guirlandes imitées des plus belles fleurs d'Europe dont les couleurs éclatantes et bien nuancées ont en quelque sorte l'apparence de la peinture. »

Certains châles sont tissés dans ses ateliers de Reims avec la technique du brochage — appelée aussi l'espilonage — des tisseurs du Cachemire et en laine mohair (duvet d'une chèvre du Tibet), d'autres, à Rouen, sont imprimés aux rouleaux de cuivre sur une toile fine de coton aux fibres soyeuses et douces comme celles du mohair. Une douzaine de ces châles aux dessins nouveaux furent commandés par le ministre de l'intérieur, Montalivet, pour les offrir à Napoléon. L'impératrice Marie-Louise les porta avec grâce. De son côté, Joséphine de Beauharnais possédait des centaines d'indiennes de Rouen et de Nantes et plus de soixante châles cachemire. Oberkampf imprimait aussi des imitations de cachemire d'un prix modique pour répondre à la demande d'une clientèle qui ne pouvait pas s'offrir les véritables châles originaires du Cachemire ou même ceux en mohair tissés chez M. Ternaux.

Les manufactures d'indiennes de Rouen furent toujours spécialisées dans les sujets historiques, telle, vers

1825, une « Histoire d'Henri IV ». Vers 1840, une gravure sur cylindre en coloris violet pour les dessins, et à la planche pour le fond jaune, évoque « La Légende napoléonienne », d'après une gravure d'Épinal qui rapproche cette toile peinte de l'art populaire.

Amiens : le velours de coton

Vers 1753, presque à la fin de la prohibition, Jacques Alexandre Bonvalet créa, à Saint-Maurice-les-Amiens, une des premières manufactures d'indiennage de cette région. Elle deviendra Manufacture royale d'étoffes fleuries. En 1765, sans doute sous l'impulsion de John Holker, le premier fabricant de velours ayant utilisé une copie de la *jenny* pour filer son coton brut, une autre manufacture de velours côtelé s'installa à Amiens. Elle était fondée par J.B. Morgan et Delahaye, impasse des Saintes-Claires, et devint vite Manufacture royale. Pour leur production de velours, ils faisaient venir les fils de coton des premières filatures de Normandie. Afin d'être plus indépendants, en 1773, par un nouvel espionnage industriel, ils obtinrent les plans d'une *mule-jenny* de dix-huit broches à filer le coton et la firent exécuter et mettre au point dans leur fabrique par M. Malivoir, un plombier de Rouen. Elle fut mise en service dans les ateliers de la manufacture en 1775.

On se souvient que Roland de la Platière, inspecteur des manufactures, apporta son aide à John Holker pour sa manufacture de velours à Rouen, et l'introduction clandestine de la *jenny*. Alors que Morgan développait sa manufacture, ce même Roland de la Platière, sans doute pour accélérer l'industrie cotonnière à Amiens, obtint, par corruption d'un ouvrier, les dessins de la *mule-jenny* mise au point chez Morgan. Il en fit construire discrètement une copie qu'il installa chez M. Sezille, rue des Vieziers, un concurrent direct de Morgan. Les deux hommes s'affrontèrent. L'inspecteur des manufactures était trop puissant pour que Morgan lui fît un procès en contrefaçon d'une invention anglaise ! Il attendit la Révolution pour être rétabli dans ses droits, mais entre-temps la *mule-jenny* était tombée dans le domaine public, Roland de la Platière ayant diffusé un rapport sur *Les procédés de la manutention, le machinisme, les formules permettant à l'industrie cotonnière de se développer*. Il n'y avait plus de secrets industriels, le but était de réaliser au plus vite une industrie cotonnière la plus performante possible face à la concurrence anglaise.

En 1792, la Picardie utilisa la machine à filer à cent broches. C'est dans la Manufacture de Morgan et Delahaye qu'un ouvrier anglais, Mackloud (dont le nom francisé deviendra Maclou), introduisit en 1789 la navette volante de John Kay. La même année, le Conservatoire des Arts et Métiers fut chargé de « relever les modèles et dessins des différentes machines et inventions dont les fabriques d'étoffes de coton étaient redevables aux Anglais venus à Amiens ». Déjà, sous le règne de Louis XV, John Holker avait été nommé, on s'en souvient, « inspecteur des Manufactures travaillant avec des machines venant de l'étranger », sans doute pour en relever plus ou moins officiellement les plans. La politique de Turgot de révéler tous les secrets de fabrication était parfaitement suivie.

Plus tard, un autre fabricant de velours d'Amiens, ancien directeur de la même fabrique, M. Martin, se présenta comme le premier importateur des machines à filer le coton inventées en Angleterre. Il était autorisé, par un arrêté du Conseil d'État du 18 mai 1784, à établir à l'Épine, près d'Arpajon, sur le bord de la rivière de la Juine, une filature hydraulique de coton pour « carder en ruban, étirer, filer en gros, filer en fin, doubler et retordre ». C'était la naissance de la première filature dite « continue » établie en France. Était-ce enfin le départ de l'industrie cotonnière française ? Hélas, les guerres de 1792 paralysèrent les affaires des manufactures de la région picarde occupée par les Anglais. Les ouvriers au chômage furent déportés en Angleterre pour aller travailler dans les usines de Manchester. Ce sera seulement après les guerres napoléoniennes que les manufactures de velours se développeront à Amiens, mais, à partir de 1815, l'évolution de la mode portera un grave préjudice aux velours de coton d'Amiens qui ne furent plus utilisés pour les vêtements d'hommes, mais presque exclusivement pour l'ameublement. La supériorité du velours de coton d'Amiens est due certes à sa qualité de tissage épais et à son apprêt velours duveté, mais surtout à la haute qualité des teintures « grand teint », difficiles à réaliser sur ce type de tissu serré. Et, par leur renommée, les teintureries d'Amiens vont manutentionner 90 % de toute la production française de velours de coton à côtes. Aujourd'hui, des maisons fondées au début du XIXe siècle, possédant l'expérience de six générations, fabriquent encore toutes les gammes des velours de coton : velours couture, velours confection, velours sport, velours de travail, velours d'ameublement, velours de gainerie et à usages industriels.

On constate avec l'histoire cotonnière d'Amiens que, comme en Angleterre, de simples mécaniciens, de modestes contremaîtres, encouragés par le gouvernement et l'octroi de primes, apportèrent aux machines anglaises à filature continue des modifications et perfectionnements qui en rendirent l'usage plus facile, tout en augmentant les possibilités de production. D'autres filatures se créèrent dans tous les centres de tissage du coton, comme Saint-Quentin, spécialisé avec Tarare dans les tissus en coton d'une grande finesse, genre mousseline et percale.

Mulhouse : les impressions alsaciennes

Au milieu du XVIIIe siècle, Mulhouse et Montbéliard étaient des villes indépendantes dans l'enclave de la Confédération suisse. Venus de Suisse, âgés de vingt-deux à trente et un ans, Samuel Koechlin, Jean-Henri Dollfus, Jean-Jacques Schmaltzer et Jean-Jacques Feer furent à l'origine de l'aventure de l'impression d'indiennes en Alsace, en fondant en 1758, à la fin de la prohibition française des indiennes, la première manufacture de toiles peintes à Mulhouse.

Ils firent venir de Suisse des ouvriers et ouvrières spécialisés — graveurs, imprimeurs, pinceauteuses —, puis formèrent des ouvriers alsaciens sur place. Ils faisaient filer le coton, originaire du Levant, à façon dans les villages des Vosges, et à l'aide d'un rouet. Comme les autres indienneurs français, ils chercheront sans cesse à améliorer les recettes indiennes de teintures, jugées un peu empiriques, afin d'obtenir une qualité parfaite à des prix de vente compétitifs. Grâce à l'impulsion donnée par ces quatre fils de famille, on comptait, en 1785, vingt et une filatures à Mulhouse même et vingt-six fabricants de tissus de coton dont dix-neuf imprimeurs d'indiennes. De nombreuses entreprises essaimèrent dans les vallées vosgiennes où l'eau était pure et abondante et la main-d'œuvre rurale bon marché.

La manufacture d'indiennes de Wesserling, créée en 1762, employait en 1785 plus de mille quatre cents ouvriers et réalisa, à elle seule, la moitié du chiffre d'affaires de toutes les manufactures établies à Mulhouse ! En 1803, pour ne plus être dépendante des filés anglais ou rouennais, cette manufacture installa, à côté de ses bâtiments, la première filature de coton de la région. Elle deviendra au début du XIXe siècle la plus importante manufacture d'Alsace.

À la veille de 1789, la production d'indiennes représentait plus de six millions de tonnes ! Cette impression intensive d'indiennes alsaciennes fit de la concurrence aux importateurs des vraies indiennes, originaires de l'Inde, qui coûtaient plus cher. Aussi, à la suite d'une réclamation de la Compagnie des Indes de Lorient, les toiles peintes de Mulhouse furent prohibées en France, mais la Révolution éclata et Mulhouse fut rattaché en 1798 à la France.

Après quelques années d'exploitation en commun, les quatre associés se séparèrent et créèrent chacun une maison indépendante. Jean-Michel Haussmann, installé à Logelbach, près de Colmar, à la fois chimiste et fabricant, fit les premières recherches sur le rouge turc et, en 1802, il prétendait « avoir obtenu par son procédé des rouges qui surpassaient en beauté et en vivacité ceux du Levant ». C'est sans doute la raison pour laquelle cette manufacture se spécialisera dans la reproduction d'indiennes sur des *calicots* très fins de l'Inde, à fond blanc, représentant une flore des Indes un peu fantaisiste, ornée de bouquets fleuris de roses, de zinnias et de fleurs exotiques, des tiges arborescentes chargées de grosses fleurs épanouies. Haussmann n'échappera pas à la mode des chinoiseries et éditera une toile appelée « Le jardin chinois, à la Pillement ».

Pas loin de Colmar, à Munster, s'implante une autre manufacture, celle de Hartmann. Une toile intitulée « Chasse et pêche dans la Vallée de Munster », signée Casimir Karpff, représente en fond les montagnes des Trois Épis et les cimes du Petit Ballon, en bas à gauche, la belle demeure des Hartmann et leur pavillon de musique dans le parc. Sur la droite de la toile, l'artiste a représenté leur chalet situé dans les Vosges, juste au-dessus des bâtiments de leur manufacture. C'est une très belle composition sur le thème de la chasse, à la mode dès 1815 par les créations d'Horace Vernet, petit-fils du grand peintre Joseph Vernet, comme sa « Chasse au cerf ».

Cette manufacture, et beaucoup d'autres, imprimait à la plaque de cuivre, sur une toile matelassée, le thème des *Fables* de La Fontaine. Chaque sujet de fable était disposé dans des cadres ou des vignettes de formes ovale, circulaire ou octogonale, sur un fond de bandes verticales de rosaces, alternées de baguettes enrubannées. Ces grandes couvertures piquées et matelassées avaient aussi souvent des sujets historiques, comme « L'Histoire d'Henri IV ».

On constate une influence de plus en plus grande entre les motifs floraux — bouquets, guirlandes — des toiles de coton imprimées et ceux des soieries façonnées, les premières sont bon marché, les secondes d'un prix très élevé, accessibles seulement à la haute bourgeoisie. Il y a aussi parfois une confusion entre les dessins des soieries importées de Chine et celles tissées à Lyon, les motifs appelés chinoiseries étant presque identiques. À Mulhouse, la manufacture Schwartz-Huguenin continuera encore vers 1840 cette production avec un dessin de Jean Ulrich Tournier, « Promenade en jonque et pagode fleurie », réalisé sur une percale glacée avec des motifs de fleurs polychromes, agrémentées de chinoiseries traitées en camaïeu sépia.

Plusieurs manufactures alsaciennes participeront à l'Exposition de 1806. Si la médaille d'or fut attribuée à Oberkampf, Dollfus-Mieg et Cie de Mulhouse reçut de son côté la médaille d'argent pour la finesse et l'excellente qualité de ses cotonnades peintes aux coloris éclatants. Ces imprimés coûtaient 40 % plus cher que ceux importés d'Angleterre, mais la clientèle les préférait pour la beauté de leurs motifs et la qualité de leurs coloris « grand teint ». L'Espagne et la Russie restèrent des clients importants des imprimés mulhousiens à « scènes de genre », comme celles tirées de *La Dame du lac* de sir Walter Scott, publiée en 1810. Ces scènes dessinées par G. Merkien, dans des camaïeux de noir et de jaune, sont caractéristiques du style néogothique de Louis XVIII. C'est aux teinturerie et filature de Dollfus-Mieg qu'on fabriquera au début du XXe siècle les célèbres fils à coudre et à broder mercerisés D.M.C., utilisés aujourd'hui par les brodeuses du monde entier.

Le règne de Louis XVI fut une époque faste pour les cotonnades imprimées, et les fabricants alsaciens vendaient leurs créations dans le monde entier, jusqu'en Chine et en Inde, mais aussi dans toute la France. En Provence, ces riches percales, imprimées à la planche de fleurs exotiques sur fond rouge ou sur fond blanc, remportèrent un vif succès auprès des Provençales. Elles les utilisaient pour confectionner leurs caracos et leurs jupes piquées et matelassées afin de leur donner plus d'ampleur. Le décor appelé « Jardinier » était composé de petites tiges, fleuries d'œillets rouges et bleus, partant de la taille pour aller prendre racine dans le bas de la jupe sur un sol tapissé de petites fleurs. Si les motifs de base étaient toujours empruntés aux répertoires persan et indien, comme les fleurs d'œillets, tulipes, hyacinthes, la disposition du décor était nouvelle, puisque c'est à partir de cette lisière ornementale, ponctuée de guirlandes de fleurs que s'élevaient les tiges et branchages fleuris. Le fond pouvait être blanc, rouge, bleu et même noir.

Devant le succès de ce décor, les manufactures du Midi le copièrent, mais avec une technique moins raffinée que celles d'Alsace. Pendant tout le XIXe siècle, les fabricants de cette région exportèrent en Provence des quantités incroyables d'indiennes à fond bleu, vert ou rouge dont le décor se limitait à des semis de petites fleurs et de palmettes inspirées des châles du cachemire. Ce succès commercial mit en faillite de nombreux ateliers marseillais et aixois. Il est curieux de constater que ces décors d'indiennes, nés en Alsace, seront désignés jusqu'à aujourd'hui sous le nom « d'imprimés provençaux », alors qu'il ne faut pas oublier qu'ils furent copiés à l'origine sur les premières indiennes peintes à la main, exportées en France par la Compagnie des Indes, et entre autres sur les magnifiques arbres de vie ! Par ailleurs, on se souvient que les premiers fabricants marseillais de toiles imprimées aux tampons avaient imité les décors de semis des toiles du Levant ou *chafarcanis*, imprimées à la planche par des artisans d'Alep, qui, eux-mêmes, s'étaient inspirés des motifs floraux des indiennes, importées au Moyen-Orient tout le long de la route de la soie. Il ne s'agit pas toujours de copie servile mais d'adaptation des motifs de base qui en font parfois de véritables créations originales. Ce va-et-vient des motifs d'un pays à l'autre, avec leurs métamorphoses suivant les époques, justifierait à lui tout seul un livre illustré passionnant. Le motif « arbre de vie » en est l'exemple le plus marquant, par son long voyage d'Inde en Perse, de Perse au Moyen-Orient, du Moyen-Orient en Alsace.

Pour ne pas dépendre d'une mode passagère, les fabricants alsaciens cherchèrent à se diversifier et à renouveler les techniques traditionnelles. C'est ainsi que Thierry-Mieg, qui avait perfectionné, lui aussi, l'application du rouge d'Andrinople, imita la « moire » des soieries lyonnaises en impression. À partir de 1830, la fabrication fut étendue à tous les articles les plus fins de coton, depuis la cretonne jusqu'aux mousselines les plus légères, en passant par toute la gamme des toiles et des sergés pour l'habillement. Il faut mentionner aussi la popeline d'Alsace, si souple, douce et brillante, qu'on dirait de la soie ! La popeline est un tissu très serré dont la chaîne comporte le double de fils qu'une toile ordinaire. Les fils tendus de la chaîne ondulent sur les fils de la trame créant un effet de fine côte dans le sens de la largeur qui met bien en valeur la brillance des fils de coton, longue fibre, très soyeux, fins et réguliers, des filatures du Nord. Dollfus-Mieg, en pionnier, ouvrit des maisons commerciales dans toutes les capitales européennes.

Les Vosges : le linge de maison

Des liens étroits existaient dans les vallées des Vosges avec les fabricants alsaciens, comme pour le filage à domicile du coton du Levant. Dès le XVIe siècle, les halles d'Épinal furent le grand marché des toiliers qui tenaient boutiques ouvertes et vendaient directement leur fabrication locale. En 1630, on recensait vingt-sept fabriques. Mais c'est à partir de 1770, avec la réunion de la Lorraine à la France, que commencera réellement l'industrie cotonnière dans toute cette région. Un an plus tard, le nombre d'ouvriers et d'ouvrières travaillant à domicile, aussi bien pour filer le coton au rouet que pour le tisser, s'élèvera à plus de mille personnes.

Saint-Dié fabriquait des cotonnades imprimées dans le style des indiennes alsaciennes. Le début du XIXe siècle verra l'essor industriel du coton vosgien, mais celui-ci sera terriblement perturbé par la guerre de 1870 et la séparation de l'Alsace, et surtout par les conséquences de la guerre de Sécession des États-Unis qui priva les entreprises du coton américain. À la fin du XIXe siècle, avec l'arrivée d'indienneurs alsaciens, Épinal va développer ses manufactures de coton imprimé mais aussi de linge de toilette, avec des fabricants de serviettes en nids-d'abeilles, des peignoirs de bain, des torchons et du linge de table en coton jumel d'Égypte — le plus beau avec les longues soies originaires d'Amérique. Gérardmer se spécialisa aussi dans le linge de table et de maison, blanchi sur prés, qui constitua l'une de ses spécialités. Les apprêteurs remarquèrent que les tissus de coton écru, arrosés avec de l'eau pure arrivant des montagnes et subissant ensuite un séchage au soleil sur prés, acquéraient un excellent blanchiment si l'opération était répétée plusieurs fois. Ce phénomène était dû en grande partie à la qualité de l'eau à faible teneur en sels calcaires.

À la fin du Second Empire, le trousseau apporté par la mariée, avec ses piles de draps blancs garnis d'entre-deux de dentelles, de chiffres brodés, de jours au point vénitien, était un signe de la richesse de sa famille. Les grands magasins avaient leurs rayons de blanc et des conseillers étaient là pour aider à constituer un trousseau sur mesure. Ce qu'on appelle encore aujourd'hui « la saison du blanc », en janvier dans les grands magasins, date de la fin du XIXe siècle et avait pour but de montrer à la clientèle féminine toutes les dernières nouveautés dans le domaine du linge de maison.

Devant cette demande de linge de maison, une grande Maison de Blanc se créa à Paris. Comme le proclame avec enthousiasme la Denise du *Bonheur des dames*, roman de Zola, se promenant dans les couloirs de ce grand magasin : « Le blanc défile ; le blanc de coton, les madapolams, les basins, les piqués, les calicots, le blanc de fil, les nansouks, les mousselines, les tarlatanes, puis viennent les toiles en piles énormes, bâties à pièces alternées comme des cubes de pierre, les toiles fortes, les toiles fines de toutes largeurs, blanches ou écrues, en lin pur, blanchies sur le pré, puis cela recommence, des rayons se succèdent pour chaque sorte de linge, un éboulement continu de blanc, des draps de lit, des taies d'oreillers, des modèles innombrables de serviettes, de nappes, de tabliers et de torchons. » Zola a décrit dans ce texte et celui des pages suivantes, toutes les productions de ces fabricants vosgiens, spécialisés dans le blanc le plus pur, ce qui nous change de la production des indiennes si colorées, qui ont été jusqu'ici notre cotonnade favorite depuis ses lointaines origines indiennes.

À Lépanges, près de Remiremont, une manufacture produisait des sergés lourds pour les vêtements de travail teints en bleu indigo et des coutils à matelas. Le vêtement de travail touche de nombreuses professions depuis le velours à côtes des agriculteurs, au sergé bleu de nombreux ouvriers des usines. N'oublions pas non plus la bonneterie vosgienne, particulièrement dans la région de Saint-Dié, spécialisée comme Troyes dans la fabrication de sous-vêtements de chaussettes et bas en coton bien avant la mise en place du métier à bas, très perfectionné depuis. Mais il serait fastidieux d'énumérer toutes les petites entreprises disséminées dans les vallées vosgiennes. Mentionnons seulement la maison fondée en 1871, spécialisée elle aussi dans le linge de table tissé avec la mécanique Jacquard pour réaliser de somptueux damas. Cette maison, Le Jacquard Français, existe toujours. Nous en évoquerons d'autres dans le chapitre consacré au XXe siècle.

Le Nord : la production régionale

N'oublions pas, sur ces routes du coton, les régions de Belfort, Montbéliard, de Roubaix-Tourcoing et Lille qui toutes ont vu se développer de nombreuses industries textiles, aussi bien en filature qu'en tissage, retorderie ou teinturerie, consacrées à la laine mais beaucoup aussi au coton, particulièrement pour les tissus d'ameublement unis ou damassés et les velours de coton.

C'est en 1765 que la première manufacture d'indiennes s'installe à Lille, et vers 1789 on comptait trois fabriques de toiles peintes, imprimant plus de 30 000 pièces. Avec les fils très fins des filatures de la région lilloise, les tisserands à main fabriquaient notamment les très beaux mouchoirs en batiste, tissés dans le Cambrésis. Caudry et Calais se spécialisèrent dans les tulles et les dentelles, sans oublier, dans cette région du Nord, tous les fils en coton torsadés, à coudre et à broder de la mercerie, comme ceux de D.M.C. mercerisés aux coloris solides. En 1801, on estime que le tissage et la filature du coton, dans le département du Nord, emploient plus de 10 000 ouvriers dont certains étaient encore payés « à la pièce ». La grande révolution, ce fut l'arrivée du métier Jacquard qui se répandit plus rapidement encore que dans la région lyonnaise et permit de réaliser des tissus d'ameublement façonnés en coton à meilleur prix.

Le Puy-en-Velay et la basse Auvergne : la dentelle

Depuis le XVIIe siècle, cette ville est réputée pour ses dentelles aux fuseaux dites « Louis XIII », à l'époque réalisées à la main avec des fils de lin. La légende raconte que ce sont des femmes vénitiennes, venues en pèlerinage prier la Vierge noire du Puy, qui auraient apporté cette technique particulière ! Ces dentelles ornaient, entre autres, les fraises des costumes somptueux de la cour et servaient aussi dans la passementerie blanche, cousue sur les rideaux. C'était un travail long et minutieux, fait à la maison dans un milieu rural pauvre.

Des entrepreneurs organisèrent la fabrication de ce type de dentelle selon les mêmes principes qu'une manufacture de tissage, avec à sa tête un homme connaissant les débouchés, comme ceux de Toulouse, et possédant des « livres de modèles » réalisés par des dessinateurs spécialisés. Par l'intermédiaire de collaboratrices, appelées leveuses, ils faisaient distribuer le travail au domicile de chaque femme appartenant à l'entreprise. Elles n'avaient pas le droit de travailler pour un autre fabricant. Les leveuses leur apportaient, avec la commande, le dessin et la matière première.

L'entreprenant Colbert avait fondé à Paris, vers 1665, une Manufacture royale de poincts de France, qui voulait centraliser la production et dans laquelle était comprise la dentelle aux fuseaux du Puy. Il avait d'ailleurs fait venir des dentellières du sud des Pays-Bas, et de Bruxelles, réputées dans ce type de dentelle, pour apporter leur savoir-faire plus ancien aux autres dentellières d'Auvergne. Certaines Flamandes arrivaient à travailler avec 1 500 fuseaux !

Cette dentelle très particulière aux fuseaux se fait sur une sorte de coussin, appelé carreau, posé sur les genoux de la dentellière assise, qui peut ainsi travailler librement, sur le seuil de sa maison l'été, en gardant son troupeau au champ, et dans sa chambre, l'hiver, au coin du feu. Le célèbre tableau de Vermeer, *La Dentellière*, montre parfaitement ce travail aux fuseaux. Voici comment elle procédait : les fils tordus deux à deux et tressés à l'aide des fuseaux étaient soutenus et répartis par un jeu d'épingles à tête de verre, ils se combinaient en se divisant et se croisant en fonction du motif à réaliser, souvent d'un raffinement extrême. La dentellière employait à chaque mouvement d'un fuseau le mot de passée : « Une passée, deux passées, tourner une fois la cinquième, croiser, tourner une fois la septième. » C'est ainsi qu'elle mémorisait les points, et que les fils enroulés sur chaque fuseau s'entrecroisaient avec une rapidité incroyable afin de composer une grande variété de motifs. Comme les femmes berbères connaissaient la « chanson » de chacun de leur tapis, les dentellières du Puy avaient la leur pour chaque dentelle.

L'industrie dentellière n'a pas survécu aux remous sociaux de la Révolution et aux bouleversements économiques de plusieurs guerres. Les nobles, hommes et femmes, abandonnèrent la dentelle pour leur habillement, mais l'utilisèrent encore un peu en passementerie et en lingerie fine. Vers 1808, un Anglais nommé Heathcoat inventa une machine à faire le tulle. Elle fut vite copiée en France et améliorée afin d'imiter, vers 1830, la dentelle à l'aiguille, cette machine travaillant six mille fois plus vite que la dentellière ! Ce type de dentelle mécanique concerna surtout les régions de Saint-Quentin, Caudry et Calais, déjà spécialisées dans la dentelle traditionnelle à l'aiguille. Cette nouvelle machine permettait de réaliser des imitations presque parfaites des dentelles de Venise et d'Alençon, sauf la dentelle aux fuseaux. Les fabricants remplacèrent le fil de lin d'origine par un fil de coton, longue fibre, moins coûteux et plus brillant.

Au second Empire, la mode des dentelles revint. On en faisait des éventails, des coiffures, des volants s'étageant sur plusieurs rangs sur une jupe, des châles, etc. Mais la dentelle aux fuseaux restait toujours inimitable. Vers la fin du XIXe siècle, dans la seule région du Puy, on recensait plus de 140 000 dentellières, soit presque la totalité de la population féminine de cette région d'Auvergne. En période d'hiver, lorsque toute culture était arrêtée, c'étaient ces femmes qui, dans chaque famille paysanne, assuraient « l'argent vivant » par le cliquetis des fuseaux s'entrechoquant. Les salaires devaient pourtant être faibles, si l'on se réfère à cette complainte de la dentellière :

Il faut, mon ami, changer de vie,
Cela ne peut pas toujours durer
De travailler, pauvre. Je suis exténuée,
Et tu ne m'as laissé que les yeux pour pleurer.

Les entrepreneurs laissaient aux ouvrières à domicile la liberté d'organiser leur travail, mais, celles-ci étant payées au mètre, travaillaient jusqu'à treize heures par jour. Les mères apprenaient aux filles, dès l'âge de huit ans, tous les points traditionnels, comme le « point d'esprit », celui de la « corde » ou de la « coquille ».

Avec la hausse des salaires et la part importante de la main-d'œuvre dans cette activité artisanale, la dentelle à la main devint à la fin du XIXe siècle de plus en plus difficilement commercialisable. Aussi, il fallait inventer une machine capable de reproduire tous les mouvements des mains, comme William Lee était arrivé à le faire avec sa machine à tricoter les bas. Grâce à l'ingéniosité de mécaniciens et à l'aide financière des entrepreneurs du Puy, est né « le métier circulaire aux fuseaux mécaniques », perfectionné par François Malhère au milieu du XIXe siècle, avec l'utilisation d'une mécanique Jacquard pour programmer le ballet de plus de cent cinquante fuseaux, automatiquement, sans aucune intervention humaine.

Comme pour la filature où l'on compte en nombre de broches des machines à filer, ici on compte en fuseaux. En 1860, on recensait dans toutes les entreprises du Puy plus de 210 000 fuseaux ! Grâce à cette nouvelle prodigieuse invention, on pouvait reproduire en fil de coton, à des prix accessibles, tous les points de la dentelle du Puy, mais aussi ceux aussi compliqués de Valenciennes, de Cluny, de Venise ou des Flandres. C'était la fin du travail des dentellières à domicile, qui durent revenir aux petits travaux agricoles ou partir travailler en usine, c'était la fin de la civilisation artisanale et les débuts de l'ère industrielle. Ces premières dentelles « mécaniques » furent utilisées aussi bien pour la lingerie fine, la layette, que pour les rideaux d'ameublement, le linge de table, les couvre-lits. Le fil de coton venait d'Amérique pour les gros fils et d'Égypte pour les plus fins. Avant la dernière guerre mondiale, l'industrie dentellière du Puy employait plus de six cents tonnes de coton par an. Aujourd'hui, les dernières dentellières à la main se retrouvent dans des musées de la dentelle, pour sauvegarder leur savoir-faire manuel qui n'est plus rentable.

Les manufactures du Midi

Marseille

Port franc, prospère de ses premières manufactures d'impression à la planche, Marseille devait voir son expansion brusquement arrêtée par l'arrivée de la peste dans toute la ville, provoquant la mort de plus de cinquante mille personnes. Étrangement, le coupable était un bateau, *Le Grand-Saint-Antoine*, venant d'Alexandrie, qui arriva au port le 25 mai 1720, chargé de cotonnades prohibées. Il apportait avec lui « le mal contagieux ». Les officiels accusèrent ces tissus du Levant d'être responsables de l'épidémie et ils interdirent toute nouvelle importation de cotonnades unies ou peintes.

Beaucoup d'ateliers de boutis et de manufactures de cotonnades peintes « façon des Indes » fermèrent alors. Les brodeuses professionnelles des piqués à la main, rembourrés de mèches de coton, furent aussi au chômage. Devant cette situation catastrophique, un arrêté du 5 août 1721 accordait exceptionnellement à Marseille une franchise totale pour « les indiennes et soieries orientales ». La contrebande avec la Provence s'intensifia, et de nombreux douaniers et fonctionnaires furent compromis dans des histoires de pots-de-vin.

À partir de 1733 seulement, on tissera à l'hospice de la Charité une toile de coton très fine imitant la mousseline indienne, avec du coton du Levant filé sur place au rouet. Puis les fabricants importeront le coton filé à Manchester dans les premières filatures anglaises. À la même époque, on recensait à Marseille vingt-quatre ateliers d'indiennage dont beaucoup travaillaient pour le vaste marché des Antilles. En dépit de toutes les entorses à la prohibition, celle-ci resta sévère, avec de fortes amendes pour toutes les femmes que l'on trouvait habillées dans la rue avec des cotonnades de contrebande. Elle alla encore plus loin puisque l'arrêté précisa : « Toutes les fabriques établies dans le royaume pour peindre les toiles de coton blanches devront cesser ; les moules servant à l'impression seront rompus et brisés ; défense est faite à tous sujets de peindre les dites toiles, aux graveurs de faire aucun moule. Quant aux toiles peintes, défenses sont faites à toute personne de les introduire, de les exporter, de les vendre ou acheter. »

La situation devint si tendue que le maire et les consuls de la ville de Toulon adressèrent au contrôleur général Oury une lettre de protestation, datée du 2 octobre 1736, dans laquelle ils signalaient l'extrême pauvreté qui régnait dans leur ville et « le bas prix des indiennes et toiles peintes qu'on peut laver comme linge, a engagé presque toutes femmes et filles d'en faire usage et rien n'est plus certain que les trois quarts de nos habitants n'ont rien que des indiennes pour se couvrir. Ils en sont réduits à la dure nécessité de rester enfermés dans leurs maisons pour ne pas s'exposer à être querellés en contravention, les rues sont presque désertes, ce qui cause un grand dérangement dans la ville et rappelle les idées du temps affreux de la contagion ».

Les personnalités toulonnaises établissaient ainsi un rapprochement avec la peste de 1720, cause principale de l'interdiction de fabriquer des indiennes sur place, et de l'obligation de les importer clandestinement des pays porteurs du germe de la peste, si meurtrière. D'autres hommes éclairés manifestèrent aussi leur inquiétude : « La prohibition va faire de nous les tributaires non seulement de l'Inde, mais de la Hollande, de l'Angleterre, de la Suisse surtout où la manufacture se développe à l'aise : la toile imprimée introduite clandestinement coûtera plus d'argent et plus d'hommes au royaume que l'indienne même ouvertement importée. » Des esprits avisés déclarèrent encore que tous les procédés de teintures des indiennes n'avaient été connus en France qu'à partir de 1734, au retour d'Antoine de Beaulieu, envoyé en mission en pleine prohibition à Pondichéry par l'inspecteur des Teintureries et des Mines, Charles-François de Cisternay Du Fay !

Par un inventaire de 1750 de la chambre du château de Fontainebleau de Marie Leszczynska, la femme de Louis XV, on apprend qu'elle avait fait fabriquer à Marseille trois grands couvre-pieds, trois petits, dix-huit oreillers assortis et douze douzaines de chauffoirs, tous piqués en broderie de Marseille. Ces tissus en percale de coton n'avaient aucune impression, le dessin « blanc sur blanc » étant réalisé par le travail de molletonnage de la technique du boutis, qui donne un relief saisissant, jouant avec l'ombre et la lumière. Cette technique se retrouve dans les couvre-lits matelassés blancs de nos grand-mères, qui étaient souvent des parures de nuit de noces.

Pourtant, en même temps, à Paris, l'ordonnance de Louis XV interdisait non seulement le port d'indiennes dans la rue, mais confisquait les vêtements ou tissus d'ameublement illicites avec en plus le paiement d'une amende de deux cents livres, la lecture sur la voie publique et l'affichage dans toute la ville des noms et adresses des coupables de cette infraction. Ces lois sévères n'arrêtèrent pourtant pas les importations d'indiennes. En dépit des difficultés d'acheminement, elles continuèrent à envahir le marché français, afin de répondre à une demande de plus en plus grande. Aussi, devant toutes ces réactions à la loi, en dépit des pressions des soyeux et des lainiers, progressivement les mesures de cette prohibition devinrent plus souples pour les fabrications locales, et certains indienneurs suisses vinrent s'installer en France. Ce sera, nous l'avons vu, le cas des frères Wetter, puis plus tard celui d'Oberkampf dont nous allons bientôt évoquer la vie tumultueuse.

Contrairement aux autres régions françaises, la fin de la prohibition devait porter à Marseille un grave préjudice. Bénéficiant toujours du régime de franchise, sa production d'indiennes était considérée comme marchandise étrangère et devait alors payer des droits élevés pour entrer dans le royaume. Pour contourner les lois, les fabricants marseillais créèrent des manufactures fictives à Aix, où ils acheminaient clandestinement leur production, imprimant simplement sur les lisières de fausses marques aixoises, comme un décret l'imposait en 1760 pour tous les tissus imprimés. Les fabricants devaient indiquer leur nom et la mention « bon teint » ou « petit teint » sur « un chef de pièce », ainsi que le lieu et la date de fabrication. Toutefois, en dépit des rivalités franco-anglaises, les marchands anglais continuèrent à importer de Marseille, en contrebande, de grandes quantités de boutis. On en trouve trace dans les registres d'exportation de cette ville : tissus de coton blanc, cordés et matelassés et indiennes. Les négociants hollandais servaient d'intermédiaires, étant eux-mêmes de grands acheteurs des piqués-matelassés marseillais. Ils en revendaient une partie aux marchands londoniens.

En dépit de toutes les barrières douanières, l'importation de « la broderie » (boutis), désignée du nom de Marcel (pour Marseille), s'intensifia aussi avec l'Amérique, et cela bien avant la guerre d'Indépendance, par le biais des routes des Antilles françaises. On appelait là-bas les boutis des « Kilts de provenance française », que ce soit des couvre-lits de mariage molletonnés ou des jupons piqués raffinés. Les piqués produits en Inde n'avaient pas la même qualité de fini et de raffinement dans les décors de ramages fleuris ou de corbeilles de fleurs, blanc sur blanc. C'est pourquoi, sans doute, de nombreux quilts américains du XVIIIe siècle ressemblèrent aux créations provençales, reprenant leurs décors mais utilisant des tissus de coton imprimés localement. Les femmes américaines, au XIXe siècle, réinventeront d'ailleurs le quilt assemblé, appelé *patchwork*, composé de petits morceaux de tissus cousus ensemble, ce que d'autres pays, comme l'Inde, avaient déjà fait !

En dehors des célèbres boutis, les chroniqueurs vantaient aussi dans tout le royaume l'importance des « fameuses manufactures de Marseille, dont la fabrication d'indiennes joint, aux mêmes beautés que celles des Indes, la régularité et un meilleur choix du dessin ». Pendant toute la période de la prohibition, ces marchandises furent de fait souvent vendues en contrebande dans la région, et apportèrent un attrait commercial supplémentaire à ces indiennes interdites. Leur supériorité ne tenait pas seulement à la solidité de leurs coloris, mais était due aux artistes, formés par l'Académie de peinture de la ville, qui, à leur sortie, étaient engagés dans les manufactures pour créer de nouveaux décors exotiques, surtout floraux, s'inspirant des toiles du Levant ou des véritables indiennes. En 1753, Jean-Rodolphe Wetter, dont nous avons raconté la vie, lors de son installation à Marseille, avait été le premier indienneur à recruter ces dessinateurs formés à cette Académie. Après sa faillite, il emporta à Orange pour sa nouvelle manufacture tous ses cartons de modèles. Et on a vu que son succès fut tel qu'Oberkampf appela sa première indienne « toile d'Orange de Jouy ».

Les autres manufactures

Vers 1760, un nouveau décor d'indienne d'une grande richesse décorative, appelé « Jardinier » suscita l'engouement dans tout le Midi. Ces indiennes, fabriquées en Alsace, eurent un succès foudroyant auprès des Provençales. Elles s'en servaient pour leur habillement, aussi bien au travail que les jours de fête. En 1770, les deux frères Fittier créèrent au Bachas, près de Marseille, la première teinturerie de coton. En 1773, plus de vingt ateliers en indiennage étaient en activité, et dès 1778 les premiers métiers à vapeur furent mis en place dans certaines de ces fabriques, mais, pour les mêmes raisons que les frères Wetter, à partir de cette période, les indienneurs quittèrent progressivement Marseille et transplantèrent leurs entreprises dans les villes et villages voisins, en bordure de rivière. Huit teintureries, façon d'Andrinople, s'installeront à Aubagne et Lambesc. À Aix, une manufacture fut créée sur les bords de l'Arc, quartier qui conserve encore aujourd'hui son nom de « coton rouge ».

À la même époque, Toulon produisait des toiles à voiles et des cotonnines, transformées en jupons et tabliers de travail. À Avignon, Orange et Aix, plusieurs manufactures d'impression à la planche s'efforcèrent de fabriquer des indiennes aux motifs floraux nouveaux, dans le style provençal du motif « Jardinier » créé en Alsace. Ce sont les robes portées encore aujourd'hui par les Arlésiennes, les jours de fête ou à l'occasion de réunions folkloriques. Le motif principal est composé de petites fleurs rouges, aux feuilles vertes, détachées sur un fond écru, adaptation très libre des anciens motifs indiens. On les appelle d'ailleurs dans toute la Provence *indiano piso*. Il ne faut pas oublier que les directeurs de la Compagnie des Indes avaient adressé à leurs représentants à Pondichéry des dessins de fleurs occidentales, comme les roses, pour les faire recopier par les artisans indiens, à leur manière très libre, puisqu'ils n'avaient jamais vu aucune des fleurs qu'on leur demandait de peindre au pinceau sur les cotonnades locales afin de plaire à la clientèle française. Il y avait là une hybridation de motifs indiens et occidentaux tout à fait curieuse, comme ce le fut aussi avec la mode des chinoiseries.

En Languedoc, Montpellier regroupa plusieurs filatures de coton et de toiles peintes. La culture et la teinture de la garance et du pastel se développeront dans toute cette région, particulièrement autour de Carcassonne. Diderot précise même dans son *Encyclopédie* : « C'est une conquête de nos pères sur l'industrie orientale et qui remonte à la même époque (1770) que l'introduction de la culture de la garance dans nos contrées. »

Toutes ces manufactures provençales furent concurrencées par de nouvelles versions d'indiennes d'une qualité supérieure, produites à Jouy-en-Josas par Oberkampf et à Mulhouse par Dollfus et Mieg, indiennes que les marchands achetaient directement à ces manufactures du Nord. Si on comptait encore en 1789 mille cinq cents ouvriers marseillais employés à l'indiennage, avec cette concurrence, il n'en restait plus, en 1804, qu'une trentaine en activité. Un mémoire adressé au préfet par la chambre de commerce précise à leur propos qu'ils sont « loqueteux, misérables rescapés de la Révolution et des guerres du Consulat, condamnés à peindre de vieux chiffons dans leur chambre ». Par contre, les travaux de piqués de Marseille ne purent être égalés et les ateliers de brodeuses se maintiendront dans la ville, et aux environs de Cassis et de La Ciotat. Deux seules fabriques d'indiennage, l'une installée à Tarascon, l'autre à Beaucaire, sont toujours en activité.

Quelle que fût l'origine de ces cotonnades imprimées, tous les âges de la vie d'une femme étaient marqués par ces tissus provençaux : bébé, ses langes étaient taillés dans un vieux jupon piqué sur un fond d'indienne fleurie, appartenant à sa mère ou à sa grand-mère. Toute sa layette était brodée au boutis et, pour son baptême, elle portait sa première robe blanche brodée, enveloppée dans le grand châle de mariée de sa mère. Puis, à l'âge des fiançailles, la fiancée apportait dans son trousseau une garde-robe complète, réalisée avec les piqués et les indiennes les plus raffinés et les plus précieux. La robe de la mariée, en mousseline au fond blanc, imprimée de petits bouquets, est retroussée sur un jupon blanc, brodé au boutis de cœurs entrecroisés, de fleurs et de fruits. Tout le long de sa vie, elle portait des jupons et des caracos en indienne surpiquée, de grands fichus imprimés de motifs en cachemire, en coton l'été, en laine l'hiver. À l'arrivée du froid, elle empilait jupon sur jupon et se protégeait avec une grande cape à capuchon, appelée *enveloupo*, réalisée dans une percale glacée à fond noir, imprimée de petits motifs floraux colorés. Pour les deuils de la famille, elle s'habillait en noir, costume qui devenait celui de sa vieillesse.

Le cycle, des langes à la mort, était ainsi fermé. Chaque costume devant signifier la classe sociale, l'âge, l'origine paysanne ou citadine de la femme qui le portait, le port du costume, le plissage du caraco, le retroussage de la robe, le drapage du fichu, les dessins des piqûres correspondaient à un véritable langage propre à chaque femme. Mais, de la plus pauvre à la plus riche, les jours de fête et le dimanche, elles étaient toutes tirées à quatre épingles (*es tirado ai quatro épinglo*), et cette élégance du costume traditionnel en indienne et piqué abolissait les classes sociales, comme, en Inde, le port du sari le réalise encore aujourd'hui.

La révolution industrielle française

En 1790, on estimait à environ neuf cents le nombre des *jenny* fonctionnant dans toute la France et on recensait seulement huit grandes manufactures. La manufacture de toiles peintes d'Orléans regroupait 200 ouvriers, celle des frères Wetter plus de 550, alors que les manufactures anglaises dépassaient les 1 000 ouvriers. La France devait rattraper son retard. L'*Encyclopédie* l'y aida. Diderot avait créé un langage technique, revalorisant surtout le travail manuel. Avec ses planches, ses modèles de machines, il parvint avec ses collaborateurs-dessinateurs à réaliser un véritable film de la civilisation artisanale du XVIIIe siècle. Il n'y avait plus de secrets de fabrication. Tout était montré et expliqué. Diderot précisait même : « Il est des manœuvres si expertes qu'à moins de travailler soi-même, de mouvoir une machine de ses propres mains et de voir l'ouvrage se former sous ses propres yeux, il est difficile d'en parler avec précision. »

C'est dans cet esprit de démonstration pratique qu'il démonta de sa main, trois des machines les plus compliquées de l'époque : le métier à bas de William Lee — dont nous avons parlé —, le métier à velours ciselé et le métier à la tire des étoffes façonnées, utilisé aussi bien pour la soie, la laine et le coton. Il est vrai que le textile était très en avance sur les autres activités industrielles en ce milieu du XVIIIe siècle. Diderot était particulièrement fasciné par les métiers à tisser. Il les comparait à des merveilles, à de véritables œuvres d'art, mais s'il évoquait les automates de Vaucanson, sans usage utilitaire, il ne montrait pas son nouveau moulin à organsiner, c'est-à-dire à assembler plusieurs fils de cocons de soie, ni surtout son premier métier à tisser automatique, utilisant les cartes perforées de ses automates, qui était une révolution technique qui aboutira au métier Jacquard automatisé, précurseur de l'informatisation actuelle.

Diderot fut la mémoire technique de tous ces artisans qui ne pouvaient transmettre leur savoir-faire que par la tradition orale, la majorité d'entre eux étant analphabète. Pour lui, les machines textiles, bien qu'étant des outils complexes, possédaient un langage concret, une culture vivante. Mais il se contentait de faire un bilan, il ne prévoyait pas les bouleversements technologiques du début du XIXe siècle. Il ne fallait pas seulement décrire la machine selon les dessins et les plans présentés dans les planches, ni la voir fonctionner, il fallait aussi chercher à l'améliorer pour réaliser un progrès technique, remplacer le bras ou le pied de l'ouvrier qui l'anime, ce qui fut le cas de la mécanique Jacquard supprimant les tireurs de lacs, ces femmes et enfants exploités par les contremaîtres. Il fallait aussi aboutir à un progrès interdisciplinaire en reliant les machines entre elles pour assurer une meilleure production et une plus grande productivité permettant de faire baisser les prix de revient.

Ce désir d'organisation du travail et d'interdépendance des techniques des premiers entrepreneurs-capitalistes allait aboutir, avec le développement de la sidérurgie, à la création de machines en fer et en acier remplaçant celles en bois fragiles et brinquebalantes des planches de l'*Encyclopédie*. Il permit également la création d'usines textiles regroupant toutes les opérations industrielles de la transformation du coton brut en tissus manufacturés comme le cardage, le filage, le tissage, les apprêts et la teinture, autrefois dispersées.

Les premières machines remplaçant partiellement ou parfois complètement l'intervention humaine allaient susciter des réactions violentes. Ainsi en 1846, Michelet, devant la distance grandissante entre la technique et l'homme, écrivait dans *Le Peuple* : « Avoir, dans les machines, créé des créateurs, de puissants ouvriers qui poursuivent invariablement l'œuvre qui leur fut imposée une fois, certes, c'est une grande tentation de l'orgueil. Mais à côté, quelle humiliation de voir, en face de la machine, l'homme tombé si bas. La tête tourne et le cœur se serre quand, pour la première fois, on parcourt ces maisons-fées où le fer et le cuivre, éblouissants, polis, semblent aller d'eux-mêmes, ont l'air de penser, de vouloir, tandis que l'homme, frêle et pâle, est l'humble serviteur de ces géants d'acier. »

Très vite, l'artisanat deviendra anachronique et, au XXe siècle, on le réduira souvent à un folklore pour touristes, lié à la nostalgie du bon vieux temps sans machine contre une civilisation moderne de plus en plus robotisée et automatisée. Mais, à la fin du XVIIIe siècle et au début du XIXe, nous sommes encore loin de cette civilisation informatisée comme nous allons le voir en évoquant la vie des plus grands fabricants d'indiennage de cette période-charnière.

VII

L'AVENTURE DES PREMIERS ENTREPRENEURS D'INDIENNAGE EN FRANCE

Les pionniers

Avec la production en Normandie de cotonnades à bas prix, la fabrication des indiennes va se répandre dans toute la France grâce au retour de plusieurs exilés huguenots indienneurs forts de leur expérience anglaise, suisse ou allemande. Entre 1760 et 1785, on verra ainsi de nombreuses manufactures d'indiennage s'installer en bordure des rivières aux eaux les plus pures pour faciliter le lavage des pièces.

Les vies de Richard Lenoir à Paris, d'Oberkampf à Jouy-en-Josas, de Simonet à Tarare, de Charles Steiner à Mulhouse et de la famille alsacienne Koechlin peuvent dès lors rivaliser avec la saga des inventeurs britanniques. Il y eut dans toute la France d'autres fabricants dynamiques, mais ceux-ci furent à la fois économistes, gestionnaires, traducteurs de la demande sociale et économique du moment, parfois chimistes, et souvent artistes. Ils suscitèrent et encouragèrent l'invention de nouvelles machines plus productrices pour faire baisser les prix de revient et répondre, avec des créations nouvelles, aux besoins de masse. Ils furent les créateurs d'une nouvelle civilisation, la civilisation industrielle, remplaçant progressivement celle de l'artisanat encore toute-puissante au XVIIIe siècle.

Avec le développement des premières grandes industries textiles françaises, est né un type nouveau d'ouvrier, l'ouvrier des manufactures, qui subira, hélas, le même traitement que ceux des manufactures anglaises, déjà décrit. Dans son livre *Les Artisans célèbres*, publié en 1843, Valentin (auteur des *Peintres célèbres*) proclame dans le ton romantique de cette époque : « Et que les esprits chagrins, toujours disposés à entretenir les vieilles défiances entre les maîtres et les ouvriers, ne viennent pas nous dire qu'il est impossible à l'artisan de sortir de l'humble condition où la fortune l'a fait naître ; qu'ils cessent de lui répéter, en donnant un certain air de science à des déclamations dont il est si facile d'apprécier le but ambitieux, que la production dans le travail n'est que l'exploitation de l'homme par l'homme, et que l'ouvrier n'a en réalité de liberté que celle de mourir de faim, heureux encore si l'invention de quelque machine nouvelle ne vient pas lui ravir ce triste privilège. Pourtant, depuis l'invention des machines à filer le coton, cette industrie occupe trente fois plus d'ouvriers qu'auparavant. »

Il a raison et répond déjà prophétiquement aux angoisses de chômage provoquées par l'automatisation et l'informatisation qui devaient supprimer des millions d'emplois. Il a raison aussi de ne pas mépriser de simples artisans ou ouvriers de manufactures qui sont devenus parfois grâce à leur génie, à la fin du XVIIIe et au début du XIXe siècle, de grands inventeurs ou de grands chefs d'entreprise. Nous en avons comme preuve, on s'en souvient, en Angleterre, James Hargraves, modeste charpentier qui inventa le premier métier à filer le coton, Richard Arkwright, simple barbier qui perfectionna différents systèmes de filature du coton, et en France, Jacquard, fils d'un modeste canut travaillant à façon, qui inventa sa célèbre mécanique révolutionnant l'exécution des tissus façonnés en soie, également applicable aux façonnés en coton.

Même constatation pour ce qui concerne les premiers grands fabricants d'indiennage français. François Richard, dit Lenoir, était le fils de pauvres fermiers du Calvados, Auberkampf, d'origine suisse allemande, le fils d'un modeste teinturier. Ce dernier partira en fugitif à dix-neuf ans en France et fondera à vingt et un ans, parlant à peine le français, la célèbre manufacture de Jouy-en-Josas. Tous ces hommes se retrouveront au début du XXe siècle dans les « livres de Prix » consacrés aux *Travailleurs et hommes utiles*, afin de servir d'exemple aux jeunes enfants. Il est vrai que leur vie, en une période si troublée, fut chaque fois un vrai roman d'aventures et une leçon de courage.

Certains de ces entrepreneurs commencèrent comme simples négociants, important les cotonnades unies ou peintes de l'Inde ou du Levant, par l'intermédiaire de l'Angleterre et de la Hollande. Ce fut le cas de Richard-Lenoir. Pour ne plus dépendre de l'étranger, par étapes, ils cherchèrent à découvrir les secrets des machines à filer des Anglais et ceux des teintures les plus solides de l'Inde. Ils devinrent fabricants et permirent, par leur dynamisme et leur courage de pionnier, la création progressive d'une grande industrie cotonnière dans plusieurs régions de France.

L'aventure des deux plus grands entrepreneurs, Oberkampf à Jouy-en-Josas et Richard-Lenoir à Paris, montre aussi que, au cours de leur vie, les progrès de l'industrie du coton furent perturbés par de nombreux événements politiques, entre la Révolution française et la Restauration en 1830. La Convention annula en 1793 tous les traités commerciaux et interdit l'importation des biens manufacturés anglais. Plus tard, sous le premier Empire, l'Angleterre alors maîtresse des mers bloquera les ports français et prohibera, sous peine de mort, la sortie des machines à filer ou à tisser anglaises. En représailles, Napoléon fera brûler tous les produits manufacturés de sa rivale et interdira avec force toute entrée clandestine de tissus anglais. Le 22 février 1806, il établira un décret prohibant tous les tissus étrangers. Son but était de favoriser le développement des manufactures françaises pour ouvrir le monopole de leurs produits aux pays alliés, ce qui leur procura très vite une grande prospérité.

C'est ainsi que, à la suite du blocus, les Pays-Bas, gros importateurs d'imprimés britanniques, furent obligés d'acheter les cotonnades françaises. À partir de 1810, Napoléon dominera toute l'Europe continentale, ouvrant un marché protégé considérable aux fabricants français.

En revanche, entre 1805 et 1811, ce protectionnisme eut de sérieux inconvénients pour eux en raison des difficultés d'approvisionnement en coton brut ou filé ou en calicots unis pour l'impression des indiennes. Cette pénurie de coton et les taxes qui frappaient leur entrée firent monter les prix. Puis, la situation se renversa avec les désastres de 1814 et l'invasion de cotonnades bon marché venues d'Angleterre et des autres pays étrangers.

Avant de suivre tous ces bouleversements politiques et économiques à travers les vies passionnantes d'Oberkampf et de Richard-Lenoir, nous allons évoquer la vie de Georges Antoine Simonet qui introduisit la fabrication de la mousseline à Tarare.

La vie de Georges Antoine Simonet (1710-1778) : Tarare et ses mousselines de coton

En dehors de la production des indiennes et des autres tissus en coton inspirés de l'Inde, des fabricants essayèrent en vain d'imiter les mousselines diaphanes du Bengale. Tarare, la première, acquit une renommée mondiale pour sa fabrication de mousselines, plus fines encore que celles de l'Inde, grâce aux efforts d'un homme étonnant, Georges Antoine Simonet, qui y créa la première manufacture de mousseline. Cet homme simple et modeste dota sa ville natale et toute sa région d'une industrie nouvelle qui lui apporta richesse et prospérité, sans que lui-même puisse en profiter avant sa mort. Voici son histoire.

Né en 1710 d'un père marchand de toiles de chanvre, il fut placé en apprentissage à douze ans dans une manufacture de tissage de toile. Comme il avait des dispositions pour le dessin, son père l'envoya à Lyon pour qu'il devienne dessinateur textile de fabrique. À vingt-cinq ans, il fut engagé comme maître dessinateur dans une fabrique lyonnaise. Afin qu'il se tienne au courant des dernières nouveautés, ses patrons lui offraient des voyages annuels à Paris. À trente-cinq ans, il s'associa avec un fabricant lyonnais qui produisait des étoffes de soie, d'or et d'argent, et se maria avec une riche héritière lyonnaise. Son associé mourut subitement, et il se trouva dans l'obligation de liquider la manufacture.

Cet événement dramatique allait bouleverser sa vie. Depuis 1735, un entrepreneur avait tenté d'introduire dans la région de Tarare une filature de coton en faisant venir des ouvrières expérimentées de Normandie. Croyant en la ruine de la toilerie locale de chanvre, les toiliers les chassèrent avec violence. Il fallut l'intervention d'un ministre, M. de Trudaine, pour assagir les émeutiers et permettre à la filature de fonctionner et de produire dans un atelier annexe des tissus de coton assez grossiers.

Vers 1756, Simonet voit alors l'intérêt que cette nouvelle activité cotonnière pourrait apporter à cette région du Beaujolais. Mais, au lieu de se contenter de produire des tissus épais, il a l'idée de fabriquer des tissus de coton très fins, légers et diaphanes, comme les mousselines de l'Inde qu'il avait souvent vues à Lyon, vendues à des prix élevés. Pour se familiariser avec ce type de tissu très particulier, il se rend à Saint-Gall et à Zurich en Suisse où il sait que l'on en produit. Il se fait engager dans une fabrique de mousseline. En cachette, il réalise les dessins de chaque machine et s'efforce de comprendre, sans trop poser de questions, les différentes opérations qui permettent d'obtenir la finesse désirée, aussi bien dans le filage des fils de coton que dans le tissage lui-même. Il mène son enquête discrètement, non sans risque, car, pour protéger les secrets de son industrie nationale, la législation helvétique réservait la potence à toutes personnes prises à la frontière en possession des plans de leurs machines à mousseline !

À son retour à Tarare, Simonet écrit à M. de Trudaine son intention de fonder, à ses frais, une fabrique de mousselines à l'imitation de celles de Suisse. Il reçoit son appui et sa protection. Simonet monte courageusement sa manufacture, sans aucune aide financière extérieure, faisant fabriquer les machines à l'aide de ses plans et dessins. Il engage avec difficulté une famille de tisserands suisses, capables de former à cette production délicate des ouvriers locaux des deux sexes. Les premières mousselines sont un échec, en grande partie à cause du manque de finesse du fil de coton. Comme il a du mal à vendre ces tissus imparfaits, ses pertes augmentent vite et il manque se ruiner. Sa femme lui permet alors de disposer de sa dot pour continuer son entreprise.

Avec une grande persévérance, il s'efforce de perfectionner la filature de coton local afin de parvenir à la finesse des fils de coton suisses, ou de ceux du Lancashire, avec lesquels les entreprises réalisaient les premières dentelles mécaniques. Il vend ses deux maisons de Tarare et une propriété rurale pour payer ses dettes. Pendant quinze ans, il se bat avec obstination pour arriver au résultat parfait qu'il souhaite. Âgé, il s'avoue vaincu. Il réunit tous ses ouvriers et les exhorte à continuer l'œuvre commencée, les assurant que des résultats fructueux sont proches et qu'ils pourront ainsi bientôt bénéficier de tous ses efforts et des leurs. Il leur donne ses métiers et, épuisé par tant de luttes, il se retire en 1773 dans le petit village de Charbonnières près de Lyon. Il y meurt cinq ans plus tard, pauvre et sans honneur, mais sachant que la fabrication des mousselines de Tarare était devenue possible grâce à l'importation enfin autorisée de coton filés en Suisse. Son rêve devenait une réalité.

Une anecdote amusante : en 1785, le bailli de Suffren fit venir à Thieux, près de Meaux, cinquante-deux fileuses et tisserands indiens, originaires de la côte de Malabar. Leur mission était de former des élèves à la fabrication des mousselines les plus fines de leur pays. Mais, contrairement au Bengale spécialisé dans ce type de fabrication, les artisans du Malabar produisaient surtout des calicots assez grossiers et les femmes ne savaient pas filer de fils suffisamment fins pour réaliser la mousseline. Devant cet échec, le bailli les renvoya chez eux. Heureusement, Simonet était arrivé à produire la qualité indienne et sans aucun soutien officiel. Dix ans après sa mort, Tarare comptait plus de 600 métiers battants et, en 1800, leur nombre s'éleva à 2 000, en 1810, à 4 000. Tarare se spécialisa dans des mousselines brochées au plumetis alors que Saint-Quentin s'orientait vers des mousselines d'ameublement, genre gaze, particulièrement fabriquées pour des rideaux avec des décors façonnés. L'organdi est une mousseline unie, apprêtée pour lui donner de la tenue.

Tarare, grâce au succès grandissant de ses mousselines, se transforma en une des principales villes manufacturières de l'Empire français. Napoléon, apprenant que Mme Simonet, âgée de quatre-vingts ans et aveugle, était réduite avec ses quatre filles à une situation financière difficile, assigna par décret une pension viagère de 1 200 francs « à la veuve de Georges Antoine Simonet, créateur de la première manufacture de mousseline de Tarare ». Son œuvre était enfin reconnue !

La vie de Christophe-Philippe Oberkampf (1738-1815) : les toiles de Jouy

La vie de Christophe-Philippe Oberkampf, fondateur de la célèbre manufacture de Jouy-en-Josas près de Versailles, est exemplaire. Il naît le 11 juin 1738 en Allemagne dans le Wurtemberg, d'un père teinturier et fabricant d'indiennes. Ayant découvert un nouveau procédé de teinture directe de l'indigo soluble, son père part avec toute sa famille diriger une fabrique à Bâle. Puis il crée sa propre manufacture à Aarau, dans le canton de Berne. Philippe, alors âgé de onze ans, y commence son apprentissage. À dix-sept ans, formé à tous les rouages de la manufacture, il en devient le contremaître et profite de ses rares loisirs pour étudier la gravure sur bois. À dix-neuf ans, il demande à son père la permission de perfectionner ses connaissances en allant visiter des manufactures étrangères. Il se rend d'abord à Mulhouse où il entre comme graveur dans la fabrique de MM. Samuel Koechlin et Henri Dollfus, située Cour de Lorraine. Mais au bout de six mois, son père souffrant ayant besoin de lui, il retourne dans sa famille. Il profite de ce séjour pour apprendre la gravure à son jeune frère Frédéric. Son père une fois rétabli, il ne pense qu'à repartir à l'étranger.

L'occasion se présente lorsqu'il a vingt ans, le jour où un certain M. Cottin, qui possède à Paris une manufacture de teinture et impression à la réserve, fait appel à des ouvriers spécialisés suisses. Son père ne lui refuse pas cette chance et il part à Paris, en octobre 1758. À cause de la prohibition frappant la fabrication des cotonnades, M. Cottin et son associé, un Anglais nommé Cabannes, avaient choisi comme emplacement de leur manufacture l'enclos de l'Arsenal, cour des Princes, un lieu qui jouissait du privilège d'exemption de cet interdit. Il en était de même pour l'ancienne abbaye de Saint-Germain-des-Prés, mais celle-ci avait seulement le droit de vendre les indiennes fabriquées à Neuchâtel. M. Cottin engage Oberkampf comme dessinateur, graveur et coloriste. Excellent graveur, ayant acquis un goût raffiné pour la composition et le choix des dessins, il assure tous les postes avec ardeur, aidé seulement de quelques ouvriers pour l'impression. Malgré son modeste salaire, il arrive avec force privations à mettre de côté environ vingt-cinq francs par mois.

Il avait promis son concours pour un an, mais M. Cottin, qui gère mal cette modeste entreprise, est dans l'obligation de suspendre tous les salaires. Oberkampf reste néanmoins jusqu'à la fin de l'année pour remplir son engagement, sans aucune rétribution. Son frère Frédéric est venu le rejoindre, il a trouvé un emploi chez Tavannes, un Suisse du Roy, établi au faubourg Saint-Marcel. Un édit de Louis XVI met fin, la même année 1759, à toute prohibition des « toiles peintes en son royaume ».

Oberkampf a alors l'idée folle à vingt et un ans, sans autre capital que de maigres économies s'élevant à six cents francs, de monter sa propre manufacture. Il découvre par hasard la vallée de Jouy qui lui rappelle les paysages de son enfance. Il décide de réaliser son projet au bord des eaux pures de la Bièvre. Il y loue en 1760, pour neuf ans, une toute petite maison, nommée « maison du pont de pierre », avec un pré tout autour. La pièce principale est si petite qu'il doit, chaque soir, installer un matelas pour dormir sur la table à imprimer.

Son frère Frédéric le rejoint avec deux anciens compagnons de l'atelier de son père. Tavannes, son employeur, lui propose de s'associer avec lui et son frère en leur apportant des capitaux. Grâce à cette aide financière, ils parviennent tous les quatre, la première année de leur installation à Jouy, dans des conditions matérielles difficiles, à imprimer 3 600 pièces d'indiennes, soit 80 000 mètres de calicot ! Les propriétaires voisins s'inquiètent aussitôt de l'implantation d'une manufacture qui va attirer de nombreux ouvriers dans cette calme vallée. Mais en dialoguant avec eux, Oberkampf finit par les convaincre de la richesse qu'il peut leur apporter, ainsi que de l'assèchement nécessaire de cette vallée à l'époque très marécageuse. En 1762, il a la chance d'intéresser à sa modeste fabrique un avocat du barreau de Grenoble, Joseph-Alexandre Sarrazin de Maraise, qui lui apporte une augmentation de capital. Il restera son associé pendant vingt-six ans. Pour développer les capacités de production, il fait venir de Suisse et d'Allemagne des ouvriers qualifiés. Il achète très cher les terrains et les maisons avoisinantes afin de pouvoir augmenter les ateliers. Il fonde un village aux alentours du château de Jouy pour y loger ses ouvriers et leur famille, attirant ainsi une population de 1 500 personnes sur un territoire jusque-là abandonné. Le seigneur de Jouy, le duc de Beuvron de la maison d'Harcourt, devant son courage et sa hardiesse, lui accorde sa protection et lui donne des terrains pour s'agrandir. La construction des nouveaux bâtiments demanda trois années d'effort.

En 1765, Jacques Baron, un riche mercier de Paris, avait créé une manufacture d'indiennage à Beauvais et, en 1767, une autre à Corbeil avec des ateliers de filature et de tissage. Oberkampf rachète cette entreprise à Jacques Baron pour la donner à son frère Frédéric qui l'avait aidé si efficacement au démarrage de la manufacture. Oberkampf imprime en grande partie sur des calicots importés de l'Inde, la production française de tissus en coton étant insuffisante pour la demande et, à l'époque, de moins bonne qualité. En revanche, sa première impression à la planche gravée est réalisée sur une siamoise en lin et coton rouge, fabriquée à Rouen. Elle s'appelle « Le petit buveur », et est tirée d'une gravure de Pierre Aveline d'après *Le buveur* de Watteau, preuve de la volonté d'Oberkampf de se différencier des motifs traditionnels des indiennes, bien qu'il s'inspire souvent de documents anciens comme *Toiles imprimées de la Perse et de L'Inde*.

En 1773, il rapporte d'un voyage à Londres plus de mille dessins d'indiennes et achète des pièces de calicot fabriquées en Inde. Il dit dans l'une de ses lettres : « Le dessin est l'objet le plus essentiel pour faciliter la vente de laquelle dépend la prospérité de l'établissement. Il faut dans tous les temps chercher à se procurer des échantillons des meilleures manufactures étrangères, non pas pour les faire exécuter tels qu'ils sont, mais les pousser encore à un plus haut point de perfection. » C'est sans doute la raison pour laquelle, à cette période, les décors des toiles de Jouy sont directement inspirés des véritables indiennes, avec des dessins très colorés de fleurs, des feuillages et des oiseaux exotiques sur un fond blanc. Ces dessins arborescents fabriqués entre 1775 et 1790, aussi bien en France qu'en Angleterre, étaient presque tous imprimés sur des calicots indiens. La seule façon de les identifier était la lisière en fils bleus des indiennes anglaises réservées à l'exportation.

On commence à parler des productions d'indiennes d'Oberkampf dans les salons de Versailles. L'utilisation des toiles de Jouy en couture, pour des robes portées par Marie-Antoinette, suscite, avec la mode qui se répand dans tout le royaume, de violentes protestations des soyeux lyonnais. Face à la concurrence du coton imprimé, ils voient leur production régresser. Ce qui n'empêche pas les dames de la cour de faire des excursions à Jouy, essayant parfois pour s'amuser d'imprimer elles-mêmes à la planche des chutes de tissu. La manufacture devient célèbre et les commandes affluent aussi bien pour habiller ces dames de Versailles que pour l'ameublement des châteaux royaux comme Trianon, Saint-Cloud ou Meudon. Comme d'autres manufactures en province, elle réalise des panneaux complets pour lit sans bois apparent, avec tous les éléments coordonnés : ciel et fond de lit en une pièce, courtepointe en housse, deux lambrequins crantés intérieurs et extérieurs faisant le tour du lit et deux pentes placées à la tête. Le thème de ces toiles est souvent tiré de *L'Art d'aimer* d'Ovide.

Les commandes d'Angleterre et de toute l'Europe mobilisent une main-d'œuvre de plus en plus nombreuse. Le succès d'Oberkampf contribue à la création dans toute la France d'autres manufactures d'indiennes. Les fabricants de Montpellier, Angers, Beauvais, Nantes ou Rouen achètent des toiles de Jouy et recopient souvent servilement les dessins. Sur un fond blanc les couleurs sont obtenues à partir du même bain de garance, les tons olive des feuilles sont provoqués par l'application d'un mordant au fer sur le rouge. Seule la couleur bleue de certaines fleurs est encore pinceautée en dernier par des femmes, spécialisées dans ce travail, appelées, comme à Orange chez Wetter, des pinceauteuses.

L'importation des vraies indiennes fabriquées en Inde diminue au profit du calicot uni, teint en France au goût du jour. À partir de 1776, Oberkampf achète directement à Lorient les toiles les plus fines et douces arrivant directement de l'Inde par l'intermédiaire de la Compagnie française des Indes. Ces importations lui reviennent moins cher que d'acheter les calicots tissés à Rouen. Il bloque des cargaisons entières de toiles unies.

En 1770, son frère Frédéric lui rapporte de Suisse la première machine à imprimer en planche de cuivre gravée, comme pour la technique des gravures en taille douce. Il l'utilise aussitôt pour réaliser ses fameux camaïeux monochromes. Il s'entoure de bons dessinateurs et graveurs, comme Jean-Baptiste Huet qui réalise énormément de dessins, entre autres, la toile intitulée « Les Travaux de la manufacture » qui montre des ouvriers et ouvrières au travail. On voit Huet penché sur une planche à dessin, ainsi qu'Oberkampf et un de ses jeunes fils supervisant le travail dans un climat de grande bienveillance. C'est aussi Huet qui grave en 1783 la planche de la célèbre toile « Les Quatre Parties du monde » représentant les différents continents par des symboles et des allégories, en rouge sur fond écru. Il s'intéresse aussi à des scènes de la vie quotidienne, comme, en 1785, « Le Couronnement de la rosière » qui relate une coutume d'Île-de-France consistant à faire couronner chaque année, par le seigneur, la jeune fille la plus vertueuse de ses terres.

Boucher et Pillement créent pour Oberkampf des dessins de « chinoiseries » mis à la mode, nous l'avons déjà précisé plus haut, à la cour par Mme de Pompadour, puis poursuivis par la reine Marie-Antoinette. Des toiles sont inspirées par les albums d'ornements d'après Jean Bérain, d'autres à la façon de Pillement, comme la « Leçon de danse » vers 1785 qui montre un Chinois faisant danser trois petits enfants au son d'un cornet. Des terrasses rocheuses, une architecture en rondin, des clochettes, des oiseaux phénix, complètent cet univers de chinoiserie. Ces toiles peintes finirent par devenir un mélange de toutes les influences décoratives indiennes, chinoises, japonaises et européennes. On retrouve ici le même va-et-vient de motifs que sur les routes de la soie.

Pour suivre la cour, les nobles tapissaient leurs demeures de toiles de Jouy, dites « exotiques » : meubles et murs des cabinets, chambres et salons en étaient couverts, et, lorsque la demande fut trop forte, le tapissier eut recours, pour recouvrir les murs, aux papiers peints ayant les mêmes motifs. Les porcelaines aussi étaient décorées de chinoiseries, comme les meubles en laque et les paravents. La manufacture de Jouy disposait d'un fonds très diversifié de décors et de sujets, tels ceux inspirés des *Fables* de La Fontaine ou de *Paul et Virginie* de Bernardin de Saint-Pierre. Certaines indiennes font même allusion à la fin de l'esclavage, comme la toile imprimée sur planche vers 1780 intitulée « La Danse des Noirs » où, dans un paysage tropical de palmiers avec des huttes et des pirogues, cinq Noirs, venant sans doute d'être émancipés, forment une ronde autour d'un palmier surmonté d'un bonnet d'affranchi et de deux drapeaux américains. On découvre d'autres sujets politiques d'actualité comme, en 1783, un « Hommage de la jeune Amérique à la France », ou encore « La Liberté américaine » de J.B. Huet, en rouge garance sur fond blanc. On peut comparer les toiles de Jouy à un véritable livre d'histoire en images, proches des gravures d'Épinal, mais dont les dessins et les couleurs sont plus raffinés.

En 1787, Louis XVI donne à l'établissement le titre de Manufacture royale et accorde à Oberkampf des lettres de noblesse. Est-ce en signe de reconnaissance qu'Oberkampf demande à Jean-Baptiste Huet de lui dessiner une toile sur le thème de « Louis XVI : restaurateur de la Liberté » ? Le dessin rouge garance se détache sur un fond blanc. En 1790, un petit médaillon est ajouté au dessin original de 1789. Il représente la Bastille, le symbole de la mythologie révolutionnaire. Jean-Baptiste Huet, qui a participé personnellement à la fête de la Fédération du 14 juillet 1790 en tant que capitaine de la compagnie des gardes nationaux de Sèvres, fera la reconstitution de cette fête, montrant Louis XVI prêtant serment en présence de la reine et de La Fayette. Pourtant, au moment de la Révolution, Oberkampf a des problèmes avec le Comité de sûreté générale mais il est acquitté de tous les crimes dont on l'accuse injustement et est élu premier maire de Jouy-en-Josas.

Le commerce stagne mais, à partir du 27 juillet 1794 (le 9 thermidor), l'industrie française redémarre et la manufacture de Jouy se remet au travail. Deux fois marié, Oberkampf est le père de huit enfants dont plusieurs travaillent avec lui à la fabrique. C'est l'époque où les marchands provençaux, devant le marasme des indienneries marseillaises, font à Oberkampf des commandes d'indiennes aux motifs colorés correspondant aux goûts des Provençales. C'est le cas des motifs floraux appelés « Les bonnes herbes », composés d'un semis de fleurs des champs mélangées à des touffes d'herbes sur un fond bronze ou noir. Ce motif eut beaucoup de succès en Provence pour y tailler des caracos à manches longues, portés l'été avec un fichu carré, imprimé souvent à Rouen, et l'hiver avec un grand châle cachemire en laine, tissé à Nîmes. Cette indienne servira de base à tous les imprimés floraux stylisés, connus encore aujourd'hui sous le nom de provençaux. Un autre motif, appelé « Bâtons rompus », combine des vases chinois, des croix de Malte, des fleurs très schématisées, le tout ressortant sur un fond blanc ou parfois noir. L'effet décoratif se rapproche du style des soieries appelées « bizarres ».

La manufacture utilise alors, pour l'impression de ses larges dessins en semis, de grandes planches de cuivre. Une toile appelée « Ramoneur », composée d'un semis de fleurs et de feuilles sur un fond noir (d'où le nom de ramoneur), a beaucoup été utilisée en Provence, et particulièrement à Marseille, pour réaliser des robes composées d'un corsage à manches longues et d'une jupe froncée à la taille haute. La toile de Jouy devient synonyme de « tissu imprimé », et le nom d'Oberkampf celui de la réussite sociale et économique la plus brillante sous l'Empire. En 1804, ayant été avisé d'un prochain décret prohibant l'achat des toiles provenant des Indes, il s'organise avec les fabricants français de la région de Rouen et du Beaujolais pour obtenir une meilleure qualité de calicots. Il y parvient et, vers 1805, bat tous les records de ventes et investit dans de nouveaux bâtiments. La manufacture s'étend alors sur plus de quatorze hectares ! Il emploie plus de mille trois cents personnes, dont un quart sont occupées à la création : dessinateurs, graveurs et teinturiers.

Une anecdote amusante est racontée par plusieurs de ses historiens : Napoléon, en 1806, voulut connaître l'homme qui avait fondé cette grande manufacture avec si peu de moyens au départ. Oberkampf lui fit visiter tous les ateliers et Napoléon admira les nouvelles machines à cylindres de cuivre gravés en taille douce qui produisaient plus vite et meilleur marché de magnifiques impressions. Certaines comportaient des nouveaux motifs du style Empire, comme les « Médaillons et cartouches à l'antique » dessin de J.B. Huet, représentant des figures mythologiques, ou encore, du même dessinateur, « Les monuments d'Égypte », montrant une pyramide, deux obélisques et une vue isolée d'Alexandrie, avec des personnages habillés en Turcs, une toile dans des coloris puce devant laquelle l'Empereur tomba en admiration. Découvrant tous les mérites de cet homme modeste, on dit que Napoléon détacha de sa boutonnière la croix de la Légion d'honneur et la plaça sur la poitrine d'Oberkampf en lui disant qu'il était le plus digne de porter cette décoration : « Vous et moi, nous faisons la guerre aux Anglais ; vous par votre industrie, moi, par les armes. Mais c'est encore vous qui faites la meilleure. »

Un tableau de Jean-Baptiste Huet, signé et daté de 1807, commandé par Oberkampf après la visite de l'Empereur, montre dans toute son étendue « La Manufacture de Jouy-en-Josas ». Devant les nombreux bâtiments, des pièces de toutes les couleurs sont étalées sur les prés à sécher, et cela ressemble à un immense patchwork des tissus d'Oberkampf. À la même époque, la liste des effectifs de la manufacture, environ mille deux cents personnes, est impressionnante et permet de bien se rendre compte de la diversité des travaux à accomplir ! On y recense 570 pinceauteuses, 190 tireurs et tireuses, 175 imprimeurs, rentreurs et rentreuses, 54 gamins épingleurs, 40 graveurs sur bois, 36 hommes occupés aux teintures et 18 gamins pour les aider, 10 hommes travaillant sur les prés, 10 hommes aux étendages pour sécher et ployer, 10 imprimeurs en planches de cuivre et cylindres gravés, 6 hommes employés à la calandre, 6 coloristes, 5 graveurs sur cuivre, 4 hommes aux cuves de bleu de faïence, 4 brouetteurs pour le transport des toiles mouillées, 4 apprêteurs des toiles blanches pour l'impression, 3 dessinateurs, et la liste continue avec le personnel de bureau, cadres et commis ; puis viennent les nombreux artisans chargés de l'entretien des bâtiments et des machines, comme menuisiers, serruriers, charpentiers, tourneurs, charrons, etc.

De novembre à mars, l'activité de la manufacture se réduisait du fait des basses températures et de la pluie qui rendaient impossibles le blanchiment des toiles et leur séchage sur les prés. On travaillait alors neuf heures par jour, de 7 heures à 17 heures, alors que, de mars à septembre, la journée était de douze heures, de 5 heures à 19 heures. Le seul jour de repos était le dimanche, mais à la belle saison les heures supplémentaires ne manquaient pas pour assurer les finitions des toiles imprimées après séchage.

Plus tard, Napoléon convoqua Oberkampf et Richard-Lenoir pour les consulter tous les deux sur les moyens de réduire l'introduction clandestine des indiennes anglaises afin d'accroître encore la production française. Richard-Lenoir préconisa un système protectionniste, alors qu'Oberkampf souhaitait la liberté du commerce. Ce fut hélas, le moment où la reprise des guerres napoléoniennes allait amorcer le déclin de nombreuses manufactures d'indiennage. Pourtant, pour ne pas être dépendant de ses fournisseurs en fils de coton, Oberkampf avait créé en 1811 sa propre filature en Essonne, à Chantemerle, et faisait tisser le fil produit par des façonniers à domicile. Il avait déjà construit deux moulins à indigo : un à Jouy, l'autre en Essonne. Il recherchait, avec des chimistes comme Berthollet et son élève Gay-Lussac, des teintures encore plus « grand teint ». Il poussa son neveu Samuel Widmer à faire des études de chimie et, à sa sortie de l'école, il lui installa dans la manufacture un laboratoire de recherches de colorants. En 1819, après la mort de son oncle, ce dernier trouva le « vert solide » en une seule impression, sans avoir besoin d'appliquer successivement une teinture jaune puis une teinture bleue, comme on le pratiquait avant.

Malheureusement, cette brillante situation allait brusquement changer : les longues et coûteuses guerres napoléoniennes, le blocus continental qui empêcha le coton d'outre-mer d'arriver, les invasions étrangères réduisirent de jour en jour ses commandes et sa production. Napoléon, pour compenser les lourdes taxes sur le coton et la perte du coton brésilien qui transitait par l'Espagne, demanda à l'intendance d'utiliser les toiles de Jouy comme doublure de toutes les toiles de tente de la campagne d'Espagne de 1808. Cette commande impériale permit à Oberkampf de maintenir sa manufacture en marche.

Au retour de la paix, en 1814, les manufactures recommencèrent progressivement à fonctionner et à importer du coton brut, devenu si rare pendant toute la période du blocus continental. On prétend — mais est-ce vrai ? tant de légendes entourent Oberkampf — que, devant la crise, en 1814, juste après la paix avec l'Angleterre, les deux frères Oberkampf visitèrent la région de Manchester pour découvrir les nouveaux procédés d'impression anglais. Ils auraient alors procédé à un véritable espionnage industriel en transcrivant leurs informations sur une percale, avec une écriture invisible à base d'alun. Rentrés en France, il leur suffisait de tremper le tissu dans un bain réactif pour voir aussitôt apparaître leurs notes ! Hélas, même si cette histoire est vraie, ce qui prouverait une fois de plus le courage exceptionnel d'Oberkampf, l'invasion des Prussiens en 1815, où plus de trois mille soldats campèrent dans le village de Jouy, les pillages et les incendies qui s'ensuivirent lui furent fatals. Il mourut, désespéré, le 7 octobre 1815, au moment où un afflux d'importations de cotonnades imprimées en Suisse et en Angleterre faisait encore baisser les prix de vente des toiles de Jouy de plus de quarante pour cent. Une nouvelle interdiction des importations de cotonnades ne facilita pas le commerce avec les Anglais qui, disaient-ils, « n'avaient pas besoin de lois prohibitives contre les marchandises françaises, l'opinion publique les proscrivant ».

Malgré de nombreuses banqueroutes durant les premières années de la Restauration, les manufactures qui survécurent, grâce à la connaissance des nouveaux procédés anglais de filature et de tissage et l'achat de nouvelles machines, se modernisèrent. Elles devinrent ainsi compétitives en produisant des cotonnades bon marché pour la classe moyenne. En 1815, on recensait en France plus de trois cents manufactures d'indiennage, regroupant souvent, comme en Angleterre trente ans plus tôt, filature, tissage et impression.

Après l'arrivée des Bourbons au pouvoir, un des fils d'Oberkampf, Émile, reprit l'affaire. Le style principal des toiles de Jouy resta le néoclassique à base d'ornements et d'objets grecs, romains et Renaissance italienne, dont les dessins restaient fidèles aux gravures ou aux peintures qui servaient de modèles. En 1817, il eut une commande de Rose Isnard de Tarascon pour une série de tissus d'ameublement sur le thème des Monuments de Paris. Le dessinateur Huet étant mort, Émile demanda à Hippolyte Le Bas de réaliser le dessin des monuments en les plaçant en médaillons sur un fond jaune et rouge. Une fois le jaune imprimé à la planche de bois gravé, le dessin était réalisé en rouge au rouleau de cuivre. L'effet très nuancé des coloris fut une réussite technique remarquable. Émile obtint à l'Exposition de 1819 une médaille d'or et le titre de baron. La manufacture de Jouy occupait alors huit cents ouvriers et produisait 40 000 pièces d'indiennes par an. Avec la nouvelle liberté d'entrée de tous les tissus étrangers, Émile se retrouva vite au bord de la faillite, comme l'était l'ami de son père, Richard-Lenoir. Un indienneur de Rouen, Barbet, appelé plus tard Barbet de Jouy, reprit la manufacture en 1822, en imprimant aussi sur des tissus de laine et de soie. Il revint à l'impression à la planche de bois permettant des scènes de genre à la mode. Il trouvait que l'impression au rouleau de cuivre limitait les motifs en hauteur, puisque la circonférence d'un cylindre était au maximum de cinquante centimètres. Il maintint aussi des motifs simples, comme celui des tissus de siège imprimés, imitant la paille tressée.

Le jury de l'Exposition industrielle de 1823 proclama : « La fabrique de Jouy rappellera toujours un des noms les plus recommandables dont s'honore le commerce français, comme aussi l'un des prodiges de l'industrie. » Mais, en 1843, en dépit des efforts de Barbet, la liquidation de la manufacture fut prononcée avec la vente de tous les bâtiments, des machines et des archives. Aujourd'hui, la manufacture a été transformée en un magnifique musée, regroupant une collection, reconstituée par de nombreux achats dans le monde entier, de toiles, dessins, cartons de toutes les époques de cette grande fabrique. Avec le concours d'autres musées du textile, ce musée organise de belles expositions sur le thème des indiennes produites en France. Ainsi le souvenir d'Oberkampf reste vivant.

La vie de François Richard-Lenoir (1765-1839)

François Richard est plus connu sous le nom de Richard-Lenoir en raison de son association commerciale avec Lenoir-Dufresne. Il fut l'un des tout premiers grands chefs d'entreprise et arriva par son courage et son obstination à prendre à l'Angleterre son monopole de l'industrie cotonnière. Par ses *Mémoires*, on connaît bien sa vie.

Il est né en 1765, dans un petit hameau du Calvados, de fermiers pauvres. Très jeune, il manifeste le désir de sortir de cette médiocrité matérielle. Les écrivains de l'époque, comme Bezon dans son *Dictionnaire des tissus*, racontent une anecdote de son enfance — vraie ou fausse —, afin de montrer son esprit spéculateur et son imagination précoce. Voici l'histoire comme elle est racontée.

Le jour de l'an, son oncle lui donne six grosses noix. Au lieu de toutes les casser et de les manger comme l'aurait fait normalement un enfant de sept ans, il en mange une seule qu'il trouve excellente. Il a l'idée de planter les autres dans son jardin, espérant naïvement que leur récolte lui procurera un peu d'argent. Le sol étant gelé, il attend le dégel pour réaliser son projet d'exploitation agricole et plante ses cinq noix au printemps. Pendant deux ans, il arrose et soigne avec soin et constance les noyers naissants, attendant toujours qu'ils donnent leurs premiers fruits. Mais il constate que les arbres sont longs à pousser, aussi, pour n'être plus à la charge de son père, il commence à se livrer à de petits commerces, comme à douze ans l'élevage et la vente de pigeons, puis de chiens de race. Les bénéfices réalisés lui permettent d'acheter des habits et des souliers ferrés neufs à la place de ses lourds sabots, et d'aller à l'école où il a le temps d'apprendre à lire et à écrire, plus vite que ses camarades. Bezon raconte ainsi la fin de cette histoire des noix : trente ans plus tard, Richard revient dans la propriété familiale. Son frère lui parle avec satisfaction des récoltes fructueuses des cinq noyers et de la grosseur et de la qualité exceptionnelle de ses noix. Richard contemple avec mélancolie ses noyers devenus si grands et si beaux, se souvenant de sa première entreprise d'enfant, qui ne donnait ses fruits et ses bénéfices qu'aujourd'hui. La morale de cette histoire est un peu le symbole de la persévérance et de la patience qui furent l'apanage de Richard dans ses entreprises en dépit des difficultés rencontrées.

À dix-sept ans, il décide de quitter sa famille, avec douze francs en poche, pour tenter de faire fortune à Paris dans le commerce des cotonnades anglaises. Afin de se procurer l'argent du voyage, il trouve une place de commis chez un marchand de rouennerie, mais, traité comme un domestique, il le quitte et s'engage comme garçon de café dans une brasserie de Rouen. Au bout d'un an, il réalise suffisamment d'économies pour aller enfin à Paris. Après de nombreuses démarches infructueuses pour trouver du travail chez un négociant de tissus, il finit par reprendre le tablier de serveur dans un café, le café de la Victoire, rue Saint-Denis, tenu par un Normand. Un an plus tard, il possède mille francs et fait aussitôt l'acquisition de quelques pièces de basins anglais, cotonnade alors nouvelle en France, qu'il colporte dans les maisons les plus riches avec l'appui des domestiques à qui il donne une commission. À vingt-trois ans, ses affaires marchent bien lorsqu'en 1789 un de ses fournisseurs, malhonnête, le fait arrêter pour une dette fictive. Le 13 juillet, le premier jour de la Révolution, la foule brise les portes de sa prison de La Force. Libéré, il se retrouve mêlé malgré lui à l'émeute populaire du 14 juillet. Il a douze sous en poche.

Après la tourmente, il emprunte quelques écus à des amis, et recommence avec succès son commerce de porte-à-porte. Il se marie en 1790 avec une belle fille d'Amiens, sans dot, mais qui sut le rendre heureux. Il loue un vaste magasin rue Française et gagne beaucoup d'argent, les cotonnades anglaises étant de plus en plus à la mode à Paris. Il achète le magasin avec ses premiers bénéfices et, profitant de la dépréciation des propriétés foncières, fait l'acquisition du domaine de Fayt, près de Nemours. Voyant les événements politiques compromettre sa prospérité et la sécurité de sa femme, il ferme son magasin et part avec elle retrouver ses parents, qu'il va aider matériellement en leur assurant une fin heureuse.

Le plus fort de la Révolution passée, le couple revient à Paris. Richard reprend son commerce de cotonnades anglaises, mais associé au commerce de diamants, achetés à Anvers. En 1787, il fait la connaissance d'un jeune marchand de tissus originaire d'Alençon, Lenoir-Dufresne, très dynamique, qui vient juste d'hériter à la mort de son père de quelques capitaux. Il les propose à Richard qui accepte de s'associer avec lui pour développer son négoce de tissus anglais. C'est devant le succès des ventes de basins que Richard, jusqu'ici négociant, décide de se transformer en industriel pour produire et imiter le plus parfaitement possible les cotonnades anglaises unies ou peintes, et gagner ainsi plus d'argent, mais aussi, par patriotisme, pour tenter de soustraire cette production au monopole anglais. Il a l'accord de son associé qui le prévient qu'il n'entrera jamais dans ses manufactures, n'intervenant que pour la partie commerciale de l'affaire.

D'abord, Richard spécule sur les balles de coton anglais, qu'il fait filer dans la région de Rouen, puis, avec l'aide d'un contremaître anglais, un certain Browen, il installe quelques métiers à tisser dans une guinguette de la rue de Bellefonds. Les premières pièces ne sont pas parfaites, surtout dans l'opération des apprêts, mais avec l'aide de quelques spécialistes, il arrive assez vite à une bonne qualité de production de ce basin anglais, prétendu inimitable. Son entreprise prenant de l'importance, il décide d'avoir sa propre filature. Avec le concours d'un mécanicien anglais, il fait fabriquer vingt-deux métiers à filer du modèle *mule-jenny* dont il a pu obtenir les plans en fraude. Il déménage tous ses métiers dans le quartier du Marais, dans l'hôtel de Thorigny qu'il loue au gouvernement.

C'était une vision étrange de voir ses métiers installés dans les splendides salons de cet hôtel aux lambris dorés ! Le succès de ses imitations est si grand qu'il cherche vite des locaux plus vastes.

Il fait alors un coup de force qui lui réussit ; ayant demandé aux autorités de mettre le monastère du Bon-Secours, rue de Charonne, à sa disposition, et la réponse n'arrivant pas assez vite pour lui, il s'empare avec tous ses ouvriers de ces bâtiments abandonnés. En trois jours, travaillant nuit et jour avec une équipe de maçons, couvreurs, charpentiers, tout est nettoyé, réparé, aménagé, et les *mule-jenny* sont mises en place. Devant cette occupation illégale, un commissaire du gouvernement est chargé d'expulser Richard. Celui-ci lui démontre par des chiffres éloquents tous les emplois qu'il va créer dans le quartier pauvre du faubourg Saint-Antoine et la concurrence qu'il va faire aux cotonnades anglaises encore vendues clandestinement. Il lui montre ensuite les frais déjà engagés pour remettre en état ces bâtiments délabrés. Devant tous ces arguments, le commissaire est convaincu de maintenir Richard et Lenoir dans les lieux et de leur accorder un bail, en tenant même compte, pour le loyer, des dépenses qu'ils avaient déjà faites pour la restauration des bâtiments.

Bonaparte, ayant eu connaissance de cette situation, veut connaître cet homme dynamique et courageux. Il demande à visiter la manufacture. Richard et Lenoir, tour à tour, lui expliquent les raisons pour lesquelles ils ont abandonné, en plein succès financier, leur commerce de tissus anglais afin de se consacrer exclusivement à la fabrication. Richard précise que, lorsqu'ils vendaient leurs cotonnades comme françaises, les ventes étaient difficiles, mais que si on les croyait anglaises, passées en fraude, les clients les achetaient sans marchander. Puis, il essaie de convaincre Bonaparte que, en détruisant ainsi indirectement la concurrence anglaise, on pourrait développer plus rapidement l'industrie textile cotonnière et le commerce français. Il suggère, lorsqu'il y aura suffisamment de filatures comme la leur en France, de prohiber l'entrée de tous les tissus de coton, unis ou imprimés. Alors la clientèle française sera obligée d'acheter, aussi beau et bon marché, les tissus fabriqués en France. Le Premier consul les assure de sa protection. Richard en profite pour lui demander l'autorisation de disposer des bâtiments du couvent de Trènelle, situé de l'autre côté de la rue, afin, lui dit-il, de développer sa manufacture et d'y construire des métiers qui serviront à l'établissement en France de manufactures rivales. Bonaparte leur dit qu'il va donner des ordres pour qu'ils puissent acheter les deux couvents et réaliser leurs projets d'extension. Le préfet s'oppose à leur installation au couvent de Trènelle, mais sur une intervention du Premier consul, il s'incline.

Les grands projets de Richard et Lenoir vont se réaliser alors rapidement. Grâce aux compétences d'un tisserand picard, les deux associés installent chez les tisserands des villages du Cambrésis un ou deux métiers à tisser, leur assurant du travail régulier, et leur fournissant les matières premières et l'assistance technique nécessaire. Ce travail à domicile ne nécessitait pas la construction de bâtiments, ni de coûteuse installation. Quelques mois après, trois cents métiers fonctionnent dans tous les petits villages de cette région de Saint-Quentin et de Bohain. Ils établissent un autre atelier de tissage dans l'abbaye des bénédictines d'Alençon, puis dans celle de Saint-Martin, près de Luzarches, qui occupera plus de six cents ouvriers.

Pour protéger ses bâtiments contre l'incendie, il forme une compagnie de pompiers parmi ses ouvriers, à qui il procure gratuitement un logement dans la manufacture et un salaire plus élevé. Richard songe alors à sa région natale et achète, à Caen, l'abbaye d'Aulnay. Il y crée une filature qui emploie plus de six cents ouvriers, hommes et femmes. Il finance une fondation pour les jeunes orphelins et orphelines, à qui il assure, après leurs études, du travail dans la manufacture de Saint-Martin-de-Sez, en Picardie.

En 1806, le 6 avril, son associé meurt prématurément. Richard continue seul à gérer tous ses établissements sous le nom de Richard-Lenoir. Infatigable, il crée de nouvelles entreprises : il monte une filature à Caen, aux Ursulines, ainsi qu'à Laigle ; en 1811, il achète la grande écluse de Chantilly près de Senlis où, après d'énormes travaux, il installe une fabrique d'impression d'indiennes aux rouleaux de cuivre. S'il emploie déjà 10 648 ouvriers en 1808, en 1812, il en emploiera plus de 15 000, sans compter les tisserands à domicile des dix-sept communes entre Saint-Lô et Coutances et ceux de la région du Cambrésis !

Rien ne semble l'arrêter. Il possède six filatures. Mais, brutalement, le blocus anglais sur tous les ports fait augmenter le prix du coton brut. Richard pense alors que, pour ne plus dépendre des Anglais, il faut cultiver son propre coton. Il pense aussitôt au Royaume de Naples, à l'époque sous dépendance française, et à la douceur de son climat. Des graines de coton qu'il avait recueillies dans les balles expédiées des colonies d'Amérique et des Antilles sont semées dans la région chaude de Castellamare. La culture prend. Dès 1808, Richard reçoit de Naples et d'autres régions du sud de l'Italie des milliers de kilos de coton de qualité. Cet homme courageux, qui prend sans cesse des risques, est arrivé, en quelques années, à regrouper le cycle complet de l'industrie textile cotonnière, du coton brut de Naples aux tissus finis et vendus dans toute l'Europe.

À la même époque, le gouvernement diffuse une petite brochure sur *Les Instructions populaires sur la culture du coton*, et distribue des graines aux cultivateurs provençaux. Soixante-dix-sept kilos sont récoltés à Saint-Tropez, cardés, filés et tissés à la manufacture du port. Mais, en 1812, toutes les tentatives de plantation de coton en France sont abandonnées, le projet n'étant pas rentable. Afin de faire reprendre la culture du coton dans le Midi, Napoléon, sans doute mal conseillé, frappe de lourdes taxes l'entrée en France du coton italien. Commencent alors les ennuis financiers de Richard, qui l'amèneront, en quelques années, à la ruine complète. Afin d'alimenter en coton toutes ses fabriques, et faire face à ces nouvelles taxes, il lui faut emprunter. D'autre part, la réunion de la Hollande à la France jette sur le marché une quantité considérable de cotonnades hollandaises à des prix inférieurs aux siens, ce qui fait chuter ses ventes.

Il demande une aide à l'Empereur, qui lui fait accorder par le Trésor un prêt de 1 500 000 F et, pour l'encourager, le décore de la Légion d'honneur pour tous les services rendus à la Patrie. Mais la mévente et les droits toujours plus élevés sur le coton continuent à absorber tous ses bénéfices. Il doit payer onze francs ce qui ne lui coûtait que deux francs l'année auparavant. Le ministre du Trésor, M. Mallen, reproche à Richard d'avoir vu trop grand et l'encourage à vendre plusieurs de ses manufactures avant qu'il ne soit trop tard pour en tirer un bon prix. Ses collaborateurs les plus proches lui donnent aussi le conseil de liquider ses affaires et de se retirer avec une belle fortune. Il ne suit aucun de ces avis et s'accroche à ses entreprises. En 1812, il essaie de transformer ses filatures de coton en filatures de laine. Il y réussit, mais son endettement et son stock de cotonnades invendues sont trop lourds pour qu'il puisse redresser sa situation financière. Courageux, il se bat désespérément pour maintenir une partie des ouvriers au travail, jusqu'au jour fatal où toutes ses entreprises sont démonétisées. Il est au bord de la faillite, confronté aux mêmes difficultés qu'Oberkampf et d'autres fabricants français.

En janvier 1814, comme chef de la 8e légion, il se conduit avec beaucoup de courage lors du siège de Paris par l'armée prussienne, qui soutenait le retour des Bourbons au pouvoir. Il transforme la manufacture du Bon-Secours en infirmerie. Tous ses ouvriers se transforment en infirmiers et utilisent la chaudière de la blanchisserie pour y faire du bouillon distribué aux blessés. Avec sa compagnie et des élèves de l'École polytechnique, il se bat héroïquement pour reprendre l'avenue de Vincennes aux ennemis, mais, devant les forces réunies par la coalition, Paris est obligé de capituler. Le 31 mars, Richard-Lenoir a la tristesse de voir défiler l'armée russe dans la rue du Faubourg-Saint-Antoine ; derrière eux suivent des centaines de prisonniers, attachés aux pièces de canon. Lorsque des faubouriens veulent délivrer les prisonniers, Richard les calme et leur promet qu'ils seront relâchés le lendemain. Après un entretien avec l'état-major des armées alliées, où il explique les risques d'un nouveau soulèvement populaire, il obtient la libération de tous les prisonniers.

Les Bourbons, désormais au pouvoir, allaient-ils modifier les droits de douane sur les cotons et sauver l'industrie cotonnière française en versant des indemnités aux fabricants cotonniers ? Tout au contraire, le comte d'Artois, par ordonnance du 23 avril 1814, supprime toutes les interdictions d'importation de tissus étrangers, particulièrement ceux fabriqués à bas prix en Angleterre. Richard, qui faisait travailler plus de 20 000 ouvriers dans ses manufactures ou à domicile, se trouve du jour au lendemain complètement ruiné. Il se voit contraint de brader toutes ses entreprises afin de rembourser ses dettes. Ainsi se défait-il de la fabrique de Chantilly, qui imprimera en 1829, après sa revente à de nouveaux propriétaires, plus de 25 000 pièces d'étoffes par an ! Les négociants disaient que ces cotonnades peintes étaient aussi recherchées pour leur qualité que celles de Mulhouse. Fatigué par tant de luttes, désespéré par la détresse de ses ouvriers réduits au chômage, il se retire dans sa maison du faubourg Montmartre, disposant pour unique ressource d'une petite pension versée par son gendre. Il meurt, le 19 octobre 1839, à l'âge de soixante-dix-huit ans.

À ses obsèques, tous les ouvriers qu'il avait fait travailler avec beaucoup d'humanité suivent le convoi. À la hauteur du Bon-Secours, le cortège s'arrête pour jeter un dernier regard à son œuvre, détruite par la politique et les guerres. Au cimetière, Ledru-Rollin, le grand avocat parisien, prononce un hommage funèbre, dans le ton emphatique de l'époque. En voici un extrait : « Richard-Lenoir fut un industriel de génie, un sincère ami de l'humanité, un patriote courageux. Industriel, il ouvrit pour la France une source de fortune et de prospérité et l'affranchit du joug de l'Angleterre dont elle était jusqu'alors tributaire. Il fut l'ami de l'humanité, celui qui, d'abord ouvrier, nourrit plus tard 20 000 ouvriers, dont il ne cessa d'être le compagnon modeste, le protecteur et le père. On peut le proclamer enfin patriote courageux, l'homme qui, en 1814, à cette époque de deuil où tant de lâches défections déshonoraient la France, défendit à la tête des braves ouvriers des faubourgs les murs de Paris assiégé, et que la Restauration ruinait pour prix de son culte à l'Empereur, qui avait été son appui. »

Paris a donné son nom à une grande avenue et à une station de métro. Mais, aujourd'hui, qui connaît encore Richard-Lenoir ? Qui sait ce qu'il a fait pour mériter un tel honneur ? La manufacture d'Oberkampf, transformée en musée, permet de découvrir la richesse et la diversité de son œuvre. Il n'y a pas de musée Richard-Lenoir pour conserver la « mémoire » de sa vie exemplaire. C'est pourquoi j'ai voulu l'évoquer ici avec le plus de détails possible.

La paix de 1814 rétablissait les relations commerciales entre la France et l'Angleterre. L'industrialisation du coton, dans ces deux grandes nations, a été certes au départ une option économique et une recherche de profit capitaliste, mais aussi un choix de civilisation et de culture. L'industrialisation favorisa la diffusion des idées nouvelles de progrès. La paix permit à certains fabricants d'aller juger sur place des avancées techniques de leurs concurrents anglais et de moderniser leurs manufactures. Ce fut le cas, nous l'avons vu, de plusieurs fabricants d'indiennes de Mulhouse et peut-être des deux frères Oberkampf !

Pour éviter des sorties de devises, la loi du 28 avril 1816 réserve la production française en fils et en tissus de coton exclusivement à la consommation nationale. Cette mesure restrictive n'empêche pas les manufacturiers de tripler leur production. Dans son rapport, le jury de l'Exposition de 1823 constate les progrès rapides de la qualité dans la fabrication des tissus de coton, particulièrement les fines mousselines, aussi belles que celles de l'Inde et des imitations anglaises. Les cotonnades imprimées qui coûtaient 2,50 F le mètre sont vendues 1,65 F en 1822. Cette baisse spectaculaire s'explique par les bas salaires d'une nouvelle classe ouvrière moins spécialisée et, en grande partie, par la mécanisation de plus en plus poussée. Ainsi, la machine à vapeur mettait-elle seule en mouvement les *mule-jenny*, remplaçant inexorablement la force de l'homme. Pourtant, en dépit des machines, au milieu du XIXe siècle, sous l'impulsion de pionniers comme Oberkampf et Richard-Lenoir, l'industrie cotonnière employait plus de trois cent mille ouvriers. C'est la rapidité d'adaptation des entreprises qui permit le développement de l'industrie cotonnière. Celle-ci connut les luttes ouvrières, les ouvriers réclamant de meilleures conditions de travail et des salaires raisonnables. Elles seront longues et souvent meurtrières, comme en Angleterre.

La vie de Charles Émile Steiner et de son fils Charles Frédéric

Charles Émile Steiner

Pendant toute la période troublée par les guerres napoléoniennes, les manufactures alsaciennes d'impression sur coton demeurèrent compétitives par leur haute qualité. De dix mille en 1815, le nombre des métiers à tisser passa à cinquante mille en 1825. Si, en 1789, la production d'indiennes était d'environ six millions de tonnes, elle quintuplera entre 1815 et 1834. Les fabricants diversifiaient leur production, pouvant, sur le même métier, tisser des calicots, des percales ou des mousselines. Nous avons montré l'influence de l'Angleterre sur l'industrie cotonnière de l'Alsace. Au moment où les décrets de Napoléon interdisaient toutes les importations, un réseau important de contrebandiers du Haut-Rhin se développa. Il dissimulait les calicots et les mousselines anglaises sous des charrettes de foin, ou leur faisait passer la douane avec de faux documents, comme tissus provenant d'un autre pays. Mais, en même temps, les fabricants poursuivaient leurs recherches sur les teintures et l'impression. En 1819, le jaune de chrome est utilisé dans des indiennes très colorées, imprimées encore à la planche sur des percales glacées. Ces percales de coton glacé deviennent à la mode. Elles servent à diviser les pièces pour différents usages. Les fonds sont souvent imprimés de façon à imiter la moire, au milieu de bouquets de fleurs en rouge garance.

L'histoire de l'industrie cotonnière alsacienne, sous le règne de Louis-Philippe (1830-1848) et sous le second Empire (1852-1870), illustre, plusieurs années auparavant, l'évolution du textile cotonnier français. En 1860, dans plusieurs manufactures de Mulhouse et de ses environs, sont installées les premières machines d'impression au rouleau, capables d'imprimer jusqu'à huit couleurs. Les ouvriers apprennent à imprimer sur des textiles autres que le coton. En 1840, on continue à imprimer sur percale de coton des châles, aux rayures de cachemire et bordures de palmettes dans une dominante de rouge andrinople. À la même époque, des fabricants impriment à Mulhouse les dessins des châles cachemires, sur de la mousseline de laine afin de se rapprocher le plus possible de la laine mohair des vrais cachemires de l'Inde. Rien n'arrête le dynamisme des fabricants alsaciens, qui s'orientent vers l'industrialisation la plus poussée, tout en maintenant en priorité une création textile de haut niveau, aussi bien par leurs dessins que par les harmonies de coloris les plus osées.

La vie de Charles Émile Steiner est une brillante démonstration de ce dynamisme industriel. Nous avons vu, dans le chapitre sur l'Angleterre, qu'un fabricant alsacien, Frédéric Steiner, né à Ribeauvillé le 30 mars 1788, s'était installé en Angleterre à l'âge de trente ans pour fuir les guerres napoléoniennes. C'est lui qui révéla aux Anglais les recettes de teintures alsaciennes. Son neveu, Charles Émile Steiner, aura une vie aussi aventureuse que son oncle. Comme ses prédécesseurs alsaciens, il eut toute sa vie l'ambition de perfectionner cette fameuse teinture rouge turc. Il fait des études de chimiste à Paris et, en 1830, sur la recommandation de son professeur, devient le préparateur du grand chimiste Chevreul aux Gobelins. Mais, au bout d'un an, son oncle, Frédéric Steiner, lui demande de venir le rejoindre en Angleterre, à Church dans le Lancashire, dans sa manufacture d'impression de cotonnade. Il doit l'aider à trouver de nouveaux procédés pour réduire les différentes opérations de teinture au rouge turc et surtout celle du blanchiment des toiles sur prés, trop aléatoire avec le climat pluvieux de ce pays. Charles cherche et trouve un processus qui limite le temps d'exposition des pièces à l'air et au soleil. À la mort de son père, il quitte son oncle en lui promettant de fonder à Ribeauvillé une filiale française sous le nom de Steiner et Cie.

Quelque temps après son retour en France en 1839, juste après la crise économique qui avait frappé si fortement Richard-Lenoir et Oberkampf, fort de son expérience anglaise, il installe, dans l'ancienne manufacture Appenzeller et Cie, sa propre manufacture d'impression à Ribeauvillé, mais, comme il l'a promis à son oncle, elle devient vite une filiale de celle du Lancashire. Il engage 108 ouvriers — 80 hommes, 8 femmes et 20 enfants — et commence par produire des mouchoirs rouges d'andrinople, des indiennes puis des étoffes rouges pour l'ameublement. Il réalise, par exemple, vers 1860, une impression à la planche « d'arabesques avec angelots et paon » sur un velours de coton préalablement teint en rose, et successivement surimprimé de trois rouges plus foncés dans les motifs, à l'effet décoratif surprenant. Ce nouveau procédé de teinture, permettant une réduction importante des opérations d'impression, resta secret et fit en grande partie le succès de son entreprise.

Certains chiffres éloquents soulignent l'importance de sa manufacture. En 1840, il utilisait pour l'année 260 000 mètres de calicot, 56 000 kilos de garance, 18 000 kilos d'huile d'olive tournante (huile rance) et 10 000 kilos de noix de galle. Il produisait 150 000 mètres de tissus d'ameublement sur fond rose, lilas ou rouge d'andrinople, 12 400 mètres d'indiennes, 144 000 mouchoirs en rouge d'andrinople. Il exportait sa production en Espagne et dans les colonies. Il participait avec succès à toutes les expositions des produits de l'industrie française à Paris et y obtenait des médailles « pour la beauté du rouge de ses toiles ». En 1855, dans le cadre de l'Exposition universelle, la manufacture Steiner obtient la médaille d'or pour ses étoffes d'ameublement. Il reste bientôt le seul spécialiste de ce type de teinture rouge qui n'était plus à la mode, alors que beaucoup de grandes maisons, comme Gros, Odier, Roman et Cie, qui employaient jusqu'à 2 000 ouvriers, avaient déjà depuis plusieurs années abandonné ce type de fabrication.

Steiner se maintiendra par la grande qualité de ses fabrications, telles ses impressions à la planche sur velours de coton, utilisant des techniques d'enlevage et de surimpression pour obtenir toute la gamme des coloris des motifs floraux ou à base de fruits. Il arrive aux prix les plus bas, tout en sauvegardant la qualité des teintures grand teint. Il fait des impressions au rouleau de cuivre sur un fond de coton teint en rouge turc, des imitations de palmettes des châles cachemires en couleurs d'enlevage blanc, jaune, bleu, vert, noir, et il invente « un genre meuble réalisé par quatre rouges avec enlevage blanc », dont les motifs à bouquets, feuilles et végétaux, placés en arabesque, correspondent parfaitement au style chargé du second Empire.

À cette époque, il existait dans toutes les villes d'Alsace des ateliers de dessinateurs indépendants qui fournissaient aux fabricants des motifs et des thèmes nouveaux. Les entrepreneurs de cotonnades imprimées du Lancashire travailleront avec certains ateliers alsaciens de dessins. L'atelier du dessinateur Adolphe Braun comptera jusqu'à cinquante dessinateurs, travaillant pour le monde entier, en particulier pour les fabricants américains. Ce qui prouve une fois de plus la vitalité des créateurs textiles alsaciens qui ne redoutaient pas la concurrence, ni anglaise, ni américaine, même s'ils s'inspiraient et se copiaient les uns les autres. Les fleurs resteront une grande source d'inspiration.

Il est certain que les dessins des célèbres toiles de Gênes, appelées *mezzari*, provenaient d'un dessinateur alsacien, spécialisé dans le type de décor « arbre de vie », d'origine indienne. Ces voiles de Gênes, en fin coton imprimé à la planche, étaient destinés aux vêtements féminins mais ils tapissèrent très vite les salons italiens. Leurs décors variés s'inspiraient de l'arbre de vie des indiennes traditionnelles, avec les mêmes bordures à palmettes cachemires mais qui, par un jeu de planches différentes, pouvaient varier d'une toile à l'autre. L'arbre était la copie des palampores indiens de la côte de Coromandel, arbre sinueux (genre palétuvier) dont la tige annelée ressemblait à celle des bambous. De nombreuses guirlandes de fleurs stylisées, avec des oiseaux et papillons, remplissaient le fond. Un *mezzaro* dit « au macaque » montrait un singe grimpé sur l'arbre noueux dont les branches étaient couvertes de fleurs et d'oiseaux. Ces décors de *mezzari a fiori* seront à la mode pendant tout le XIXe siècle avec aussi toutes les imitations de châles du Cachemire.

Devant cet engouement, les fabricants français, particulièrement la fabrique de Steiner, imiteront vite le style des *mezzari*, en s'efforçant de les vendre moins cher que les fabricants de Gênes. Steiner sut sans cesse s'adapter aux modes nouvelles et aux techniques les plus d'avant-garde. Son succès est confirmé par sa participation à l'Exposition universelle de Londres de 1862 où il obtiendra la *price medal*. Le gouvernement impérial lui accordera la Légion d'honneur.

Charles Frédéric Steiner

À sa mort en 1866, son fils, Charles Frédéric, avec qui il s'était associé, reprend la manufacture, continuant la production de tissus d'ameublement aux motifs orientaux et les imitations de cachemire et des *mezzari*, en impression au rouleau sur coton teint en rouge d'andrinople. L'Angleterre restait toujours le plus grand producteur de cotonnades imprimées au rouleau, mais était concurrencée par la France pour la qualité des impressions, l'invention des coloris et des motifs. À cette époque, les filateurs anglais consommaient plus de la moitié du coton produit dans le monde entier ! À la suite de la défaite de la guerre de 1870, l'Alsace fut annexée par les Allemands, et la firme Steiner installa une filiale à Belfort pour rester présente en France.

Charles Frédéric Steiner fut l'un des premiers fabricants alsaciens à imprimer en rouge d'andrinople à l'alzarine chimique, qui remplaçait la garance. Ces nouveaux tissus, moins chers, seront vendus dans les premiers grands magasins, comme le Bon Marché de Mme Boucicaut. En 1900, dans le cadre de l'Exposition universelle, la maison Steiner présenta un grand panneau de trois mètres de hauteur dans le style japonisant de l'époque, dessiné par Arthur Martin et G. Gouder, sur fond rouge, imprimé à la main à la façon des premières indiennes, et qui fut considéré par le jury comme « une véritable œuvre d'art industriel dont il est difficile d'égaler la grâce et le bon goût ». Charles Frédéric, qui avait été si influencé par le style du Japon, allait être, pour la première fois en France, concurrencé en 1913 par des imprimeurs japonais pour un marché de 2 000 petits drapeaux publicitaires pour les Galeries Lafayette ! Mais, pour sa production de base, aucun fabricant étranger ne put le concurrencer jusqu'à sa mort.

Une dynastie d'indienneurs alsaciens : la famille Koechlin

Des dynasties d'indienneurs, comme celle de la famille Koechlin que nous allons évoquer, se succéderont en Alsace jusqu'au XXe siècle, voyageant dans toute l'Europe, notant sur des carnets recettes et procédés nouveaux, réalisant des progrès techniques constants, s'adaptant à la mécanisation, à la force motrice hydraulique, puis à vapeur, et à l'électricité.

C'est le petit-fils de Samuel Koechlin, Daniel, qui réalise en 1811 les premiers enlevages au moyen du chlore pour obtenir du blanc, puis du bleu, sur la toile teinte en rouge d'andrinople ; et, en 1821, les enlevages en jaune de chrome créant ainsi un nouveau genre de dessin en bleu et jaune se détachant sur le fond rouge brillant de la garance. Avec ce nouveau procédé de teinture, il imite parfaitement, sur le coton, les cachemires en laine. Sa manufacture fabrique des foulards dont le dessin, à base de feuilles de fougère disposées en cercle, crée un effet optique très moderne par l'opposition du fond blanc et des motifs teints en indigo. Des guirlandes de fleurettes sous les palmettes de feuilles de fougère accentuent le mouvement du décor. (La boutique des Musées de France a fait faire une copie de ce foulard, sous le nom d'Ankara, dont un original se trouve au musée d'impression sur étoffes de Mulhouse.)

Daniel Koechlin utilise pour la première fois un bronze de manganèse, teinture minérale, qui donne des tons bistre d'une très belle intensité. Vers 1845, il réalise au rouleau des imprimés monochromes, en blanc et noir, dans un style « ferronnerie ornementale » qui se rapproche de l'art raffiné de la gravure. C'est lui qui crée, en 1826, la Société industrielle de Mulhouse, dont le but est « l'avancement et la propagation de l'industrie », éditant un bulletin pour « faciliter [avec des correspondants étrangers] un heureux rapprochement et un échange continuel d'idées entre les membres de la grande famille industrielle de tous les pays ». Il montre l'exemple de cette collaboration en laissant breveter sa découverte du procédé des enlevages, par la manufacture anglaise Thompson, Chippindall et Cie de Primerose, « avec l'autorisation désintéressée de M. Koechlin ».

Camille Koechlin

Ce climat d'échanges et de solidarité entre les membres de la grande famille cotonnière européenne est parfaitement illustré par la vie mouvementée de l'un des dix enfants de Daniel Koechlin, Camille, né en 1811. Celui-ci fait d'abord des études de chimie à Mulhouse, qu'il poursuit à Paris, en 1827, en suivant les cours de Gay-Lussac et de Desormes. Il participe avec passion à la révolution de 1830. À la fin de ses études, il revient à Mulhouse, en pleine crise économique de l'industrie textile. Il décide alors de faire un tour d'Europe pour comparer les différents procédés de teinture avec le rouge andrinople. Son père l'envoie en 1831 en Angleterre chez Thompson, à Primerose, qui a bénéficié gratuitement de ses travaux sur ce rouge turc.

Camille écrit sur plusieurs cahiers de notes ses *Considérations sur les rouges turcs anglais*. Il y explique avec beaucoup de clarté et de précision toutes les opérations de teinture et les recettes s'y rapportant, les comparant avec celles qu'il connaissait déjà. Un fabricant anglais reconnaît sa supériorité dans ses méthodes de blanchiment : « Le procédé de Steiner présente encore sur le nôtre une économie de temps provenant principalement de ce qu'il n'expose jamais ses pièces sur pré... Quelle que soit au reste la nature du rouge (plus ou moins intense), la manière de les imprimer est à peu près semblable à la nôtre. » Au bout d'un an, il revient en Alsace et entre comme associé dans une manufacture située à Cernay, près de Mulhouse. En raison de la crise, l'affaire fait faillite et, courageusement, il s'embarque pour chercher du travail à Glasgow, en Écosse, dans la manufacture Monteith. Apprenant que le successeur d'Oberkampf, Barbet de Jouy, recherche un chimiste, il se rend en 1840 à Jouy-en-Josas où il est engagé aussitôt. Il y reste deux ans, puis se rend, près de Rouen, travailler chez la veuve Schlumberger à Houlme. En 1843, il se marie. On lui propose le poste de directeur de la fabrique d'indiennes Gouloubetnokoff à Moscou. Il accepte et y restera neuf ans. En 1852, il revient en Alsace avec sa famille et travaille alors dans la manufacture Steinbach, Koechlin et Cie. C'est seulement en fin de carrière qu'il retournera dans la manufacture familiale Frères Koechlin, riche de toutes les expériences professionnelles qu'il avait vécues au cours de ses nombreux déplacements européens.

On comprend mieux, avec l'histoire de ce Mulhousien dynamique, pourquoi les progrès en teinture et en impression seront réalisés en Alsace bien avant toutes les autres régions cotonnières de France. Les chimistes alsaciens se déplaçaient dans toute l'Europe, travaillant aussi bien à Vienne, Moscou, Prague que Glasgow ou Manchester. Déjà, en 1806, les fabricants alsaciens utilisaient l'impression au rouleau de cuivre gravé capable d'imprimer jusqu'à huit couleurs. À la fin du XIXe siècle, un des fils de Camille, le chimiste Horace Koechlin, sera le premier à faire imprimer en rouge d'alizarine de magnifiques tissus d'ameublement de la manufacture Koechlin, Baumgarner et Cie.

Les innovations face aux crises économiques du XIXe siècle

La crise de 1837 obligea de grandes fabriques à fermer leurs portes. En dehors des quelques années fastes du second Empire, la crise textile paralysa les plus grandes manufactures françaises, les Anglais s'emparant alors de tous les marchés étrangers par leurs prix plus compétitifs. En 1850, un recensement effectué dans toutes les régions de l'industrie cotonnière française aboutit à 195 000 métiers à bras pour seulement 75 000 métiers automatiques ! En filature, le nombre des broches par métier était passé de 200 vers 1825, à seulement 600 en 1845.

Aussi les progrès techniques conséquents à la crise furent-ils insuffisants. Il fallait, pour survivre, que les fabricants se modernisent encore plus vite. Un filateur de Paris, Griolet, le précise simplement et naïvement : « En industrie quand on n'avance pas, on recule. » Des fabricants, ne voulant pas investir dans de nouvelles machines, continuèrent à exploiter une main-d'œuvre rurale en la faisant travailler à façon, à bas salaire, sur des métiers à bras. À côté des usines de tissage du coton, des milliers de tisserands continuèrent ainsi à travailler à domicile sur les anciens métiers à bras de leur père et grand-père. Un industriel d'Abbeville employait mille deux cents ouvriers dans ses usines et plus de dix mille travailleurs à domicile ! Cette situation se maintiendra jusqu'au milieu du XXe siècle dans la région cotonnière du Cambrésis, le métier à bras étant remplacé par un métier mécanique à tout faire.

Les salaires de ces tisserands à bras se situaient au milieu du XIXe siècle entre 2 et 4 F par jour — ce qui est peu ; en Inde, un ouvrier était payé 30 centimes ! Or, à l'Exposition universelle de Londres de 1851, on découvrit une situation économique paradoxale : l'Inde présentait une mousseline traditionnelle, tissée main, qui coûtait 200 F pièce, ce qui équivalait à 11 F le mètre, alors que les mousselines de Tarare, aussi belles et fines, tissées sur métier mécanique, étaient vendues au prix de 1,50 F le mètre ! Ce qui prouvait que filer et tisser à la main, tout en sous-payant les artisans, revenait à faire payer sept fois le prix d'un tissu filé et tissé mécaniquement — raison pour laquelle les fabricants anglais exportaient une grande quantité de leur calicot blanc en Inde, où il était ensuite imprimé à la main.

L'Exposition universelle de Londres présenta un métier Jacquard, un progrès révolutionnaire dans le tissage des soieries ou cotonnades façonnées, c'est-à-dire comportant des grands motifs, impossibles à réaliser sur les autres métiers à lames. Il est intéressant de remarquer que, à l'époque même de son soutien à Richard-Lenoir, Bonaparte avait demandé à Jacquard de venir s'installer à Paris comme pensionnaire au nouveau Conservatoire des Arts et Métiers afin de mettre au point sa mécanique. La « mécanique Jacquard » avait pour but de supprimer les tireurs de lacs, ces femmes et ces enfants exploités, issus des anciens « métiers à la tire » d'origine chinoise, et utilisés à Lyon depuis le règne de François Ier pour réaliser les magnifiques tissus façonnés. Jacquard eut le génie de se servir du principe des cartons perforés du premier métier à tisser automatique de Vaucanson pour « programmer » la levée et baissée de chaque fil de la chaîne et composer « automatiquement » les dessins. Il découvrit au Conservatoire des Arts et Métiers le métier de Vaucanson qui ne marchait pas. Sa mécanique, après une série de mises au point, sera une révolution technique qui, quelques années plus tard, en 1824, fera la fortune des soyeux de Lyon avec la mise en place dans les ateliers de 18 000 métiers « à mécanique Jacquard », chacun n'ayant besoin que d'un tisserand pour le faire fonctionner, puis, avec la machine à vapeur, ils deviendront automatiques. Les grands fabricants lyonnais ont gardé néanmoins, encore aujourd'hui, un atelier de métiers Jacquard à bras, afin de pouvoir continuer à réaliser les soieries les plus compliquées, comme les somptueux brochés pour la restauration des chambres de la reine et du roi à Versailles, nécessitant quinze à vingt coloris différents en trame — soieries impossibles à réaliser sur le métier automatique actuel le plus perfectionné. Pour lutter contre les soyeux, les cotonniers d'Alsace eurent d'ailleurs à fabriquer à prix réduit des toiles imprimées, imitant la richesse des soieries façonnées. On se souvient des imitations de cachemire. Comme par hasard, un Alsacien, Alexandre Franck, fut le premier fabricant à produire des tissus d'ameublements façonnés, tissés avec la toute nouvelle mécanique Jacquard et exportés dans le monde entier. Les Mulhousiens, chimistes ou fabricants, ont toujours été, nous l'avons constaté, des pionniers de la recherche et de l'expérimentation de nouveaux procédés. La très belle et documentée exposition du musée de l'impression sur Étoffes de Mulhouse, qui a eu lieu en 1984 sur le thème « Andrinople, le rouge magnifique », en a été la brillante démonstration.

La route du coton sera dès lors étendue à tous les empires coloniaux qui deviendront les clients privilégiés des fabricants européens. En France, des cotonnades imprimées de dessins spéciaux sont commercialisées exclusivement en Afrique, en plus des « guinées » indigo fabriquées à Pondichéry. D'autres fabricants hollandais se spécialiseront dans cette production particulière, très lucrative. Mais les deux guerres de 1870 et 1914 appauvrissent la France. Vers 1889, on constate que seulement une centaine de machines à imprimer fonctionnent dans toute la France, alors qu'à la même époque on en recensait plus de mille en Angleterre. Aussi les manufactures alsaciennes (devenues allemandes), qui ne s'étaient pas déplacées dans la région de Belfort, exportaient vers la France une grande partie de leur production, en dépit d'un tarif douanier qui augmentait les prix d'achat.

Roubaix et toute sa région, qui se fondra progressivement avec Lille, va ajouter à sa spécialité de tissus de laine celle du coton, particulièrement en tissus d'ameublement, comme le velours. Lille se spécialisa dans les belles toiles, le tuile et la dentelle pour rideaux, produits aussi à Caudry et Saint-Quentin, région cotonnière par excellence, faisant travailler dans les petits villages du Cambrésis de nombreux tisserands à façon, comme l'avait fait en pionnier Richard-Lenoir. Les maisons spécialisées dans les tissus pour la haute couture parisienne, comme Rodler et Lesur, auront leur base à Bohain et feront travailler tous ces tisserands à domicile.

À la suite de l'Exposition de 1878 à Paris, la mode des tissus d'ameublement s'orienta vers les styles japonais et turc. Les fabricants imprimèrent sur des cretonnes de coton des motifs inspirés des tapis et kilims turcs. Ce style oriental, qui envahit tous les intérieurs, donna aux tissus de coton les noms de sultane, persane, mauresque. Nous avons vu que les chintz anglais suivront cette mode mais là encore seront vendus moins chers.

Au XXe siècle, de nouveaux bouleversements techniques, économiques et artistiques vont toucher et menacer parfois l'industrie cotonnière française. Pour atteindre un vaste public et démocratiser l'usage des matières naturelles et nobles, comme la soie et le coton, les industriels chercheront à vendre le moins cher possible, et donc à produire plus, en automatisant au maximum les métiers à filer et à tisser afin de supprimer une main-d'œuvre ouvrière trop coûteuse par les charges sociales patronales trop lourdes, et pouvoir faire face ainsi à la concurrence étrangère impitoyable des pays à forte main-d'œuvre souspayée, comme l'Inde ou la Chine. Les révolutions techno-industrielles ne font pas que se suivre : elles se ressemblent aussi dans leurs effets.

VIII

LES AMÉRIQUES
ET LES ANTILLES FRANÇAISES

Amérique du Nord : le Sud colonial

La Louisiane française

Après l'Asie et l'Europe, nous voici partis sur un nouveau continent, l'Amérique, qui va bouleverser la géographie du coton. L'Inde ne va plus avoir le monopole de la culture du coton, ni celle de l'indigo, qui se développeront en même temps aux Antilles, au Brésil et dans les États du Sud de l'Union. À partir du XVIIe siècle, presque tous les pays maritimes européens, les Portugais et les Anglais en premier, avaient installé des plantations de tabac, de canne à sucre, de riz et d'indigotier dans le « Nouveau monde ». Les grandes plantations de coton débuteront au début du XVIIIe siècle, avec la déportation de plus de 6 millions d'esclaves vers les colonies américaines, dont 2,5 millions pour les Anglais, 1,7 million pour les Portugais et 1,1 million pour les Français, selon des études récentes.

Qui ne le sait ? À l'arrivée des Français dans le golfe du Mexique, en 1682, un gentilhomme rouennais, Cavelier de La Salle, installa les premiers comptoirs sur les bords du Mississippi et appela cette vaste région, qui représentait alors plus d'un tiers des États-Unis actuels, la Louisiane, en hommage à son roi, Louis XIV. Il prenait possession en son nom « de ce pays de la Louisiane, mers, havres, ports, baies, détroits adjacents, et de toutes les nations, peuples, provinces, villes, bourgs, villages, mines, pêches, fleuves, rivières, compris dans l'étendue de la Louisiane depuis l'embouchure du grand fleuve Saint Louis, comme aussi le long du fleuve Colbert ou Mississippi et rivières qui s'y déchargent, depuis sa naissance au-delà du pays des Sioux... jusqu'à l'embouchure dans le golfe du Mexique ». Fait moins connu, toutefois, le long des rives du Mississippi, les premiers colons trouvèrent du coton sauvage en abondance, mais ce n'est qu'à partir de la création de la Compagnie du Mississippi par John Law — qu'ils purent planter des graines de coton cultivé dans l'île de La Barbade, d'un excellent rendement et d'une longue soie, appelé pour son origine insulaire *sea island*. Certains émigrés, ayant obtenu avant leur départ des concessions au nom du roi de France, s'installèrent plus haut, exploitant les terres fertilisées par les limons des crues de ce grand fleuve, et y créèrent les premières plantations d'indigotier. Pour fonder des familles, le roi offrait sur sa « cassette royale », à des jeunes filles de familles pauvres mais de bonne naissance, le trousseau et la dot qui leur permettaient de créer un foyer sur ces nouvelles terres françaises. Ces jeunes filles, à leur arrivée à La Nouvelle-Orléans, étaient prises en charge pour leur éducation par les Ursulines. Elles furent à l'origine des grandes familles créoles.

La culture de l'indigotier

À part le coton sauvage, à trop courtes fibres pour être exploité, les terres à cultiver étaient vierges. Un colon, issu d'une famille aristocratique, avait eu l'idée d'emporter de France des graines d'indigotier, originaires du comptoir de Pondichéry, afin de réaliser en Louisiane la culture de l'indigo, le climat tropical le permettant. Il passa un marché avec le roi de Prusse, Frédéric-Guillaume, pour lui livrer toute sa première récolte à un prix inférieur à celui provenant d'Inde. Ainsi, la première récolte d'indigo de la Louisiane, à Pointe Coupée, servit à teindre en bleu les uniformes des soldats du roi de Prusse ! Après cette première expérience réussie, de nombreuses petites indigoteries s'implantèrent sous l'impulsion de nobles de la Louisiane. L'indigo de cette région tropicale avait la réputation d'être de très bonne qualité, plus cuivré que celui des îles des Antilles. L'indigo cultivé dans la région de Natchez est mentionné par Chateaubriand, dans son *Voyage en Amérique*, comme étant le meilleur des colonies.

Pour ses pionniers, le plus grand handicap à leur développement était le manque de main-d'œuvre. L'arrivée des premiers esclaves noirs permit d'augmenter les cultures de cette plante tinctoriale. Dans une indigoterie, le travail était dur pour les esclaves : il fallait d'abord travailler la terre grasse, semer dans les sillons, racler les mauvaises herbes dès le début de la germination. La plante une fois arrivée à maturité était coupée à la faucille et suspendue en bottes à des perches. Il fallait ensuite laisser macérer les plantes coupées dans un bac rempli d'eau, pour faciliter leur fermentation. La partie colorante se détachait des fibres de la plante et on transférait cette fécule bleue dans une autre cuve. Après cette nouvelle fermentation, la matière devenue épaisse était mise à sécher sur des claies, puis on découpait les blocs de pâte dure en petits carrés, transportés dans des futailles pour l'exportation en Europe. Toutes ces opérations exhalaient une odeur nauséabonde, difficile à supporter et « qui fit périr de nombreux esclaves ».

La traite des Noirs : la condition sociale des esclaves

À partir de 1718, chaque nouveau propriétaire pouvait faire venir chaque année une cargaison complète d'esclaves pour la mise en valeur de nouvelles terres. Les Noirs avaient la qualité d'être « résistants » au climat tropical de ces régions. En 1725, la Louisiane sera mise en valeur par plus de 2 000 Blancs et on comptera, en 1740, plus de 4 500 esclaves noirs à leur service. En 1751, le nombre d'esclaves s'élevait à 7 000. Ils alimentaient surtout les besoins en main-d'œuvre importants dans les plantations de canne à sucre et de coton de tout le Sud, correspondant actuellement aux États du Sud de l'Union, au climat semi-tropical : Mississippi, Caroline-du-Sud et Caroline-du-

Nord, Alabama, Géorgie, Floride, Texas et Louisiane. La ville de La Nouvelle-Orléans se construisit et se développa rapidement. Un marché aux esclaves fut ouvert par la Compagnie du Mississippi, face à la ville. Un code noir interdisait le mariage ou le concubinage entre Blancs et Noirs.

Les Français ne furent pas les seuls à pratiquer, hélas, la traite des Noirs. Les colons anglais qui s'implantèrent en Nouvelle-Angleterre, en Virginie, puis dans les *Middle Colonies* furent les premiers à développer la traite des Noirs pour la culture intensive du tabac. La Royal African Company fut fondée en 1762 pour organiser le transport des Noirs d'Afrique en Amérique du Sud et, entre 1763 et 1775, on estime la moyenne annuelle de celui-ci à 43 000 esclaves, soit presque un demi-million uniquement pour les besoins en main-d'œuvre des colonies britanniques. Au cours du XVIIIe siècle, plus de six millions d'Africains vont traverser l'Atlantique en direction du Nouveau Monde.

C'est seulement vers les années 1794-1795 que plusieurs balles de coton de la Louisiane débarqueront pour la première fois sur les quais de Liverpool. Avec le développement de l'industrie cotonnière de Manchester, l'Angleterre achètera alors plus de 70 % de la récolte américaine. Dans cette vaste région du Sud, le textile cotonnier va devenir l'unique grande industrie, suivie de près par la culture de la canne à sucre et du tabac.

Nous avons de nombreux récits sur le travail au sein de ces plantations. Il y a d'abord la préparation des terres pour une nouvelle récolte. La culture du coton épuise les terres et il faut fréquemment changer de sol, défricher des forêts. Puis, c'est la période de l'ensemencement, suivie du sarclage et du binage des jeunes plantations. C'est seulement à la fin du printemps qu'on découvre avec émerveillement les champs de coton aux fleurs blanchâtres, qui progressivement vont se colorer en rose, puis en jaune, tournant parfois au rouge. À la chute de la corolle de la fleur, la capsule commence à se développer jusqu'à avoir la taille d'un œuf de poule. À l'intérieur, les graines mûrissent, protégées par un duvet soyeux. Deux mois plus tard, le fruit éclate sous la poussée intérieure des fibres cotonneuses. La plante, à ce moment-là, mesure plus d'un mètre ; c'est le moment de la cueillette.

Tous les esclaves d'une plantation, hommes valides, femmes et enfants, sont mobilisés pour la cueillette des capsules bien mûres, qu'ils mettent une à une dans de grands paniers ou des grands sacs de jute portés sur la tête. Les capsules ne s'ouvrent pas toutes à la fois, aussi y a-t-il plusieurs cueillettes qui se prolongent parfois durant un mois. Un hectare de coton correspond à environ quatre millions de capsules qu'il faut ensuite égrener à la main, une à une. D'abord, les Noirs séparent les fibres cotonneuses de chaque capsule du fruit, puis ils « épluchent » chaque graine verte attachée à la fibre. Pour obtenir cinq cents grammes de coton, il faut compter une journée de dix heures pour un esclave habile !

Toutes les familles des esclaves passaient l'hiver à ce travail fastidieux. Dans les champs de coton, les esclaves chantaient pour se donner du courage la légende de « l'arbre à mouton », une sorte d'hommage au roi-coton dont ils seraient les esclaves de génération en génération. Une autre chanson, une sorte de negro spiritual, prétendait qu'un homme pouvait cueillir dans une seule journée l'équivalent d'une balle de coton ! Ce qui est impossible puisqu'une balle correspondait à environ 1 500 livres :

Il faut sauter, tourner, cueillir une balle de coton,
Il faut sauter, tourner, cueillir une balle dans la journée ;
Moi et ma femme pouvons cueillir une balle de coton,
Moi et ma femme pouvons cueillir une balle dans la journée.

et le refrain était :

Mon Dieu, cueillir une balle de coton,
Mon Dieu, une balle dans une journée.

Du maïs était planté entre les cotonniers et nourrissait le travailleur noir et sa mule. Ils avaient le droit d'élever des poulets et de les vendre au marché. Les familles attachées à la maison du maître, soit comme domestiques, femmes de chambre, cuisinières ou jardiniers, étaient en général bien traitées, faisaient même souvent partie de la famille. Un vieux Nègre, oncle Isaac, se vantait d'être né la même année que son maître et que sa mère lui avait donné de son lait pour le nourrir : « J'ai appelé le maître "frère" et sa mère "maman" jusqu'au jour où j'ai été assez âgé pour comprendre qu'il ne fallait pas le faire. J'ai arrêté de l'appeler maman, mais elle ne m'a jamais demandé de le faire. »

Cette situation assez privilégiée n'était pas le cas de ceux qui travaillaient pour la plantation, regroupés dans des villages qui leur étaient réservés, où ils logeaient à plusieurs dans les fameuses « cases à nègres ». À cette époque, les esclaves travaillaient plus de dix heures par jour sous la conduite d'un chef d'équipe le plus souvent tyrannique. Les conditions de travail dépendaient de l'importance de la plantation qui pouvait aller de cinq esclaves à plus de cent. Dans les grandes plantations de la Louisiane, l'organisation du travail pouvait un peu se comparer à celle des manufactures industrielles par un travail à la chaîne, les esclaves étaient regroupés en équipes, chacune ayant une tâche spécifique suivant les moments des semailles ou de la cueillette. À la saison des semailles, par exemple, une équipe traçait d'abord les sillons à l'aide d'une charrue, une autre, derrière, brisait les mottes de terre et perçait les trous, une autre déposait les graines de coton dans les trous, et enfin une dernière ratissait pour boucher les trous. Claude Fohlen, dans son *Histoire de l'esclavage*, évoque les ateliers artisanaux indispensables à la bonne marche de ce type de plantation, forgerons, charrons, serruriers, et précise : « Il existait également des ateliers où étaient filées, tissées, coupées et cousues les étoffes (de coton) nécessaires pour habiller le personnel. En outre, certains planteurs avaient formé leurs esclaves pour la production d'articles destinés au marché. »

On a vu cette répartition du travail dans les manufactures d'indiennage du XVIIIe siècle en Europe, comme celle d'Oberkampf à Jouy-en-Josas. Aussi peut-on être tenté de faire un rapprochement entre la situation d'esclavage des Noirs et les conditions de travail des ouvriers des filatures et autres manufactures textiles européennes. Bien que soi-disant libres, ces derniers passaient quinze heures par jour dans les fabriques. Quand, plus tard, les manufactures textiles s'industrialiseront, on pourra alors comparer les ouvriers à la chaîne à des esclaves dont la machine était devenue le maître ! Une telle comparaison sur les conditions de travail exclut cependant la différence sur le statut de droit.

L'esclavage dans les plantations de coton a fourni à de nombreux écrivains le thème de leurs romans. Toute une littérature du Sud, depuis *La Case de l'oncle Tom* à *Autant en emporte le vent*, a décrit les rapports entre Noirs et Blancs dans les États du Sud. Si *La Case de l'oncle Tom* de Harriet Beecher-Stowe est un récit romancé, paru en feuilleton dans un journal abolitionniste à partir de juin 1851, c'est aussi un pamphlet contre l'esclavage, avec comme personnages stéréotypés les trois maîtres de Tom, évoquant tour à tour le planteur humain, le gentleman de La Nouvelle-Orléans bien élevé et l'intendant méchant et brutal. Ce roman eut un succès considérable avec plus d'un million d'exemplaires vendus en quelques années en Amérique, et de nombreuses traductions, soit plus de sept millions d'exemplaires diffusés dans le monde entier. Ce récit provoqua un profond retentissement.

Le deuxième roman est plus une grande fresque nostalgique, évoquant un mode de vie à jamais disparu après la guerre civile. Cette grande chronique du Sud sera reprise par de nombreux autres écrivains américains et européens, comme, en 1835, *Marie ou l'esclavage aux États-Unis* de Gustave de Beaumont, compagnon de Tocqueville au cours de son voyage en Amérique, et, plus récemment, la saga de la plantation Bagatelle, grand domaine cotonnier sur les bords d'un ancien méandre du Mississippi, évoquée en trois gros volumes par Maurice Denuzière. En réalité, il s'agit de la plus vieille plantation de la Louisiane appartenant à Parlange, construite en 1750 par le marquis Vincent de Ternant, où, comme dans le roman de Denuzière, huit générations de la même famille se sont succédé. La plantation est encore en activité aujourd'hui ! Les traitements honteux que les esclaves subissaient, et qui scandaliseront Bernardin de Saint-Pierre et, à sa suite, d'autres philosophes français, devaient cependant, et peu à peu, laisser la place au raisonnement économique et à la pure loi du profit. Effet paradoxal de l'industrialisation, en Louisiane, quelques planteurs traitaient relativement bien leurs esclaves. L'un d'eux, à qui on demandait pourquoi ses Noirs travaillaient si bien, répondit : « Un Noir peut faire un travail plus efficace en cinq jours et demi qu'en six. Je donne congé le samedi après-midi. Mais, à la saison de la cueillette, je donne des primes en argent en fonction du travail accompli, ça les stimule. Si un Noir arrivait à cueillir 600 livres dans une journée, ce qui est rare, je lui donnais une pièce de cinq dollars en or comme récompense, mais en général la moyenne était de l'ordre de 350 à 300 livres par jour. Pour cueillir plus, il faut se servir de ses deux mains à la fois, allant d'une rangée à l'autre, et ne s'arrêter que pour boire un peu d'eau fraîche apportée par des "porteurs d'eau" qui circulent entre les rangs de coton. »

L'Amérique du Nord au temps de la colonisation anglaise

Le monopole textile anglais

Faute de travail, des milliers de colons partirent vers l'Ouest. De nouveaux immigrants, en grande partie irlandais et canadiens français, furent la base de la main-d'œuvre au début de l'industrie textile du nord des colonies britanniques, situées aux bords de la baie d'Hudson et de la côte atlantique. Jusqu'à la révolte des colonies, la majorité des textiles était importée d'Angleterre et les tissus de laine dominaient pour fabriquer les vêtements chauds contre les rigueurs des longs et rudes hivers de ces régions. Pour l'été, les cotonnades arrivaient à cette époque directement de l'Inde par l'intermédiaire des bateaux anglais de leur compagnie commerciale.

En dépit de ce monopole anglais, les tissus de lin hollandais et les soieries françaises parvenaient en contrebande dans des petits ports du nord. Vers 1760, le port de Philadelphie, en pleine activité commerciale, concentra toute sa région sur l'industrie textile de la laine, puis du coton, et progressivement son impression. Au début du XVIIIe siècle, les colons d'Amérique du Nord, mais aussi ceux du Sud, subissaient les influences de la mode arrivant de Paris ; cette ville, par son éclat artistique, jouait un peu le rôle d'arbitre de l'élégance et de la décoration en Europe, mais aussi outre-Atlantique.

Les piqués de coton, transformés en couvre-lits, jupons, robes de chambre, casaquins (vestes courtes), fabriqués dans les ateliers féminins de Marseille, s'exportaient jusqu'aux États-Unis par l'intermédiaire de négociants anglais. En dépit de toutes les barrières douanières et prohibitions de cette époque, ceux-ci achetaient cette marchandise à Amsterdam, qui bénéficiait des privilèges commerciaux de « libres vaisseaux et libres marchandises ». Les Américains avaient aussi la possibilité de commercer avec les colonies françaises des Antilles qui recevaient régulièrement des indiennes et des boutis fabriqués à Marseille. Les colons français de la Louisiane et des Antilles attendaient toujours avec impatience les bateaux chargés des produits de luxe de la France. Les matières premières de ces régions, café, sucre, indigo et coton, couvraient le montant de ces importations, les colons disposant de peu de liquidités.

Les quilts et patchworks américains

Les couvre-lits piqués et matelassés provençaux ont certainement dû être à l'origine des *quilts* américains, ceux provenant d'Angleterre étant peu exportés ou originaires de l'Inde. C'est l'époque des premiers *patchworks. Patching* signifie rapiéçage, ravaudage, et c'est dans cet esprit de récupération de vieux tissus qu'est née cette technique en milieu rural. Au cours de la confection des vêtements et des tissus d'ameublement, la moindre petite chute d'un morceau de tissu n'était pas jetée, mais conservée précieusement. Un couvre-lit en patchwork, appelé courtepointe, se composait de ces multitudes de petits morceaux de tissus de coton, provenant souvent, jusqu'aux environs de 1820, des indiennes importées par les marchands anglais. Les femmes cousaient les fragments assemblés sur un tissu, puis elles le doublaient et le rembourraient d'ouate de coton, le tout, dessus et doublure, étant relié par des piqûres faites à la main, point par point.

Ce type de fabrication permettait souvent des rapports sociaux et affectifs très puissants, chaque groupe régional ou ethnique, parfois religieux, ayant son style particulier. Par exemple, dans la région du centre-ouest des États-Unis, la communauté religieuse des Amish se distinguait par ses magnifiques quilts multicolores, sans motifs figuratifs mais composés uniquement de losanges et d'étoiles. En revanche, les colons d'origine allemande de la Pennsylvanie introduisaient dans leurs patchworks des morceaux de calicots de couleurs vives avec lesquels ils réalisaient des motifs floraux, comme des tulipes, des oiseaux, ou autres dessins figuratifs comme des plumes.

On appelait *Friendship Quilt* un couvre-lit piqué et matelassé, réalisé bloc par bloc (c'est-à-dire par motif complet) par plusieurs familles, pour commémorer soit un événement important, soit pour le vendre afin de donner l'argent à une famille en difficulté ou se préparant à partir vers l'Ouest. C'était l'occasion de se réunir pour assembler et piquer ensemble les différents *blocks* (blocs), le thème ayant été choisi en commun au départ. On appelait aussi ce type de dessus-de-lit *Album Quilt*, et ces réunions, *Quiltting parties*.

C'est aussi au cours de ces réunions que naîtra une fièvre patriotique et se préparera une révolte contre les impôts et taxations britanniques de plus en plus élevés. Il ne faut pas oublier que la majorité des immigrants avaient fui l'Europe en raison de leurs convictions religieuses ou politiques afin de défendre leur liberté, comme les puritains chassés par la réaction anglicane ou les Français huguenots expulsés à la suite de la révocation de l'édit de Nantes. Comme nous le verrons plus tard, Gandhi établira en grande partie sa révolution contre les Anglais sur le symbole du tissage du coton local filé au rouet, et ordonnera de boycotter toutes les cotonnades tissées et imprimées à Manchester. De même, les colons américains du nord développèrent leur industrie textile naissante comme un moyen de lutter contre les importations anglaises et ainsi de parvenir à leur indépendance économique.

La guerre d'Indépendance

Devant la tension de plus en plus grande des colons, le Parlement de Londres supprima en 1770 tous les impôts en litige, mais ce geste ne suffit pas à apaiser les esprits. Ce que réclamaient les colons, c'était leur indépendance et d'être enfin reconnus comme des citoyens américains à part entière. La rumeur de mécontentement s'amplifiant, les Anglais envoyèrent en Amérique de nouvelles troupes, de leur côté, les colons s'organisèrent en milices. La guerre d'Indépendance se déclara en 1776 avec, comme commandant en chef, George Washington, un planteur de Virginie, qui choisit comme alliés les Français, ennemis héréditaires des Anglais. La flotte française brisa le blocus anglais, et la victoire de Yorktown en Virginie le 19 octobre 1781 mit fin à la résistance de l'armée et de la flotte britanniques. Les Américains aidés des Français avaient gagné leur indépendance en rejetant définitivement l'autorité du roi d'Angleterre. Ils adoptèrent une Constitution pour les nouveaux États, regroupés en confédération en 1787.

En pleine guerre d'Indépendance, entre 1773 et 1785, on recensait à Philadelphie plus de dix fabriques d'impression sur cotonnades locales, comme celle de John Herwson, immigrant anglais, qui fonda son entreprise en 1774 juste avant les premières révoltes. Dix ans plus tard, il se trouva en concurrence avec les fabricants anglais qui inondaient le marché américain de leurs tissus de coton tissés et imprimés à Manchester et vendus aux trois quarts du prix de ceux produits dans sa fabrique. Cette concurrence déloyale fut une des raisons qui paralysèrent les progrès du tissage du coton américain et de son impression locale. Le tissage ne se modernisait pas, restait une pratique artisanale de travail à domicile sur des métiers à bras installés dans les maisons des villages, aux environs des villes, comme l'avait pratiqué Richard-Lenoir dans le Cambrésis. S'adressant à un public populaire, l'aspect et la qualité des cotonnades nord-américaines étaient médiocres en comparaison de celles importées d'Angleterre, réservées à la classe la plus aisée.

Après la Constitution, vers 1790, pour lutter contre ces indiennes anglaises, John Herwson imprima sur coton des motifs à la mode de patchwork de mariage, qui eurent un vif succès local malgré leurs prix plus élevés. Il se spécialisa aussi dans la fabrication de la garniture que l'on insère entre deux chintz pour réaliser édredons et couvre-lits. Cette production connut une grande réussite aux États-Unis mais aussi en Europe. En 1810, son fils reprit l'affaire, interrompue par la révolution des colonies.

Afin de lutter contre le commerce anglais, l'industrie textile locale se développa dans d'autres régions du Nord. Par exemple, en 1787, à Beverly dans le Massachusetts, George Cabot installa la première manufacture de coton totalement intégrée, regroupant le cardage, le filage et le tissage, encore pratiqué artisanalement sur métiers à bras. On y fabriquait aussi bien des velours côtelés, les *quilting*, double étoffe en piqué, imitant ceux de Marseille et le sergé de coton qui sera bientôt à l'origine du tissu des pantalons appelés *jean*. À Providence, dans le Rhode Island, un Anglais monta la première filature de coton fonctionnant avec la force hydraulique.

Arriva alors, après la révolution industrielle en Angleterre, la grande mutation qui allait permettre une meilleure rentabilité de toutes les plantations de coton du Sud et donner une impulsion prodigieuse à la culture du coton aux États-Unis, qui deviendront rapidement le premier producteur. Il s'agit, en 1793, de l'invention d'Eli Whitney, la première machine à égrener le coton, le *cotton-gin*. Cette simple machine supprimait de la main-d'œuvre, et les prix du coton brut baissèrent. Vingt ans après cette invention, des plantations de coton se créèrent sur toutes les terres vierges du sud de la Géorgie à la Caroline-du-Sud. Les conséquences sur la production furent spectaculaires, de 461 000 balles en 1817, elle passera à 2 millions en 1840 et plus de 5 millions en 1860, époque à laquelle plus des trois quarts des esclaves étaient employés dans les plantations de coton !

Pour exploiter le coton produit dans le Sud, plutôt que de l'expédier brut aux Anglais, les filatures actionnées par la force hydraulique se multiplièrent le long des rivières dans le Connecticut et surtout le Rhode Island. Vers 1820, l'installation des premiers métiers mécaniques améliora la production et provoqua l'implantation rapide d'usines regroupant filature, tissage et teinturerie. À la même période, les huit fabricants de cotonnades imprimées de Philadelphie et ceux situés en Nouvelle-Angleterre se modernisèrent et utilisèrent les machines à rouleaux en cuivre pour imprimer plus vite et meilleur marché. En 1832, Philadelphie et sa proche région possédaient douze usines d'impression pour cotonnade.

Mais, dans le Sud, des événements allaient bouleverser l'industrie cotonnière mondiale.

L'union des États du Sud et du Nord

Le Mississippi, le père des eaux et du coton

À la fin du XVIIIe siècle, beaucoup de Français chassés de la Nouvelle-France par les Anglais (en partie la Nouvelle-Écosse aujourd'hui) s'installeront dans plusieurs paroisses de cette région du Mississippi, croyant y faire fortune. On les désigne encore aujourd'hui sous le nom d'Acadiens. Certains créeront de grandes plantations de coton ou de canne à sucre, mais d'autres vivront misérablement. On appelait ces derniers « les petits blancs ». À côté des grandes plantations que nous avons décrites, il existait aussi de petites exploitations. Ces nouveaux colons, n'ayant pas beaucoup d'argent et peu ou pas d'esclaves, cultivaient leurs champs de coton et de tabac eux-mêmes. Ils s'aidaient entre eux pour la construction de leur maison, ou pour les travaux agricoles. Si, par exemple, le champ de coton d'un fermier était envahi par trop de mauvaises herbes, les fermiers voisins venaient lui donner un coup de main pour désherber.

Petits ou grands planteurs de coton du Mississippi devaient assumer les problèmes de transport de leur récolte. À cette époque, en dehors des transports fluviaux parfois difficiles à cause des crues, il n'existait pas de lignes de chemin de fer, ni encore moins de camions. Le transport s'effectuait en chariots tirés par quatre ou six chevaux. Les patrons accompagnaient les convois jusqu'au port de Memphis, le plus proche. Acheté par les commissionnaires, le coton était trié selon sa qualité, mis en balle et expédié par bateaux vers le port de La Nouvelle-Orléans. Ensuite les navires des marchands l'envoyaient dans les ports du Nord, comme Philadelphie, afin d'alimenter les moulins de cette région industrielle. Ces voyages en chariots étaient non seulement très fatigants en raison des distances et du mauvais état des routes, mais aussi dangereux car des bandits infestaient la route entre Vicksburg et Memphis.

L'un des chefs d'une bande s'appelait avec humour Jack Cotton. Il avait la réputation d'arrêter les fermiers sur la route du retour pour leur voler l'argent de leur vente de coton à Memphis. La maison de Jack Cotton était située dans un village à mi-chemin de cette route et servait de lieu de rendez-vous à la bande pour les attaques de nuit. La population le trouvant très courtois et complaisant ne se doutait pas qu'il s'agissait de ce bandit redouté et recherché par les shérifs de toute la région. Des soupçons menaçant de le faire reconnaître, il s'enfuit et se réfugia au Texas.

Memphis était alors le grand marché du coton. Dans les quartiers pauvres de cette ville, des Noirs le triaient selon des centaines de qualités différentes : blanc et fin, beau et fin, beau et moyen, ou encore selon la longueur des fibres, leur blancheur, leur aspect soyeux. L'usage intensif d'engrais chimiques, nouvellement mis sur le marché, et la découverte de la machine à égrener permirent aux plantations de coton du Sud de se développer considérablement. Mais le coton réclamait néanmoins toujours beaucoup de main-d'œuvre. C'est pourquoi la région du futur État du Mississippi, grand producteur de coton, avait une densité de population noire plus élevée que dans les autres États voisins. Depuis l'époque de l'Oncle Tom, peu de choses avaient changé pour les Noirs vivant sur les bords du fleuve, toujours bien nourris par leurs maîtres afin de préserver leurs forces pour des journées de travail du lever au coucher du soleil.

Après bien des conflits politiques entre Espagnols et Anglais, cette vaste région de la Louisiane sera un moment perdue pour la France, lui reviendra de nouveau en 1801, mais, en 1803, Bonaparte la vendra aux États-Unis, moyennant la somme dérisoire de 60 millions de francs !

Il déclara lors de cette décision devant son Conseil : « Aux mains des Américains, la Louisiane sera plus utile à la politique et même au commerce de la France que si je tentais de la garder. » Il avait raison. Il était trop préoccupé par ses guerres en Europe pour recommencer l'expérience malheureuse de Saint-Domingue, et la révolte des esclaves suscitée par Toussaint Louverture. On comprend pourquoi la population de la Louisiane, dans son ensemble, considéra Napoléon comme un grand démocrate. Il avait, en renonçant à l'impérialisme colonialiste en Louisiane, évité une guerre avec les États-Unis et favorisé ainsi l'essor économique des futurs États du Sud de l'Union.

En 1812, ce vaste territoire de l'ancienne Louisiane française sera divisé en treize États, la Louisiane devenant le dix-huitième État et le Mississippi le vingtième. On trouve encore aujourd'hui, en souvenir du geste généreux de Napoléon, un quartier de La Nouvelle-Orléans qui porte son nom, ainsi que de nombreuses rues baptisées des noms des batailles les plus célèbres. Une grande salle du Musée national est consacrée à Napoléon. Le Mississippi, le plus grand fleuve d'Amérique du Nord, appelé par les Indiens le « Père des eaux », devint, avec l'arrivée des bateaux à vapeur à aubes, une grande voie drainant vers La Nouvelle-Orléans les produits agricoles de la grande plaine, dont les plantations de coton bordaient les deux rives du fleuve.

Le passager d'un de ses beaux bateaux luxueux découvrait, entre La Nouvelle-Orléans et Natchez, capitale du coton, jusqu'à Baton Rouge, les somptueuses demeures des grands planteurs. « Et, de temps à autre, tu vois une grande maison de maître agrémentée d'un portique à colonnes, que les arbres protègent comme une cathédrale. » C'est ainsi que Mark Twain évoque les échappées qu'offre le fleuve entre Baton Rouge et La Nouvelle-Orléans. Mark Twain est un pseudonyme emprunté au vocabulaire des navigateurs du Mississippi. Ayant passé son enfance dans le vieux Sud, il appartient au monde des esclavagistes. Sa passion pour ce fleuve lui fera apprendre le métier de pilote, et il naviguera entre Saint Louis et La Nouvelle-Orléans. Dans *Les Aventures de Tom Sawyer* (1876) il raconte cette époque idyllique sur le Mississippi.

C'est la route maritime du coton qu'il évoque mais c'est aussi celle du blues, ses chants nostalgiques des migrants noirs à la recherche de travail dans les plantations, comme les chants reconstitués pour la vision hollywoodienne d'*Autant en emporte le vent*.

La Révolution américaine avait proclamé l'égalité de tous les citoyens dans sa Constitution de 1787, mais néanmoins ne renonçait pas implicitement à l'esclavage en ne supprimant pas la traite des Noirs. Si, en 1802, on recensait en Louisiane, alors française, 40 000 esclaves, en 1860, dans les États du Sud, ils seront plus de 350 000 ! Le Sud tout entier deviendra le pays des plantations et des esclaves. Le coton est le roi sur plus de 2 000 kilomètres, de la Virginie au Texas, sauf dans les régions côtières. Les économistes désigneront toute cette vaste région sous le nom de *Cotton Belt*. En 1858, un sénateur de la Caroline-du-Sud s'écria, au Sénat, face à son adversaire politique de New York : « Vous n'oserez pas faire la guerre au coton, aucune puissance au monde sur terre n'osera le faire. Le coton est roi. » Claude Fohlen, dans le livre cité, explique bien l'expansion territoriale du coton et ses conséquences politiques : « Les États-Unis sont ainsi entraînés dans un processus inexorable d'expansion avec sa contrepartie, l'extension de l'esclavage. Ils sont engagés dans un cercle vicieux ; la culture du coton nourrit l'expansion territoriale laquelle ne peut se faire sans esclaves et le mécanisme se reproduit automatiquement. »

La guerre de Sécession et ses conséquences économiques

C'est pour ces raisons que, dans le Sud, l'esclavage loin de disparaître s'affermissait, la production du coton doublant régulièrement à chaque décennie. Faute de nouvel approvisionnement, le prix des esclaves augmentait rapidement, aussi certains trafiquants en faisaient l'élevage dans des plantations isolées, c'est-à-dire que des femmes noires avaient comme seule fonction d'avoir le plus d'enfants possible et de les élever jusqu'à l'âge où ils pouvaient être vendus au marché des esclaves !

Les rapports entre la démocratie aux États-Unis et

l'esclavage, qui avait été aboli en France, passionnèrent les écrivains français en voyage en Amérique. C'est le cas de Tocqueville qui, dans son ouvrage remarquable, *De la démocratie en Amérique*, paru en 1835, était très lucide sur les dangers de l'esclavage dans le Sud lorsqu'il écrivait : « La culture du tabac, du coton et surtout de la canne à sucre exige des soins continuels. On peut y employer des femmes et des enfants qu'on ne pourrait point utiliser dans la culture du blé. Ainsi l'esclavage est plus approprié au pays d'où l'on tire les produits que je viens de nommer. » Et, un peu plus loin, il dira : « Le Sud a des raisons particulières de garder l'esclavage que n'a point le Nord. Mais voici un motif plus puissant que tous les autres. Le Sud pourrait bien, à la rigueur, abolir la servitude, mais comment se délivrerait-il des Noirs ? Au Nord, on chasse en même temps l'esclavage et les esclaves. Au Sud, on ne peut espérer d'atteindre en même temps ce double résultat... Si on refuse la liberté aux Nègres du Sud, ils finiront par la saisir violemment eux-mêmes ; si on la leur accorde, ils ne tarderont pas à en abuser. » De son côté, Chateaubriand, dans son *Voyage en Amérique* (1827), proclamera : « L'Amérique conservera-t-elle sa dernière espèce de liberté ? Un représentant de la Virginie n'a-t-il pas déjà soutenu la thèse de l'ancienne liberté grecque et romaine avec le système d'esclavage, comme un député du Massachusetts qui défendait la cause de la liberté moderne sans esclaves, telle que le christianisme l'a faite ? »

Les « abolitionnistes » nordistes de l'Union ne toléraient plus l'existence légale de l'esclavage. Après l'élection de Lincoln en 1860, hostile à l'esclavage, ce fut rapidement la sécession de tous les États du Sud. Le Nord, l'Amérique industrielle avec ses vingt-deux millions d'habitants, et le Sud, l'Amérique agricole avec seulement neuf millions d'habitants, y compris les trois millions d'esclaves, vont s'affronter dans cette guerre civile qui durera quatre ans, de 1861 à 1865. Elle sera dramatique, laissant encore aujourd'hui des marques indélébiles dans la conscience américaine. Ce fut l'affrontement de deux mondes : une société colonialiste des États du Sud, fondée sur une économie agricole du coton, du tabac et de la canne à sucre, proche de celle des pays d'Amérique latine comme le Brésil ou les Antilles, nécessitant une main-d'œuvre nombreuse, bon marché et renouvelable, d'une part, et la société des États du Nord, déjà industrialisés avec une main-d'œuvre rémunérée à son juste prix, d'autre part.

Mais pour les nordistes l'abolition de l'esclavage n'était pas l'objectif principal. Le président Abraham Lincoln a fait surtout la guerre pour sauvegarder l'existence de l'Union de tous les États d'Amérique. Dans un discours, sans doute pour ménager ses futurs électeurs du Sud, il le précise bien : « Mon objectif est de sauver l'Union, non de sauver ou de détruire l'esclavage. Si je pouvais sauver l'Union sans libérer aucun esclave, je le ferais, si je pouvais la sauver par la libération de tous les esclaves, je le ferais, et si je pouvais la sauver en libérant certains et en laissant les autres de côté, je le ferais également. »

En 1860, juste avant la guerre civile, les États du Sud produisaient quatre millions de balles de coton par an et tous les grands ports européens accueillaient annuellement plus de 4 000 bateaux chargés du coton américain. Le blocus nordiste posa de grands problèmes aux filatures de coton du Nord qui ne recevaient plus de matière première. Des industriels nordistes s'efforcèrent de contourner le blocus par des ruses parfois dangereuses.

Nous avons le récit d'Eleanor Deland, petite-fille de Charles Adams qui avait vécu cette période difficile : « Mon grand-père était ce qu'on appelait "un prince marchand". Il possédait une chaîne de grands magasins dans tout le nord des États-Unis, avec un énorme entrepôt à Boston et une flotte de grands voiliers. Il domicilia son empire à La Nouvelle-Orléans, d'abord parce que les impôts étaient plus faibles en Louisiane que dans le Massachusetts, où pourtant sa famille habitait depuis plus de deux cents ans, et d'autre part parce que le port de La Nouvelle-Orléans était le port d'attache de ses voiliers qui ramenaient le coton en balles à Boston. Le coton vendu aux moulins (les filatures) était une de ses principales sources de revenus. Aussi le blocus, imposé au Sud par le gouvernement américain, fut catastrophique pour ses affaires. Pour contourner le blocus et transporter le coton du Sud jusqu'à Boston, il utilisa toutes sortes de ruses. Par exemple, je me souviens qu'il prit le commandement d'un de ses voiliers, et le camoufla en bateau de pêche en faisant un grand détour pour tromper la marine américaine. Un jour, il fut arrêté avec une cargaison de coton et jugé au tribunal de Boston. Il s'en sortit habilement par un non-lieu en démontrant que le coton qui se trouvait sur son bateau était de mauvaise qualité et ne pouvait servir qu'à un usage de rembourrage de matelas et non à fabriquer des tissus commercialisables.

« En dépit de ces agissements pour contourner le blocus, mon grand-père était un fervent abolitionniste. Ma grand-mère possédait une grande plantation de coton en Caroline-du-Nord. Bien avant la guerre de Sécession, elle avait affranchi tous ses esclaves et, après la guerre, elle et son mari contribuèrent largement au financement de l'établissement du premier État indépendant d'Afrique, fondé en 1822, le Liberia, dont la capitale fut appelée Monrovia, du nom du président des États-Unis. Ils payaient le voyage et donnaient une somme d'argent en liquide à tous les Noirs qui souhaitaient se rendre au Liberia. J'ai toujours conservé une petite poupée noire qui porte de nombreuses médailles islamiques qu'un de ces Noirs reconnaissants avait fait parvenir à ma grand-mère en reconnaissance de son aide. Cette poupée, un peu fétiche, était considérée en Afrique comme très précieuse et bénéfique. »

Au début de la guerre, vers 1861, la production de coton du Sud se réduisit considérablement, puis cessa complètement. Les champs de coton furent abandonnés, envahis par des herbes folles. La nature elle aussi reprit ses droits de liberté. Avant l'arrivée des Yankees, les balles de coton en stock furent brûlées ou jetées dans le Mississippi. Mais déjà, depuis le blocus des nordistes, sur tous les ports du Sud, le coton n'arrivait plus en Europe et la production de l'Inde, des Antilles et du Brésil ne suffisait pas à fournir les besoins des filatures, aussi bien celles de Manchester que celles de Mulhouse ou de Rouen. Beaucoup d'usines européennes furent obligées de licencier la moitié de leurs ouvriers, et des armateurs furent ruinés. Les filatures de l'Amérique du Nord subirent le même sort.

La guerre, il ne faut pas le cacher, avait aussi pour but déguisé de s'emparer de toutes les richesses des terres fertiles du Sud. Après la guerre, des grandes plantations furent souvent démembrées, leurs propriétaires ayant été ruinés et leur maison détruite par les Yankees. Ils furent obligés de vendre leurs terres en friche à vil prix à des profiteurs descendus du Nord pour exploiter cette situation économique. Ils étaient connus sous le nom de *Carpet baggers*, par allusion à leur unique valise fabriquée dans des chutes de tapis. Ils spéculaient en vendant plus cher ces terrains divisés en parcelles à des « petits blancs » ou à des Noirs affranchis, ou encore, si ceux-ci n'avaient pas assez d'argent, ils leur louaient les terres en se garantissant sur les récoltes. Une nouvelle forme d'esclavage !

Après la proclamation d'émancipation du 22 septembre 1862, très peu d'esclaves libérés purent devenir locataires de ces petites plantations de coton abandonnées par la guerre. Beaucoup, sans travail, sans toit et nourriture suffisante, revinrent travailler dans les plantations de leurs anciens maîtres, si ceux-ci n'avaient pas été ruinés. Bien que devenus libres et payés, ils se sentaient toujours considérés comme des Nègres, avec tout le racisme que ça impliquait, comme par exemple le mouvement du Ku Klux Klan. La violence et la pratique du lynchage entrèrent dans les mœurs du Sud. Hélas, souvent des affranchis mulâtres un peu éduqués, devenus « intendants nègres », se conduisaient avec leurs semblables comme les pires des contremaîtres blancs avant la guerre, prélevant une partie de leurs salaires, les brutalisant et chassant violemment les indociles. Un racisme noir ! celui d'un Blanc qui aurait la peau noire.

Un auteur français, Auguste Laugel, écrivait après un séjour en Louisiane à cette époque : « Tant que le nègre était esclave, l'homme du Sud le méprisait sans le haïr ; libre, il le haïra en même temps qu'il le méprisera. » D'autres quitteront le Sud, attirés par les villes industrielles du Nord où ils seront exploités par d'autres maîtres, parfois plus durs que ceux du Sud. Cette situation créa une chute de la production, en dépit des contrats de trois ans du *Mississippi immigration*, des « engagés » africains, indiens, chinois et même de petits blancs, souvent aussi misérables que les Nègres affranchis. C'est pourquoi, avec la demande de coton de l'Angleterre et de la France, malgré l'abolition officielle de l'esclavage, on verra encore l'introduction clandestine d'Africains dans les États du Sud, afin de répondre aux besoins de plus en plus grands de main-d'œuvre pour cette culture du « roi coton ». C'est seulement à l'aube du XXᵉ siècle qu'on assistera au terme de cette traite clandestine.

Pendant plusieurs siècles, problèmes cotonniers et problèmes noirs se trouveront liés dans ces régions au moment des crises économiques et de la baisse du cours du coton. Les planteurs disaient avec la nostalgie d'un autre monde : « Avant guerre, c'était le bonheur. » Ils oubliaient les inondations, les cyclones, la fièvre jaune et les mauvaises récoltes dues aux pluies torrentielles, ou encore la maladie du coton du *Boll Weevil*. À la fin du XIXᵉ siècle, cette redoutable maladie du cotonnier menaça toutes les plantations de coton. Les larves d'un insecte venu du Mexique, appelé *Boll Weevil*, détruisait les fruits avant leur maturation, les femelles y plantaient leurs œufs, et les papillons qui naissaient des chenilles de ces larves s'envolaient au début de l'automne porter cette maladie plus loin. La lutte contre cet insecte fut difficile et longue (il n'y avait pas d'insecticide à cette époque). Des chansons décrivirent ce fléau.

Est-ce que tu as entendu la dernière,
la dernière des chansons ?
C'est au sujet du petit boll weevil !
qui a pris des deux pieds et est parti.

Puis venait le refrain :

Cherchant un chez-lui,
juste cherchant un chez-lui,
cherchant un chez-lui,
juste cherchant un chez-lui.

Et, après de nombreux couplets, la chanson se termine ainsi :

Si quelqu'un te demande
qui a écrit cette chanson,

tu lui diras que c'est un pauvre fermier à peau noire,
habillé en bleu denim,
et que maintenant c'est lui qui cherche un chez-soi.

Cette épidémie provoqua l'émigration de la main-d'œuvre noire vers les États du Nord et un déclin de la domination du coton dans les plantations du Sud, épuisées par deux siècles de culture intensive. Pour éviter les conséquences économiques des crises cotonnières périodiques, des fermiers du Sud pratiquèrent la multiculture, en cultivant alternativement le tabac, le soja ou l'arachide. Ces cultures avaient l'avantage de refertiliser les terres épuisées par le coton. L'usage d'engrais chimique améliora la production. Ils plantèrent aussi des vergers de pommiers et de pêchers.

Au moment de la culture du coton, il fallait que tout le personnel et même les enfants de la famille se lèvent très tôt, avant les grosses chaleurs, pour badigeonner, une à une, les capsules de la fleur de coton avec un insecticide utilisé contre le *Boll Weevil* qui sévissait toujours. Ce poison de couleur verte était appelé « parricide » sans doute par un jeu de mots parce qu'il était vendu dans le commerce sous le nom de « Paris Vert » ! Le coton une fois cueilli était transporté en chariot jusqu'au village où se trouvait l'usine d'égrenage. Là, tous les chariots faisaient la queue avant d'être vidés. Un enfant de cette époque, Thomas Hugh Byrd, qui vivait dans une plantation familiale d'Hartsville en Caroline-du-Sud, raconte qu'il faisait le voyage du champ à l'usine au milieu du coton et que souvent il s'endormait dans ce lit douillet et était réveillé brusquement par le bruit des machines quand son tour approchait.

Les deux récoltes de tabac et de coton étaient achetées directement sur place par des commis voyageurs qui arrivaient du nord des États-Unis. Comme il n'y avait pas d'hôtels dans les villages, ils campaient dans des champs non cultivés, constituant un véritable village de tentes. Ils attendaient les chariots à la sortie de l'usine d'égrenage pour acheter aux fermiers la meilleure qualité de coton au prix le plus avantageux, se chargeant ensuite du transport. Lorsqu'ils connaissaient bien les fermiers et la qualité de leur coton, ils achetaient leur récolte avant la cueillette pour ne pas risquer la surenchère d'autres commis.

Avec les dérivés du coton, des usines produisaient maintenant sur place des huiles, des farines et des tourteaux. La saison 1874-1875 porta les transactions boursières de La Nouvelle-Orléans sur 982 420 balles de coton, et celle de 1897-1898 à presque 3 millions de balles. La prospérité revint, même si la part de la main-d'œuvre représentait, avec les hausses des salaire, presque 50 % du prix de revient d'une balle, alors que les salaires du Sud étaient pourtant les moins chers de toute l'Union.

En 1872, Edgar Degas, lors de son voyage dans la ville natale de sa mère, La Nouvelle-Orléans, a peint un grand tableau appelé *La bourse du coton à La Nouvelle-Orléans*, qui se trouve aujourd'hui au musée de Pau. On y voit des hommes, en redingote noire et chapeau haut de forme, étirer dans leur main des mèches de coton de la dernière récolte pour analyser la qualité de ses fibres, courtes ou longues. Sans doute des hommes de sa famille.

Les bouleversements industriels du Nord et du Sud

Au début du XIXe siècle, les industries de transformation du coton sont établies presque en totalité en Nouvelle-Angleterre et situées en bordure des rivières pour l'utilisation des chutes d'eau, seule force motrice à l'époque. Vingt-neuf moulins ont été installés rien que dans la région de Blackstone. Le port de New Bedford devient à cette époque la première cité cotonnière, sa région produisant 70 % des cotonnades de La Nouvelle-Orléans.

Dans le journal tenu de 1860 à 1870 par Alonso Humphrey, un contremaître d'un de ces moulins, on découvre les drames quotidiens de ces petites filatures et des commentaires brefs sur les événements politiques les plus marquants. Il signale par exemple que, le 11 janvier 1860, un moulin situé dans le Massachusetts, à Pemberton, s'est effondré à cause de la malfaçon des colonnes en fonte, faisant plus de 113 morts et 135 blessés. Comme son moulin était construit avec les mêmes éléments en fonte, il s'inquiète de leur solidité. Le 26 septembre de la même année, son patron pense qu'il va y avoir une guerre avec le Sud sur le problème de l'esclavage, que les sudistes ne veulent toujours pas abolir. C'est pourquoi il a acheté à un prix encore raisonnable quatre fois plus de coton, pour le stocker dans ses entrepôts en cas de conflit.

Le 14 avril 1861, il signale la guerre avec les rebelles, et qu'une des jeunes filles de l'atelier a failli être tuée par une courroie de machine qui a sauté. En septembre 1862, il dit que de nombreux moulins sont fermés par manque de coton mais que, grâce à leur stock, le moulin est simplement obligé de réduire sa production. Ensuite, son journal signale surtout les accidents de travail qui sont nombreux, courroies qui broient des bras, tuyaux de vapeur qui explosent, puis le 15 avril 1865, il écrit laconiquement : « Le président Lincoln a été assassiné, cela semble impossible. Nous sommes tous bouleversés. Un service aura lieu demain à l'église catholique, plus de la moitié de nos ouvriers étant irlandais. » Le 19 septembre 1866, il raconte que le frère de son patron a été tué par des Indiens sioux au cours d'un voyage dans le Montana, et le 19 août que, faute de pluie depuis le début juin, les réservoirs sont vides dès midi. L'après-midi, il occupe les ouvrières à nettoyer les machines, mais le 30 août, la pluie a rempli les réservoirs et tout marche normalement. À la fin de son journal, le 15 avril 1870, il s'inquiète de la construction prochaine, sur un terrain plus bas sur la rivière, d'un moulin de coton qui risque de leur faire de la concurrence à un moment où les affaires sont florissantes.

Cette expansion le long des rivières ne durera pas longtemps, progressivement les filatures vont se déplacer dans le Sud, au voisinage des champs de cotonniers, cela grâce aux nouvelles machines à vapeur inventées par Watt. Dès 1840, de nombreuses filatures de coton se créeront dans le Sud. En 1887, une usine regroupant filature et tissage, la Cannon Mills of Concord, deviendra, en moins d'un demi-siècle, le plus important producteur du monde de textiles d'ameublement et de cotonnades utilitaires, comme serviettes et draps, et de *denim*, le tissu des *jeans*. En 1840, les filatures de Nouvelle-Angleterre possédaient encore 80 % des broches aux États-Unis alors qu'en 1910 cette proportion tombera à 55 %.

En 1870, une nouvelle vague d'émigration permettra de trouver une main-d'œuvre bon marché qui, ajoutée à celle des « blancs pauvres » travaillant plus de dix heures pour un bas salaire, assurera ainsi le développement de l'industrie textile américaine. Le travail des enfants de treize ans, celui de nuit pour les femmes, les journées de dix à douze heures ne furent abolis dans le Sud qu'en 1933 ! Par contre, dans le Nord, les nombreuses grèves des ouvriers du textile, entre 1880 et 1900 (plus de 24 000 grèves !), apportèrent des avantages sociaux et la création d'un mouvement syndicaliste qui allait devenir très puissant. L'industrie cotonnière du Sud progressa constamment et, à la fin du XIXe siècle, on recensait plus de cinquante usines axées exclusivement sur le coton. La mise en service de l'air conditionné permettra d'accentuer cette nouvelle implantation industrielle dans le Sud. En revanche, les manufactures du Nord continuèrent leur monopole d'impression sur tissus.

Concernant cette production de cotonnades imprimées américaines du XIXe siècle, des journalistes des revues d'ameublement de l'époque écrivaient que « tous les articles de qualité supérieure sont des copies de produits français ». Cela s'expliquait par la présence d'agences spécialisées dans le regroupement d'échantillons et de dessins de toutes les nouveautés françaises. Des fabricants de toiles imprimées achetaient aussi directement des modèles aux ateliers de dessin alsaciens ou parisiens, qui parfois adaptaient leurs créations au goût américain. On retrouve des procédés techniques de teinture des manufacturiers alsaciens avec des impressions à base de garance, décolorée partiellement pour composer des petits motifs floraux. Vers 1880, deux écoles se créent pour former des dessinateurs à l'impression et au tissage. Ce sont les artistes sortis de ces écoles qui créeront le « style colonial » et qui encourageront le mouvement *Art and Crafts* américain, influencé par William Morris.

En dehors de la production locale, des commerçants ouvriront des magasins de nouveautés à New York et à Chicago, spécialisés uniquement dans la vente de tissus français pour ameublement et couture. Les échanges commerciaux franco-américains s'intensifièrent. Deux entreprises de vente en gros de tissus d'ameublement, une française (Brunschwig et Fils), l'autre américaine (Schumacher), créées à New York vers 1880, existent encore aujourd'hui. La maison Schumacher, tout en continuant à importer des tissus français, fonda sa propre manufacture.

Le renouveau du **patchwork** *américain*

Au début du XIXe siècle, le blocus de Napoléon avait paralysé toutes les relations commerciales avec l'Angleterre et les États-Unis. La guerre de Sécession coupa à son tour l'Amérique de l'Europe. De cet isolement naîtra un style américain différent. Le centre le plus important de manufactures d'impression de chintz se situait autour de Philadelphie. Au milieu du siècle, les Américains raffolaient des *albums quilts* comportant de nombreux motifs typiques des « couvre-lits du souvenir », nostalgie du style colonial recréé par des dessinateurs américains. Le *Mariage quilt* correspondait au treizième couvre-lit qu'une fiancée devait réunir avant son mariage, comme dot. Mais elle ne devait pas confectionner celui du mariage, offert par toutes ses amies qui exécutaient chacune un *block* et se réunissaient à la fin pour assembler toutes les parties de ce cadeau collectif. Celui-ci était souvent composé d'un motif représentant une double alliance entrelacée, les bagues étaient réalisées en patchwork et le fond en piqué.

Des centaines de motifs existaient qu'il fallait ensuite assembler, un à un, dans une composition qui portait un nom particulier. Le *Windmill blades*, appelé aussi *Pineapple* (ananas), est un éblouissant patchwork réalisé à Buffalo dans l'État de New York en 1880. Les motifs de base sont des carrés, losanges, rectangles, octogones, hexagones. Avec ces gabarits, toutes les compositions géométriques sont possibles. Par exemple, rien qu'avec des triangles et des losanges, on découvre une multitude de figures géométriques dont chacune porte un nom : éclair, mille pyramides, roue à fuseaux, dents de chien, bobines de coton, cubes d'enfant, treillage et toutes les variations d'étoiles à six ou huit branches. On peut aussi disposer des formes différentes, comme des rectangles combinés à des octogones et des carrés.

Le *Sawtooyh Star*, un dessin très populaire, est réalisé simplement à base de carrés et de demi-carrés disposés en diagonale, formant des effets étoilés très décoratifs. Un autre motif, *Princess Feather*, est inspiré des plumes des Indiens disposées en étoiles tournoyantes comme un feu d'artifice. C'est dans l'agencement des formes et des coloris qu'on juge de la qualité artistique d'un patchwork qui devient une pièce unique. Si la majorité des *patchwork-quilts* sont des compositions géométriques variées, certains, tels des tableaux naïfs, représentent des scènes de la vie quotidienne d'autres écrivent dans des petits carreaux toutes les lettres de l'alphabet, d'autres enfin, appelés *patriotic*, représentent le drapeau américain avec toutes ses étoiles. On peut trouver aussi dans un *quilt* les portraits des généraux et rois de l'époque, un vrai livre d'histoire. Les femmes qui réalisaient ces œuvres naïves, souvent l'hiver dans les fermes isolées, avaient une grande imagination et beaucoup de patience pour assembler ces centaines de petits morceaux de tissu dans une composition très élaborée. C'était un art populaire vivant et l'on a pu dire que l'histoire de l'Amérique est écrite sur ces *patchwork-quilts*, dont la tradition, nous le verrons, continuera au XXe siècle.

L'aventure du tissu appelé jean *et* denim

L'histoire textile de l'Amérique est liée aussi à celle du *jeans*, ce pantalon mythique avec ses légendes et leur part de merveilleux. Cette longue route du « sergé » de coton est partie de Calicut en Inde, où il fut créé comme tissu de vêtements de travail, pour arriver à Nîmes avec la même utilisation, en passant par Gênes et Manchester, pour aboutir finalement à San Francisco à l'usage de pantalon, solide pour les chercheurs d'or.

Il y a souvent confusion entre les termes de *jean*, *denim* et *jeans*. Sur le plan textile, le jean est un sergé de coton dont les fils de chaîne et de trame sont teints en indigo. Le denim est aussi un sergé de coton mais les fils de chaîne sont teints, non à cœur, en bleu indigo alors que les fils de trame restent écrus. En revanche, le jeans ou blue-jeans ne désigne plus un tissu, mais un pantalon d'une architecture très particulière, confectionné avec le tissu jean ou denim. Le terme denim donne aussitôt une origine nîmoise à ce tissu, or la « serge de Nîmes » était tissée non pas en coton mais en laine d'Espagne et était destinée, au XVIIIe siècle, à la vente pour les Échelles du Levant par le port de Marseille. Le tissu denim sera fabriqué aussi en Angleterre, à Manchester, puis, en 1792, des fabricants du Maryland en Nouvelle-Angleterre tisseront à leur tour un sergé, non pas en laine mais en pur coton, appelé denim !

On se souvient des tissus appelés futaines, sergé composé d'un mélange de lin et de coton ou de laine et de coton, fabriqués, dès le début du XVIIe siècle, aussi bien en France à Marseille qu'en Angleterre à Manchester, et désignés souvent par leur lieu de provenance. Or une futaine originaire de Gênes s'appelle « Jean ou Jeanne ». Plus tard, aux États-Unis, une marque de jeans jouera sur le jeu de mots avec le prénom féminin Jean, en désignant les jeans de femme, *Jeannies*. De la même façon, dans le cahier d'échantillons de tissus anglais en coton réunis par John Holker, on avait trouvé plusieurs échantillons d'un sergé pur coton appelé aussi jean. Quelque temps après, dans un autre recueil d'échantillons de tissus anglais, on découvre quatre sortes de sergés de coton appelés denim, précisant que l'équivalent français de leur nom est « drap de coton ». Nouvelle confusion d'origine du jean et denim : Gênes, Nîmes, Manchester ? De toute façon, le denim n'est pas le seul tissu en coton utilisé pour réaliser les vêtements de travail ; il y a certes le jean, mais aussi le coutil et une grande variété d'autres sergés (voir en annexe).

L'origine première de ce type de tissu, solide et bon marché, est bien la ville de Calicut. Par déformation, les Anglais ont appelé le tissu de coton produit dans cette ville, *Kalicott*, qui est devenu en français calicot. Il est le point de départ du denim et du jean, et c'est un tissu, nous le constaterons avec la Chine, dont la consommation fut considérable. Pour ses qualités de résistance, on l'utilise aussi bien en vêtements qu'en ameublement. L'armure du calicot peut être aussi bien la toile que le sergé. Ce qui le caractérise, c'est la finesse de ses fils de chaîne et de trame, le serrage et la perfection du tissage. En blanc, il est destiné à l'impression ou à la teinture en pièces. C'est le tissu des indiennes. Un autre tissu de sergé de coton est désigné sous le nom de coutil. Les tissus anglais et américain, appelés *drillings* ou *drilis*, sont aussi des croisés de coton de la même famille.

Ces étoffes en sergé de coton, très populaires en France et en Angleterre, furent imitées aux États-Unis, juste au moment des premières implantations de manufactures textiles de coton dans l'Est du pays. Mais le phénomène du denim et du jean en Amérique, leur légende, vient à l'origine d'un homme appelé Lévi Strauss, dont le nom sera intimement associé à celui de tous les *jeans*, et que l'Europe ne découvrira qu'entre les deux guerres mondiales.

L'histoire de Lévi Strauss

Modeste juif immigré aux États-Unis en 1847, il est d'abord colporteur avant de s'installer à San Francisco en 1850, âgé de vingt ans. Avec son beau-frère, il monte une affaire de tissus qui marche bien, par colportage dans les districts miniers de la Californie. Il fait la connaissance d'un modeste tailleur, Jacob Davis, qui fabrique des pantalons de travail pour les mineurs. C'est la période de la ruée vers l'or. Ce dernier constate que les mineurs ont besoin de pantalons très résistants. Il a d'abord l'idée de les fabriquer en grosse toile de tente de coton marron, mais avec la position accroupie des mineurs, ils se déchirent aux points de tension. Avec un sergé de coton plus solide, que lui a vendu Lévi Strauss, il crée un pantalon de forme droite, parfaitement ajusté à la taille grâce à un empiècement en forme de V, qui épouse le bas du pantalon et une patte de resserrement au dos, deux poches plaquées. Il est renforcé par des rivets en cuivre aux points sensibles et possède de triples surpiqûres. Ces pantalons ont alors un grand succès. Il abandonne complètement la toile de tente pour ce tissu sergé en coton encore plus solide, fabriqué, disait-on, à Manchester pour réaliser des vêtements de travail. En Angleterre, on appelait ce tissu « sergé de Nîmes », d'où le terme de denim par lequel les Américains le désigneront.

Voyant son affaire s'agrandir, mais n'ayant pas de capitaux, il offre à son fournisseur, Lévi Strauss, 50 % des bénéfices si celui-ci fait enregistrer le brevet de son pantalon et en paie tous les frais. Lévi Strauss accepte sa proposition et crée en 1873, avec son associé, la première fabrique de pantalons « prêt à porter » en denim, tissu commandé jusqu'en 1922 aux usines d'Amoskeag en Nouvelle-Angleterre. Puis le denim sera fabriqué à la manufacture de Cannon Mills of Concord en Caroline-du-Nord dont nous avons déjà parlé. C'est en 1886 que la fameuse étiquette en cuir, aux deux chevaux tirant de chaque côté une jambe du pantalon pour évoquer sa solidité, apparaît sur la ceinture arrière. La maison Lévi Strauss and Company n'adoptera le nom de jeans que dans les années soixante. Avant, la publicité mentionnait : *Levi's, America's Finest Overall*, [vêtements de dessus = salopette, combinaison, pantalon] *since 1850*. Mais ce pantalon, modèle du mythique 501 XX, fut ensuite couramment appelé jeans. Aussi, en 1960, la marque se transformera en *America's Finest Jeans*. Nous raconterons la suite de cette histoire du jeans au chapitre du XXe siècle.

Le patchwork *canadien*

Nous avons vu que la technique du patchwork, originaire de l'Inde, s'était considérablement développée aux États-Unis. Elle arriva au Canada après la guerre d'Indépendance. Les couvre-lits traditionnels ou courtepointes sont encore fabriqués aujourd'hui dans la région de Baie-Saint-Paul. Les motifs et les points ont des noms évocateurs : pointe de diamant, toile d'araignée, éventail, aile d'oiseau, chemin d'ivrogne, arête de poisson, patte d'ours, fleur de neige, anneau de la mariée, dent de scie, étoile de Bethléem, échelle de Jacob, arbre de vie, ananas, tournesol, vagues de l'océan, pied du crucifix, voie lactée, chasse à l'oie, etc. La courtepointe « Les pointes folles » est constituée de morceaux irréguliers, assemblés sans aucun rythme géométrique, toutes les fantaisies étant possibles avec les nœuds d'amour, les points d'épine ou les points lancés. Aux États-Unis on l'appelle *crazy patchwork* et il permet d'utiliser les restes de tissus usagés. Le motif « le bouquet de la grand-mère » est uniquement composé d'hexagones.

Les Antilles françaises

Le trafic négrier des Antilles

Au cours du XVIIIe siècle, plus de six millions d'Africains ont été réduits à l'esclavage dans la totalité de toutes les colonies européennes — espagnoles, anglaises, hollandaises et danoises. Si on estime à 15 % le taux de mortalité au cours du voyage, ce sont près de sept millions de Noirs qui ont quitté leur pays d'origine pour l'exploitation des terres de ce Nouveau Monde. Les colonies françaises des Antilles, de la Guyane et de la Louisiane totalisent, à elles seules, plus de 1 350 000 esclaves !

Malheureusement pour notre histoire, les cultures du coton et de l'indigo jouèrent un grand rôle dans ce trafic des Noirs. On a déjà expliqué le fameux commerce triangulaire, mais il est bon de le répéter : de Nantes ou de Bordeaux, les navires négriers se dirigeaient vers les ports africains, chargés de cotonnades peintes (indiennes et guinées de Pondichéry) et d'autres produits de troc comme des miroirs, des perles de couleurs, des pipes, des tricornes, du tabac. En échange de ces marchandises, ils achetaient des Noirs en éliminant au départ tous les sujets malades, handicapés ou malformés. Les esclaves achetés étaient marqués comme du bétail. Au port, les navires étaient convertis en « négriers » sur place avec des entreponts aménagés « en parcs à nègres » où ces derniers étaient enchaînés par deux. Des filets entouraient les navires pour empêcher les captifs de se jeter à la mer de désespoir. Puis, des ports d'Afrique, ils se rendaient aux Antilles (la traversée pouvait prendre de quarante à soixante jours) pour y vendre au meilleur prix leurs « marchandises humaines », appelées « bois d'ébène » ou encore « pièces d'Inde », lors de ventes aux enchères au marché des esclaves.

Au bout de un ou deux mois, le bateau réaménagé en navire commercial repartait vers les ports français chargé de tous les produits tropicaux, sucre, café, cacao, tabac, rhum, mais aussi d'indigo et de coton qui allaient servir à fabriquer de nouvelles guinées pour acheter de nouveau des esclaves au cours d'un prochain voyage triangulaire : Europe-Afrique-Amérique (ou Antilles). Ce circuit infernal continuera ainsi pendant tout le XVIIIe siècle et le début du XIXe, et le bénéfice des négriers atteindra plus de cent pour cent. De nombreuses familles nantaises et bordelaises bâtirent de véritables empires financiers sur ce trafic.

Le coton et l'indigo antillais

En dehors de la Louisiane, le coton provenait de Cayenne, Saint-Domingue et des Petites Antilles. Saint-Domingue comptait à elle seule 3 500 plantations d'indigo et 793 plantations de coton ! À cette époque, il y avait dans cette île plus de 450 000 esclaves pour 40 000 colons blancs, et 28 000 Noirs libres ! En Guadeloupe et Martinique, les plantations de canne à sucre et de café dominèrent, puis vinrent celles du coton, de l'indigo et du roucou. Une partie des esclaves arrivés dans les îles des Antilles étaient achetés par des commissionnaires des planteurs de Caroline-du-Sud et de Virginie.

Aux environs de 1787, on recensait en métropole des filatures de coton dans plus de 110 localités de Normandie. Le coton brut arrivait directement par bateaux à Bordeaux, Rouen, Nantes et aussi Lorient depuis que la Compagnie des Indes orientales en avait fait le port de ses ventes. Mais cette compagnie importait surtout des guinées de Pondichéry, qui servaient de troc pour l'achat de Noirs, et des indiennes et mousselines de l'Inde. Le coton brut ou filé à la main passait en second plan.

Les filatures de Rouen et de ses environs se plaignirent souvent du faible contingent de coton arrivant des colonies d'Amérique et surtout de sa mauvaise préparation, bien que ses fibres fussent soyeuses. Les filateurs souhaitaient que le coton des îles (appelé *sea islands cotton*) vienne en France en gousses, non égrenées, ils se chargeraient de ce travail avec des petites machines qui laisseraient moins de déchets qu'avec l'égrenage à la main des esclaves noirs, et donneraient des fibres plus longues, mieux appréciées. Mais les colons, n'ayant pas l'habitude de ce type de conditionnement du coton brut, continuèrent à expédier le coton déjà égrené sur place, en balles bien serrées.

L'indigo était surtout acheté à Saint-Domingue. Il représentait pour les armateurs bordelais une matière première très chère sous un faible volume. Aussi, en période de guerre, on l'importait de préférence aux autres marchandises. Au XVIIIe siècle, l'aménagement des indigoteries atteindra dans cette île un degré de perfectionnement sophistiqué, avec un système de trois cuves en maçonnerie, étagées de façon que l'une se déverse dans l'autre par l'intermédiaire de vannes de vidange pour arriver, par décantations successives, à obtenir, dans la troisième cuve, la fécule pure d'indigo, qui était ensuite séchée à l'air libre. L'indigo, coupé en petits pains, était expédié en France, particulièrement à Marseille pour le commerce avec le Levant et toute l'Europe, surtout la Hollande. Ce trafic à grande échelle avec les Antilles va être troublé pendant la période révolutionnaire et napoléonienne et perturbé par l'abolition de l'esclavage ainsi que la perte de plusieurs grandes colonies, comme Saint-Domingue, sans parler de la Louisiane vendue aux Américains par Napoléon.

IX

L'AFRIQUE

Les routes du coton en Égypte

C'est par l'Afrique qu'il faut achever notre tour du monde du coton. Si l'Australie reste le continent de la laine, si la Chine fut à l'origine la civilisation de la soie, l'Inde demeure celle du coton. L'Égypte sera celle du lin, mais aussi le pays où fut inventé le tissage, il y a plus de 6 000 ans. La déesse Isis serait l'inventrice de la filature et du premier métier à tisser vertical, dont on voit une représentation sur une peinture du tombeau de Chnem-Hotep à Beni-Hasan. Comme les mousselines de coton indiennes, certains voiles de lin étaient si fins qu'on se heurtait à eux « sans les voir » lorsqu'ils servaient de séparation à certaines pièces du temple ! Tisserands, les Égyptiens étaient appelés à croiser les routes de l'or blanc.

Des archéologues ont découvert que le coton était tissé en Égypte 2 300 ans av. J.-C., mais uniquement à des fins médicales. Ils ont retrouvé, sous les bandelettes de lin d'une momie, des lambeaux d'un tissu très fin de gaze en pur coton qui avait dû servir à colmater une plaie profonde et qui fut oublié au moment de l'embaumement. La finesse du fil prouvait qu'il s'agissait d'un coton à longues fibres et non du coton sauvage poussant le long du Nil. Venait-il déjà de l'Inde par caravane ou de Mésopotamie ? On sait que les premiers tissus de coton arrivèrent de l'Inde sous l'occupation romaine par les caravanes de la route de la soie, qui, nombreuses, aboutissaient à Alexandrie. De ce grand port méditerranéen, les marchands égyptiens exportaient par bateaux les plus belles soieries de Chine et les plus légères mousselines du Bengale, jusqu'à Rome où elles se vendaient au poids de l'or. Le coton sauvage poussait le long des berges du Nil mais on se servait de son duvet pour calfeutrer les bateaux en bois et rembourrer des tissus matelassés.

Ce fut par l'Islam, sous la dynastie des sultans fatimides, que le coton fut cultivé et filé comme la laine, puis tissé sur place sur des métiers horizontaux. On utilisa ces toiles de coton pour réaliser des tentes d'apparat, appelées *siwan*, décorées par la technique de l'appliqué, désignée en Égypte sous le nom de « rapiéçage ». Les motifs découpés et cousus étaient composés de fleurs de lotus et d'animaux d'influences nilotiques, combinés dans des entrelacs et des arabesques issus du vocabulaire géométrique islamique. Cette tradition des tentes décorées se perpétue aujourd'hui dans le vieux quartier du Caire de Bab Zoueila. Les artisans en font des panneaux décoratifs pour les touristes.

En 1810, Louis-Alexis Jumel introduisit une espèce de coton qui poussait à La Barbade, une île des Antilles. Ce coton se distinguait par la longueur et la douceur de ses fibres. On commença à le cultiver sur la rive orientale d'une des branches du Nil, et les plantations se développèrent dans tout le delta. Il fit longtemps la richesse de l'Égypte sous le nom de coton Jumel.

Le coton en Afrique noire

Les influences étrangères

Ce sont dans les tombeaux dogons, creusés dans les falaises de Bandiagara, que des archéologues français et hollandais ont découvert les plus anciens fragments de tissus de coton africains, datés entre le XIe et le XVIIIe siècle, unis ou teints en indigo, ou composés de bandes cousues formant un damier blanc et indigo foncé, presque noir, correspondant au même tissu que celui utilisé encore aujourd'hui comme couverture-linceul pour envelopper les morts. Il s'agit bien là d'une culture textile africaine authentique, se manifestant bien avant l'arrivée des étrangers sur leur terre.

L'Afrique noire, si longtemps inconnue des Occidentaux, n'est pourtant pas restée insensible à toutes les influences de ceux qui avaient osé pénétrer dans ce monde hostile. Les Portugais furent les premiers Européens à y arriver par l'océan, les Arabes ainsi que les Berbères par les routes caravanières du nord, et les Indiens et Indonésiens par l'océan Indien et la mer Rouge. On découvre, par exemple, l'influence des Indiens en Éthiopie et en Somalie sur les motifs d'arbre de vie des cotonnades imprimées que portent encore les femmes aujourd'hui. En république du Cap-Vert, dans l'île de Santiago, le décor en broché des pagnes d'apparat, appelés *pano d'obra bicho* et servant de linceul, était tissé en coton noir et blanc, inspiré de motifs hispano-mauresques des tissus apportés par les Portugais au XVe siècle. On y découvre, entre autres motifs, l'étoile à huit branches, des croix d'influence portugaise comme celle appelée « la croix du Christ ». Après l'islam, on retrouve dans ces pagnes une influence chrétienne. L'Afrique aime le syncrétisme des religions, avec toujours, plus ou moins caché, le fond animiste des origines.

Les tisserands Mandjack habitant la Casamance avaient été eux aussi influencés par les motifs des tissus portugais et réalisaient, comme les tisserands du Cap-Vert, des motifs à l'aide d'une technique qui n'est pas d'origine africaine : le brochage. L'exécution de ces tissus brochés exigeait la participation active de deux tisserands : l'un, assis devant le métier, lançait la navette entre les fils de la chaîne, levés ou baissés à l'aide d'une pédale, pour former la base du fond du tissu en point toile (un fil levé, un fil baissé, comme les cases noires et blanches alternées d'un jeu de dames), l'autre, assis aussi mais sur un des côtés de la chaîne, levait à l'aide de ses mains des groupes de fils de chaîne, liés préalablement ensemble par des cordelettes, pour, trame après trame, réaliser la composition du dessin. Ce métier archaïque ressemble de loin à celui plus compliqué des tisserands de la Chine des Han, le fameux métier à la tire actionné par des « tireurs de lacs », arrivés par les routes de la soie jusqu'à Fez puis en Espagne et au Portugal, dont nous avons raconté la saga dans *Les Routes de la soie*.

Les marchands berbères d'Afrique du Nord envoyaient leurs caravanes de chameaux à travers tout le Sahara jusqu'aux villes situées en bordure du désert comme Tombouctou ou Kano, où des commerçants arabes importaient des cotonnades indiennes et de la quincaillerie pour les échanger contre de l'ivoire, de la gomme arabique, des plumes d'autruche ou de l'or du Mali. Les routes commerciales caravanières transportaient au Caire, à travers tout le Sahara, l'ivoire, les bois précieux, les aromates et l'or. En retour, c'est par l'Islam, à la période des Fatimides en Égypte, que les tissus en coton arrivèrent dans les pays du Sahel. Les rois du Ghana et du Mali importaient de nombreuses cotonnades pour les pagnes et les grands turbans de cérémonie, portés uniquement par les gens de leur cour. Ils les payaient par troc avec les marchands arabes.

Les Dioulas, avec l'ethnie mandé, furent les fondateurs du grand empire du Mali et, bien que spécialisés dans le commerce, ils avaient la réputation d'avoir les meilleurs tisserands. Les femmes filaient le coton à l'aide d'une espèce de quenouille appelée *fotekum*, composée d'une petite tige de bois terminée par une toupie en terre cuite qui permettait de la faire pivoter. Étant itinérants, ils propagèrent la technique du filage et du tissage du coton dans toute l'Afrique occidentale. C'est sans doute par ce contact avec les Dioulas que les paysans du Sahel commencèrent à cultiver leurs cotonniers encore sauvages, avec le millet et le sorgho, puis à tisser le coton en bandes étroites pour composer les grands pagnes des chefs. Le reste de la population était nu, avec juste un cache-sexe en raphia ou en écorce.

On retrouve aujourd'hui les Dioulas regroupés dans des villages d'Afrique de l'Ouest. Par exemple chez les Sénoufos de la Côte-d'Ivoire, dans l'ensemble des villages de la région de Korhogo, plus de cinq cents tisserands dioula sont rassemblés. Rien qu'à Bouaké on en recense encore plus de quatre cents. Ils sont spécialisés dans le tissage des pagnes composés de bandes de coton blanc alternées de bandes de coton teint en indigo. Parfois, pour composer des bandes plus étroites, la chaîne est ourdie de groupes de dix fils blancs alternées de dix fils indigo. Ces rayures blanches et indigo presque noir se retrouvent dans toutes les régions d'expansion des Mandé, de la Côte-d'Ivoire à la Guinée.

Dès le XIIe siècle, les cotonnades de Gao sur les bords du Niger et de Djenné sur ceux du Bani sont vendues sur les marchés aux Berbères nomades du Sahara. Ceux-ci préfèrent les cotonnades teintes en indigo foncé, importées de Guinée. On a vu que plus tard, pour la traite des Noirs, les commerçants de Pondichéry feront reproduire par les teinturiers indiens le même type de tissu, qu'ils appelèrent d'ailleurs guinée, du nom du pays de leur origine africaine. Certaines villes du nord de la Côte-d'Ivoire actuelle, comme Kong, fabriquaient des cotonnades composées de bandes rouges et blanches alternées que les commerçants Mandé ou Haoussa appréciaient et vendaient jusqu'à Djenné au Mali. Ces villes, associées étroitement au tissage du coton, se situaient sur la route du commerce des esclaves et de l'or. Ce n'était pas un hasard.

Dans toute l'Afrique de l'Ouest, les bandes étroites de tissu de coton, présentées sous forme de rouleaux de deux kilos, servaient de monnaie de troc, cela bien avant l'arrivée des premiers Européens. Sur les marchés, chaque produit correspondait à sa valeur en rouleaux de bandes de coton. Par exemple, un coq valait quatre rouleaux, et une esclave très jeune, plus de deux cent cinquante rouleaux. Mais les prix de ce troc n'étaient pas stables. Cette monnaie textile était, comme l'or, soumise à des hausses ou des baisses suivant les offres sur le marché et la saison. Pendant la période de la saison sèche, il y avait surproduction de rouleaux, beaucoup de paysans se transformant en tisserands itinérants. En revanche, en pleine saison des pluies, les tisserands redevenus cultivateurs ne tissaient plus et le cours des rouleaux remontait. C'est peut-être cet usage de monnaie qui a fait appeler le coton, l'or blanc !

On comprend mieux, par cette valeur de monnaie, l'importance des tissus pour une famille puisqu'ils correspondaient à la fois à un signe de richesse et de pouvoir. Après l'arrivée de l'islam, les chefs peuls réservaient, dans leur palais construit en terre, une pièce pour entreposer les tissus en bandes et les pagnes, et deux autres pour les tapis et les tentes. Au XVIe siècle, les plus beaux pagnes de coton se fabriquaient au royaume du Bénin et au Nigeria. Ils étonneront les premiers conquérants portugais, qui découvriront aussi, à l'occasion des funérailles d'un roi, les « maisons de tissus » royaux, le roi étant enveloppé dans des centaines de pagnes somptueux, certains en soie importés au Caire, arrivant par caravanes de la Chine.

Les techniques archaïques

La révélation des techniques du filage et du tissage font partie en Afrique de la mythologie, nous l'avons découvert avec les Dogons du Mali.

Au Cameroun, on attribue à un ancêtre mythique de l'ethnie des Saos l'introduction du filage du coton, pratiqué par les femmes de l'ethnie Kotoko. Voici comment elles procèdent. D'abord, elles effilochent le coton brut, soit par cardage entre deux planchettes munies de piquants, soit sur une simple pierre plate à l'aide d'un peigne en bois ou avec un arc. Encore aujourd'hui, dans les villages les plus isolés, les femmes utilisent toujours l'ancien procédé de cardage à l'aide d'un arc dont les vibrations de la corde tendue effilochent, un à un, les flocons de coton. Cette opération permet de faire gonfler les fibres de coton et de détacher les débris de graines. Le coton une fois cardé est enroulé sur une baguette en bois, sorte de quenouille, qui fait penser à de la barbe à papa. Le filage se fait ensuite avec le fuseau traditionnel, équilibré par un poids en pierre ou en poterie. La fileuse le fait pivoter comme une toupie sur une petite assiette jusqu'à ce que les fibres aient assez de retors sur toute leur longueur. Une fois cette partie enroulée, elle recommence la même opération jusqu'à l'enroulement du fil sur tout le fuseau. Des gestes millénaires qu'il est émouvant de découvrir encore pratiqués dans de nombreux villages africains.

Avec ce fil, les hommes tissaient, et tissent encore, sur leur petit métier primitif à deux lisses, des bandes étroites d'environ 40 centimètres qui, cousues ensemble, composaient des pagnes unis ou rayés, sorte de tunique portée par les hommes, encore en usage aujourd'hui dans les campagnes isolées. À la saison sèche les tisserands allaient de village en village, transportant ce métier réduit à une ou deux navettes en bois, un peigne en lamelle de bambou, les deux rangs de lisses en coton pour y insérer un à un les fils de la chaîne, pairs et impairs, et une poulie en bois sculpté permettant le mouvement de levée et baissée des fils de la chaîne pour composer le point toile. Il suffisait de quelques branches enfoncées dans le sol pour composer le bâti, sur lequel le tisserand fixait les éléments épars de son métier.

En Afrique, depuis les origines, les hommes tissent et les femmes filent et sont aussi teinturières, sauf pour la teinture de l'indigo en cuve réservée exclusivement aux hommes. De passage à Tombouctou au XVIe siècle, Léon l'Africain écrira : « Il existe ici de nombreuses échoppes d'artisans, de commerçants et surtout de tisserands, tissant toiles de coton. » Déjà cette ville, grand centre commercial dès le XIIe siècle, comptait un nombre important d'ateliers de tailleurs qui réalisaient des vêtements d'influence musulmane avec des cotonnades importées du Maghreb, transportées par caravanes par les marchands arabes.

Les vêtements importés par les musulmans

Avant l'arrivée des premiers Européens, les habitudes vestimentaires étaient différentes selon que les régions étaient situées en bordure du Sahel, avec une population en grande partie islamisée par les Berbères nomades, les Almoravides, qui portaient de grands boubous, ou qu'elles étaient situées en forêt équatoriale, avec des tribus animistes qui ne portaient qu'un petit pagne en coton ou en raphia pour cacher leur sexe. C'est encore le cas de certaines ethnies isolées dans la forêt comme les Pygmées. Puis ce furent les grandes invasions des Peuls musulmans qui firent découvrir aux ethnies animistes, comme les Bambaras du Mali, la richesse de leurs amples boubous en coton blanc ornés de somptueuses broderies. Ce sont eux qui imposèrent aux populations locales, en grande partie dénudées, mais converties souvent de force à l'islam, le port d'un vêtement ample et large. C'est ce phénomène, à l'origine religieux, qui permit le développement de l'artisanat textile du coton dans toute la partie de l'Afrique islamisée.

Ces boubous brodés se portaient uniquement dans les régions islamisées par les Peuls, comme les boubous des chefs Tikars du Cameroun occidental, caractéristiques par leur grande rosace située devant et derrière. Les Tikars restés animistes adoptèrent néanmoins le costume musulman. Il en fut de même pour les vêtements de cérémonie des chefs touaregs du Tassili, appelés *ghati*, achetés dans les marchés fréquentés par les brodeurs musulmans haoussas, comme ceux de Ghat ou de Ghadamès. Les broderies au point de feston et au point de chaînette, composées de motifs en spirale, ressemblaient à celles effectuées dans les émirats du Nigeria par les Haoussas de Kano. Cette ville était réputée pour le tissage et la fabrication de ces boubous d'une coupe particulière et dont le centre, correspondant à la poitrine, s'ornait de broderies composées de motifs entrelacés de carrés et de spirales, d'influence islamique très marquée. Ces éléments simples s'harmonisaient en un ensemble de lignes qui s'unissaient, se coupaient, se complétaient et se répétaient dans un rythme et une symétrie sans faille. On sait que, pour les religieux musulmans, la spirale est le symbole du chemin qui conduit à Dieu, mais pour un chef d'une ethnie non islamisée, comme au Cameroun occidental, la spirale évoquera l'arc-en-ciel, symbole du serpent python, totem protecteur de nombreuses ethnies animistes.

La broderie est une technique pratiquée uniquement par les hommes et curieusement liée à l'enseignement du Coran. Les maîtres coraniques, spécialistes de la calligraphie des enluminures des corans, étaient souvent aussi brodeurs, utilisant les motifs un peu comme une écriture de pictogrammes et de symboles. Ils faisaient partie de la société des érudits et on les tenait en grande estime. On voit dans certaines arabesques, en belle calligraphie, l'énoncé du nom de Dieu, par exemple : « Il n'est pas d'autre dieu que Dieu et Mahomet est son prophète. » Mais, bien que convertis à l'islam, ces brodeurs gardaient souvent leur fond de culture animiste. Il ne faut pas oublier que, pour les Dogons et d'autres ethnies comme les Bambaras, le tissage c'est la parole. On retrouve cette influence animiste dans la broderie des musulmans haoussas du Niger et du vaste Nigeria.

Chaque figure de ces broderies correspondait à une signification mythologique précise, comme les petits carrés magiques alternés désignant les écailles du python mythique, ou un carré enfermé dans un losange évoquant la grande tortue, symbole de la terre. La représentation de l'étoile à cinq branches, dessin talismanique, était souvent brodée sur la partie gauche du boubou avec deux étoiles qui se superposaient pour former un carré magique. Tous ces motifs géométriques constituaient une sorte de formule magique ou symbolique avec laquelle l'artisan brodeur construisait son décor, mais qui avait le but de protéger des mauvais sorts le porteur du boubou. C'est pourquoi ces vêtements traditionnels brodés furent toujours considérés comme symbole de puissance, donc de chefferie. C'est encore le cas aujourd'hui où les chefs musulmans des lamidats du Cameroun du Nord, du Nigeria et du Tchad revêtent toujours ces somptueux boubous brodés, tissés avec le coton local. Ils le portent comme les Romains la toge, sous les aisselles, avec un pan passant sur une épaule, le surplus du pagne étant posé sur le bras gauche.

Comme en Inde, les femmes s'enveloppaient (et le font aujourd'hui encore dans de nombreuses régions) dans un grand pagne, un peu l'équivalent du sari. Elles portaient un pagne de dessous, puis un plus grand par-dessus, souvent très coloré grâce à des techniques de teinture et d'impression variées, pratiquées par une caste de femmes teinturières. Le pagne du dessus, placé sous les aisselles, avait tendance à tomber et les femmes, d'un geste gracieux de la main droite, le replaçait correctement sur le corps.

Si on cultivait le coton bien après l'arrivée des Peuls, ce fut pendant la période coloniale que les plantations de cotonniers se développèrent et prospérèrent, grâce à l'irrigation de certaines terres situées le long des fleuves. Nous évoquerons bientôt cette période colonialiste.

La teinture à l'indigo

Dès le XIIe siècle, les voyageurs arabes, comme Berki, mentionnent la culture de l'indigo en Afrique occidentale. Plus tard, en 1562, Léon l'Africain écrira : « Les habitants de Djenné se tiennent assez bien en ordre, portant leurs effets de coton noir et bleu, de quoi ils se couvrent la tête. » Il s'agissait en fait de deux variations de teinture à l'indigo : un tissu était plongé une ou deux fois dans le bain pour obtenir un bleu assez clair, l'autre tissu était trempé jusqu'à dix fois dans le bain pour obtenir un bleu très foncé, presque noir.

Au XVIe siècle, des marchands portugais de passage dans la région du Cap-Vert firent la même constatation : « Les femmes portaient une mante en coton jetée par-dessus le tout, bleue pour les femmes mariées et qui passaient pour d'autant plus riches qu'elle était de couleur plus foncée, blanche ou bleue, rayée d'une seule teinte pour les jeunes filles. » L'indigotier était cultivé dans une vaste région s'étendent du nord du Bénin au Nigeria, une grande partie du Sénégal, ainsi que dans les îles du Cap-Vert. Au XVe siècle, lorsque les premiers navigateurs portugais accostèrent sur les côtes sénégalaises et guinéennes, ils furent surpris de découvrir que les autochtones, considérés comme sauvages, cultivaient et tissaient le coton et que la teinture à base d'indigo ou de noix de cola y était très développée.

Au XVIe siècle, les commerçants et premiers colons portugais firent des plantations de coton et d'indigotier dans plusieurs des îles du Cap-Vert. Ils avaient auparavant capturé, tout le long des côtes sénégalaises, des Noirs en bonne santé qui assuraient la main-d'œuvre importante de ces plantations, comme esclaves. On sait, par un récit du marquis das Linhas, qu'on trouvait dans ces îles du Cap-Vert de grandes plantations d'indigo, qu'à Numez des bateaux allaient charger les blocs séchés d'indigo pour ses fabriques du Portugal où « il gardait secrets les procédés pour la teinture des étoffes (en indigo) qui sortaient de sa manufacture ».

Au Sénégal, le coton produit au Cap-Vert était échangé par les commerçants contre des bandes de coton tissées. Nous avons déjà noté que, dans toute cette région, ces rouleaux de tissus étroits servaient de monnaie pour acheter aussi bien de l'ivoire, de l'or, que des esclaves. Pour ne plus être dépendants du tissage des bandes de coton, les marchands portugais décidèrent de déporter dans l'île des tisserands wolofs, dioulas et mandés des côtes sénégalaises et montèrent plusieurs ateliers de tissages avec ces nouveaux esclaves, mieux considérés pour leur savoir-faire. Ces ateliers arrivèrent à produire annuellement plus de six mille rouleaux de bandes de coton écru, pesant chacun jusqu'à deux kilos. Bien avant l'arrivée des Portugais, dans toute la région de Saint-Louis au Sénégal, le coton et l'indigo poussaient très librement, d'une façon un peu sauvage, sans grands soins de la part des autochtones. Ce qui explique la longue tradition et l'étonnante vitalité, encore aujourd'hui, de la teinture à l'indigo par « réserves » des remarquables teinturières de Saint-Louis du Sénégal. Chaque dessin a un nom particulier : peau de serpent, *toli*, ce qui veut dire crapaud, *habade*, qui signifie attaché. On enserre des graines de coton dans le tissu, ligaturées par un gros fil de coton bien serré, qui après le bain de teinture forment des petits points écrus composant les lignes des motifs en pointillé ; cette technique est appelée *adire eleso* dans toute l'Afrique de l'Ouest.

Ce n'est que plus tard, vers 1861, que des colons projetteront de faire du Sénégal une colonie agricole. L'effort portera en priorité sur le coton, dans l'espoir de satisfaire les demandes croissantes des manufactures cotonnières de la métropole, et sur l'indigo, pour échapper au monopole coûteux de l'Inde. Ces premiers colons cultivèrent en abondance le coton et l'indigotier et construisirent à Saint-Louis une manufacture pour égrener le coton et une grande indigoterie. Des plants d'indigotiers furent expédiés du Bengale afin d'obtenir un rendement plus élevé que l'indigotier local pourtant plus vivace. Mais, dix ans plus tard, devant les faibles résultats et les prix de revient trop élevés, l'exportation de l'ivoire et de la gomme deviendra le principal revenu de la Compagnie du Sénégal, comme cela avait été déjà le cas pour la Compagnie des marchands de Rouen en 1626.

En dehors de cette région du fleuve Sénégal, l'indigo

est une des teintures, avec la noix de cola, les plus utilisées en Afrique. À cause de la puanteur, les teinturiers creusaient leurs cuves d'indigo en dehors des villages situés le long des bords du Sahel, du Sénégal au Tchad. Les teinturiers, issus d'une caste particulière, procèdent ainsi : les jeunes rameaux d'indigo et les feuilles sont hachés à la hachette et broyés ensuite dans un mortier pour en faire une bouillie qui, séchée au soleil, sera vendue en petits blocs sur les marchés locaux. Ces blocs séchés ne sont pas solubles dans l'eau. Encore aujourd'hui, le teinturier africain, comme le teinturier indien, est obligé de laisser fermenter l'indigo dans une cuve pour le décanter. Pour teindre, il utilise des trous de deux mètres de profondeur, creusés directement dans le sol argileux, dont il enduit les parois, pour les rendre étanches, d'un mortier composé de terre glaise, mélangée à de la bouse de vache. Il mélange dans ces trous de l'eau (environ cinquante litres) et de l'indigo séché (environ cinq kilos) avec plusieurs poignées de potasse naturelle obtenue à partir de cendres de bois. Il laisse fermenter cette mixture plusieurs jours. Une fois qu'une mousse bleue se développe à la surface du liquide, la préparation est prête. À froid, le teinturier, accroupi au bord de la fosse, trempe son tissu dans cette sauce qui semble claire après avoir bien écrémé la mousse, et la remue avec de longs bâtons de bois. En sortant du bain, le tissu est de couleur vert-brun, il ne devient bleu et ne se fixe dans les fibres du coton que par oxydation de l'air. C'est une opération un peu magique pour le spectateur qui assiste à cette métamorphose des couleurs.

Au milieu du XIXe siècle, un quartier, situé en dehors de la ville de Kano, au nord du Nigeria, comptait plus de deux milles cuves ! Il faut plusieurs bains, nous l'avons vu, pour obtenir un bleu foncé. Après chaque bain le tissu est lavé à grande eau, pour le faire dégorger du surplus d'indigo, et séché au soleil, étendu sur le sol ou sur de longues perches, où il devient d'un bleu plus ou moins vif au contact de l'air. Les pagnes teints sont ensuite lustrés au pilon de bois pour les rendre plus brillants, tout en les repassant. C'est ainsi que sont réalisés les *lithams*, les voiles bleus des Touaregs, de plus d'un mètre cinquante de longueur qui cachent presque entièrement leurs visages. Il faut au moins neuf bains pour obtenir le bleu très foncé et brillant qu'ils aiment, qui, par son intensité, a l'apparence du papier carbone. La teinture restant dans les fibres déteint sur leur peau par la transpiration, c'est pourquoi on les surnomme toujours « les hommes bleus », de même que tous les nomades, Maures et Peuls, qui revêtaient le même turban teint en indigo et, en contraste, un grand boubou blanc.

Les Arabes appelaient fréquemment les Touaregs du nom de *Moulathlamounj*, ce qui veut dire les voilés, parce qu'ils ne se séparaient jamais, ni pour boire, ni pour manger, ni la nuit, de leur *litham*. Les guinées exportées du comptoir français de Pondichéry viendront concurrencer cette production locale qui, plus tard, avec l'intrusion de l'indigo synthétique, disparaîtra en grande partie, sauf dans certaines régions rurales pauvres et isolées. Les Peuls nomades, les Bororos, portaient à l'origine un pagne teint avec des petites graines rouges d'un arbuste du Sahel. On les appela « les Peuls rouges » car, là aussi, cette teinture dégorgeait sur leur peau. Tous ces peuples nomades ne tissaient pas. Les tissus étaient achetés sur les marchés des grandes villes bordant le Sahel comme Tombouctou ou Agadès.

La décoration des tissus de coton par technique de réserve

Comme à Saint-Louis du Sénégal, bien avant la colonisation, les teinturières africaines pratiquaient de nombreuses et astucieuses techniques de teinture en réserve afin de décorer les cotonnades locales, composées toujours de plusieurs petites bandes assemblées par une couture. Les tissus teints avaient souvent une fonction rituelle. Par exemple, pour imprimer les tissus de deuil *ashanti* de l'ethnie ashanti, les femmes utilisaient des tampons réalisés par les hommes dans un morceau de calebasse gravé en creux, et fixés à l'aide d'un support de quatre ou cinq bâtons de bois reliés ensembles pour former un faisceau, attaché par une cordelette qui servait de poignée.

Adinkra veut dire « chargé d'un message pour celui

dont on va être séparé » ; aussi, chaque tampon sculpté correspondait au dessin différent d'un adage et d'un symbole s'y rapportant, comme : « Je n'ai pas peur de vous », symbole de défi, ou *binka-bi*, qui voulait dire « évite les conflits », symbole d'unité. Des ethnologues anglais ont essayé d'interpréter les symboles de ces motifs avec le concours de chefs ashanti du Ghana. Par exemple, le motif représentant quatre cornes de bélier stylisées signifierait l'humilité, la sagesse, le savoir, mais ces cornes seraient aussi pour les musulmans le symbole des cornes du bélier du sacrifice rituel lors de la cérémonie annuelle du Tabaski.

Une croix placée comme un X correspond à l'adage « Si la poule marche sur son poussin, il ne mourra pas », et signifie le désir de protéger, la patience et la correction. Un croissant de lune, symbole féminin, est lié à la fidélité, la patience et la détermination. Il y a une vingtaine de motifs qui s'apparentent à une sorte d'écriture, à des mots abstraits assemblés comme un texte dans chaque carré, mais qu'il faut savoir déchiffrer comme des hiéroglyphes.

Le tampon gravé était plongé dans un bain de teinture, réalisé avec l'écorce d'un arbre *baddee* mélangée à un morceau de fer afin d'obtenir une couleur noire indélébile. Lorsque le bain était refroidi, le teinturier ajoutait un blanc d'œuf à cette mixture pour lui donner l'aspect brillant qui caractérisait les tissus *adinkra*. Avant l'impression, le tissu était tendu et cloué sur une planche doublée de paille de sorgho. Avant d'appliquer les tampons, l'artisan utilisait un peigne en roseau, trempé préalablement comme un pinceau dans la teinture noire, afin de tracer d'abord des traits réguliers verticaux puis horizontaux, entre lesquels seraient placés les dessins des tampons. Cette première opération s'appelait *nhwimu*, qui veut dire « s'entrecroiser ». Il fallait attendre un an avant de pouvoir laver ce tissu, l'exposition au soleil et à l'air fixant le noir seulement après cette longue période de séchage.

Dans la technique appelée par les Yoroubas du Nigeria *adire eleso* (*adire* signifiant teindre par nœuds, et *eleso*, petites pierres ou graines), technique utilisée aussi par les teinturières de Saint-Louis, la femme ligature, à l'emplacement des lignes du motif, dix à huit graines de coton qui, liées et serrées par un fil de coton, formaient une poche préservée dans le bain de teinture, servant uniquement à teindre le fond du tissu. L'*adire eleko* est une autre technique de réserve qui consiste à appliquer, avec une nervure de feuille de palmier, une pâte à base de fleurs de cassave. La teinturière fait bouillir les fleurs avec de l'alun blanc ou bleu pour empêcher que la pâte ne se dissolve dans le bain de teinture. Une alchimie qui se pratique encore aujourd'hui.

Le pagne *adire oloba* des Yoroubas du Nigeria est réalisé avec la même technique de réserve à main levée. La désignation *oloba* veut dire que ce pagne est « possesseur d'un roi ». On voit en effet, au centre de chaque panneau, un médaillon cerné par des petits points, réalisés avec des graines en réserve, et à l'intérieur des cercles sont naïvement représentées la tête du roi George V et celle de la reine Mary ! Sans doute ce pagne avait-il été réalisé à l'occasion de leur jubilé d'argent en 1945 ! Dans les pagnes de ce type, on trouve parfois, de chaque côté du médaillon, des références à des récits musulmans, comme celui de la jument sacrée de Mahomet. Il s'agit d'œuvres issues d'un véritable art populaire, toujours réalisées par les femmes teinturières. Plus tard, les pagnes imprimés industriellement reprendront cette idée de placer dans un médaillon leur chef d'État ou un homme célèbre en Afrique, comme le général de Gaulle. Ce grand médaillon se trouvait souvent placé, sur le pagne, à la hauteur des fesses des femmes, et l'effet était pour le moins surprenant !

À Foumban, capitale de l'artisanat de l'ethnie bamoun du Cameroun occidental, les teinturiers formaient des dessins géométriques compliqués par de simples ligatures serrées d'un fil de raphia. Trempé dans un bain d'indigo, le fond était teint en bleu et les motifs « réservés » restaient d'un blanc écru, légèrement teinté de bleu à certains endroits où la ligature n'était pas assez étanche. Ils jouaient d'ailleurs très subtilement avec ces dégradés de bleus. Toujours cette grande simplicité des moyens techniques et des couleurs pour obtenir pourtant une composition d'une grande richesse décorative.

Des teinturières de l'ethnie baoulé faisaient des plis triplés et pincés tous les centimètres par un nœud de fil de coton et une surpiqûre à la main, qui empêchaient l'indigo de pénétrer, ce qui provoquait des bandes blanches aux bordures imprécises sur lesquelles on retrouvait les marques des fils des coutures. Cette technique de réserve par broderie de fils de coton ou de raphia s'appelait *tritik*. Une autre technique consistait à tresser entre elles, avant teinture, les bandes étroites des pagnes avant de les coudre ensemble. On obtenait ainsi des effets tachetés ; le tissu s'appelait « léopard » et le porter était comme porter la peau de l'animal pour s'en protéger. Un autre aspect saisissant de mimétisme textile lié à la mythologie locale, réalisé avec la même technique *tritik*, se situait beaucoup plus loin, au Nigeria, dans une société secrète de l'ethnie igbo. Comme le tissu bamoun, les motifs en réserve blanche sur fond indigo se composaient de taches en spirales, de triangles alternés blanc et bleu, de cercles, de carrés, motifs voulant imiter les taches du léopard. On trouvait, entre les motifs géométriques, des dessins stylisés de l'animal, qui, suivant les rites, pouvait devenir aussi un serpent python ou un crocodile, animaux mythiques dans de nombreuses ethnies animistes.

Les femmes sarakolés de l'ancien empire du Mali, de la région de Kayes proche de la frontière mauritanienne, réalisaient de belles teintures en utilisant uniquement l'indigo, mais en jouant sur deux tons contrastés : un premier bain bleu ciel, appelé *Bakha Khouli*, réservé en partie, pour obtenir, par un autre bain, un bleu marine foncé appelé *Bakha Biné* qui ne se fixait que sur les parties non réservées. Les Baoulés de la région de Bouaké (actuelle Côte-d'Ivoire) avaient depuis des siècles la réputation de fabriquer de beaux pagnes, teints à l'aide de deux teintures végétales, l'indigo et la noix de cola, donnant un beau brun roux. On réservait la partie à teindre en cola avant de teindre le tissu en indigo. Le contraste bleu et brun foncé était d'un bel effet décoratif par sa simplicité. Ces techniques d'impression demandant beaucoup de temps sont de moins en moins pratiquées aujourd'hui.

Les chasseurs sénoufos de la Côte-d'Ivoire, dans les villages près de Korhogo, faisant partie d'une société secrète, le *poro*, portaient une tunique décorée de nombreux animaux mythiques qu'ils peignaient directement sur le tissu de coton écru, composé de bandes assemblées. Les dessins d'animaux sacrés et protecteurs — comme l'oiseau Caola, les serpents, les crocodiles, les tortues, les fétiches et danseurs masqués — représentaient tous les premières créatures vivantes. Les dessins avaient le pouvoir de protéger et de procurer une bonne chasse au chasseur qui portait cette tunique.

Pour dessiner à main levée, le chasseur-artisan se servait d'un simple couteau en bois légèrement recourbé, taillé à l'extrémité, qu'il trempait d'abord dans une teinture vert-jaune, faite de feuilles vertes du buisson falma. Il dessinait, superposant les petites figures traditionnelles sans aucune esquisse préalable, puis il colorait les grandes surfaces à l'aide d'une brosse en raphia, toujours trempée dans la même teinture. Lorsque la première application de cette teinture verdâtre était sèche, il appliquait une seconde couche sur la première, avec une autre mixture à base de boue délayée, prélevée dans un marigot riche en sulfate de fer, mais aussi considéré comme le lieu sacré de la réunion des âmes des enfants à naître. Cette opération avait pour but de fixer par une réaction chimique naturelle la teinture verte, qui devenait rapidement d'un noir indélébile, et le fond restait écru.

Les teinturiers bambaras du Mali utilisaient le même principe de réserve par mordant de boue ferrugineuse pour la réalisation des tuniques appelées *bokolanfini* ou *bogolan*, mais dont les motifs, tous géométriques, étaient réservés en blanc pour ressortir sur le fond indigo presque noir, à l'opposé de la technique des Sénoufos. Les jeunes femmes, à l'occasion de la cérémonie rituelle de l'excision, portaient un pagne de ce type, les dessins géométriques restant blanc écru sur le fond teint en ocre rouge. Il se composait toujours de sept bandes cousues, chiffre symbolique protecteur. Le sang de leur sacrifice au cours de l'excision s'imprégnait dans les fibres de ce tissu, appelé d'ailleurs *basiae*, ce qui veut dire sang. Après la nuit de noces et au moment de ses règles, ainsi qu'à la naissance de ses enfants, la femme bambara portait de nouveau ce pagne aux dessins faits de terre. Enfin, il lui servait de linceul et restait dans la tombe le témoin de toutes les grandes étapes de sa vie sur terre, marquées par les pertes de son sang, riche en énergie de renaissance. Dans son beau livre *Textiles africains*, très bien documenté, Michèle Coquet précise à propos de ce tissu : « Dans la mort, ces énergies s'organiseront en de nouvelles combinaisons propices à la venue d'autres enfants dans le sein d'autres femmes. Ce double textile avec lequel la femme est ensevelie est comparable à un autre double, celui du placenta ; la métaphore de la conception est d'ailleurs très présente puisque, dans le cas des tissus *bogolan*, leur confection exige l'emploi de boue venant de la mare, milieu humide et fertile pareil au ventre féminin. Le lien est aussi essentiel entre le nouveau-né et son placenta qu'entre la femme et son pagne. » Cette technique primitive de teinture au *banco*, ou « au caustique », c'est-à-dire d'un mélange de boue et de savon très corrosif, ne sera modifiée qu'au milieu du XXe siècle pour une production pour touristes, la boue noire étant remplacée par de l'encre de Chine !

Les appliqués du Dahomey

Il ne faut pas négliger dans ce bref inventaire des techniques textiles africaines, les appliqués d'Abomey, au Dahomey, utilisés comme tenture pour le roi et réalisés par une caste de tailleurs spécialisés dans ce travail. Des formes variées étaient découpées, à l'aide d'un patron, dans des tissus de coton occidentaux de couleurs unies très vives, puis cousues par un tailleur royal sur un autre tissu de coton teint en noir, utilisé comme fond pour bien faire ressortir chaque motif, élément d'une sorte de rébus racontant l'histoire d'un roi. Chaque roi d'Abomey avait un blason particulier et un symbole. Par exemple, Agadja était représenté par un grand bateau parce qu'il avait étendu ses conquêtes jusqu'à la côte, où il fut le premier à entrer en contact avec les Portugais. Angonglo était symbolisé par un ananas, car une légende raconte que ce roi se tenait sous un palmier pour s'abriter des pluies violentes d'un orage, le palmier fut abattu par la foudre, mais le roi fut sain et sauf. C'est pourquoi il se compara à un ananas qui, dans la mythologie Fan, ne pouvait jamais être détruit par la foudre.

Le buffle habillé était le blason du roi Tégbéssou, avec

le proverbe : « Il est impossible de lui enlever son habit. » Cela correspondait aussi à une légende : les frères du roi avaient caché dans sa tunique royale des feuilles urticantes pour l'obliger à s'en défaire et, de ce fait, à abdiquer, car il ne pouvait remonter sur le trône sans tunique. Mais il s'en aperçut à temps, et « on ne put lui enlever son habit », qui correspondait à sa vie. En revanche, le buffle non habillé était le symbole de Ghézo, et sa sentence, « Le buffle annonce sa venue et traverse tout le pays », voulait dire en clair que personne ne pouvait lui résister, qu'il était invincible.

Le roi Glélé, le dernier roi avant la colonisation, avait pour symbole le lion, et sa sentence magique était : « Les dents du lion ont grandi, et il est la terreur de tous. » Une série de dessins de requins, lions, balais, pierres, buffles, poissons, perroquets, fusils, pipes, hommes décapités, palmiers, composaient chaque fois une véritable histoire, racontée ligne par ligne, motif par motif comme des mots assemblés avec parfois l'évocation de scènes cruelles de guerre, la vision de la tête coupée d'un ennemi vaincu, ou celle d'un prisonnier pendu à un arbre, ou d'un autre empalé. On trouvait dans ces panneaux des sentences. Un poisson à côté d'une nasse voulait dire : « Un poisson qui s'est échappé d'une nasse ne sera jamais repris » ; deux oiseaux perchés sur un arbre correspondait à l'adage : « Le grand fromager (l'arbre) solitaire appelle les oiseaux pour le distraire », ce qui signifiait en clair « le peuple vit en paix à l'ombre de son roi ». Parfois des broderies mettaient certains détails en relief comme l'écorce d'un ananas, les plumes d'un oiseau, ou les écailles d'un poisson. Art utilitaire, puisque avec ces appliqués les artisans faisaient des bannières, des tentes d'apparat et des parasols de cérémonie destinés au roi. Aujourd'hui, on en fait des panneaux décoratifs pour les touristes !

Au sein de cette technique d'appliqués, se distinguent les étendards des Fantis, une ethnie du groupe Akan vivant le long de la côte ghanéenne. Cette ethnie, répartie alors en petits États, possédait des groupes de guerriers ayant chacun leur étendard particulier. Comme pour les panneaux royaux du Dahomey, chaque motif appliqué correspondait à une devise de guerre, une sentence propre à identifier chaque groupe. Le Ghana étant sous influence anglaise, les Fantis représentaient souvent, dans l'angle droit des étendards, un drapeau anglais pour montrer leur soumission. Le style de ces appliqués était plus populaire que celui des rois du Dahomey.

La traite des Noirs

Les origines

C'est du côté africain qu'il nous faut examiner, cette fois, la question de la traite. Sans les justifier, il ne faut pas oublier que l'achat et la vente d'esclaves remontent à l'Antiquité. Si la plupart des esclaves de la Grèce antique étaient blancs, souvent d'origine caucasienne, en revanche, dans l'Égypte des pharaons, ce furent des Nubiens à peau noire. En Arabie et au Moyen-Orient, pour les besoins de la culture de la canne à sucre, des esclaves noirs, achetés en Afrique, arrivaient par les routes transsahariennes ou maritimes de l'océan Indien. Et, dès le haut Moyen Âge, les négriers arabes vendaient des esclaves noirs en Chine, mais surtout en Inde, pour la main-d'œuvre des plantations de coton. Au XIIe siècle, on les retrouve surtout dans la vallée du Gange et du Bengale. Au XVe siècle, des esclaves noirs fondèrent de petits royaumes éphémères qui disparaîtront au cours de guerres sanglantes.

Les sociétés africaines étaient esclavagistes et pratiquaient une traite intérieure. Les Noirs punis de vol, de meurtre ou d'adultère étaient condamnés à l'esclavage. L'esclave devint vite une monnaie de troc, et les razzias permettaient d'enlever hommes et femmes pour les vendre aux négriers. Cette vente des captifs restait le privilège des chefs. Ce trafic humain, assez limité, va brusquement gagner l'Atlantique à la suite des grandes découvertes du début du XVIe siècle, avec l'arrivée tout d'abord des Portugais qui exploitaient les plantations de coton et d'indigo des îles du Cap-Vert avec des esclaves capturés dans les villages de la côte sénégalaise.

L'apogée de la traite

La traite atteindra son apogée aux XVIIIe et XIXe siècles. On estime à plus de vingt millions les Noirs déplacés en ces cinq siècles de migrations forcées ! Ce serait Charles Quint qui, en 1518, aurait décidé l'importation massive d'esclaves africains pour exploiter les meilleures terres d'Amérique, en raison de leur résistance au climat tropical de ces territoires conquis. Mais, c'est à partir de la présence d'autres puissances étrangères aux Amériques et aux Antilles que se développera, entre 1715 et 1815, l'exploitation « rationnelle » de l'esclavage. Les chefs africains et leurs hauts dignitaires s'habituèrent vite à porter les toiles imprimées, originaires de l'Inde, et devinrent aussi tributaires de toutes les autres marchandises de traite, comme les fusils, les miroirs, l'alcool de genièvre et le tabac. La vente d'esclaves, acquis au cours des guerres tribales, assura la richesse de certains rois du Dahomey qui surent faire jouer la concurrence entre les puissances européennes, toutes ayant besoin de main-d'œuvre pour leurs nouvelles colonies américaines du Nord et du Sud.

Sur la seule Côte-de-l'Or, longue d'environ cinq cents kilomètres, se situaient vingt et un forts, appartenant aux Portugais, Hollandais, Anglais, Danois et Français. Pour vendre trois cents captifs, le roi d'Abomey parvenait, par une mise en concurrence de plusieurs pays, à obtenir jusqu'à huit cents pièces de tissu, provenant en grande partie de l'Inde. Le royaume d'Abomey fournissait des milliers d'esclaves. Le roi, pour recevoir des ambassadeurs étrangers, se drapait dans les plus fines mousselines des Indes. Le représentant de la France lui dit qu'il lui avait apporté deux robes de satin blanc, brochées de fleurs d'or et d'argent, robes qui provenaient directement de la garde-robe de son roi, Louis XV, qui l'avait chargé de lui offrir aussi quatre pièces de Perse, des mouchoirs d'Inde, deux colliers de corail et des pièces d'indiennes les plus colorées. Le roi d'Abomey demeura en extase devant les robes en soie et conclut aussitôt un marché de mille captifs, mais avec des droits de traite assez élevés, car il avait, soi-disant, d'autres acheteurs anglais à un prix plus fort. Toujours ce jeu de la concurrence par la surenchère. Cet afflux de tissus étrangers eut pour conséquence la baisse de la fabrication de tissus locaux et de la teinture traditionnelle.

D'autre part, on remarque, dans la liste des marchandises de traite, que les premières manufactures françaises d'impression sur calicot indien ne bénéficieront que beaucoup plus tard, à la fin de la longue prohibition, de cet énorme marché africain. Même les mouchoirs de Cholet se fabriquaient à l'époque dans des toiles de coton indiennes découpées ! Seuls quelques tissus de lin très blancs provenaient de Beauvais et des siamoises de la région de Rouen. Suivant les arrivages irréguliers des bateaux de la Compagnie des Indes, les armateurs nantais furent souvent obligés de compléter leur cargaison avec l'achat de cotonnades indiennes provenant des marchands d'Amsterdam ou de Hambourg.

Certains armateurs, manquant de toiles de coton pour les marchandises de traite, demandaient à leur capitaine de faire un détour par Pondichéry pour en acheter sur place et ne commençaient la traite en Afrique qu'après ce long voyage en Inde. C'est seulement vers 1775, que la haute Normandie compta trente manufactures d'imitations d'indiennes pour le troc africain. Mais certaines contre-façons de tissus de traite, comme les fameuses guinées teintes en indigo foncé, ne trompaient pas les négriers africains. Dans un mémoire sur le commerce avec la Guinée, du 22 novembre 1767, on lit : « Les *guinées* en toile blanche (imitées de celles de Pondichéry), qui ont été tirées à Rouen, se sont trouvées mal teintes, de bleues elles sont devenues vertes à l'arrivée en Guinée, ce qui a causé un préjudice considérable à ceux qui en ont fait venir pour leurs cargaisons. »

D'un esclavage à l'autre

Le code noir publié en mars 1685 améliora peu le sort des esclaves. À la première évasion, si elle durait plus d'un mois, ils avaient les oreilles coupées et étaient marqués au fer rouge de la fleur de lis. À la deuxième évasion, on leur coupait les jarrets. À la troisième, on les tuait sans autre forme de procès.

Les réflexions de Bernardin de Saint-Pierre sur l'esclavage, dans sa lettre 12 « Des Noirs », tirée de son *Voyage à l'isle de France* (l'île Maurice), sont valables pour toutes les autres colonies françaises de l'époque. En plus de la canne à sucre importée du Brésil, M. de La Bourdonnais, gouverneur de cette île, avait mis en place des plantations de coton et d'indigo qui requéraient une main-d'œuvre d'esclaves noirs et malgaches importante. On apprend par Bernardin de Saint-Pierre qu'un esclave s'achète « pour un baril de poudre, pour des fusils, des toiles [ces fameuses guinées] et des piastres ». En sortant du bateau négrier, le colon les « visite partout et achète ceux qui lui conviennent ». On met les hommes d'un côté et les femmes à part avec leurs petits enfants qui « se pressent de frayeur contre leurs mères. Les frères, les sœurs, les amis, les amants sont séparés. Ils se font leurs adieux en pleurant et partent chacun pour l'habitation de leur maître. Quelquefois ils se désespèrent, ils s'imaginent que les Blancs les vont manger, qu'ils font du vin rouge avec leur sang et de la poudre à canon avec leurs os ».

Bernardin de Saint-Pierre raconte alors longuement de quelle façon cruelle on traitait les esclaves, souvent à coups de fouet comme des bêtes, afin, précise-t-il, « que les Blancs puissent vivre comme des hommes », et il décrit les supplices lorsqu'ils tentaient de fuir, entre autres, la pose d'un collier de fer à trois crochets ou un jarret coupé. « Ma plume se lasse d'écrire ces horreurs. » Dans un post-scriptum, il réagit contre cette situation intolérable, acceptée pourtant par la majorité des Blancs de l'île : « Je ne sais pas si le café et le sucre [ou ailleurs l'indigo et le coton] sont nécessaires au bonheur de l'Europe, mais je sais bien que ces végétaux ont fait le malheur de deux parties du monde. On a dépeuplé l'Amérique (de ses Indiens) afin d'avoir une terre pour les planter, on dépeuple l'Afrique afin d'avoir une nation pour les cultiver. » Et un peu plus loin, il reproche aux philosophes, qui combattaient les abus politiques avec tant de courage, qu'ils « n'aient guère parlé de l'esclavage des Noirs que pour en plaisanter. Ils se détournent au loin. Ils parlent de la Saint-Barthélemy, du massacre des Mexicains par les Espagnols, comme si ce crime n'était pas celui de nos jours et auquel la moitié de l'Europe prend part ». Il termine cette violente diatribe contre l'esclavage en revenant à notre propos, mais dans un style éloquent et pompeux à la Jean-Jacques Rousseau, qui était son ami : « Ces belles couleurs de robe et de feu dont s'habillent nos dames, le coton dont elles ouatent leurs jupes [les boutis de Marseille], le sucre, le café, le chocolat de leur déjeuner, le rouge dont elles relèvent leur blancheur, la main des malheureux Noirs a préparé tout cela pour elles. Femmes sensibles, vous pleurez aux tragédies et ce qui sert à vos plaisirs est mouillé de pleurs et tient du sang des hommes ! »

Il a raison au sujet des philosophes. Si des penseurs comme M. de Montesquieu se scandalisèrent de ce trafic négrier, du « bois d'ébène », on est surpris de savoir que M. Voltaire acheta à Nantes des « parts de Nègres » et que le père du grand Chateaubriand était un négrier !

Paul et Virginie servira de sujet à une toile de Jouy du début du XIXe siècle et d'autres toiles auront comme sujet « les bons sauvages », proches de ceux décrits dans *La Case de l'oncle Tom*. Les armateurs et les négociants de Nantes ou de Bordeaux n'avaient pas les mêmes sentiments à l'égard de l'esclavage. Les côtes occidentales de l'Afrique, la Côte-de-l'Or et « la côte des esclaves », furent jalonnées de forts et de comptoirs. On édita le traité de Savary du *Parfait négociant*, mentionnant les nombreux ports où l'on pouvait acquérir « les plus belles pièces d'Inde, doux et tranquilles, façonnés à la servitude ».

La révolution américaine de 1775 et la révolution française de 1789 aboutiront progressivement à l'abolition de l'esclavage. Mais en remettant les esclaves en liberté, on a constaté dans le chapitre sur les États-Unis que, faute de relais pour leur éviter de tomber dans le nouvel esclavage du prolétariat des usines cotonnières du XIXe siècle, les problèmes sociaux et culturels des Noirs étaient loin d'être résolus et qu'une nouvelle forme d'esclavage, s'étendant aussi au prolétariat blanc, était encore possible ! On l'a démontré avec le travail dans les filatures anglaises du XVIIIe siècle et du début du XIXe siècle. Aristote, en visionnaire, considérait l'esclave comme un outil animé et qu'il existerait jusqu'à ce que le travail manuel puisse être exécuté par des machines automatiques. Il écrivait : « Si chaque instrument pouvait accomplir son travail en obéissant à la volonté des autres ou en la devançant... si la navette pouvait tisser, si le plectre pouvait jouer de la lyre sans que la main la guide, les contremaîtres n'auraient plus besoins d'ouvriers, ni les maîtres d'esclaves. » Mais avec la nouvelle civilisation de l'automatisation et de l'informatisation il y a de nouveaux esclaves qui s'ignorent !

C'est seulement en 1948 que l'article 4 de la Déclaration universelle des droits de l'homme mentionnera : « Nul ne sera tenu en esclavage, ni en servitude ; l'esclavage et la traite des esclaves sont interdits sous toutes leurs formes », ce qui prouverait qu'un trafic négrier clandestin subsistait toujours en 1948 !

Les tissus de coton contemporains en Afrique

Les techniques de filage, de tissage et de teinture du coton n'ont pas beaucoup changé à travers les siècles jusqu'au milieu de notre siècle. La frontière entre les anciennes traditions textiles et la production contemporaine est fragile. Dans de nombreuses régions isolées, les femmes égrènent toujours le coton, le cardent et le filent à la main. Dans les villages baoulés de la Côte-d'Ivoire, les femmes continuent à filer le coton récolté dans leurs champs. Mais, de plus en plus, la filature des environs de Bouaké fournit aux tisserands le coton filé et teint industriellement. Les deux types de production coexistent. Par exemple, dans l'Ouest voltaïque, le coton est cultivé dans les champs pour les besoins familiaux ou pour être vendu sur les marchés locaux, filé au fuseau ou en petites pelotes. Mais depuis la création de l'usine Voltex située à Koudougou, on trouve sur le même marché des écheveaux de fils de coton teints industriellement avec des colorants chimiques.

Aujourd'hui encore, l'une des principales manifestations de la soumission des épouses de l'ethnie malinké au Mali consiste à accepter de filer le *kü bla*, le coton qui vient juste d'être récolté et qui est distribué à chaque femme par le chef de la famille. Après l'avoir cardé et filé, elles le font tisser par des tisserands ambulants au profit de toute la communauté familiale. C'est pourquoi la quenouille reste le symbole de la fidélité des épouses.

Les tissus traditionnels tissés

Bien que moins somptueux et moins variés que ceux de l'Inde, les tissus africains sont prodigieux par leur simplicité, se réduisant souvent à trois ou quatre couleurs de base, le rouge, le blanc, le noir et le bleu indigo, et seulement quelques motifs géométriques élémentaires, comme le damier ou le triangle, mais combinés dans une variété infinie de compositions, par un simple décalage des bandes étroites, d'environ quarante centimètres, assemblées par une couture afin de composer la largeur du tissu du pagne ou la tunique juste cousue sur les côtés.

La simple alternance des carreaux blanc et bleu indigo, presque noir, des huit bandes cousues de la couverture des morts des Dogons, est d'un effet impressionnant par la puissance d'expression du langage même du tissage : un carré noir, un carré blanc, un fil pris, un fil laissé, correspondant au langage binaire de l'ordinateur. Ce simple damier contient, à lui seul, une grande partie de la mythologie dogon, et on le retrouve aussi bien dans les champs cultivés en damier que dans l'architecture des façades des maisons des prêtres, composée d'alvéoles qui, suivant la position du soleil, deviennent des carrés noirs ou blancs par les ombres portées. Au moment de la construction de son sanctuaire le Hogon (le prêtre dogon) dira : « Esprit du mil, entre dans les dessins de la couverture afin que les récoltes de mil soient abondantes. » Pour la cérémonie des semailles du mil, il portera cette couverture repliée sur son épaule : les carreaux blancs du tissu seront l'évocation de la terre blanche et fertile de la plaine de Bandiagara, les carreaux noirs, la terre aride des falaises cultivées en étages et que les cultivateurs sont obligés d'apporter de la plaine dans des paniers. Un travail de fourmis.

Dans les couvertures-pagnes de l'ethnie songhaï au Niger, le tisserand tresse préalablement des fils de coton de plusieurs couleurs et les insère à certains endroits dans la chaîne pour donner un effet de relief se rapprochant de la passementerie. Cela évoque aussi le serpent mythique qui s'insère dans la trame pour assurer la fécondité de la terre, le tissage étant considéré comme un labourage par le mouvement de la navette dans le sillon de la trame.

Les couvertures en coton de l'ethnie voisine, les Zarmas (ou Djermas), sont composées de dix-sept bandes assemblées formant des motifs de damier avec deux couleurs, le rouge et le noir, ressortant sur le fond écru de la chaîne. On les appelle *krou-krou*, et elles sont réalisées par une caste de tisserands, anciens captifs de case. On naît tisserand, on ne le devient pas. Ces derniers sont ambulants, allant de village en village, leur métier sous le bras, à la recherche des commandes pour les tissus de deuil ou les mariages. Plus une mariée reçoit de couvertures de mariage, plus elle est considérée comme riche. Un autre pagne caractéristique de cette ethnie est un tissu alternant des bandes blanches unies et des bandes teintes à l'indigo avec des techniques de réserves de certains fils de la chaîne (genre ikat). La rencontre de deux techniques différentes dans le même tissu apporte un effet très intéressant.

Les Zarmas du Dallol Bosso étaient des cavaliers et de redoutables guerriers. Les princes songhaïs et zarmas formaient une caste de chevaliers conquérants, rappelant un peu nos chevaliers du Moyen Âge. Ils combattaient à la lance et à l'épée sur leurs chevaux caparaçonnés de tissus en coton matelassé, composés de grands losanges rouge, jaune et bleu. Les cavaliers de la région de Dosso, au Niger, portent encore aujourd'hui, à l'occasion de grandes fêtes, leur magnifique costume de guerrier composé d'un grand manteau brodé de motifs floraux rouge, jaune et bleu, leur lance est torsadée de tresses de coton blanc, rouge et noir. Ils portent aussi un grand bouclier en peau d'antilope et un casque rouge cerclé de bandes métalliques argent, surmonté d'un plumet de plumes d'autruche blanche et noire et des grandes bottes en cuir décoré.

La couverture de mariage de l'ethnie peul, appelée *arkilia*, tissée par des tisserands ambulants maboulés avec une chaîne en coton et une trame en laine, est composée de dessins géométriques en damier, dans des coloris rouge, bleu, ocre, blanc et noir. Elle sert à entourer et dissimuler la couche nuptiale. Elle est commandée au tisserand ambulant pendant la saison sèche par la mère de la jeune fille, tissée dans une petite cour intérieure pendant plus d'un mois, à l'abri des regards et du soleil. La mère fournit le coton et la laine, filés par les femmes de la famille et produits localement, et se charge de la nourriture et du logement du tisserand. Le tisserand maboulé connaît toutes les variations de style à réaliser suivant que la commande de la couverture est pour une famille noble, peul, songhaï, touareg ou encore maure.

Les grands pagnes rectangulaires des chefs baoulés de la Côte-d'Ivoire, drapés sur une épaule à la façon de la toge romaine, sont tissés avec des fils de chaîne teints préalablement en réserve par la technique d'origine javanaise, l'ikat, qui consiste, on s'en souvient, à faire des ligatures aux emplacements du dessin à obtenir. Les parties réservées forment des motifs géométriques irréguliers, blancs sur fond indigo. Chaque motif a un nom particulier et les pagnes de cérémonie ont en plus, entre les rayures horizontales des dessins, des symboles baoulés brodés avec des fils brillants de coton mercerisé. Un seul pagne peut être composé de plus de deux cents petits carrés, avec à l'intérieur des motifs géométriques différents et seulement deux couleurs, noir et rouge, le fond restant écru. On y retrouve toutes les armures du tissage : chevron, losange, rayures verticales ou horizontales, petit damier dans le grand, alternance de deux armures différentes, etc. Extraordinaire effet décoratif qui n'a rien à envier à certaines tapisseries contemporaines occidentales.

Les pagnes des chefs ashantis du Ghana ou du Togo jouent aussi sur les mêmes assemblages de lignes et de motifs géométriques dans une gamme de tons bruns et de tons jaunes d'un effet somptueux où chaque motif possède, là aussi, une valeur symbolique associée à un adage. Un tissu appelé *Kente*, du Ghana, porte le nom de *sika futuru*, ce qui signifie « poussière d'or ». Il en est de même pour les pagnes d'apparat de l'ethnie éhvé, les descendants des Yoroubas, où chaque pagne se lit comme un texte, chaque motif correspondant à une classe d'âge, une fonction, un proverbe. Tissés à l'origine en soie importée d'Orient par caravanes, ils le sont aujourd'hui en coton mercerisé D.M.C. filé en Alsace.

Les tisserands de l'ethnie bwa de l'ouest de l'ex-Haute-Volta (le Burkina Faso) tissent avec la technique du brochage (trames supplémentaires) des motifs traditionnels comme des animaux mythiques, en y ajoutant aujourd'hui des motifs nouveaux, toujours en noir indigo ressortant sur le fond blanc du coton, symboles de la civilisation industrielle comme des avions, des bouteilles, des autos, etc.

Cet agencement rythmique de simple bandes horizontales se croisant verticalement avec les lignes des motifs fait penser à des portées musicales : mélodie brève d'un motif en chevron, suivi d'un espace neutre, puis de plusieurs rayures colorées, opposées à celles des deux bandes mitoyennes. Cette composition de lignes mélodiques joue, d'une part, sur les changements de rythme de quelques motifs géométriques, comme des lignes brisées entrecroisées qui donnent naissance à des losanges, et, d'autre part, sur les seules variations des quatre couleurs de base. On retrouve ce même langage musical des tissus dans les hambels berbères du Moyen-Atlas au Maroc. Une chanson pour chaque tapis !

Les tissus de coton imprimés

Curieusement, le signe de richesse d'une femme togolaise citadine se trouve dans la qualité de son pagne imprimé industriellement, et qui coûtera plus cher s'il est importé de Hollande que de France, et moins cher s'il est fabriqué à l'usine nationale de Dadja.

Dans de nombreuses régions d'Afrique de l'Ouest, les femmes continuent à produire des pagnes décorés par des techniques traditionnelles de réserves par ligature, ou de réserves genre batik, mais en remplaçant souvent la cire utilisée dans les batiks indonésiens par une pâte épaisse à base de manioc ou de riz. Aujourd'hui, certaines techniques ont été modifiées. Par exemple, à Grand-Bassam en Côte-d'Ivoire, un centre artisanal pilote fabrique de beaux batiks avec des successions de réserves en cire, dont les couleurs sont garanties grand teint, et les motifs traditionnels sont adaptés au goût plus dépouillé des touristes occidentaux.

Au Ghana, pour réaliser des motifs en réserve, les hommes découpent des patrons dans des feuilles de zinc ou de grandes boîtes de thé récupérées. Il suffit alors de placer le pochoir sur le tissu et d'étendre la pâte à base d'amidon avec un morceau de bois pour la faire pénétrer dans les interstices du dessin. La teinturière se sert de ces différents patrons pour créer, carreau par carreau, une composition chaque fois unique, suivant son inspiration. Après avoir fait sécher cet apprêt, elle trempe le tissu dans le bain de teinture d'indigo. Puis elle rince le tissu dans un bain chaud pour enlever la pâte. À l'origine, ce tissu était celui que l'on revêtait pour les deuils. Aujourd'hui, il est porté en toute occasion, et les dessins changent avec une nouvelle mode et la cire remplace souvent la pâte d'amidon.

Les femmes d'un quartier de Saint-Louis du Sénégal, sont toujours spécialisées dans les tissus teints avec la technique des ligatures. Elles utilisent aujourd'hui un tissu de coton d'importation, appelé basin, qui est un damassé, ton sur ton, genre nappe de table jacquard, qui permet par les deux armures différentes, celle du dessin jacquard en toile et celle du fond en satin, d'obtenir des effets de teinture mats et brillants. Parfois aussi, le tissu utilisé est composé d'une chaîne en lin et d'une trame en coton, ce qui produit d'autres réactions de la teinture, les deux matières ne réagissant pas de la même façon.

Pour les pagnes de cérémonie les motifs sont réservés par des broderies préalables. Il suffit, après teinture dans un bain d'indigo, de retirer les fils pour voir apparaître en blanc le dessin de la broderie. Parfois, certaines teinturières plus habiles associent à ce premier résultat par broderies un décor complémentaire réalisé par nouage *(plangi)*. Par exemple, le tissu appelé « peau de serpent » est d'abord plié en long, puis ses extrémités superposées sont cousues ensemble pour former une fronce régulière. Un second faufilage est passé parallèlement au premier. Ce qui donnera un effet marbré qui évoquera la peau du boa. Chaque fronçage, chaque pliage, chaque ligature, chaque point de fronce, chaque mélange de plusieurs techniques, donnera chaque fois des motifs différents et éblouissants. Plus ces tissus de coton sont lavés, plus ils sont beaux, car l'indigo dégorge et devient plus clair et le coton a alors l'aspect de la soie. Il existe encore aujourd'hui une très grande variété de modèles qu'on peut trouver dans les boutiques artisanales de Saint-Louis ou dans le quartier des teinturières de N'DarTout, directement chez elles. On voit qu'avec des moyens dérisoires, quelques nœuds, quelques graines ou petits cailloux, quelques plis ou coutures, un morceau de calebasse gravé, une nervure de feuille de palme, un fil de raphia, un peigne en roseau pour faire des rayures, ces teinturières ou teinturiers réalisent des pagnes somptueux, composés d'une multitude de motifs en losanges, damier, cercles, soleils, étoiles, etc.

De plus en plus, l'indigo naturel est remplacé par l'indigo synthétique vendu en boîte, son emploi étant plus facile pour le teinturier. Pour retrouver l'odeur particulière de l'indigo naturel si apprécié des nomades du Sahel, on en ajoute au bain synthétique. On se souvient des guinées de Pondichéry vendues aux nomades du Sahel, Maures, Peuls et Touaregs et où la même réaction s'était produite au moment du passage à l'indigo chimique.

Les autres techniques : peintures, appliqués, patchwork

Devant le succès des tissus peints sénoufos, servant anciennement, nous l'avons vu, de tuniques de chasse pour la société secrète *poro*, les teinturiers, influencés par des marchands et des touristes, ont adapté leurs dessins traditionnels pour une utilisation en tenture murale. Les motifs traditionnels, comme la pintade, sont devenus plus grands et ont vite dégénéré, et la double teinture végétale et minérale a été remplacée par de l'encre de Chine ! Des villages entiers, comme celui de Fakala, se sont spécialisés dans cette production pour le tourisme. Les teinturiers utilisent maintenant des couleurs brunes et jaunes à base d'oxydes de terres argileuses. Bien que ces tissus n'aient plus rien à voir avec les pagnes des chasseurs, ils restent l'expression d'un art populaire devenu plus libre, n'ayant plus les contraintes sacrées des vêtements rituels, et ils procurent du travail aux hommes de plusieurs villages.

Pour satisfaire le marché touristique et l'exportation,

les célèbres tentures du Dahomey, dont nous avons parlé, sont maintenant composées de motifs plus simples. Elles sont utilisées comme panneau décoratif à accrocher au mur. Dans les appliqués, il faut également mentionner, en Égypte, les magnifiques tentures de tente pour les mariages qui reproduisent des motifs des carreaux de faïence, les zelliges des mosquées, formant des réseaux de carrés, polygones, octogones, étoiles — motifs à la base des patchworks géométriques classiques américains. Des textes du Coran sont insérés dans certains éléments du décor.

Les broderies

Hampaté Bâ, le grand philosophe peul, dont le père était un chef respecté, dit qu'« il savait coudre et broder à la manière des métis arabes de Tombouctou ». Il précise que, si les nobles toucouleurs et peuls n'avaient pas le droit de pratiquer des travaux manuels propres aux castes d'artisans spécialisés, il leur était permis de broder et de vendre leur travail, et il confie : « Plus tard, j'apprendrai moi aussi cet art, et il m'arrivera de broder à la main de magnifiques boubous qui, aujourd'hui, seraient hors de prix. »

À Foumban, au Cameroun occidental, les hommes de l'ethnie bamoun brodent toujours, depuis des siècles, sur le fond écru de boubous en coton, tout un répertoire de motifs traditionnels : le lézard et le crapaud, signes abstraits symbolisant l'horizontale et la verticale, carrefour des points cardinaux ; l'araignée mygale qui a reçu du ciel le pouvoir de déchiffrer l'avenir ; la tortue, motif appelé « dos de tortue » en forme de damier, symbole de la sagesse, de l'adresse et de la prudence ; le serpent à deux têtes, symbole royal car, double, il est corps et esprit, monde des vivants et des morts.

Les grandes tentures du pays bamiléké, dans l'ouest du Cameroun, sont magnifiques et servent à encadrer les aires des cérémonies traditionnelles et à décorer les murs des grandes cases lors des réunions de chefs et notables de la région. Elles sont composées de quatre-vingts bandes étroites de tissu de coton, de cinq à six centimètres de largeur, cousues à la main avant la composition des motifs en réserve, réalisés à Bafoussam par des brodeurs spécialisés, avec du fil de raphia passé à l'aide d'une longue aiguille (technique *tritik*). Les motifs sont exclusivement géométriques mais d'une très grande variété, comme des losanges, carrés, ronds, damiers, chevrons zigzagants, croix, svastikas, encadrés dans des rectangles, chacun ayant son nom et sa signification symbolique. Le tissu, une fois complètement réservé par toutes les coutures en raphia de chaque motif, est envoyé à Garoua au nord du Cameroun, capitale des Foulbés (Peuls) musulmans, pour être teint à l'indigo. Sans doute à la fin du XIXe siècle, la culture de l'indigo a dû être abandonnée dans cette région montagneuse. Après avoir trempé plusieurs fois le tissu dans un bain d'indigo, le teinturier haoussa de Garoua retire les fils de raphia des broderies, et les parties réservées, restant blanches, ressortent sur le fond indigo. Pour accentuer certaines lignes des dessins, il dessine les contours avec un bâtonnet qu'il trempe directement dans l'indigo de son bain. Les brodeurs bamilékés réalisent aussi avec cette technique des pagnes pour les danseurs des sociétés traditionnelles, qui portent sur leur tête un prodigieux masque-cagoule en tissu de perles multicolores et de cauris, comme le grand masque évoquant l'éléphant, aux larges oreilles rondes et décolées, et une bande de tissu perlé tombé de la bouche aux genoux, symbolisant la trompe.

J'ai eu la chance au cours d'un voyage, il y a dix ans à peine, de découvrir cet artisanat et ces danses encore authentiques. Chaque motif de ces tentures traditionnelles avait toujours une signification symbolique précise, et la connaissance de cette écriture textile se faisait par une initiation. Qu'en est-il aujourd'hui ? Déjà on commence à produire des tentures plus simples pour les touristes de passage dans cette magnifique région bamiléké et la teinture à l'indigo est réalisée sur place avec de l'indigo synthétique.

Le tissage africain se trouve être ainsi un grand livre qui raconte toute l'histoire des hommes et leurs rapports avec la nature et le cosmos. On comprend mieux pourquoi les tisserands dogons disent que « le tissage, c'est la parole ». Le tissage, dans sa forme la plus traditionnelle encore vivante, correspond à une certaine écriture, un langage déchiffrable par tous les membres d'une même société, fondé sur des idéogrammes ou des symboles dont l'initiation et la révélation permettent de connaître le sens caché.

Les trésors textiles africains sont donc presque tous, comme en Inde, tissés en coton. Pour terminer, j'évoquerai une découverte qui m'a frappé, me replongeant en Afrique au cœur même du Moyen Âge occidental. Outre les cavaliers zarmas dont j'ai déjà décrit l'habillement extraordinaire, la garde d'honneur des rois mossis porte aussi une sorte d'armure en gros tissu de coton matelassé et piqué, et leurs chevaux sont caparaçonnés dans le même tissu matelassé, décoré des triangles de tissu rouge, jaune et bleu, cousus sur le tissu matelassé du fond. Les gardes des sultans au nord du Cameroun, par exemple celle de Rey-Bouba, portent la même armure et leurs chevaux le même harnachement, décorés de losanges multicolores. Ces cavaliers, avec leur heaume emplumé et leur cotte de mailles, leur bouclier et leur lance, ressemblent à des chevaliers du Moyen Âge qui porteraient un masque noir ! Une étrange rencontre au cœur de l'Afrique.

Les filières cotonnières d'Afrique francophone

Dans tout le nord du Cameroun, dans les villages des environs de Garoua ou de Maroua, de nombreux tisserands tissent le coton local, filé par les femmes qui vendent le surplus au marché sous forme de pelotes ou de fuseaux. En dehors de cette production artisanale, une exploitation rationnelle de la culture du coton, son égrenage industriel et parfois, plus rarement, le tissage et l'impression se sont progressivement mis en place aux débuts de la colonisation.

Quelques exemples : en R.C.A. à partir de 1924, sous l'impulsion de Félix Éboué, la culture du coton s'implanta dans plusieurs régions, mais sans grand essor. C'est seulement à partir de 1983 que les résultats deviendront rentables : 25 000 tonnes de coton-graines cette année-là, pour arriver à 42 000 tonnes en 1997. Au Mali, la production du coton croît régulièrement : 96 500 tonnes en 1982, 294 000 tonnes en 1990. En 1997, on note un nouveau record de la production cotonnière avec 452 591 tonnes de coton-graines, ce qui correspond en fibre textile à environ 189 604 tonnes. Le Mali devient ainsi le premier producteur en Afrique et le quinzième au niveau mondial, suivi de près par le Bénin.

Le coton et les produits textiles qui en découlent sont en Afrique une des principales ressources d'exportation, souvent même la première comme au Tchad. Dans ce pays, le coton cultivé dans le Sud correspond à une production annuelle qui varie entre 100 000 et 200 000 tonnes. Dans cette région, c'est le paysan qui choisit annuellement de semer ou non du coton, suivant les fluctuations du marché ou la fixation des prix du coton-graines avant les semis, sans oublier les aléas climatiques dans les cultures irriguées. Des huileries et savonneries ont été mises en place pour les besoins locaux, et les sous-produits, comme les tourteaux, servent à l'alimentation du bétail, et la coque est une source d'énergie dans les pays du Sahel où le bois est rare.

Malheureusement, dans tous ces pays producteurs, d'abord l'effondrement du marché mondial du coton après 1985, dû à une baisse de la demande, puis la surproduction des grands pays producteurs et les fluctuations nombreuses des cours du coton, arrêtèrent souvent cette expansion, sans toutefois la diminuer. Faute souvent de filatures modernes, 93 % du coton produit en Afrique est exporté, rendant ainsi les pays encore plus tributaires du marché mondial du coton. Tous les économistes mondiaux disent pourtant que l'Afrique, par sa main-d'œuvre familiale bon marché et abondante pour la récolte manuelle du coton, a vocation à développer son industrie textile, mais elle doit rechercher en priorité la qualité des produits afin de faire face à la concurrence internationale, dans ce secteur fragile.

Les difficultés actuelles d'approvisionnement de coton en provenance des pays d'Asie centrale, de l'ex-URSS, comme le Turkménistan, l'Ouzbékistan, l'Azerbaïdjan, etc. font rechercher le coton *West Africa*. Pour les pays francophones, le groupe français Coton et Développement et ses filiales des compagnies cotonnières de chaque pays, spécialisées dans la commercialisation du coton en fibres, s'efforcent de répondre à cette demande en tenant compte de l'aspect social important pour le développement de millions de petits producteurs, en augmentant leurs surfaces d'ensemencement, leur rendement, en les aidant dans leurs achats de semences, d'engrais et d'insecticides, et en facilitant l'égrenage, au plus près possible des zones de production, avec des procédés industriels modernes. L'égreneur doit continuer à jouer le rôle d'une entreprise de moissonnage-battage pour le blé et le paysan doit rester propriétaire de sa fibre, toute privatisation serait dangereuse dans cette filière cotonnière fragile.

Lorsque les cours mondiaux du coton sont élevés, comme ce fut le cas en 1995 (record historique depuis la guerre de Sécession !), la concurrence joue en faveur des producteurs africains, mais, dans l'hypothèse de cours en baisse, il faut pouvoir aider les producteurs en achetant leurs récoltes au prix le plus juste. Cela demande beaucoup d'efforts financiers et humains pour développer encore plus cette filière coton et, comme le précise dans un rapport Michel Fichet, le président de la Compagnie française pour le Développement des fibres textiles, il faut « promouvoir la culture du coton comme locomotive du développement rural », non seulement en Afrique mais également en Asie, dans les petits pays producteurs qui ont besoin d'assistance.

Espérons que la coopération française, en accord avec les États concernés, pourra poursuivre encore longtemps cette aide financière et humaine aux compagnies cotonnières de chaque pays, avec toutes les retombées sur le petit paysannat producteur de cette fibre, au sein des groupements villageois. Il ne faut pas non plus négliger les 15 000 emplois créés par ces compagnies, dont les salaires font vivre plus de 150 000 personnes ! L'exemple de l'Afrique nous a montré l'aspect socio-économique important lié au coton dans les pays en voie de développement, exemple qui pourrait s'appliquer à d'autres régions du monde menacées de famine car, nous l'avons découvert, le coton se mange, et l'huile aussi ! — l'huile de coton étant une tradition américaine de plus de cent ans !

X

LA NOUVELLE GÉOGRAPHIE DU COTON DANS LE MONDE ET LES NOUVELLES CRÉATIONS TEXTILES

L'économie mondiale de 1900 à nos jours

Au début du siècle, la part de la consommation mondiale du coton correspondait à 85 %. De tous les textiles, le coton restait le plus important. Puis ce fut la révolution des fibres artificielles imitant la soie, la laine et le coton. Le Nylon, fibre entièrement synthétique, comme le Tergal, par ses qualités de solidité et son entretien facile, remplaça partiellement le coton. Mais, en dépit de cette concurrence, le coton triompha et il représente encore aujourd'hui un peu moins de la moitié des fibres textiles produites dans le monde. Le retour actuel à toutes les matières naturelles accentuera ce pourcentage, avec toutes les conséquences économiques qui en découleront pour les pays producteurs de coton et les fabricants mondiaux de cotonnades, utilisées aussi bien dans le secteur de la couture que dans celui de l'ameublement. On pourra dire, comme le député du sud des États-Unis, que « le coton est roi ».

Mais, avant d'en arriver à ce stade, l'industrie cotonnière européenne et mondiale est passée au XXe siècle par d'incessantes transformations technologiques et économiques. Elle a subi toutes les crises, comme celle de 1929, la plus terrible, et deux guerres mondiales. Si Mulhouse, qualifié au XIXe siècle de « Manchester français », a perdu en grande partie sa suprématie économique textile, Manchester se retrouve aujourd'hui dans la même situation. Après la dernière guerre mondiale, l'industrie cotonnière française absorbait 250 000 tonnes de coton brut par an, et plus de 170 000 métiers mécaniques fonctionnaient. Les métiers équipés de mécaniques Jacquard fabriquaient, particulièrement dans la région du Nord, tous les tissus façonnés de coton pour l'ameublement et le linge de maison, comme les serviettes-éponges à grands motifs de fleurs. Aujourd'hui, les métiers sont équipés de l'informatique la plus sophistiquée, mais n'oublions pas que Jacquard avec la programmation de ses cartons perforés en avait été le père.

En 1948, André Siegfried, le grand économiste du milieu du XXe siècle, dans une préface sur le prestige du coton, écrivait : « La France cotonnière se doit à elle-même d'être de son temps, c'est-à-dire d'adopter tous les perfectionnements mécaniques du XXe siècle, mais la plus grande faute qu'elle puisse commettre serait de renoncer, au nom de la rationalisation mécanique, à ce qui fait l'essence de sa personnalité, c'est-à-dire son génie, fait d'individualité et de création. » Et, plus loin, il dira avec raison : « L'industrie se recharge toujours aux sources vives de l'artisanat. » Il voulait dire par là que, au milieu du XXe siècle, la majorité des contremaîtres des usines cotonnières étaient des anciens tisserands à bras qui apportèrent à l'industrie leur connaissance intime du tissage et l'amour de leur métier.

Les progrès techniques

Un seul exemple suffira à montrer la prodigieuse évolution technologique opérée ces dernières années : un métier à tisser automatique du début du siècle battait à environ 150 coups à la minute, aujourd'hui, on atteint 1 000 coups à la minute avec des métiers sans navette. Les progrès de la productivité, accrue dans le rapport de 1 à 10, aussi bien en filature qu'en tissage, ont transformé une industrie, en grande partie de main-d'œuvre, en une industrie de capitaux et d'ingénieurs. Et c'est un grand progrès quand on se souvient des conditions de vie déplorables des hommes, des femmes et des enfants qui travaillaient douze à quatorze heures, de jour ou de nuit, dans les filatures du XIXe siècle.

Aujourd'hui, avec les progrès de l'esthétique industrielle, tout a changé : les salles des filatures sont claires, aérées, climatisées et surtout dépoussiérées en permanence. Les machines carénées sont peintes de couleurs agréables et conçues pour réduire au maximum le bruit. La robotique et l'informatique réduisent le personnel en salle, toutes les opérations sont automatisées et informatisées. Les usines ressemblent à des laboratoires. Un système de contrôle électronique permet, à la machine à filer ou à tisser, lorsqu'un fil se casse, de faire un nœud de tisserand sans aucune intervention humaine ! Avec la rotative qui remplace les machines à rouleaux, on peut imprimer en plusieurs coloris 10 à 60 kilomètres par jour de tissu de coton uni ! Le rêve d'Aristote, et ses robots remplaçant le travail humain, est presque une réalité ! En France, à Bourgoin-Jallieu, grand centre de la gravure des cadres et de l'impression sur tissu, soie ou coton, on utilise aujourd'hui des techniques de pointe d'impression au faisceau laser ! Tous les ans, de nouvelles machines sont encore plus performantes.

Nouvelle révolution, les pays du tiers-monde producteurs de coton, une fois industrialisés, conservent une quantité croissante de leurs récoltes pour les besoins de leur propre industrie. C'est le cas de l'Inde aujourd'hui et en grande partie de l'Afrique.

Le coton se mange

On ignore souvent que le coton est aussi source de nourriture. Il est la seconde ressource mondiale en protéines végétales. Pour un million de tonnes de coton-graines on obtient 400 000 tonnes de fibres brutes et on retire 560 000 tonnes de graines triturées avec lesquelles on peut produire 70 000 tonnes d'huile et 170 000 tonnes de tourteaux pour l'alimentation du bétail. Les coques et les déchets servent de combustible, l'huile peut se transformer en savon et produits cosmétiques. On l'utilise aussi dans des produits pharmaceutiques. On peut transformer le coton en essence ! Les États-Unis ont été les pionniers dans ce secteur agro-alimentaire du coton.

Le coton se mange, mais les Indiens et les Chinois, lors des famines du début du siècle, ne le savaient pas encore ! On peut en faire de la farine. L'huile de coton, avec 32 000 tonnes produites en 1989, occupe la deuxième place du marché mondial d'huile alimentaire, à côté de celles de tournesol et de soja. Elle est particulièrement riche en acides gras, qui sont des régulateurs du cholestérol sanguin. Pour les pays en voie de développement, ces perspectives d'utilisation de toutes les ressources du coton sont un enjeu économique de première importance.

La nouvelle géographie du coton

La Chine est devenue le plus grand producteur de coton, suivie de peu par les États-Unis. L'Inde n'est plus qu'en troisième position, avec 30 % de moins que les États-Unis. On constate que la production du coton américain a terriblement chuté, en raison de la réduction des terrains cultivés qui, en dépit de l'accroissement des rendements, ont diminué de près de la moitié au cours des dernières années. Cette situation est due à la concurrence dc la production cotonnière de plusieurs pays du tiers-monde et, après la dernière guerre, de l'arrivée sur le marché des fibres synthétiques. Aussi, la géographie de la *Cotton Belt* se déplace : le Texas domine, suivi du Mississippi, de la Californie et de l'Arkansas. En Louisiane, l'or noir a remplacé l'or blanc.

Une grande partie de la main-d'œuvre est encore noire, les salaires étant restés bas. Devant cette situation, les États-Unis, pourtant l'un des grands producteurs de coton, sont obligés d'importer du coton brut d'Argentine et du Brésil, neuvième et onzième producteurs mondiaux, pour répondre aux besoins de l'industrie cotonnière américaine en plein développement et afin de satisfaire un marché de vêtements de coton bon marché, en particulier celui du fameux jean dont nous allons raconter bientôt la suite de l'histoire.

New York reste toutefois la première place commerciale et financière du monde pour les cours du coton brut. Une nouvelle géographie des routes du coton se dessine. Sous la Russie soviétique, l'Ouzbékistan était le troisième producteur de coton avant l'Inde. L'économie des grandes villes-oasis comme Boukhara et Samarkand reposait en grande partie sur le coton. Le fleuve Syr-Daria et ses affluents avaient servi au développement considérable des terres irriguées de la plaine de Fergana. Plusieurs grands barrages avaient permis d'accroître la superficie des terres consacrées à la culture intensive du coton et du riz, ce qui eut comme conséquence dramatique d'assécher de plus en plus chaque année la mer d'Aral. Depuis son indépendance, ce pays, très perturbé par des conflits intérieurs, est passé en cinquième position, avec 1 062 milliers de tonnes de fibres, derrière le Pakistan et devant la Turquie et l'Égypte.

La production et les créations contemporaines aux États-Unis

La production

En 1926, on produisait encore 18 738 000 balles de coton dans le Sud, qui contrôlait ainsi plus de la moitié de la récolte mondiale. Au milieu du XXe siècle, en Caroline-du-Nord, en Caroline-du-Sud, en Géorgie et en Alabama presque 90 % des fermiers se consacraient encore à la culture du coton, et le nombre de broches des filatures dépassait celui du Nord, la main-d'œuvre, encore en grande partie noire, revenant moins cher dans ces États du Sud. En Louisiane, la justice s'appuie toujours sur le Code Napoléon et certains anciens planteurs parlent encore un français américanisé !

La crise de 1930 fit chuter le prix du coton, ce qui porta un coup terrible aux petits fermiers blancs ou noirs. Une chanson, *Eleven cents cotton*, évoque cette crise. Elle dit dans un des couplets que le prix du coton était fixé à 11 cents la livre, alors que la viande se vendait 40 cents et que les impôts augmentaient sans cesse.

On a le récit de l'enfance de Max Debose qui vivait à

cette époque à Bisholville en Caroline-du-Sud : « J'étais l'aîné d'une famille de onze enfants. Mon père était fermier et travaillait dur pour nous nourrir. Tout ce que nous mangions était cultivé ou produit dans la ferme. Après la récolte du coton ou du tabac, l'argent obtenu servait juste à acheter ce que la ferme ne produisait pas, comme le sucre, le thé ou le café et quelques denims de travail. Devant cette situation difficile, de tous mes frères, un seul est resté travailler à la ferme. Il a su s'adapter aux nouvelles machines et maintenant, grâce à ses efforts, la plantation est devenue rentable. Le travail n'est pas toujours mécanisable. Ainsi, pour désherber les rangées de cotonniers, il faut que mon frère se lève à cinq heures du matin avec un de ses ouvriers pour accomplir ce travail avant les grosses chaleurs. Il faut ensuite enlever les feuilles au-dessous de la capsule pour permettre à d'énormes machines de cueillir six rangées à la fois. Des camions transportent le coton brut à l'usine d'égrenage, appartenant à une grande compagnie qui a le monopole dans toute la région de ce travail qui, du temps de mon père, était fait encore à la main par les Noirs. »

L'or noir remplace l'or blanc

Avec les débuts de la climatisation, des filatures du Nord s'installèrent dans le Sud, tout près des plantations où maintenant la machine règne et a remplacé en grande partie la main-d'œuvre noire. Mais, très vite, le nouveau roi du Sud ne sera plus « l'or blanc », le coton, mais « l'or noir », le pétrole, jaillissant dans toute la Louisiane qui deviendra vite le deuxième État producteur de pétrole des États-Unis, derrière le Texas. Les prix des terrains montèrent de 5 à 120 000 dollars l'acre ! Les champs de coton se transformèrent en champs de derricks et de plates-formes, et la route du coton, le long du Mississippi, de La Nouvelle-Orléans à Baton Rouge, se changea en « côte de l'or pétrochimique ». Baton Rouge deviendra une des plus grandes raffineries de pétrole du monde et La Nouvelle-Orléans, une ville industrielle et l'un des plus grands ports du monde ! C'est derrière cette ceinture industrielle qu'on retrouve les immenses champs de coton et surtout, aujourd'hui, de canne à sucre avec ses usines de raffinage à côté.

En 1915, une dépêche de l'agence Reuters annonçait que les États-Unis allait bientôt ne plus dépendre des teintures chimiques importées de Suisse ou d'Allemagne. Un planteur du Sud aurait réussi à produire un coton dans une gamme de couleurs allant du blanc au vert olive profond ! L'agence affirmait aussi que le coton noir, « recherché depuis des siècles par les filatures et les manufactures, deviendrait bientôt une réalité ». Cette information était possible puisque les tisserands de l'Inde avaient réalisé des tissus à partir de plusieurs coloris naturels du coton, mais ni le vert foncé, ni le noir. Depuis cette annonce, au début du siècle, à ma connaissance, il n'y a jamais eu de tissu en coton noir naturel et l'or blanc reste le roi. Avec les nouvelles recherches génétiques, ces métamorphoses du blanc au noir seront peut-être bientôt possibles demain !

On constate, après la Seconde Guerre mondiale, un déplacement de la culture du coton du Sud-Est et de la vallée du Mississippi vers le Sud-Ouest, Oklahoma et Texas, et l'Ouest, Arizona, Nevada et Nouveau-Mexique. Dans ces terres de l'Ouest, les Indiens Pima cultivaient déjà le coton environ 500 ans av. J.-C. Avec cette expansion des terres cotonnières, le coton reste encore aujourd'hui la principale source de revenu. La demande des filatures et des usines de tissage est si grande que, depuis 1995, les États-Unis importent du coton du Brésil à la grande fureur des planteurs du Sud. Au début, l'importation était limitée aux mois de mai à juillet pour assurer la soudure pendant cette période des récoltes, mais progressivement on assista à une importation pendant toute l'année. En 1996, le tonnage importé correspondait à plus de 800 000 balles de coton, chacune pesant plus de 480 livres. D'autre part, pour des raisons de main-d'œuvre moins chère, le tissage du coton se déplaça en partie au Mexique.

La production de tissus en coton

Avec la compétition internationale et les crises financières, de nombreuses manufactures de la Nouvelle-Angleterre firent faillite. Pour survivre, comme le feront les entreprises françaises, des regroupements industriels cotonniers s'opéreront dans l'ensemble des régions, mais particulièrement dans le Sud qui réunira les plus grands producteurs de fils et de tissus en coton du monde.

Le renouveau, aux États-Unis vers les années 1920, d'un style colonial avait relancé le style provincial français qui, selon une publicité de Schumacher, est « simple, sincère et proche du peuple ». On adaptait les indiennes anciennes au mobilier rustique à la mode. À la suite de la crise économique de 1930, beaucoup de fabricants français de cotonnades peintes vendront leurs archives et cahiers d'échantillons à des dessinateurs textiles américains « toujours en quête de documents pour les étudier et les reproduire ». Les fabricants américains seront présents lors de la vente des biens de la manufacture d'Oberkampf à Jouy-en-Josas et achèteront documents, dessins et échantillons, qu'on retrouve heureusement aujourd'hui dans des musées américains, comme le Philadelphia Museum of Art. Après la dernière guerre, de nombreux artistes immigrèrent aux États-Unis et influencèrent les dessinateurs américains de tissus d'ameublement. Excepté l'énorme demande de coton pour les usines qui tissent le denim, lié au culte du jeans dont nous allons parler, le pourcentage du coton utilisé dans les vêtements a diminué, remplacé par des fibres synthétiques moins chères.

Le retour du patchwork

Cette production, commencée au XVIIIe siècle, aidée par des fabricants anglais venus tenter fortune dans le Nouveau Monde, comme John Hewson, ne s'arrêta pas avec l'industrialisation. Le centre le plus important de manufactures d'impressions de chintz se situe autour de Philadelphie. Ce sont avec les chutes de ces tissus colorés, composés de scènes variées, que les femmes réalisent aujourd'hui des patchworks, qui restent encore le véhicule de l'expression la plus populaire de la tradition américaine. Cet art a su parfaitement s'adapter aux décors les plus modernes. Toutes les formes de l'art abstrait s'y prêtent admirablement. Mais certains modèles anciens, aux compositions géométriques, sont déjà très proches de l'art optique et ceux en appliqués, des collages de peintres contemporains. Cet art populaire réunit deux moyens d'expression habituellement opposés : la fabrication sérielle et la récupération des déchets, un mélange de Vasarely et d'Arman. Comme par le passé, les imprimeurs reprendront, avec les techniques modernes d'impression sur coton, les motifs classiques des anciens patchworks.

Un autre usage des chutes de tissus de coton est moins connu. Il s'agit de la fabrication artisanale des *rag rugs* et des *braided rugs*. Dans la première technique, les femmes des campagnes prennent les petits morceaux de tissus inutilisables et les cousent ensemble pour former une sorte de boudin textile qui est ensuite fixé à la place de la trame dans l'ouverture de la chaîne de coton. La deuxième technique correspond à la fabrication de ce qu'on appelle en Europe lirette : des morceaux de tissus sont découpés en lanières multicolores qui sont tissées pour faire des dessus-de-lit ou des tapis.

La suite de l'histoire du jeans

Aujourd'hui, les jeans de la marque Levi Strauss, sont toujours commercialisés dans le monde entier. La résistance de ce sergé serré à l'usure est telle qu'il sera utilisé non seulement en pantalon, mais aussi en veste assortie ou encore en salopette, portés aussi bien par les fermiers, bûcherons, cow-boys, cheminots, mineurs que, plus tard, vers les années 1930, par les vedettes des films de western ou les femmes américaines pour leurs tâches ménagères ou leurs loisirs. Les Américains voulaient s'habiller comme les cow-boys pour se donner peut-être l'illusion de vivre dans un ranch de l'Ouest, sans contrainte vestimentaire. Le classique jeans d'origine, conçu pour les cow-boys et le rodéo, ou sa première utilisation de vêtement de travail des chercheurs d'or, résistant et facile à porter, satisfait toujours l'Américain moyen qui attribue au travail des valeurs morales sécurisantes.

Tous ces hommes et ces femmes ne connaissaient sans doute pas l'histoire unique de ce tissu en sergé de coton teint à l'indigo, originaire ni de Gênes, ni de Nîmes, ni de Manchester mais de Calicut en Inde ! Pourtant, la campagne publicitaire pour la ligne Guess Jean Historical Series, en 1994, utilise un jeans, accompagné de slogans du type : « Il n'y a pas plus américain que le denim. Cela est vrai, sauf que le denim est originaire de la ville française Nîmes. C'est là-bas que l'on tissait un sergé appelé de Nîmes. » Les vêtements encombrants et disgracieux que les fermiers fabriquaient à partir de ce tissu n'eurent jamais de succès, ce qui ne fut pas le cas de la version américaine. Quelle que soit finalement l'origine du denim, on ne peut pas nier qu'il appartient aux Américains qui ont su se l'approprier et le transformer au gré des modes et de ses diverses utilisations.

La marque Lévi Strauss présente plus de quarante modèles de jeans qui vont du denim au velours de coton côtelé, mais c'est le classique modèle « 501 » qui a encore le plus de succès et coûte le plus cher. Le port de ce pantalon unisexe a créé toute une mystique Levi's et une notion d'égalité entre toutes les classes sociales. En réaction, il y aura aux États-Unis un mouvement d'art populaire du jeans, au moment des hippies, ceux-ci le délavant, le décolorant, le rétrécissant, le brodant de paillettes pour affirmer la personnalité de chacun. Aujourd'hui, les jeunes veulent des jeans « style fripe », délavés et troués aux genoux. Mais le blue-jeans, délavé et usé artificiellement, est vendu comme neuf au même prix, parfois plus cher que les autres modèles classiques. De nombreuses nouvelles marques apportèrent des modifications pour essayer de concurrencer la marque Levi Strauss comme Wrangler qui créa une ligne de pantalons en denim, destinés aux cow-boys, aux jambes plus longues à l'arrière que devant afin que le talon de la botte soit recouvert et avec des rivets plats pour ne pas accrocher les selles. La marque Blue Beel créa vers 1940 une ligne de vêtements féminins en jean, appelés Jeanies avec une fermeture Éclair frontale ; Lee Mercantil Corporation fabriqua vers 1920 toute une nouvelle gamme de vêtements de travail en denim, comme la célèbre salopette Lee Beb overall, mais la marque Levi Strauss and Company avec la vente de ses grands classiques sut faire face à cette concurrence et créa de nouveaux modèles, tels que, en 1962, la ligne Californie Ranch Pants, en denim blanc, lamé doré en Lurex.

En Europe, de nombreuses maisons créeront aussi leur propre marque de jeans : vers 1960, Marc Keen modifia la forme même du pantalon avec trois poches, ou encore la marque Liberto qui, devant la mode des jeans usés vendus dans les fripes, fabriqua un jeans « neuf », délavé et usé à la pierre ponce, pour obtenir une patine artificielle et une douceur au toucher proches de celles des plus vieux ! On produit maintenant des jeans surteints ou délavés à la pierre ponce de toutes les couleurs, mais le noir est le préféré. Le jeans en denim est ainsi devenu un symbole de la mondialisation.

Les créations contemporaines de l'Inde et de l'Indonésie

La révolution politique de Gandhi

On imagine la vie difficile des tisserands et tisserandes indiens à qui il avait été défendu de tisser leur coton, la plus grande partie de la production étant exportée à Manchester ou en Chine. En Inde occidentale (région de Gujarat et du nord du Dekkan) la culture dominante restait le coton. Les plantations avaient été développées au moment du boum cotonnier, provoqué par la pénurie de coton américain due à la guerre de Sécession (1861-1865), lc coton ayant augmenté alors de plus de 130 %.

Le roi George V fut couronné empereur des Indes à Delhi en 1911. Après cette période économique euphorique, les famines et les conséquences économiques de la crise de 1930 vont faire chuter les prix, et les paysans en seront les principales victimes. Les cotonnades fabriquées à Manchester passèrent de 300 millions de yards en 1857 à plus de 3 milliards en 1914 ! L'Inde représentait presque 50 % des exportations britanniques de cotonnades alors que les achats anglais de coton indien baissait au profit du coton du Sud américain aux fibres plus longues.

C'est une des raisons pour lesquelles le mouvement nationaliste de Gandhi s'appuya, à partir de 1920, sur la mobilisation paysanne et la reconquête de l'économie du coton. Gandhi filait le coton local quatre heures par jour, et son rouet deviendra vite le symbole du mouvement révolutionnaire. Il adjura les femmes de remettre en service leurs rouets et de tisser leur production de filés et demanda aux Indiens de se vêtir exclusivement avec ces étoffes tissées localement. Cette politique voulait aussi éviter le chômage rural et assurer du travail aux agriculteurs-tisserands pendant la morte-saison, « afin, disait Gandhi, que tous les foyers de l'Inde puissent à nouveau bourdonner pendant les sombres hivers du ronronnement des rouets ».

Ses efforts pour faire renaître l'utilisation du rouet traditionnel, le *charkha*, n'eurent pas beaucoup de succès, les tisserands préférant utiliser les fils industriels moins chers. Mais le tissage artisanal se développa. Des coopératives de production et de vente des tissus traditionnels se créèrent dans toutes les régions textiles, sauvegardant, au moment crucial de l'industrialisation indienne, les valeurs culturelles, sociales et économiques de cette production artisanale textile, la plus riche et la plus prolifique du monde. Elle sut, tout en préservant ses racines régionales et ses techniques particulières, s'adapter aux besoins et aux goûts des clientèles mondiales.

Toutefois, dans de nombreuses régions industrialisées, les artisans ont abandonné les techniques artisanales. Des traditions qui avaient résisté aux envahisseurs afghans, timourides, mongols et persans, n'ont pas pu survivre face à la production textile industrielle mondiale. Un lord anglais en visite en Inde, évoquant la misère des familles d'artisans textiles à la fin du XIXe siècle, fait allusion « aux os des tisserands qui blanchissent dans les plaines de l'Inde ».

Ce vaste mouvement révolutionnaire comportait le boycottage des produits anglais et la non-coopération. Il fut lancé par Gandhi afin « de ne pas envoyer hors de l'Inde six cents millions de roupies par an pour acheter des tissus anglais, alors que nous produisons assez de coton pour fabriquer tous les tissus dont nous avons besoin ». Pour lutter contre l'industrie textile du coton indien tissé à Manchester, le peuple brûlera les pièces de coton importées sur les places des grandes villes. Ce mouvement *Swadeshi* du mahatma Gandhi contribua aussi au développement du costume national, en particulier le port du sari pour les femmes, et, pour les hommes, la tunique traditionnelle, cela en réaction contre le costume européen d'influence britannique. Les métiers manuels arrivèrent à fournir, en dépit des pressions de Manchester, près du quart des tissus de coton consommés en Inde. La cotonnade artisanale appelée *khadi*, dont le coton était filé au rouet et tissé à la main, deviendra pour les artisans villageois, bien que peu rentable, le symbole de leur autonomie retrouvée.

Paradoxalement à ce retour à la production artisanale, c'est sur le secteur cotonnier que va s'édifier l'industrie moderne de l'Inde. Les premières filatures furent créées à la fin du XIXe siècle à Bombay par des capitaux indiens. Les usines de tissage suivirent. Si, en 1880, on comptait 56 manufactures cotonnières correspondant à 1 460 000 broches et 13 500 métiers à tisser mécaniques, en 1910, on recensait 263 usines, équivalant à 6 200 000 broches et 82 700 métiers. Les fils de coton s'exportaient vers la Chine, où les tisserands artisanaux absorbaient 80 % de la production. Il en était de même en Inde, et, face à cette concurrence déloyale des cotonnades anglaises, de nombreux tisserands s'étaient reconvertis aux fils industriels pour devenir plus compétitifs, en dépit de leurs bas salaires. Cette situation se produisait surtout en Inde du Sud où le tissage artisanal connut une renaissance spectaculaire.

La Première Guerre mondiale favorisa, par la baisse de l'entrée des cotonnades anglaises, la croissance des industries cotonnières indiennes, qui doublèrent leur production de cotonnades entre 1914 et 1918, la majorité des usines regroupant filature et tissage. Par cette lutte pacifique, Gandhi obtiendra l'indépendance de son pays. Bien que les lois protectionnistes fussent abolies en 1925, la lutte continua. Le drapeau national indien, adopté par le parti du Congrès en 1930, représente, dans la bande blanche centrale, le rouet, symbole de l'appel de Gandhi à reprendre les techniques traditionnelles du filage et du tissage du coton, en vue d'acquérir l'indépendance économique, encore aux mains des Anglais. L'image du rouet de Gandhi sous la chandelle, symbole de la morale individuelle dans un monde où il faut habiller des foules, produire de plus en plus vite pour vendre de moins en moins cher, reste toujours aujourd'hui une utopie.

L'Inde accéda à sa liberté en août 1947, troublée par les nombreux et cruels conflits entre musulmans, hindous et sikhs. Cette période inaugure la fin de tous les empires coloniaux, qui s'effondreront entre 1939 et 1978 pour laisser l'indépendance aux pays colonisés, regroupés, pour ceux d'influence anglaise, sous le Commonwealth et, pour ceux francophones, sous l'Union française. Mais ces pays devenus indépendants resteront divisés par la coupure de plus en plus marquée entre les pays riches et les pays pauvres. L'Inde, de premier producteur mondial pendant des siècles, est passé aujourd'hui en troisième position.

La fin des comptoirs français en Inde

Que s'est-il passé à Pondichéry et dans les autres comptoirs français à la fin du XIXe et au début du XXe siècle, dans le secteur cotonnier qui nous intéresse ? La IIIe République rechercha l'assimilation de toutes les populations des colonies et, en 1871, permit au comptoir de Pondichéry et aux autres possessions françaises en Inde d'élire un député au suffrage universel. Le comptoir de Pondichéry fut divisé en quatre communes et celui de Karikal en trois, chacune ayant leur maire. En 1872, un arrêté accorda le droit de vote aux Indiens « qui exercent sur notre territoire depuis plusieurs années une industrie ». Cela concernait d'abord les ouvriers et artisans textiles qui bénéficièrent vite des avantages sociaux français. Cette nouvelle situation politique française d'intégration fut rejetée par tous les nationalistes indiens, sous l'influence de Gandhi. En 1933, un mouvement d'émancipation de l'Inde encourage les ouvriers des filatures et tissages de coton de Pondichéry à « lutter contre les exploiteurs étrangers ». Ce mouvement de désobéissance civile ne fut pas beaucoup suivi dans les comptoirs français, sans doute à cause des avantages sociaux accordés par les patrons français. Ce furent surtout les firmes britanniques à être touchées par ce mouvement nationaliste. La Seconde Guerre mondiale mettra un terme aux tensions politiques locales et, en 1947, les députés socialistes français réclameront la fusion des comptoirs français dans la nouvelle Union indienne.

C'est seulement en 1954 que les Territoires français de l'Inde seront cédés à l'Union indienne avec les usines en place à Pondichéry, dont le personnel avait été parfaitement formé par l'encadrement français. Les comptoirs de l'Inde étaient plus peuplés que les Antilles française. On y comptait 300 000 habitants dont une majorité travaillaient dans l'industrie cotonnière de toute la région de Pondichéry. La qualité de ses cotonnades était réputée dans le monde entier. Aussi la relève indienne fut facile et de nombreux contremaîtres français resteront travailler à Pondichéry, parfaitement intégrés à la population. Avec l'option de la nationalité française pour les Indiens qui le souhaitaient, plus de cinq mille familles, travaillant en grande partie dans l'industrie cotonnière et les indigoteries de la région, useront de ce droit d'option. Ces Pondichériens vivent aujourd'hui sur le sol de leurs ancêtres, y perpétuant les traditions françaises et continuant à parler le français. Une des rares décolonisations heureuses.

Les productions traditionnelles des tissus de coton qui subsistent

En dehors d'une production industrielle de cotonnades imprimées importante pour les marchés nationaux et internationaux, on constate aujourd'hui un encouragement de la production artisanale traditionnelle, largement exportée dans le monde entier avec beaucoup de succès. Il existe actuellement, dans de nombreuses régions, des communautés tribales qui ont su préserver leur identité particulière et leurs vêtements traditionnels. Nous avons vu que Nehru et Gandhi avaient voulu garder vivant l'artisanat textile indien pour des raisons politiques et économiques. Le *khadi*, ce tissu de coton blanc que Gandhi avait fait tisser dans toute l'Inde pour boycotter les tissus anglais, brûlés sur les places publiques, restait le symbole d'une révolution à la fois culturelle, économique et politique. Encore aujourd'hui, en période électorale, les femmes se disputent l'achat de ces tissus dans toutes les boutiques.

Les Indiens s'en revêtent pour manifester leur appartenance aux valeurs politiques et morales de Gandhi. Le rouet figurant dans le drapeau indien n'est pas seulement le symbole de l'indépendance textile face aux productions anglaises, il est la présence et l'emblème de plus de dix millions de personnes qui vivent encore exclusivement du travail artisanal du textile et qui produisent plus de trois milliards cent millions de mètres de tissus par an ! Ces artisans, femmes et hommes, affirment l'esprit de liberté et d'indépendance de l'Inde, face à une industrialisation systématique, oppressante et parfois sans âme, mais que les dirigeants savent inexorable avec les progrès industriels et la recherche d'une production intensive, la moins chère possible.

Cette activité artisanale correspondait dans l'économie nationale, il y a à peine dix ans, à la deuxième place, juste derrière l'agriculture. Les femmes indiennes restent attachées aux traditions et portent presque toutes un sari, en soie pour les plus riches, en coton pour les moins riches, mais dont les motifs traditionnels, tissés ou imprimés, ne se démodent jamais. Le prix des saris tissés à la main est fixé par le gouvernement pour que la classe la plus pauvre puisse les acheter. En revanche, la demande des marchés étrangers est liée à la mode. Aussi une commission pour l'exportation de l'artisanat et du tissage a été créée pour choisir, avec l'aide de stylistes indiens, les motifs et les couleurs les mieux adaptés au goût occidental, mais en s'efforçant de sauvegarder les techniques traditionnelles, ce qui n'a pas toujours été le cas des stylistes occidentaux.

Les plus prestigieuses cotonnades indiennes contemporaines

Parmi la diversité des tissus indiens en coton produits à travers les siècles, tissés et imprimés encore aujourd'hui avec les mêmes techniques archaïques, vieilles de plus de deux mille ans, je ne citerai que les plus prestigieux et qui sont les plus menacés par les bouleversements industriels et sociaux contemporains. C'est une joie et un rare bonheur que de pouvoir se plonger dans cet univers textile exceptionnel. La splendeur et la profusion des couleurs, encore végétales dans de nombreuses régions, fascinent et grisent. On est ébloui par l'imagination créatrice de ces femmes et de ces hommes, souvent analphabètes, qui s'expriment totalement à travers la diversité des motifs de leurs tissages, broderies ou impressions en réserves. Ils créent une véritable écriture de fils et de couleurs permettant de comprendre leurs motivations profondes, leur sens du sacré.

Dans cette communion avec les artisans indiens, on retrouve les grandes mythologies du tissage, comme celles enfermées dans les couvertures des morts des Dogons, portant la parole du Septième ancêtre. Je sais que le tissage est la terre des visions, un retour à l'unité et à la simplicité : un fil pris, un fil laissé. Le langage binaire de l'ordinateur ! Tout est possible puisqu'un monde secret s'y cache où l'invisible devient visible. Les teinturiers de la région du Bengale ont le secret de teintures « invisibles » qui ne se révèlent que très lentement, au contact du soleil et du temps.

Dans tous les marchés du Rajasthan, c'est une joie infinie de découvrir les jupes, les châles, les chemisiers ou les saris des femmes nomades ou urbaines, de toutes castes et classes sociales, confondues dans cette symphonie de coloris superbes, orange, rouge, vert acide, bleu indigo, se fondant dans les motifs floraux brodés. Souvent, un carré de coton porté sur l'épaule ou sur la tête sert à envelopper la nourriture. Au milieu de cette symphonie de couleurs, le contraste est grand lorsqu'on croise une femme de berger Rabari, enveloppée d'un grand châle noir, juste rehaussé de quelques petites broderies rouge et argent à peine visibles. Par contre, si elle entrouvre un peu ce châle noir, on aperçoit le monde caché de la richesse des broderies florales multicolores de sa jupe et de son chemisier, venant de son trousseau brodé apporté en dot à son époux et qu'elle a réalisé avec les femmes de sa famille pendant plusieurs années. À l'opposé de son châle noir, celui porté le jour de son mariage était rouge avec de somptueuses broderies de fleurs stylisées, de même que les tentures placées devant sa nouvelle demeure, dont les broderies correspondent à des symboles de bonheur, sorte de talisman.

Aujourd'hui, de nombreuses femmes Rabari ne brodent plus leur trousseau, mais continuent à broder des produits moins soignés destinés à l'exportation, et certaines, pour des raisons économiques, sont mêmes obligées de vendre leurs somptueux trousseaux aux marchands ambulants qui les revendent très chers à d'autres commerçants pour les boutiques touristiques les plus chic de Delhi ou de Bombay.

Dans le cadre de ce trésor vivant des textiles indiens menacés, un châle appelé *chikan* est produit dans la région d'Uttar Pradesh, près de Delhi. Il est d'un raffinement subtil avec des broderies réalisées avec un simple fil de coton blanc et appliquées sur une fine cotonnade blanche. Le contraste du blanc sur blanc n'apparaît qu'avec l'effet de relief des broderies et l'opposition des deux techniques captant différemment la lumière. On se retrouve brusquement dans un monde de l'invisible, un tissu miroir qui permet de rêver à l'univers.

On trouve aussi les appliqués du Rajasthan servant aussi bien pour le harnachement d'animaux que de tentures ou de dais de mariage, et aussi des châles de fine cotonnade, teints par une série de réserves faites de nœuds ligaturés. Avec cette même technique raffinée, le *gharchola* est un sari de coton, quadrillé par un savant brochage de fils d'or et d'argent, à l'intérieur desquels se trouvent des motifs de fleurs stylisées ou d'éléphants dessinés par des petits ronds, réalisés par nouage, comme une succession de points formant les contours des dessins. Parfois les femmes portent ce tissu non repassé pour montrer le subtil effet de crêpage réalisé par les différentes ligatures et les pliages de cette technique de teinture en réserves ligaturées (appelée : nouer-lier-teindre), technique en voie de disparition. On peut mentionner aussi le magnifique sari en coton, en simple ou double ikat (réserve des fils de chaîne et de trame avant le tissage), réalisé dans la région de Sambalpur, avec des motifs de poissons et de canards stylisés.

Il y a aussi les tissus exubérants de certaines communautés pastorales, brodés tout à la fois de perles, d'éclats de miroir, de paillettes, de coquillages, de pièces de monnaie, comme ceux en coton rouge de la caste des marchands Mahajan dans le Saurastra, ou encore les blouses de mariage du Gujarat, région restée un grand centre des tissus imprimés au bloc d'impression, ciselé dans du bois dur par des spécialistes, célèbre aussi pour la richesse et le raffinement de tous les tissus de coton brodés de fils de soie ou de coton, d'or ou d'argent.

Chaque région a son style de broderie, en particulier pour la composition de la robe de la mariée et du trousseau. Le châle brodé du Panjab, appelé *phulkari* ou *chope*, est offert à la jeune mariée le jour du mariage par sa grand-mère maternelle. Ces châles sont brodés avec un point double face, les broderies étant identiques à l'endroit et à l'envers. La broderie demandait à la grand-mère de nombreux mois de travail et de patience, mais aussi beaucoup d'amour pour sa petite-fille. C'est la mère qui enseigne encore aujourd'hui à sa fille les points et les décors traditionnels de ces châles de mariage, pour qu'elle puisse les réaliser pour ses futurs petits-enfants au moment de leur mariage. Les décors sont souvent empruntés à la vie quotidienne — maisons, animaux, objets utilitaires, personnages, noces, etc. — et à la nature — fleurs, légumes, rivières, jardins, etc. Un art populaire éblouissant.

Un autre magnifique châle nuptial *(abocchnai)* de la caste des propriétaires terriens Dar, situés dans le Thar Pakar, est tissé en coton beige, brodé de motifs floraux en soie ou en coton. On utilise aussi, lors des cérémonies de mariage, des tapis de coton, brodés de nombreuses applications de morceaux de tissus et de fragments de miroirs, d'un effet décoratif surprenant à la lumière du soleil le jour ou à celle des bougies la nuit. Au Gujarat vit encore une population tribale nomade, les Kathi. Les femmes brodent les étoffes en coton selon une technique qui allie à la fois broderie au point de chaînette et application et incrustation de mica, parfois aussi de verre. Les motifs sont surprenants et figurent des êtres hybrides issus de leur mythologie originaire d'Asie centrale.

Il existe encore des groupes d'artisans ambulants hindous, comme les Lohars du Rajasthan, forgerons et marchands de bovins, se déplaçant en chars à bœufs de village en village. Le contraste des vêtements tout blancs des hommes et tout rouges de leurs femmes est saisissant. Les femmes portent une longue jupe en coton et une brassière, *kanchali*, dans les tons rouge vif de garance, et un châle *(odhni)* en tissu proche de la mousseline, drapé sur plusieurs mètres autour du corps et sur la tête, teint lui aussi en rouge fuchsia avec des petits semis de broderies géométriques colorées de vert et de jaune. Les hommes s'habillent simplement d'une chemise blanche collante à longues manches, appelée *baktari*, et d'un pagne de tissu blanc, drapé et noué en guise de pantalon, le *dhoti*, qui contraste avec leur grand turban rouge garance d'une dizaine de mètres d'un tissu amidonné. Tant que leur père sera en vie, ils porteront ce turban rouge, mais ils l'échangeront contre un blanc à sa mort.

Plus les régions sont désertiques et arides, plus les peuples qui les habitent s'habillent de tissus colorés et exubérants. C'est le cas, nous l'avons vu, avec les femmes Lohars du Rajasthan. Cette vaste région est peuplée de teinturiers, parfois nomades, qui travaillent en famille pour teindre turbans, foulards, châles et saris de coton dans les couleurs les plus vives, différentes selon chaque groupe ethnique. Cette région est au centre de ce qu'on a appelé, à l'origine des céramiques et cotonnades peintes, « la ceinture de la couleur » et s'étend du bassin de l'Indus jusqu'aux plaines du Gange. Les teinturiers se regroupent près des rives des plus grands cours d'eau où ils peuvent rincer les pièces de tissu après teinture et les faire sécher en plein air. C'est un éblouissement lorsqu'on les découvre par centaines, étendues sur le sol en plein soleil, dans toutes les gammes de coloris. Certains voiles sont teints en camaïeu d'un effet raffiné, qui nécessite de tremper le tissu partiellement dans le bain de teinture, une seule fois pour le ton le plus clair et jusqu'à dix fois pour obtenir les tons les plus foncés. Il s'agit d'une véritable alchimie de l'eau et du feu des bains de teinture, associée à la maturation au soleil qui donne vie à la couleur, s'infiltrant dans le tissu et faisant corps avec lui.

Même choc coloré au moment des foires aux chameaux et aux buffles de Pushkar et de Nâgaur, réunissant la variété des costumes tribaux, brodés ou teints des couleurs les plus vives comme le jaune safran ou le rouge lumineux de la garance, et associés à de somptueuses parures d'argent massif. Toutes les bêtes, chameaux, chevaux ou ânes, sont harnachées de tissus en coton épais, brodés ou matelassés, qui les décorent somptueusement mais aussi les protègent du soleil. Chaque caste, chaque confrérie religieuse porte les vêtements colorés qui la caractérisent. On ne sait plus où regarder tant le spectacle de cette foule colorée est prodigieux.

Les musulmans, par exemple, s'habillent avec les *azrak*, tissus décorés par réserves au mordant et dont les motifs, essentiellement géométriques, sont de couleur rouge garance avec un fond indigo (en arabe *azrak* signifie bleu).

Les teinturiers utilisent une technique très proche de celle pratiquée par les *Vaghri*, cette caste tsigane spécialisée dans la fabrication des tissus sacrés des temples d'Ahmedabad. Après lavage de la pièce de coton, artisanale ou tissée industriellement à Ahmedabab, le teinturier musulman l'assouplit avec un curieux mélange de carbonate de soude, d'huile et de bouse de vache bien fraîche ! Les *Vaghri*, on s'en souvient, utilisaient de la crotte de chameaux séchée ! Puis, comme eux, il trempe le tissu dans un bain du fruit desséché appelé myrobolan. À l'aide de blocs d'impression en bois gravé, il applique, sur les zones à réserver en blanc, une pâte composée d'un mélange de gomme et de chaux. Les autres réserves au mordant sont réalisées pour la garance, toujours avec de l'alun mais recouvert ensuite d'argile pilée et, pour les contours des motifs en noir, avec du sulfate de fer, mélangés tous les deux avec de la gomme. Après avoir fait sécher la pièce de coton vingt-quatre heures au soleil, le teinturier obtient le fond bleu en plongeant le tissu dans la cuve d'indigo, une ou plusieurs fois suivant l'intensité du bleu voulue. Il enlève délicatement la gomme des parties réservées au mordant avant de plonger le tissu dans un bain rouge, non plus à base de racines de garance, mais un rouge chimique à base d'alizarine. Il rince le tissu dans l'eau de la rivière et le lave dans un mélange de savon, de cristaux de soude et encore de bouse de vache. Comme on le fait pour les guinées indigo de Pondichéry, il bat le tissu avec un maillet de bois, ce qui donne de l'éclat et polit le fond indigo. On constate ainsi que ce procédé archaïque de teinture à réserves, utilisé pendant des siècles pour la réalisation des *Kalhasti* sacrés, est pratiqué encore aujourd'hui sans grande modification ! Par contre, dans la région de Masulipatnam les réserves sont faites avec un bloc trempé dans la cire chaude, comme pour les batiks d'Indonésie, et toutes les teintures sont chimiques. Les touristes, hélas, ne voient pas la différence !

Les riches marchands de cette région, les *Marwari*, se différencient par le port d'un turban rayé de bandes diagonales aux vives couleurs. Ce sont les teinturiers musulmans qui teignent ces turbans avec une technique de réserves ligaturées appelée *leheria* (nouer-lier-teindre). Aujourd'hui, ils sont vendus aux *Marwari* encore noués pour montrer qu'il ne s'agit pas d'une imitation industrielle. Le turban enveloppe la tête du marchand d'un nouage très compliqué en torsade. Lorsque le matin, au petit jour, il étale sur plusieurs mètres son turban jaune ou orange, uni ou rayé, avant de le torsader de nouveau autour de sa tête dans un rythme lent et régulier, c'est un spectacle inoubliable, une vraie fête textile. Il en est de même avec une pièce de mousseline de coton très fin de plus de quatre mètres de long dont les hommes se drapent pour former, par enroulements successifs, une sorte de pantalon bouffant.

Au cours de cette foire de novembre de Pushkar, des milliers de femmes Lohars se baignent, drapées dans leurs grands châles rouges, près des rives du lac, pour purifier leurs âmes et leur assurer une place dans le ciel. La vision de cette scène biblique est inoubliable avec les mouvements divers de ce grand châle, ondulant d'abord comme des vagues rouges, puis moulant le corps mouillé telle une statue antique. Toutes les femmes, surtout en milieu rural, arborent de magnifiques parures de bijoux qu'elles ont reçues en dot et qu'elles portent de jour comme de nuit. Beaucoup sont en or et argent, métaux précieux qui ont la vertu d'apporter la santé, mais certains dans les campagnes sont réalisés avec des matériaux plus humbles comme le tressage d'un simple fil de coton pour créer un ruban, rehaussé de quelques graines rouges et de fruits secs. Alchimie d'une fibre végétale avec des graines d'une autre espèce. Ces tresses en coton possèdent un pouvoir protecteur et une valeur symbolique qui varie suivant les ethnies. Au cours d'une fête de la région du Gujarat, la sœur témoigne du respect qu'elle doit avoir pour son frère en lui attachant une corde de coton autour de son poignet.

Il y a aussi les délicates mousselines transparentes du Bengale, les *jamdani*. Les motifs floraux de ces voiles de coton sont tissés avec une technique proche du brochage, dans laquelle les fils de trame supplémentaires sont passés dans la nappe des fils de chaîne au moyen d'une aiguille de bambou. En utilisant des fils de coton les plus fins, les motifs floraux flottent sur le tissu comme un nuage. Les mousselines de coton du Bangladesh, fabriquées dans la région de Dacca, sont restées les plus fines. On prétend qu'une pièce de dix-huit mètres de long sur quatre-vingt-dix-sept centimètres de large arriva à passer à travers l'anneau d'une bague ! Dans cette même région, un sari de mousseline de coton est tissé par des musulmans alors que le coton a été filé préalablement par des jeunes femmes hindoues. Une collaboration qu'aurait aimée Gandhi ! Cette mousseline s'appelle « nuit étoilée » en raison de son fond bleu nuit, parsemé de petites réserves en *plangi* formant comme des étoiles, le fond est de plus broché de fils de fines lamelles d'or et d'argent qui brillent dans ce firmament. Un tissu de rêve considéré comme le tissu de coton le plus fin du monde.

Il ne faut pas oublier les magnifiques couvre-lits en piqué du Bengale, les *kantha* traditionnels, tissus composés de morceaux de sari ou de *dhoti* usagés, piqués et rebrodés par des femmes dans certains villages, formant un patchwork éblouissant. Certains, comme les plus anciens, se composent d'un médaillon central en forme de lotus, symbole de l'univers, et de quatre arbres à chaque coin. Mais, comparés aux pièces anciennes richement historiées de scènes religieuses ou allégoriques, les *kantha* confectionnés aujourd'hui avec des tissus neufs dénotent un appauvrissement des motifs, devenus un peu trop répétitifs et stylisés pour répondre à une production artisanale en série, réservée à l'exportation. Néanmoins, certaines pièces, de plus en plus rares, restent un authentique art populaire, et sont recherchées par des collectionneurs. Les femmes les plus douées refont d'habiles copies de pièces anciennes pour ce marché extérieur.

La région montagneuse d'Assam, dans le nord-est, produit un coton aux fibres courtes, filé et tissé sur des métiers primitifs « à fosse » par les femmes depuis très longtemps. Celles-ci réalisent des tissus brochés aux somptueux décors d'animaux et de fleurs stylisées, dans des coloris issus encore de teintures végétales. Le mahatma Gandhi l'a confirmé : « Les femmes de l'Assam sont nées tisseuses, sur leur métiers, elles sont capables de tisser des contes de fées. » Dans les villes, les tisserandes utilisent des métiers Jacquard de Lyon et des colorants chimiques venus de Suisse, plus rentables pour une production commercialisée à l'étranger.

Et encore faut-il mentionner les dessus-de-lit en coton surpiqués ou appliqués, fabriqués à Faridpur au Bangladesh et dont le décor, découpé dans des étoffes de coton coloré, évoque la flore et la faune de cette région : poissons, oiseaux aquatiques, éléphants, buffles, chevaux. Les tentures en applications, fabriquées par une caste de fermiers Kanbi de la région de Saurastra, font penser par la simplicité des motifs floraux et animaliers et leurs couleurs vives aux derniers panneaux de papiers découpés de Matisse. Elles servent de décor au moment des fêtes ou de dais lors des mariages. Même les tours des portes sont ornés de tentures moins larges, dans les mêmes compositions décoratives que les grands panneaux.

La liste serait encore longue s'il fallait faire l'inventaire systématique de la diversité et de la richesse de cette production traditionnelle, qui reste exceptionnelle en dépit de toutes les influences et transformations de la nouvelle civilisation industrielle.

Les créations nouvelles

Les artisans indiens ont toujours eu une grande faculté d'adaptation afin de répondre à de nouveaux marchés. Dans le Rajasthan, par exemple, des tisserands hindous tissaient sur des métiers horizontaux des tapis plats en coton, genre kilims. Appelés *darri* (ou *dhurries)*, ils étaient rigides et épais et servaient à recouvrir, dès le

XVIe siècle, les sols de marbre des palais princiers. Beaucoup étaient tissés dans les prisons lors de la période coloniale anglaise. Aujourd'hui, des marchands étrangers commandent ces tapis dans de nouvelles compositions s'inspirant des motifs des tapis persans. Ils servent de tapis de sol ou de couvre-lits. Les motifs traditionnels géométriques des kilims en coton s'adaptent parfaitement à tous les décors intérieurs, anciens ou modernes, ainsi que les patchworks et appliqués en coton aux motifs floraux stylisés. Leurs coloris varient selon la mode occidentale. Pour les musulmans, nombreux dans cette région, les tisserands de *dhurries* tissent aussi, dans la même technique du kilim, des tapis de prière à plusieurs mihrabs.

Il suffit qu'un grand couturier parisien s'intéresse aux textiles indiens dans une de ses collections pour que les boutiques spécialisées dans les textiles artisanaux indiens — comme, entre autres, à Paris, la Maison de l'Inde, Madura, Simrane, Mohanjeet — soient dévalisées ! Des importateurs indiens ont leurs propres réseaux de distribution, comme Shyam Ahuja qui propose de nouveaux modèles de dessins et de couleurs, puisés dans l'immense répertoire du fonds traditionnel, mais adaptés à la mode du moment.

Liberty's de Londres recherchait en Inde un tissu d'ameublement particulièrement serré. Son acheteur découvrit sur la côte sud-ouest, la côte de Malabar des épices, un reps pur coton aux côtes horizontales bien nettes, dont les fils, encore filés au rouet, étaient teints avec des coloris naturels avant le tissage, ce qui lui donnait des irrégularités dans les fils et dans les coloris, effet inimitable industriellement ou même avec un bain de teinture en pièce après tissage. Les tisserands indiens de cette région l'appelaient *masook*, ce qui correspondait au mot « amoureux », mais la maison Liberty's le baptisa d'un autre nom, moins sentimental, *Reptrust*, et en fit tisser des variations en rayures et bayadères, style madras, avec une version tissée industriellement et moins chère.

Les tisserands indiens, sans doute influencés par les kilts des Écossais au cours des défilés de l'armée des Indes, ont transformé ces tartans traditionnels en écossais indiens aux coloris subtils et aux rayures plus fines, dont les unis dans le même tissu permettent, aux décorateurs, de nombreuses applications en ameublement contemporain. Les indiennes imprimées sur calicot au cadre de bois reviennent à la mode en ameublement. Pour faire des dessus-de-lit ou recouvrir un canapé, les décorateurs utilisent aussi une toile épaisse du nord de l'Inde, appelée *panipat*, composée d'une chaîne en coton très fin, qui emprisonne tous les centimètres un cordon de coton flammé dans des tons naturels ou pastel, unis ou alternés, donnant l'impression de vagues. Shella Hichs utilisa ce principe dans une de ses créations indiennes, à Calicut, en remplaçant le cordon de coton par des cocons de vers à soie, disposés en quinconce dans la trame, et d'un très bel effet décoratif.

Les tissus en coton imprimés artisanalement sont toujours tissés dans le Rajasthan et l'Andhra Pradesh. Il est à noter, comme au temps de la Compagnie française des Indes orientales, l'influence des stylistes européens, qui adaptent certains dessins des cotonnades au goût occidental et exigent des coloris chimiques, jugés par eux plus solides au lavage et à la lumière. Cela est faux en grande partie, la solidité des colorants végétaux, comme la garance, ayant fait le succès des indiennes au XVIIIe siècle. Mme de Sévigné s'enthousiasmait pour les « indiennes » et, plus près de nous, Théophile Gautier écrivait : « Il [le tisserand] réalise les merveilles des contes de fées, il fait des robes couleur du temps, couleur du soleil, couleur de la lune ; métaux, fleurs, pierreries, reflets, rayons, éclairs, il mélange tout sur sa palette incandescente. »

L'Inde est restée le plus grand producteur de tissus de coton du monde, tissus éblouissants qui n'ont pas fini de nous enchanter par leur diversité et leur richesse décorative. Plusieurs expositions, dont « Textiles de l'Inde » réalisée au musée des Arts décoratifs de Paris il y a dix ans, montraient avec force que cette longue tradition textile, plus que millénaire, était toujours vivante et que de nouvelles productions contemporaines prouvaient la vitalité créatrice et imaginative des tisserands et tisserandes de l'Inde, en dépit des menaces de la production industrielle et du rapide changement de mode de vie dans plusieurs régions. Le Calicot Museum of textiles d'Ahmedabad renferme des trésors qui servent de références aux designers internationaux venus puiser leur inspiration dans ce paradis textile, mais, par leurs créations contemporaines, ces derniers stimulent les artisans indiens.

Le couturier japonais Issey Miyake s'inspira de cette longue tradition très élaborée dans ses collections. Il collabora étroitement, à la demande d'Asha Sarabhaï, une spécialiste de l'artisanat textile de l'Inde, avec des artisans tisserands et imprimeurs pour les aider à créer de nouveaux modèles, mieux adaptés aux nécessités économiques et culturelles de notre société nouvelle. En recherchant des matières plus proches de la nature, Issey Miyake a certes utilisé les magnifiques saris brochés en soie de Bénarès, mais aussi les tissus traditionnels en coton, unis ou imprimés, comme les panneaux en piqué de coton, teints en bleu indigo, au décor géométrique encadré dans un damier, aux motifs opposés. D'autres tissus, au même décor en damier, sont composés par des oppositions d'armures différentes, d'un effet décoratif subtil et nouveau pour l'Inde. Il utilisa aussi des toiles de coton au décor réalisé avec un magnifique double ikat tissé dans l'Andhra Pradesh, et de nombreuses toiles de coton imprimées à la planche avec la technique ancienne de réserve par impression de cire au bloc, avant teinture, dans un bain de tons brun foncé. Il a choisi, parmi des milliers de blocs gravés, les plus géométriques qui, placés les uns à côté des autres comme un damier, formaient un patchwork superbe.

En ameublement, en dépit de la concurrence industrielle des mousselines et organdis produits en Suisse ou à Tarare, la mousseline indienne, importée on s'en souvient par la Compagnie des Indes du Bengale, continue à séduire de nombreux décorateurs. Produite encore artisanalement dans la région de Dacca, au Bangladesh, sa texture est si fine qu'une pièce de 66 mètres pèse à peine 450 grammes, dépliée, elle correspond à une véritable toile d'araignée ! Des brodeuses l'ornent de rameaux fleuris pour lui donner une apparence plus réelle. Un autre chef-d'œuvre textile, inimitable industriellement.

L'Inde, le pays qui a su sauvegarder cet artisanat textile vivant, n'a pas fini de nous étonner et de nous séduire par la diversité et la richesse de ses créations intemporelles, franchissant toutes les modes. On peut citer à ce propos un texte de Paul Valéry qui disait : « La véritable tradition dans les grandes choses n'est point de refaire ce que les autres ont fait mais de retrouver l'esprit qui a fait ces choses et qui en ferait de tout autres en d'autres temps. »

Les créations contemporaines en Chine

La révolution de 1911

À la suite de la révolution de 1911 qui renversa l'empire Qing, la République abolit l'usage qui permettait d'identifier le statut social et le rang d'un individu par sa coiffure et sa tenue. L'ordre fut donné à tous les hommes, de toutes les classes et de toutes les provinces, de se couper les cheveux et de ne plus porter les vêtements traditionnels mais d'adopter les modèles plus sobres des pays occidentaux. Vers les années 1930, la majorité des citadines se mirent à la mode occidentale avec des vestes, des jupes et des robes confectionnées dans des tissus de coton, imprimés de motifs pleins de fantaisie ; ces cotonnades étaient en grande partie importées d'Occident.

Shanghai, avec la présence des concessions étrangères, devint le centre industriel et financier de la Chine. Le grand capitalisme, anglais et japonais, y était représenté pour les filatures de coton par la Naigai Wata Kaishe. Ville cosmopolite, Shanghai était le centre de la mode internationale en Chine. En ville, le *qipao*, la longue robe d'origine mandchoue d'une seule pièce, en soie ou en coton, était ajustée et plus seyante que la veste et la jupe, et moulait mieux la silhouette des jeunes filles. La mode modifiait la forme du col, par exemple en fleur de lotus ou en nœud papillon, et raccourcissait la longueur de la robe et des manches.

Les gens du peuple et les paysans s'habillaient toujours à la chinoise et leurs costumes ne suivaient pas la mode des villes. Les femmes s'habillaient simplement d'un pantalon et d'une veste à manches courtes, le plus souvent en tissu de coton teint dans des coloris sombres. C'est seulement les jours de fête qu'elles portaient le *qipao*, mais souvent démodé. Les hommes s'habillaient d'une robe longue et d'une veste sans manches, et mettaient un grand tablier en coton teint en indigo pour se protéger des travaux salissants. Le même tissu en coton sergé des jeans !

Le costume Mao

D'abord, seuls l'armée et les fonctionnaires, comme les facteurs ou les conducteurs, portaient un uniforme. Avec l'avènement de la République populaire de Mao Zedong en 1949, tout va changer. En 1958, la production du coton doubla en l'espace d'un an. Les plantations, surtout situées dans les terres « sèches » de la vallée du fleuve Jaune et de la région du Grand Canal au Hebei, représentaient alors plus de deux millions d'hectares. Puis, trois années de calamités naturelles répétées vont entraîner une grave crise économique. Il faudra importer le moins possible et produire, avec le coton local, les kilomètres de sergé ou de toile de coton, teints à l'indigo, pour confectionner « le costume Mao ». Il est composé d'une veste à petit col, d'un pantalon et d'une casquette assortie, costume unisexe, sans indication sociale, vendu dans les magasins étatisés et porté par une grande partie de la population. L'armée populaire portait le même uniforme en coton sergé, mais pour le différencier du peuple il était teint en vert pâle, avec une étoile rouge au centre de la casquette ainsi qu'un revers rouge au début du col.

L'industrie textile cotonnière se concentre dans la région du Nord autour des grandes villes comme Pékin, Tianjin et Handan. Xinxiang est situé au cœur d'une des plus grandes régions de culture de coton de cette province. La ville est vite devenue un grand centre textile du coton avec ses filatures et ses tissages. Sur l'ancienne route de la soie, les villes du Xinjiang ou Turkestan chinois, comme Kachgar, prennent une grande importance sur le plan cotonnier, huit dixièmes des surfaces cultivables, situées dans les terres irriguées du bassin de Tarim, étant réservés à la culture du coton à grande échelle. Shanghai reste la capitale de la mode et du textile avec ses filatures et tissages de tissus aussi bien de soie que de coton.

Il est curieux de constater que, au moment de la mode mondiale du jeans américain, le costume Mao était porté par la plus grande majorité des Chinois, hommes et femmes, ouvriers ou paysans, et que cet uniforme, unisexe, était fabriqué avec le même sergé de coton originaire de Calicut, teint aussi à base d'indigo. Ce qui permet d'imaginer que plusieurs milliards d'individus dans le monde portaient en même temps, en Orient comme en Occident, le même tissu, le denim des jeans et celui du costume Mao, dans le même bleu indigo, mais dans un contexte social, culturel et politique différent.

Au moment de la Révolution culturelle, entre 1965 et 1968, on se souvient des images des journaux télévisés montrant cette armée de jeunes, « les gardes rouges », tous vêtus du même costume bleu et tenant à la main la même bible, le « petit livre rouge » des pensées de Mao. Dans les rues, la vision d'une marée humaine toute bleue était d'un effet aussi saisissant qu'inquiétant.

L'occidentalisation

Depuis la mort de Mao et l'ouverture à la production étrangère, les femmes et les hommes s'occidentalisent de plus en plus et portent un nouvel uniforme, le jeans, importé des États-Unis, comme le Coca-Cola et les McDonald's, phénomène de la mondialisation et de l'uniformisation de la mode, des goûts, de la musique, et du tissu universel, le denim. En 1978, la Chine produisait 10 300 millions de mètres carrés de tissus de coton ! Aujourd'hui, en 1998, elle est devenue le premier producteur de coton, avec plus de 4 203 milliers de tonnes, suivie de près par les États-Unis. Il y a de quoi réfléchir sur les possibilités de la Chine d'envahir bientôt le marché mondial de tissus de coton, comme l'avait fait quelques siècles plus tôt l'Inde avec ses cotonnades appelées indiennes.

Les créations contemporaines au Japon

Le kimono moderne

L'art de revêtir le kimono n'est pas perdu. Les mères enseignent toujours à leurs filles la façon de porter le kimono et de nouer le obi, cette ceinture en tissu qui se pose dans le dos de plusieurs façons, de la plus simple à la plus sophistiquée pour les mariages. Tout un art du nœud qui personnalise chaque kimono et permet de savoir, de dos, si la femme est mariée ou pas, jeune ou âgée, ou si elle est une geisha.

Le kimono masculin ne comporte en général aucun motif décoratif, sauf les cinq armoiries de la famille imprimées au pochoir en blanc, mais il y a des différences entre le kimono d'intérieur, en coton teint en noir ou indigo foncé et qui ne porte qu'une seule armoirie, et celui des cérémonies de mariage ou de visites aux temples, en soie noire unie et cinq armoiries. Les motifs de ces armoiries varient avec chaque famille, et représentent aussi bien des fleurs, des plantes, que des animaux stylisés. Les artisans portent en médaillon les symboles particuliers de leur métier.

Le vêtement japonais est resté d'une actualité internationale grâce aux grands couturiers, comme Issey Miyake, Kansai Yamamoto, Kenzo et Yukiko Hanai, pour ne citer que les plus importants. Le kimono traditionnel inspire des artistes contemporains, qui se servent de la technique du pochoir pour créer des motifs nouveaux. On les considère comme « Trésor national vivant ». Ces maîtres doivent former au moins un apprenti avant de mourir pour que leur technique continue. Kunihiko Moriguchi travaille selon la tradition du procédé de teinture *yuzen*, teinture à l'indigo par mordants et réserves en pâte de riz, mais en l'adaptant à de nouveaux procédés modernes, et il crée des motifs contemporains, évoquant la nature dans une abstraction géométrique rigoureuse. Il considère le kimono comme un vêtement moderne et une œuvre d'art, traduisant bien ainsi le respect de la tradition associé à la création contemporaine.

Les femmes japonaises s'habillent à l'extérieur à l'occidentale mais portent chez elles le kimono traditionnel ou, si elles sont d'une classe aisée, celui d'un grand couturier japonais à la réputation internationale comme Issey Miyake. Ce couturier, qui s'est intéressé à la production artisanale textile de l'Inde, ne pouvait pas rester indifférent à celle si riche de son pays. Il s'inspire, dans ses collections, des vestes paysannes en tissu de coton épais, des tenues amples des samouraï, des kimonos en coton crêpe, *yoryu* ou dans les étoffes classiques de soie ou de coton, mais il crée de nouveaux imprimés avec les techniques traditionnelles. Cela ne l'empêche pas d'utiliser tous les matériaux et les techniques contemporaines les plus d'avant-garde, comme ses bustiers en plastique moulé. La vraie tradition c'est la création contemporaine pourrait être la devise de ce créateur !

Il en est de même pour Kenzo qui a su concilier tradition et modernisme. Il crée des vestes de coupe kimono dans des gabardines de coton aux couleurs contrastées, amples et souples, pratiques et décontractées. Ses kimonos s'inspirent des compositions classiques qui portent chacune un nom, mais les dessins et les couleurs sont nouveaux.

Le *Kosode*, l'ancêtre du kimono, caractérisé par d'étroites ouvertures pour les mains à l'extrémité des manches, est copié aujourd'hui pour les mariages et les fêtes. Porté avec une large ceinture, on l'appelle *yukata*, et il sert de vêtement d'intérieur. Dans les bons hôtels japonais, ce vêtement est fourni avec la chambre comme les serviettes de bain et les pantoufles. Combien de temps encore tradition et modernité pourront-elles se concilier dans une civilisation japonaise de plus en plus informatisée et robotisée ? Si la soie continue à être produite sur place, le coton en revanche est importé d'Inde ou de Chine, le Japon n'étant pas producteur de coton.

Les créations contemporaines en Angleterre

Le modern style

Nous en étions restés à la fin du XIXe siècle aux influences mondiales du mouvement *Arts and Crafts* de William Morris et des créations de dessins du style *art floral* par le Silver Studio de Londres. L'exposition des Arts décoratifs de 1925, à Paris, sera la consécration de ce *modern style*. Les motifs d'arabesques, de lignes courbes, de décors floraux, par leurs exagérations et leurs délires baroques, provoqueront des réactions et susciteront la création d'un style plus dépouillé, souvent composé d'un seul motif monochrome sur un fond blanc.

En dépit de cette réaction, jusqu'en 1935, le goût des imprimés français de ce style floral chargé Art déco va se retrouver dans tout l'ameublement anglais. Il est courant à l'époque d'utiliser dans les magasins textiles de Londres des termes français d'ameublement comme « rideaux bonne femme » ou « brise-bise ». Des fabricants, tel Hines, Stroud and Co à Londres, impriment les dessins du peintre tchèque Alfons Mucha dans le style décoratif le plus marqué. Devant la vogue des imprimés signés par des artistes français, Sonia Delaunay ou Raoul Dufy, les fabricants anglais vont à leur tour citer les noms de leurs dessinateurs en textile, jusqu'alors anonymes. Ce qui n'empêche pas les fabricants d'acheter, entre 1920 et 1960, de nombreux dessins à des ateliers français comme l'Atelier Libert à Paris, qui employait quatre-vingts dessinateurs et pouvait ainsi répondre aux exigences de chaque cliente, lui présentant un choix impressionnant de motifs modernes ou classiques sur lesquels toutes les adaptations et variations étaient possibles.

La crise boursière

En 1929, la crise boursière de Wall Street toucha particulièrement les textiles de qualité. Par exemple un chintz glacé imprimé, qui coûtait treize francs le mètre en 1927, coûtera seize à dix-sept francs en 1935. La Seconde Guerre mondiale atteindra tous les centres cotonniers. On utilisera les métiers pour tisser du matériel de guerre, comme les toiles de parachutes ou de ballons de barrage et l'habillement militaire. Était-ce pour utiliser les surplus militaires que la décoratrice Sylvie Maugham lança en 1930 la mode des intérieurs entièrement blancs ? Tout, murs, canapés, chaises, est recouvert d'une simple toile de coton blanc, les voilages sont en mousseline de coton blanc et la moquette en laine blanche. Cette mode touchera les États-Unis, comme le montrent les décors de nombreux films hollywoodiens des années 30 à 40. L'influence des grands décorateurs ou décoratrices va devenir capitale. Ce sont eux qui peuvent lancer de nouvelles tendances ou de nouveaux styles, combinant parfois avec audace des tissus et des meubles de style avec des créations de textiles et de mobilier plus contemporains.

Après la guerre, les entreprises cotonnières, pour survivre à la crise, vont se regrouper, se recycler et se diversifier. On imprime dans les usines aussi bien avec la technique de la sérigraphie à la main qu'avec les machines les plus modernes, à impression au cadre rotatif. Les fibres synthétiques, surtout en ameublement, vont faire chuter les tissus « pur coton ». On continue néanmoins à produire des chintz en percale glacée, mais au goût des nouvelles tendances abstraites et géométriques des années 50. Le peintre Graham Sutherland s'intéressa à l'impression textile mais durant ces années ce seront les reproductions d'imprimés français classiques qui se vendront le mieux.

La survie des chintz est due en grande partie à la maison Colefax and Fowler, qui a pu maintenir ses activités en période de crise en créant de nouvelles compositions florales comme *Bailey Rose*. John Fowler, un des dessinateurs de cette maison, avec Sybil Colefax, a eu l'idée d'adapter le vieux symbole indien de l'arbre de vie, caractéristique des anciennes indiennes, dans un style plus *british* avec cottage et traditionnel jardin rempli de roses, églantiers, muguet, et quelques branches d'arbre qui viennent savamment s'enrouler en guirlandes. Un décor qui convient parfaitement au style des maisons de campagne anglaises et qui est utilisé pour faire des rideaux, des jetés de lit ou même des nappes. Ce type de chintz est aussi appliqué comme tapisserie sur les murs. Aujourd'hui, ce fabricant est le premier producteur de cotonnades imprimées au monde.

La menace de l'invasion de textiles bon marché d'Extrême-Orient imposera la fusion des grandes entreprises européennes et la mise en place de réseaux de distribution pour défendre leur production contre cette concurrence. La crise pétrolière des années 70 touchera les fibres synthétiques et un certain « retour aux sources » va remettre en vedette les fibres naturelles comme le coton.

Le retour des imprimés de style exotique

Les imprimés proposent aujourd'hui une diversité illimitée de graphisme et de couleurs à des prix modiques. Les nouvelles technologies de pointe, comme l'impression au faisceau laser, autorisent toutes les créations possibles. Mais les thèmes éternels des fleurs, des oiseaux et des fruits, tirés des premières indiennes achetées par la Compagnie des Indes orientales, sont transposés, adaptés en motifs réalistes ou stylisés, et ont toujours un vif succès auprès de toutes les classes sociales.

Il y a dans le choix des motifs floraux toutes les variations de la mode : un moment ce sont les roses qui sont en vogue, puis les tulipes, ensuite ce sont tour à tour les lis, les chrysanthèmes ou les forsythias qui dominent, sans oublier les fleurs stylisées reprises aux anciens châles cachemires. Les oiseaux et les papillons sont souvent associés à un décor floral : perdrix, hérons, et tous les oiseaux exotiques comme les perroquets et les oiseaux de paradis sont les plus appréciés. On revient aussi aux influences chinoises et japonaises avec des motifs de dragons, de phœnix, de paons. Les textiles contemporains imprimés s'inspirent toujours de l'Orient, soit dans son décor, soit dans ses vifs coloris. Il y a aussi périodiquement des retours aux styles anciens qui sont modernisés, ainsi les tissus à colonnes de la collection *Timney Fowler*, en vogue à la fin du XVIIIe siècle, ou la collection *Romagna* d'Osborne and Little qui s'inspire des motifs somptueux de la Renaissance.

L'Angleterre, comme d'autres pays européens, est

conservatrice et le public préfère les grands classiques ou les adaptations de styles anciens qu'il connaît et qui le sécurise, plutôt que de s'aventurer dans des créations contemporaines, parfois audacieuses et déroutantes par leur graphisme abstrait et provocant. C'est le cas pour les dessins dérivés de l'art optique ou comportant des couleurs franches qui s'entrechoquent avec violence, inspirés du fauvisme ou du tachisme et qu'on retrouve dans les créations textiles de la *Wiener Werkstätte* entre 1920 et 1932. Tout l'art moderne du XXe siècle, avec ses écoles, se retrouvera dans les thèmes des imprimés contemporains. À l'imitation des toiles de Jouy, des dessinateurs créent des scènes tirées de la vie contemporaine ou de l'actualité. La mode est un perpétuel recommencement des thèmes du passé. On s'en inspire périodiquement en s'efforçant d'adapter les motifs et les coloris au goût du moment.

Le patchwork moderne

Les patchworks anglais existent depuis l'importation des indiennes et leur plus belle période se situe à la fin du XVIIIe siècle et au début du XIXe. La révolution industrielle apportera le déclin de ce travail essentiellement manuel. Toutefois, les patchworks jouiront d'un regain d'intérêt à la fin de la période victorienne, comme le *crazy quilt* d'inspiration américaine. Ils étaient alors fabriqués avec l'application de petites chutes de chintz, le style imitant les palampores, ces couvre-lits fabriqués sur la côte de Coromandel à l'est de l'Inde. Pendant la dernière guerre mondiale, en raison de la pénurie de tissus imprimés, les femmes réaliseront chez elles des couvertures en patchwork afin d'utiliser le moindre petit morceau de tissu qui leur tombait sous la main. Le motif *Log cabin*, très populaire dans les campagnes anglaises à la fin du XIXe siècle, se compose d'un carreau central, entouré de bandes rectangulaires de tissus qui s'agencent comme un escalier, par opposition de tons clairs et foncés. Ce motif étonnamment moderne est repris aujourd'hui par les galeries spécialisées dans la vente d'appliqués, quilts et patchworks contemporains.

Les créations contemporaines en Autriche

Le département tissus de la Wiener Werkstätte

Lors de la révolution dans l'art dit décoratif s'intéressant aux décors des textiles, Vienne avait créé le mouvement du *Jugendstil*, d'où naîtrait en 1903 la *Wiener Werkstätte*, coopérative de production d'objets d'artisanat d'art. Ce n'est qu'en 1910 que furent créés les départements des tissus et de la mode, diffusant leurs créations dans plusieurs villes européennes, et ayant même, en 1922, une succursale à New York. Ce secteur textile jouera un rôle majeur dans l'essor du design textile contemporain : « On a créé, il y a plusieurs années, des motifs naturalistes, puis des compositions aux lignes élancées ; aujourd'hui, on dessine des formes géométriques, que le public viennois sait apprécier. Économie de l'ornement, dépouillement des formes, limpidité du langage plastique, stricte discipline de la couleur... voilà ce dont témoignent aujourd'hui les motifs de nos tissus. »

La gamme des tissus créés par cette société viennoise touche aussi bien l'ameublement que la couture, avec une recherche de coordination entre les différentes utilisations, et aussi dans les techniques, comme le papier peint et les tapis. Cette démarche d'avant-garde a été suscitée en grande partie par le décorateur et architecte Josef Hoffmann, un des fondateurs et artistes de la *Wiener Werkstätte*.

Après la guerre, le département des tissus se développa et présenta une sélection de ses créations à l'Exposition internationale des Arts décoratifs de 1925 à Paris, tout près des tissus et robes révolutionnaires de Sonia Delaunay. Hoffmann inventa les « imprimés par projection » sur tissu de coton. Les motifs étaient réalisés au pochoir avec des gicleurs qui créaient des rayures « ombrées » aux couleurs chatoyantes. L'impression sur tissu de coton se faisait selon la technique artisanale de la planche gravée, maniée à la main à l'aide d'une poignée. « Nous disposons d'environ trois mille jeux de planches. » La société fermera en 1932. En vingt-deux ans à peine, l'impact des créations textiles de la *Wiener Werkstätte* fut international et de nombreux musées ont pu en acheter pour les conserver, au même titre que les créations textiles du Bauhaus.

Quand on consulte les cahiers d'échantillons des imprimés sur coton de cette société, on est ébloui par l'intensité des coloris, la modernité des motifs inspirés de tous les mouvements les plus avant-garde de l'art contemporain, et on remarque plus particulièrement, parmi tant d'artistes qui ont travaillé dans cette maison, les créations de Josef Hoffmann et de Dagobert Peche. Leurs recherches favorisèrent l'introduction de décors abstraits dans l'ameublement et la couture. Aujourd'hui, les artistes textiles se servent des images sur ordinateur pour arriver au même résultat puisque le langage textile est identique à celui de l'ordinateur : un fil pris, un fil laissé ; un noir et un blanc ; 1,0.

Les créations contemporaines en France

L'Art nouveau

Peu de temps avant la guerre de 14-18, se produira dans le secteur de l'impression la seconde révolution de l'Art nouveau, la première s'étant déroulée en Angleterre avec les créations textiles de William Morris. Présenté pour la première fois à l'Exposition universelle de 1900 à Paris, le *modern style* envahit à son tour les cotonnades imprimées. Des artistes comme Raoul Dufy et Mucha s'intéressent à l'impression sur tissus, donnant un nouvel essor à ce secteur en crise.

On découvre à la suite de cette exposition l'influence du batik sur les artistes décorateurs du mouvement Art nouveau. Les imprimeurs français feront industriellement des imitations d'ikat et de batik s'inspirant des tissus indonésiens découverts au cours de cette exposition qui bouleversa l'art décoratif. Le manifeste du Bauhaus de 1919 avait préparé ce rêve d'une unité de l'art, sans frontière entre les beaux arts et les arts décoratifs, sans frontière aussi entre les arts occidentaux et les arts dits primitifs, africains ou indonésiens. Walter Gropius, le fondateur de ce mouvement, dira dans son manifeste : « Architectes, sculpteurs, peintres nous devons retrouver la notion de notre métier artisanal... Il n'y a pas de métier d'art. Il n'y a pas de différence essentielle entre l'artiste et l'artisan... formons alors une nouvelle corporation d'artisans, sans l'arrogance des diviseurs de classes, qui voulaient ériger un mur orgueilleux entre artisans et artistes. »

Comme dans la démarche de William Morris, ce mouvement voulait réaliser la synthèse idéale des arts du temps des cathédrales gothiques et du travail communautaire. Paul Klee, « maître de forme », chargé du cours sur le tissage, y proposait ses réflexions sur les « relations entre lignes, plans et formes », et Kandinsky se chargeait d'une initiation aux « formes, lignes, plans et couleurs ». Le design géométrique du Bauhaus donnera un élan nouveau aux recherches textiles et influencera de jeunes créateurs dont Anni Albers. Bien que les recherches du Bauhaus concernaient aussi l'impression sur tissu, c'est surtout dans la technique pure du tissage que son influence sera grande. La rencontre par la chaîne et la trame de la verticalité et de l'horizontalité donnera naissance à l'abstraction géométrique de l'art optique de Vasarely, avec des recherches d'effets de moirage des rideaux de coton en tulle ou gaze. Les nazis fermeront le Bauhaus en avril 1933, mais il ressuscitera à Chicago en 1937 sous l'impulsion de Moholy-Nagy, alors que Walter Gropius enseignait l'architecture à Harvard. Anni Albers proclamera dans ses cours aux États-Unis : « Nous devons réapprendre à utiliser le grain et le lustrage, la douceur ou la rugosité, le relief, des mélanges de matériaux épais et fins. Ces éléments formels qui appartiennent à notre expérience esthétique tactile doivent être utilisés à égalité avec le dessin et la couleur. » On constate toutefois que l'impression textile reste pour les artistes contemporains le moyen le plus facile et le meilleur marché de produire des œuvres diffusables en grande série. Vasarely ayant une conception sociale de l'art, certaines de ses créations optiques seront reproduites sur des tissus de robe ou des chemises d'homme et vendues dans les supermarchés.

Paul Poiret, le grand couturier parisien, s'associe en 1911 avec le peintre Raoul Dufy pour fonder, boulevard de Clichy, un atelier d'impression sur étoffes afin de renouveler cet art. La même année, il réalise à Vienne un défilé de mode et découvre avec enthousiasme les tissus de la *Wiener Werkstätte* qu'il utilisera dans ses collections suivantes. Ces tissus viennois eurent une grande influence sur le Studio Martine à Paris, où Paul Poiret voulait donner une nouvelle impulsion à la création textile en s'assurant le concours de jeunes élèves aux regards neufs comme de peintres célèbres, tel Dufy. Ce dernier utilisait des tons éclatants et révolutionna la technique de l'impression sur tissu de coton en employant, comme dans le passé, des couleurs rongeantes, ce qui lui permettait de réaliser des effets très nouveaux. Son tissu de coton imprimé « Deauville » sera édité par Blanchini-Férier. Mais pour éviter la monotonie de l'impression industrielle, Dufy, à l'aide d'une planche huilée, retouchait ses dessins pour leur donner, par déplacements, les régularités des tissus imprimés à la main.

L'exposition Art déco de 1925

L'Exposition universelle de 1925 sera l'apogée du style Art déco, issu de plusieurs mouvements européens. On y découvre les robes simultanées de Sonia Delaunay, aux couleurs vives. Celle-ci a abandonné les traditionnels thèmes des motifs floraux du textile pour ne s'intéresser qu'à la couleur pure et ses lois de contraste simultané. En 1927, elle créera de nombreuses compositions en « contrastes simultanés » pour des impressions sur velours de coton.

Les imprimés de l'Alsace, redevenue française, et ceux de Rouen, y ont une place importante. On y découvre aussi les imprimés à la planche de Paul Follot et de Stéphany, achetés par le magasin Schumacher de New York. Le créateur textile, jusqu'ici un peu oublié, prend une place importante dans la commercialisation des cotonnades, imprimées souvent manuellement au cadre ou au rouleau de bois gravé. Liberty's à Londres réédite les tissus peints de William Morris. À la suite de cette exposition des Arts décoratifs, un journaliste américain écrira : « Il est indéniable que c'est à travers les tissus que l'art d'aujourd'hui peut atteindre le plus facilement le grand public et influencer son goût. » On en aura la preuve avec l'influence du cubisme et de l'art nègre dans les imprimés abstraits de Bénédictus. Mais en revanche, si l'on se réfère au catalogue de 1927 du grand magasin textile Au Gagne-Petit, situé avenue de l'Opéra, on constate que, si les prix des percales glacées, des cretonnes et des toiles sont bon marché, les motifs restent dans le style ancien floral de la fin du XVIIIe siècle et on y voit même une reproduction d'une toile de Jouy, « Le meunier, son fils et l'âne », dessinée par Huet en 1806. On ne remarque aucun dessin Art nouveau dans cette présentation, ce qui prouverait que la clientèle populaire préférait se réfugier dans les valeurs sécurisantes des styles passés.

L'exposition coloniale de 1931 va accentuer un style exotique et colonial et de nombreux imprimeurs vont exporter ces nouvelles cotonnades vers le marché considérable des colonies françaises. Ces tissus, appelés « indigènes », ont des dessins spéciaux créés à Lyon, Mulhouse et Rouen pour le marché africain mais aussi pour « tous les territoires de l'Union française, d'Asie, d'Océanie et des Antilles ». En Afrique, ces cotonnades vivement colorées ont souvent en médaillon le portrait du chef de l'État et même, plus tard, ceux de Charles de Gaulle et de Georges Pompidou ! En Mauritanie, on exporte encore les guinées, ces cotonnades bleu indigo, utilisées par les nomades.

Les transformations du secteur textile en Alsace

En Alsace, après la crise provoquée par la guerre de 1870, la production des indiennes va diminuer d'un tiers et stagnera jusqu'en 1926. Le marché intérieur est saturé. Les exportations sont difficiles en raison de la concurrence internationale et nationale. L'Alsace va alors adapter ses impressions à la demande et au goût de chaque colonie française. Par exemple, les cotonnades blanches ou noires sont très appréciées des habitants du Viêtnam. Les noirs devaient subir un apprêt spécial pour leur donner un brillant imitant les reflets chatoyants de la soie. Les blancs étaient glacés ou mercerisés dans un bain de soude caustique pour leur donner ce brillant de la soie, d'où le nom de « coton simili-soie » du fil de coton mercerisé pour le travail de broderie. En 1948, plus de 50 000 tonnes de tissus coloniaux étaient exportées dans tous les territoires d'outre-mer. Ces dessins coloniaux connaîtront un grand succès en Occident au moment de la mode des paréos portés sur toutes les plages.

À partir des années 60, avec la décolonisation, les pays d'Afrique vont fabriquer eux-mêmes leurs tissus imprimés. C'est la firme Schaeffer qui contrôla tout ce qui avait survécu de l'industrie cotonnière alsacienne, et qui, sous la direction de Bernard Thierry-Mieg, aida les pays africains producteurs de coton à concevoir et réaliser des usines textiles, liées essentiellement au coton. Le relais des pagnes imprimés alsaciens était ainsi assuré par les Africains eux-mêmes. Pour se recycler, le groupe Schaeffer va devenir progressivement le leader européen du velours de coton.

Dans le même temps, le groupe Boussac, par le jeu capitaliste des fusions, va mettre en faillite de nombreuses petites entreprises de filatures, tissages et impressions du coton des régions du Nord et de l'Alsace. Boussac regroupe alors toute une filière coton, du fil aux vêtements finis, des tissus pour couture à ceux pour l'ameublement. Il sera si puissant que, à sa mort, il faudra démanteler tout son empire. Mais cela ne sera pas sans provoquer de grands bouleversements dans cette industrie cotonnière déjà si fragile depuis la fin de la dernière guerre mondiale.

En Alsace, des 70 000 salariés du coton recensés en 1960, il n'en restera que 7 000 en 1998 ! On imagine tous les drames sociaux et le chômage que cette situation dramatique a provoqués dans toute la région du Haut-Rhin et dans les vallées vosgiennes. Cette main-d'œuvre hautement spécialisée n'a pas pu trouver de nouveaux débouchés dans l'industrie automobile ou les mines de potasse, déjà touchées par la crise et la désindustrialisation de cette vaste région.

En 1961, DMC, par la fusion entre Dollfus-Mieg et Cie et la Cie Thieriez et Cartier-Bresson, va devenir un groupe puissant international qui contrôlera toute l'industrie alsacienne du coton, mais aussi près de cent filiales dans le monde. Nous sommes passés très vite de la civilisation artisanale du XIXe siècle à la civilisation industrielle du XXe siècle, pour arriver aujourd'hui à celle de l'informatique et de la robotique, et de l'entreprise familiale aux multinationales qui n'ont qu'un seul objectif, le profit.

Mulhouse retrouvera un second souffle, grâce à des secteurs de pointe comme la teinture où l'Alsace avait toujours été innovatrice. Rappelons les recherches de Daniel Koechlin à Mulhouse, puis de Charles Émile Steiner à Ribeauvillé, pour reproduire le fameux rouge d'andrinople si dense et brillant. Puis ce furent les découvertes des matières de synthèse remplaçant les teintures végétales à base de garance et d'indigo.

Les chercheurs de l'École nationale supérieure de chimie, fondée à Mulhouse en 1822, travaillent aujourd'hui sous contrats avec les plus grandes entreprises mondiales, mais font bénéficier en priorité de leurs travaux les imprimeurs et teinturiers alsaciens qui ont besoin de chlorure de chaux pour le blanchiment des toiles, d'acide sulfurique pour la fabrication des mordants et des couleurs, d'albumine pour le dégommage des mordants. Mulhouse et Bâle sont devenus les plus grands centres de la chimie mondiale. Le Centre de recherches textiles, rattaché à l'École de chimie, apporte aussi son concours à toutes les entreprises qui le souhaitent ainsi que l'Institut textile de France.

Les transformations dans les Vosges

Les fabriques des vallées vosgiennes ont connu une hécatombe, particulièrement au moment de la crise mondiale du coton. Seul le groupe Schaeffer se maintiendra dans la teinture et l'impression. Les Vosges ont toujours été réputées pour la qualité des toiles de coton blanchies sur les prés de Gérardmer et utilisées pour la fabrication du linge de maison et de table. Dans cette ville, depuis 1830, la maison Garnier Thiébaut tisse du linge de table damassé, blanchi sur pré à l'ancienne, et présente une gamme de linge de table et de linge d'office de grande qualité. La maison Le Jacquard français, fondée juste après la guerre de 1870, existe toujours et s'adapte avec rapidité aux différentes tendances de la mode du linge de table tissé en coton. Une autre maison, fondée il y a soixante-quinze ans, Linvosges, perpétue encore, elle aussi, cette longue tradition des maîtres toiliers vosgiens avec des procédés plus modernes, mais en se servant toujours de la qualité des eaux pures descendant des montagnes. Elle a conservé la tradition des parures de lit en 100 % coton peigné à longues fibres, parures composées de draps, taies d'oreillers, taies de traversins, housses de couettes, jetés de lit matelassés dans les mêmes imprimés ou en quatorze coloris unis au choix, dont le blanc reste le roi. Le même tissu que les draps vendu au mètre permet de décorer la chambre de rideaux assortis. Pour la salle de bains, les tissus éponges « pur coton » ont une qualité de douceur et de moelleux incomparable avec serviettes, gants de toilette, draps de bain, peignoirs, tapis de bain coordonnés. De quoi rêver d'un univers textile blanc tout en coton, comme par le passé.

Le coutil, ce croisé de coton très serré et résistant qui servait autrefois à recouvrir les matelas, est devenu aujourd'hui un tissu d'ameublement grâce à la diversité de coloris des bandes, uniquement rouges et blanches ou noires et blanches dans le passé. On en fait des stores, des couvre-lits molletonnés, des housses de fauteuils et des revêtements de chaises longues. En ameublement, de nombreux éditeurs sont spécialisés dans les imprimés sur coton : Boussac Décoration, les tissus Lauer, Manuel Canova, Nobilis, Pierre et Patrick Frey pour ne citer que les plus grands, et tous les éditeurs étrangers.

D'autres fabricants, que nous ne pouvons pas tous nommer, maintiennent la tradition du linge de maison, coordonné en unis ou imprimés, par exemple l'entreprise Descamps fondée en 1888, ou la maison Porthault de grand luxe, connue mondialement depuis sa création en 1925. Les nappes en satin de coton, au toucher si doux, brodées de feuilles d'acanthe au fil d'or fin sont un éblouissement des yeux. On peut y commander tout son trousseau chiffré et brodé dans un choix de monogrammes anciens ou modernes qui seront réalisés à la main ou à la machine, suivant les budgets de chacun.

En revanche, de nombreuses usines de tissages de coton ont fermé leurs portes et certaines, comme à Ventron, ont été transformées en musées pour y maintenir le souvenir de toutes les générations qui y ont travaillé. Celui de Ventron montre les métiers à tisser mécaniques du milieu du XIXe siècle, animés par une roue hydraulique puis par une turbine à eau. En 1861, une machine à vapeur permit de faire marcher les métiers l'été, en période des basses eaux du ruisseau qui fournissait la force motrice.

Des boutiques à Paris et en province se sont spécialisées dans le linge de maison, usé par le temps mais remis à neuf, d'autres ne présentent que des créations contemporaines. Cette mode du beau linge de table, de lit et de toilette, uni, imprimé ou bordé, n'est pas près de disparaître, car il est lié à notre vie la plus intime et la plus secrète.

Les anciens centres cotonniers qui subsistent

Il reste encore quelques traces des anciens grands centres cotonniers, spécialisés dans un genre de fabrication particulier, et cela en dépit de tous les regroupements d'entreprises et de l'autodestruction systématique des moyennes et petites entreprises que nous venons d'évoquer avec le groupe Boussac et DMC. Par exemple, la qualité et la finition du linge de maison sont toujours recherchées par de nombreux clients. On fabrique encore les mouchoirs de couleur de Cholet et un musée du textile choletais est consacré au blanchiment à l'ancienne et à « l'ennoblissement » des toiles qui, comme à Gérardmer, étaient blanchies sur pré.

Les zéphyrs, mousselines, voiles légers en tulle de Tarare et de Saint-Quentin servent à réaliser en grande partie les robes de mariée et de baptême, et sont utilisés aussi dans l'ameublement comme rideaux. Les étamines à beurre, à fromage blanc, font partie de la famille des mousselines, et elles sont utilisées pour réaliser des décors éphémères, car elles sont très bon marché.

Les dentelles mécaniques de Caudry et de Calais, celles aux fuseaux mécaniques de Puy-en-Velay se maintiennent parfois difficilement, selon les caprices de la mode. Au Puy, un centre d'exposition présente des dentelles aux fuseaux et à l'aiguille de tous les autres centres de production artisanale de dentelle, ce que fait aussi le Musée de la dentelle d'Alençon. À Calais, le musée des Beaux-Arts et de la Dentelle évoque à son tour l'histoire de la dentelle et du tulle et ses différentes techniques. Dans le Cambrésis, aux environs de Bohain, certaines maisons continuent à fabriquer de fines batistes et de souples linons en lin ou en coton très fin.

Les bleus de travail de la Mayenne et des Vosges restent incontournables avec la mode des jeans, assortis de la veste ou du blouson. Le jeans est intemporel et exerce toujours une fascination aussi bien chez les jeunes que chez les adultes et dans toutes les sociétés, rurales ou urbaines. Au départ, vêtement du monde du travail, il est passé à celui des loisirs, et aujourd'hui à celui de la mode puisque de grands couturiers, comme Christian Lacroix, Yves Saint Laurent, Jean-Paul Gaultier, Kenzo, s'en sont emparés en utilisant le sergé de coton denim pour réaliser des robes, des tailleurs et des jupes surpiquées. Dans sa collection d'été 1984, le couturier Karl Lagerfeld osera présenter le célèbre tailleur Chanel, confectionné en denim ! Gianni Versace créa, pour l'hiver 1991-1992, une ligne de jeans couture.

Jeans et luxe font bon ménage, mais ce pantalon et son inusable tissu denim seront détournés de leur usage fonctionnel et deviendront objet de mode, donc périssables. On les trouve dans toutes les garde-robes féminines et masculines, et dans ce secteur la concurrence américaine est terrible.

L'Alsace et toutes les vallées des Vosges produisent, en dépit des guerres et des crises économiques, des cotonnades imprimées de haute nouveauté et du linge de maison, ainsi que des foulards en coton imprimés de scènes variées. Les toiles de Vichy de Roanne sont indémodables, ainsi que les velours de coton d'Amiens, utilisés de plus en plus en ameublement.

Les manufactures d'indiennage encore en activité : les musées qui s'y rattachent

L'ancienne manufacture d'indiennes de Tarascon renaît, avec toute la gamme des motifs provençaux traditionnels, sous la marque Souleïado, ce qui veut dire en provençal : « rayons de soleil perçant les nuages après la pluie ». On y conserve quarante mille planches gravées en bois d'arbres fruitiers, datant de l'origine de la manufacture au XVIIIe siècle, et utilisées jusqu'à la fin du XIXe siècle au moment de l'utilisation des rouleaux en cuivre. Du mouchoir des femmes d'Arles, aux jupes et tissus d'ameublement, ces indiennes imprimées en grande partie à la main restent le témoignage de la *Provenço bello* chantée par Mistral. Leurs chaudes couleurs correspondent parfaitement à celles des paysages provençaux : jaune ocre des aiguilles de Montmirail du Comtat Venaissin, rouge sang des carrières de sable du Roussillon, vert argenté des champs d'oliviers, vert émeraude des cyprès, bleu outremer de la mer Méditerranée, bleu pastel du ciel provençal, sans oublier celui si lumineux des champs de lavande. Les nouveaux imprimés provençaux de la maison Demery sont encore souvent inspirés des motifs des anciennes indiennes, adaptées au goût moderne. Un musée situé dans la manufacture évoque son passé et présente une importante collection ancienne de couvertures piquées et imprimées, de jupes provençales, de jupons blancs de mariée en boutis de Marseille. La manufacture d'indiennage de Saint-Étienne-du-Grés, Les Olivades, dont les origines remontent à 1815, produit de son côté, en série industrielle, des cotonnades provençales de qualité, axées particulièrement sur les arts de la table, avec des nappes et des sets dans les motifs traditionnels provençaux.

La manufacture alsacienne d'impression sur étoffes Beauvillé, à Ribeauvillé, fondée en 1839 et restée une entreprise familiale, perpétue elle aussi la tradition de l'indiennage à l'ancienne pour le Mobilier national et, sur la base de ses archives, produit un linge de table en coton haut de gamme très décoratif. Elle reste, avec la manufacture de Tarascon, un des derniers imprimeurs de cotonnades à la main d'Europe.

La Cotonnière d'Alsace renouvelle tous les ans ses collections Paule Marot. Le musée de l'impression sur étoffes de Mulhouse a un étage entier consacré aux indiennes qui firent la fortune et la gloire de cette ville et de sa région au XVIIIe siècle. Le musée, qui vient d'être entièrement rénové, renferme dans ses collections plus de trois millions d'échantillons d'imprimés, non seulement alsaciens, mais aussi de tous les autres grands centres d'impression en France et dans le monde entier. Au deuxième étage, on découvre les techniques et les imprimés du XIXe siècle pour aboutir aux productions contemporaines. C'est un excellent moyen pour le visiteur de se familiariser avec toutes les techniques d'impression, des planches à bois gravées en passant par les blocs de cuivre pour arriver aux procédés modernes.

À une trentaine de kilomètres de Mulhouse, à Wesserling, dans la haute vallée de la Thur, le musée du Textile et des Costumes de haute Alsace, fondé en 1996, retrace l'histoire de deux siècles de la manufacture royale d'indiennes installée en 1762 dans le château de Wesserling, manufacture que nous avons déjà évoquée au XVIIIe siècle. Au début du XIXe siècle, elle s'affirmait comme une des grandes entreprises textiles d'Alsace en regroupant les trois secteurs complémentaires, la filature, le tissage et l'impression. Puis, avec les démantèlements, seul le secteur impression sera racheté par Boussac. Le musée, situé au milieu d'une propriété de dix-sept hectares, évoque les techniques d'impression à la planche et présente une collection de plus de cent cinquante costumes traditionnels de cette région.

À Sainte-Marie-aux-Mines, la Maison du Pays évoque les deux richesses qui ont fait la renommée de cette ville : les trésors minéralogiques et le patrimoine textile. Deux fois par an, la fête du tissu attire des milliers de visiteurs qui peuvent acheter une gamme des tissus encore produits dans cette région. Un fait curieux, qui nous ramène à l'histoire du patchwork anglo-saxon, est le mouvement amish. Cette communauté d'origine anabaptiste est née il y a trois siècles à Sainte-Marie-aux-Mines. Les femmes amish, étant très pauvres, récupéraient tous les bouts de tissus qu'elles assemblaient pour en faire des couvertures. Certaines familles commencèrent à émigrer aux États-Unis dès le XVIIIe siècle, mais c'est principalement au XIXe siècle que de nombreuses communautés se concentrèrent dans le nord-est des États-Unis et le sud du Canada. C'est là que se développèrent les patchworks amish. En 1993, la région du Val-d'Argent a fêté le tricentenaire de la naissance du mouvement amish et, tous les ans, une exposition « carrefour européen du patchwork » renoue avec l'histoire de cette technique traditionnelle qui est devenue aujourd'hui un art textile à part entière.

Le musée municipal d'Orange consacre une grande salle à la manufacture des frères Wetter et aux techniques d'impression à la planche. Nous avons décrit les quatre grands tableaux qui évoquent les différentes opérations de fabrication de cette manufacture. Le musée du Vieux Marseille explique les techniques de l'impression des cartes à jouer, à l'origine des planches des impressions d'indiennes marseillaises dont une belle collection est présentée.

Nous avons vu que l'ancienne manufacture d'Oberkampf à Jouy-en-Josas avait été transformée en un magnifique musée. Mais aujourd'hui la maison Burger, qui fabrique des tissus d'ameublement depuis 1860, a monté un atelier à Tournon dont la spécialité est la fabrication de toiles de Jouy, sur de vieilles machines à cylindre gravé en taille douce permettant de fabriquer encore à l'ancienne des toiles d'Oberkampf aux doux effets de camaïeux dans les tons bleus ou rouges — reprenant la toile appelée « Louis XVI, restaurateur de la Liberté » de Huet, ou encore « La fête navale ». Toujours cette nostalgie du passé, mais qui a le mérite de sauvegarder des techniques traditionnelles qui auraient inexorablement disparu.

La survivance de la Compagnie des Indes et de la Chine

On retrouve la tendance à un retour au passé dans les imprimés spécifiques à des ethnies de nos anciennes colonies d'Afrique, d'Asie et d'Amérique. C'est le juste retour des tissus en coton imprimé appelés guinées, servant de monnaie pour acheter des esclaves. On a vu que les industriels parvenaient à imiter parfaitement, en impression au rouleau, les techniques artisanales des tapis tribaux et des kilims. Ils font de même avec les étoffes *adinkra* de l'ethnie ashanti, les batiks en indigo des teinturières sénégalaises de Saint-Louis, des ikats d'Indonésie. Tous ces décors exotiques sont imprimés industriellement, imitant ou s'inspirant des tissus indigènes du monde entier faits à la main. Il est vrai que les ikats et les batiks originaux, réservés à des collectionneurs passionnés, créent des atmosphères modernes, mais ils coûtent très cher.

Des maisons spécialisées, comme La Compagnie des Indes et de la Chine, importent ces tissus artisanaux qui deviennent de plus en plus difficiles à se procurer car ils sont de plus en plus rares, les longs procédés de fabrication et de teintures végétales n'ayant pas changé depuis des siècles. C'est le cas des *sarongs* (jupe) en coton des femmes d'Indonésie ou des *huipils* (blouse) des femmes du Guatemala, réalisés avec la technique du brochage — des fils de trames supplémentaires —, technique proche de celle de la tapisserie. Il en est de même pour les dessins de la décoration des blouses (*molas*) exécutés par les Indiens cunas de l'archipel de San Blas au Panama, constitués de couches de coton teintes et superposées, cousues ensuite en laissant apparaître à certains endroits la couleur sombre du tissu de fond. Ces panneaux aux motifs religieux sont cousus sur le devant de la blouse. Pour répondre à cette demande d'exotisme, l'industrie cherche à imiter ces productions artisanales et y arrive parfaitement à des prix compétitifs.

Parallèlement à cette production industrielle, quelques artistes, de plus en plus rares, utilisent les techniques d'impression et de décoration artisanale sur tissus. C'est le cas d'Hélène Soubeyran qui, sur des cotons damassés ou unis, réalise les mêmes techniques de réserves que les teinturières de Saint-Louis du Sénégal, que nous avons décrites (*tritik et plangi*), mais dans des compositions personnelles, plus proches de la peinture que de l'artisanat, tels ses panneaux appelés *Soleil couchant* ou *Songe aquatique* aux somptueux coloris fondus dans l'alchimie des réserves préalables et des différents bains de teinture.

Barbara Goldberd s'intéresse plus particulièrement à la technique *shibori* japonaise, en jouant avec des effets optiques de frises de ronds blancs ou bleus, réservés avec des ligatures plus ou moins serrées pour obtenir des effets dégradés contrôlés. D'autres artistes utilisent la technique du batik indonésien (réserve en cire) comme support de leurs recherches artistiques. Le lien avec le passé n'est jamais rompu, d'où la nécessité de sauvegarder les techniques traditionnelles pour pouvoir s'en servir dans des créations contemporaines, puisque la vraie tradition, je ne cesse de le répéter, a toujours été la création contemporaine, celle qui répond à la sensibilité particulière de son époque. La mode, particulièrement la haute couture parisienne, relance souvent des techniques artisanales oubliées ou en voie de disparition. Elle devient ainsi un conservatoire de l'art textile qui, nous allons le constater dans le prochain chapitre, a des rapports nouveaux avec les artistes.

De la Compagnie des Indes à Lorient, il reste un musée à Port-Louis, situé dans la citadelle de Vauban, qui évoque avec nostalgie son époque glorieuse. Un important ensemble de porcelaines et quelques indiennes témoignent des activités commerciales exotiques de la compagnie au XVIIIe siècle et ses rapports avec la Chine et l'Inde. Dans le château des ducs de Bretagne, à Nantes, le musée des Salorges recrée l'activité commerciale, coloniale, industrielle et maritime de Nantes au XVIIIe siècle. On y montre quelques créations des fabriques nantaises d'indiennes et de toiles imprimées. Cette nostalgie du passé ne doit pas nous cacher les innovations spectaculaires dans ce secteur du coton, car, parallèlement aux recherches sur l'utilisation alimentaire des graines de coton, les nouveaux tissus en coton deviennent infroissables, parfumés, bactéricides, thermorégulants, c'est-à-dire absorbant la chaleur ou la restituant, etc. Toutes ces innovations sont spectaculaires, et l'on parle déjà du coton transgénique !

XI

EN GUISE DE CONCLUSION : LES RELATIONS HUMAINES PARTICULIÈRES AVEC CERTAINS TISSUS DE COTON

Les problèmes sociaux, économiques, techniques ont été étroitement liés, dans ce récit de l'épopée du coton, aux problèmes culturels et artistiques de toutes les époques et de tous les continents et régions traversés. L'histoire de chaque tissu de coton est le reflet de la société et de la culture dont il est issu : ikat d'Indonésie, chintz anglais, indiennes de l'Inde, couverture des morts des Dogon, denim des jeans américains, toile de Jouy en France, chacun a une histoire à raconter.

Je me suis efforcé d'évoquer les plus belles histoires des tissus de coton du monde entier, les inventions qui ont permis leur réalisation technique, et les hommes qui les ont créés et diffusés. Maintenant, pour conclure cette longue épopée cotonnière nous allons observer les relations particulières que certains humains entretiennent avec cette fibre, relations très différentes s'il s'agissait de soie ou de laine.

Le tissu réel se découvre avec tous les sens, entre autres le toucher, si spécifique selon chaque contexture, douce pour une popeline d'Alsace, rugueuse pour le tissu d'une bâche. Ce livre n'étant pas illustré, j'ai essayé le plus possible de vous faire vivre chaque tissu évoqué, à l'aide d'une lecture stylistique, en le situant dans le temps et l'espace, en décrivant ses motifs et leur ordonnancement, ses techniques particulières, et, pour les civilisations anciennes, la lecture des symboles des couleurs et des motifs, et les mythologies qui pouvaient s'y rattacher. Tous les tissus de coton n'ont pas une valeur symbolique, mais la plupart ont une charge émotionnelle dans la mesure où ils révèlent « autre chose » que leur simple condition utilitaire. Ils révèlent le monde de l'invisible et parfois celui du sacré, comme le motif de l'arbre de vie des premières indiennes exportées par les marchands portugais en Occident, motif repris pendant des siècles et encore aujourd'hui, mais devenu un simple motif floral ayant perdu sa signification religieuse. C'est l'imagination de chaque lecteur qui va lui donner une nouvelle vie, qu'il soit vêtement, décor, image ou écrit.

Le circuit imaginatif d'un tissu est un parcours aléatoire ; les éléments qui le composent peuvent être interprétés différemment selon les motivations, les goûts, la sensibilité, les choix de chaque individu, et cela dans le cadre d'une société ou d'une civilisation particulière. Dans les textes qui vont suivre, nous verrons aussi que la lecture d'un tissu peut être psychanalytique, dans la mesure où l'on peut considérer un tissu comme un rêve à interpréter, pour faire resurgir tous les mécanismes de l'inconscient collectif. Fantasmes sexuels, d'autodestruction, d'angoisse de la mort, d'exclusion ou de transgression, que nous allons retrouver dans plusieurs détournements d'un simple tissu utilitaire de coton.

Le mot latin *textus* correspond à tisser, et « texte » prend en bas latin le sens métaphorique de trame d'un récit. C'est dans cet esprit de lecture que le tissu est pour moi véritablement un texte avec ses signes, ses mots, ses rythmes, qui constituent réunis toute sa mémoire. Mémoire, progressivement, au cours de mes voyages, assimilée et digérée comme le Septième ancêtre dogon qui crachait la parole par sa bouche transformée en métier à tisser. Nous avons découvert, au cours de ce long voyage sur les routes du coton, que chaque tissu avait son langage qui nous permettait de connaître son usage, et la classe sociale, l'époque et le style de celui à qui il appartenait. Ce langage est encore vivant au Guatemala où chaque village, chaque individu, peuvent être identifiés par les tissus.

Ces tissus, qu'on pourrait dire culturels, religieux, émotionnels, érotiques ou encore passionnels, sont nombreux et complexes. J'en ai choisi quelques-uns, les plus caractéristiques, à travers des mises en scène différentes, car partout le tissu de coton va s'exhiber et se métamorphoser, avoir sa vie propre, indépendante souvent de la volonté du tisserand qui l'a créé.

Relations sentimentales et affectives

Les linges de table et les draps de lit

Si chaque tissu a une histoire à raconter, il y a des cas où cette histoire est plus intime, plus personnelle, plus secrète, avec les tissus qui touchent directement nos sens et nos sentiments. D'abord, il y a ceux liés à notre nourriture quotidienne, nappe et serviette de table assortie, posée pliée sur l'assiette, qu'on déplie dans un geste rituel et avec laquelle on s'essuie les lèvres et les mains avec discrétion et complicité. Ces linges de la table témoignent par leur simplicité de scènes de la vie quotidienne et répétitive, ou, parfois, par leur luxe et leur richesse décorative, d'événements exceptionnels, de jours de fête, comme les mariages ou les baptêmes. Ces linges blancs, unis ou damassés, brodés ou ajourés, font partie intégrante de l'art du décor de la table, ils permettent à la maîtresse de maison d'honorer ses invités et à ceux-ci d'entrer en contact physique, par le toucher des lèvres et des mains, avec une histoire familiale qui remonte souvent à plusieurs générations.

Il y a aussi les tissus qui servent à nous laver, serviette de toilette en nid-d'abeilles douce et moelleuse ou simple tissu-éponge un peu rugueux, ils ont un contact direct et sensuel avec tout notre corps nu. On se sert parfois d'un gant de toilette plus ou moins doux pour se frotter vigoureusement et faire circuler le sang après un bain. Mais, il y a des tissus avec qui nous entretenons des relations encore plus intimes et plus longues, ce sont les draps de notre lit, puisque nous passons la moitié de notre vie avec eux. Les lits, où naissent, dorment, prient, souffrent, jouissent et meurent tous les hommes, sans aucune exception, auraient une longue histoire à raconter ! Ils sont les témoins d'une grande partie de notre vie intime. Le lit fut longtemps le carrefour des tissus, depuis la courtine pour dissimuler l'intimité du lit, jusqu'aux draps de coton plus ou moins fins, les taies d'oreillers unies ou brodées, en passant par les édredons, les couvre-lits en piqué ou en siamoise rayée, sans oublier les chemises de nuit et les langes des bébés dans leur premier lit, le berceau. Le linceul était souvent un drap tissé par la maîtresse de maison pour son propre usage en même temps que les draps de son trousseau.

Liées intimement aux draps, il y a en effet les longues et belles traditions du trousseau. On se souvient encore des piles de draps et de nappes en coton, unis, brodés d'initiales entrelacées au point de bourdon ou décorés de jours en point de Venise, bien pliés et entassés dans les armoires de nos grand-mères, parfumés avec des petits bouquets de lavande entre chaque rayon de l'armoire, signes de la richesse de la maison, protégés par la clé en fer conservée par la maîtresse de maison qui, seule, avait le droit d'ouvrir la serrure de ce lieu de mémoire.

Ce linge intime était transmis de génération en génération, parfois brodé aux chiffres des jeunes époux et utilisé dans les campagnes jusqu'à l'usure totale, après des ravaudages et des rapiéçages infinis. Sentimentalement, la famille ne veut pas se séparer de ces linges chargés de tant d'histoire, au pis la lingère découpera le drap trop usagé pour en faire des serviettes ou des torchons de cuisine. C'est pourquoi certains vieux torchons ont aussi leurs lettres de noblesse. Dans un livre intitulé *Comment élever nos filles*, Mme Léon Daudet écrivait : « C'est surtout devant l'armoire à linge que la fillette commencera à éprouver le sentiment grave des choses de la maison. En effet, l'armoire à linge n'est-elle pas la représentation la plus importante de la sécurité et de la stabilité familiale ? Derrière les portes massives, on voit, alignés, les piles de draps frais, les nappes damassées, les serviettes bien pliées, rien n'est, à mon avis, plus reposant à voir qu'une belle armoire à linge. »

Ce trousseau de la mariée était au Moyen Âge conservé dans de grands coffres en bois sculpté, offerts pour les mariages, mais l'esprit était le même : conserver précieusement ce patrimoine des draps et linge de la maison, même s'ils étaient à l'époque tissés en lin pour les plus riches et en chanvre pour les plus pauvres.

La maîtresse de maison change les draps du lit régulièrement. Pour leur conserver leur blancheur initiale, Diderot dans son *Encyclopédie* préconisait que, après le lavage et le rinçage, il fallait effectuer le séchage sur pré : « Alors on étendra le linge à plat au soleil sur un pré dont l'herbe soit propre et pendant le cours de la journée on versera de l'eau dessus à plusieurs reprises avec un arrosoir de jardinier à mesure qu'il sèche ; il faut qu'il demeure trois jours exposé au soleil, on le plie à demi sec et on le repasse ensuite. » C'était la technique utilisée à Gérardmer pour le blanchiment des toiles neuves. Aujourd'hui, si les méthodes de lavage ont changé, le résultat est souvent le même. À la campagne, on étend les draps à sécher au soleil sur des cordes tendues. À la ville, on les donne à une blanchisserie et alors une certaine intimité de la vie privée — l'odeur de la peau, la sueur — sera révélée à la blanchisseuse, ou on les lave discrètement chez soi dans une machine à laver le linge.

Un dicton populaire le confirme : « On lave son linge sale en famille. » La blancheur éclatante reste le slogan publicitaire de toutes les grandes marques de lessives, et certaines prétendent avec démesure laver « plus blanc que le blanc » ! Il y a ensuite le repassage qui défroisse les plis du drap et va accentuer son aspect neuf tant recherché. Après ces différentes opérations pratiquées avec minutie et patience par la maîtresse de maison, rarement par un homme, lorsqu'on se glisse de nouveau entre les draps frais, la tête bien posée sur une taie d'oreiller aussi douce que le drap, on éprouve un rare plaisir de plusieurs sens : la vue à cette blancheur retrouvée, le toucher du contact doux de la peau avec le tissu blanc redevenu immaculé et lisse, parfois même amidonné, l'odeur particulière du linge propre, qui change selon la lessive ou le bon vieux savon de Marseille qu'on a utilisé, et aussi selon les parfums ajoutés aux lessives, comme « senteurs des prés », « fraîcheur de printemps » et « senteurs de bébé », etc.

Cette puissance érotique du lit et des draps se retrouve aussi bien dans la littérature que la peinture ancienne ou moderne. Baudelaire évoque « les lits pleins d'odeurs légères », Ronsard, déjà à sa manière, parle de la sensualité du lit :

Et quand au lit nous serons
entrelacés, nous ferons
des lascifs, selon les guises
des amants qui librement
pratiquent folâtrement
sous les draps, cent mignardises.

En revanche, Paul Valéry voyait dans le lit un sépulcre bas « dont la close étendue aux cendres nous convie ». Pour d'autres auteurs, comme Gérard Bauer, plonger dans la fraîcheur du lit n'est pas seulement un plaisir physique voluptueux mais un allégement moral, et il vante les bienfaits de la toile, l'apaisement qu'elle procure sur le corps : « Combien d'harassantes journées nous seraient insupportables à vivre si nous ne possédions la promesse de cette fraîcheur en leur extrémité ? vieille liturgie du monde végétal et de notre corps épuisé. » C'est vrai que le drap dispense le repos, l'oubli et le rêve du sommeil. Mais si le drap devient le symbole suprême du repos, il peut devenir le linceul qui inscrit toutes les formes de notre corps dans son enveloppement : le drap de notre éternité. Le lit, au moment de la mort, recrée l'égalité de l'homme, quelle que soit la richesse ou la pauvreté de ses draps, il y reposera.

Les draps et les artistes contemporains

Sheila Hicks, une des grandes créatrices textiles de notre époque, dans plusieurs de ses expositions des années 1975-1980, se servait du linge blanc d'un hôpital pour l'exposer en accumulation. Elle empilait les uns sur les autres les draps, les taies d'oreillers, les serviettes, les sangles qui servent à bander le ventre des nouveau-nés, les brassières, toute l'intimité du corps des accouchées et des malades. Le drap devenait alors pour elle le symbole de la souffrance. D'ailleurs, Sheila Hicks cite, à l'occasion de cette démarche, un texte tiré de *Mystique des linges* de Dominique Autié qui s'applique parfaitement à notre sujet : « Les linges sont par excellence objets de manipulation. Parmi le mobilier domestique ou sacré qu'ils parent, les biens consomptibles de la table, le corps qu'ils assistent jusqu'à partager son pourrissement, les linges circulent de main en main. Ils négocient la question de l'espace et, par l'usure soumis au temps, fraternisent dans la mort. »

En 1971, à l'exposition « Fil » de Montreuil, Sheila Hicks avait suspendu de nombreuses blouses blanches d'infirmiers sur un fil.

Dans une démarche assez proche, Danielle Blanchelande réalise des œuvres plastiques à partir de ses souvenirs d'enfance, où elle a vécu, dit-elle, au milieu des draps, de linges divers et « du souci du linge ». Ses œuvres s'appellent *Le drap de la connaissance, le drap de l'insomnie ou le linceul*. Elle est très intéressée par le lit, les draps et les relations qu'ils ont avec le corps.

Toujours puisant dans les souvenirs de son enfance, elle a réalisé une série de « doucettes » qui correspondent aux linges appelés « objets transitionnels » par les psychiatres, et que les petits enfants nomment d'un nom particulier comme « doudou », sucent, tripotent, salissent et déchirent, mais dont ils ne peuvent pas se passer, surtout au moment de s'endormir, et qu'il n'est pas question pour les parents de remplacer par un linge propre.

Même concept d'une œuvre textile à partir d'un objet utilitaire, détourné de sa fonction par le choix d'un artiste, comme le furent les objets détournés de Marcel Duchamp. Il suffit qu'un artiste mette sa signature sur n'importe quel objet qu'il a choisi et qu'il le dispose dans le cadre d'une exposition d'une certaine façon, pour que celui-ci devienne objet de contemplation, susceptible de provoquer une émotion ou tout au moins un regard neuf et une inquiétude, ne serait-ce que devant les rapports entre l'art et l'objet textile le plus banal. Nous évoquerons ce sujet à la fin pour montrer d'autres relations ambiguës du tissu avec les artistes contemporains.

Relations sociales et sexuelles

Le jeans

J'ai déjà raconté l'histoire du jeans qui est aussi un peu l'histoire de l'Amérique. La révolution culturelle et économique du jeans dans la vie de toutes les classes sociales et des deux sexes confondus et dans tous les pays du monde, industrialisés ou pas, est un des plus extraordinaires phénomènes sociaux liés au textile. Ce pantalon en sergé de coton indigo est porté depuis plus d'un siècle, mais, curieusement, il n'a pas d'âge. Il est plein de contradictions, étant tout à la fois le vêtement « prêt à porter » le plus industrialisé et diffusé dans le monde entier, et cependant toujours à la mode, ce qui est en général antinomique.

Le jeans a été le symbole de la jeunesse révoltée des années 50, la marque d'un statut un peu marginal de la génération Coca-Cola s'exprimant par cette sorte d'uniforme jeans. James Dean dans *La Fureur de vivre* et Marlon Brando dans *L'Équipée sauvage*, tous deux héros révoltés, portaient des jeans délavés, ainsi que tous les comédiens de *The Misfits*, celui de Marilyn Monroe étant particulièrement sexy. D'autres grandes vedettes, comme Liz Taylor et Marlene Dietrich, s'habilleront aussi en Levi's à l'instar des marginaux de tous bords, voulant sans doute retrouver comme eux la liberté, la jeunesse, l'indépendance, l'aventure, un peu perdues pour elles. Ce jeans, style des westerns, est encore aujourd'hui l'emblème de la nouvelle génération. De plus, par son moulage étroit du corps, il est une seconde peau et a, de ce fait, une connotation sexuelle assez marquée. Richard Martin écrit à ce sujet : « Le denim trahit un corps et une inévitable sensualité. Il contient les formes du corps et les révèle sans donner l'impression que c'est délibéré. Le denim a fourni aux Américains, dont la sensualité a du mal à s'afficher, une forme idéale qui ne comporte pas de "lettre écarlate" licencieuse mais qui néanmoins révèle le corps. » Cet auteur américain fait allusion, avec le terme *lettre écarlate* au roman de Nathaniel Hawthorne, dans lequel l'héroïne a été marquée d'une lettre rouge, la lettre A, signifiant Adultère, symbole de la honte et du péché dans les milieux puritains américains. Une autre preuve de cet aspect impudique est le fait que les mollahs de Khomeiny ont interdit le port du jeans à toutes les femmes, jeunes ou moins jeunes, même enveloppées entièrement de leur tchador !

Cette sensualité cachée se retrouve dans toutes les publicités télévisées des Levi's qui privilégient l'aspect sexy du jeans. Elles vont souvent très loin dans l'aspect le plus sensuel de ce pantalon moulant, parfois à la limite de la pornographie. Christian Lacroix est conscient de cette forte personnalité et de ce fétichisme corporel, lorsqu'il écrit : « Le jeans est un matériau vivant se muant au fil des ans en architecture évolutive au gré et au rythme de notre chaleur et de notre gestuelle, s'écorchant ici, se bosselant là. Même vidé de notre corps, on pourrait nous reconnaître à travers lui. » En revanche, le philosophe Jean-Paul Aron, dans une interview, pensait le contraire : « Le jeans, dont on dit qu'il était le vêtement sexy par excellence, a en réalité contribué à la vaste désexualisation qui caractérise notre époque. » Il a en partie raison, mais le pantalon unisexe ne veut pas dire pour autant qu'il est asexué. Il moule différemment le corps de la femme et de l'homme, il symbolise autant la sexualité féminine que masculine, suggère les formes qu'il cache mais accentue les attributs sexuels les plus marquants de l'un et de l'autre, les rondeurs des fesses étant les plus caractéristiques de la femme. On pense tout de suite à certaines poses provocatrices de Marilyn Monroe dans *The Misfits*, moulée dans son jeans comme un étendard de l'*Eros*, un drapé en bleu.

Les jeans font prendre conscience du corps, parfois un peu trop. Les garçons aspergeaient les filles avec un tuyau d'arrosage pour les aider à « faire » leurs jeans neufs et les rétrécir. Aux États-Unis circule cette histoire d'une fille qui avait fait rétrécir son jeans pour être à la mode et qui, ensuite, n'arrivait plus à le retirer tellement il collait à sa peau, il avait fallu appeler les pompiers ! Une fable sans doute, mais il n'en est pas moins vrai qu'il existe de nombreux récits de troubles circulatoires provoqués par un jeans trop serré. Les jeunes Américaines croyaient aux vertus aphrodisiaques du Levi's, du contact du rude tissu en coton avec le sexe qu'il frottait en marchant. On raconte, dans le Bronx, les cas de filles et garçons qui ne quittaient pas leur jeans pendant des mois, prenant même leur bain avec pour coller davantage à leur peau, comme si le symbole de la force et du sexe propre à ce pantalon pouvait se transmettre au corps qu'il enveloppait ! Aux États-Unis les psychanalystes sont nombreux et ne chôment pas !

Relations passionnelles et érotiques

La passion des étoffes chez les femmes : études du psychiatre Gaëtan Gatian de Clérambault (1872-1934)

Le Dr de Clérambault s'intéressa dans ses travaux psychiatriques aux perversions et fantasmes sexuels féminins, liés particulièrement aux rapports avec des tissus. Avant lui, le psychiatre Laurent avait signalé le fétichisme de certaines étoffes et précisait : « En général ce sont les tissus servant à la parure de la femme qui sont ainsi en quelque sorte sexualisés. » Or les dessous féminins et les chemises de nuit ont été, dès leur utilisation, des tissus de coton, plus doux et faciles à laver que les autres matières textiles naturelles.

Le Dr de Clérambault observa des femmes éprouvant une attraction morbide, principalement sexuelle, pour certaines étoffes, la soie surtout, d'un luxe souvent inaccessible à la majorité des femmes, et, dans cette passion érotique, l'usage d'autres étoffes que la soie n'était pas exclu, comme celles en coton lorsque celles-ci étaient douces et soyeuses, ce qui est le cas de la popeline d'Alsace et de certains velours fins de coton gratté.

En quoi consistait cette perversion de certaines aliénées, jugées hystériques, détenues à l'infirmerie spéciale du Dépôt pour vol de coupons d'étoffes ou de robes. En général, le vol était accompli comme une première jouissance, et la femme, dans l'ascenseur ou un escalier du grand magasin, appliquait la pièce de tissu contre ses parties sexuelles et se frottait jusqu'à l'orgasme, après quoi elle la jetait et souvent se faisait arrêter en pleine crise. Le Dr de Clérambault précise : « L'étoffe semble agir par ses qualités intrinsèques (consistance, éclat, odeur, bruit) dont la plupart même sont secondaires auprès des qualités tactiles. Ces qualités tactiles sont certainement variées, subtiles, compliquées, innombrables pour un épiderme raffiné ; elles se doublent certainement de qualités esthétiques d'un ordre plus large. [...] parmi les qualités intrinsèques de l'étoffe, l'uniforme fraîcheur due à la nouveauté semble être spécialement appréciée et des marques de froissement la déprécieraient. »

Je vous épargne toutes les analyses psychiatriques et descriptions cliniques, mais les malades examinées ont toutes éprouvé dans l'enfance une sorte de passion du toucher des étoffes. La majorité d'entre elles étaient frigides. Une de ces malades n'éprouvait de jouissance qu'au moment du vol d'une étoffe et, si elle ne pouvait pas la voler dans l'instant de son désir, elle avait une crise qu'elle décrit très lucidement : « Je ressens un gonflement de la gorge et de l'estomac, puis je perds connaissance. Mais quand je peux prendre l'étoffe, je la froisse, cela me produit un serrement d'estomac particulier, ensuite j'éprouve une espèce de jouissance qui m'arrête complètement la respiration ; je suis comme ivre, je ne peux plus me tenir, je tremble, non pas de peur, si vous voulez, mais plutôt d'agitation, je ne sais pas. Je ne pense pas à la mauvaise action que je viens de faire. Dès que je tiens la pièce dérobée, je vais m'asseoir à l'écart pour la toucher et la manier, c'est là qu'on me voit. La jouissance passée, je suis très abattue, parfois la respiration se précipite, tous mes membres sont courbaturés. »

Les deux activités du Dr Clérambault sont toutes les deux liées aux étoffes : celle de psychiatre des aliénés de l'infirmerie du Dépôt et celle d'ethnophotographe amateur. Sans doute à la suite de ses deux années d'études artistiques à l'École des arts décoratifs de Paris, il a toujours été passionné de photographie et d'histoire de l'art. Il est blessé deux fois durant la Grande Guerre de 1914. Au cours de sa première convalescence militaire au Maroc, en 1915, il réalise ses premiers clichés photographiques de femmes voilées, s'intéressant, précise-t-il, aux plis de leur drapé. Je ne suis pas psychanalyste, mais on peut penser qu'il y eut dans cette démarche, si difficile dans un pays musulman, des raisons plus profondes que la simple étude esthétique sur le drapé ! Le voile évoque la dissimulation des choses cachées. Dans le Coran, il est écrit : « Nous avons ôté ton voile : aujourd'hui, ta vue est perçante. » En pays islamique, le Dr de Clérambault ne pouvait pas ignorer que le voile symbolisait la connaissance réservée, donc voilée, et qu'elle ne pouvait être communiquée et révélée que dévoilée. *Hijâb*, qui veut dire voile en arabe, sépare deux choses. Pour les soufistes, une personne est dite voilée quand sa conscience est déterminée par la passion, qu'elle soit sensuelle ou mentale, et des mystiques parlent même des voiles du linceul des sens. On peut imaginer quels furent les propres fantasmes de Clérambault, à la vision répétée et presque obsessionnelle de ces femmes arabes, enveloppées totalement dans ce grand voile blanc en coton, ne s'animant qu'en marchant, et qu'il a photographié des milliers de fois en cachette ou avec leur consentement et sous toute sorte de lumière, violente ou tamisée. Il y a dans cet acte un certain voyeurisme. Connaissant si bien l'érotisme attaché aux tissus, ce voile, lié si étroitement à la féminité, que dissimulait-il pour lui ? C'est le secret de sa passion... pour les étoffes..

Rétabli de sa blessure au bras, il repart pour le front à Salonique où il est blessé de nouveau mais plus gravement. Sa deuxième convalescence se passe à Fez où il va continuer ses recherches sur le « drapé » des femmes arabes. On prétend qu'il aurait réalisé plus de 20 000 clichés entre 1914 et 1919. C'est beaucoup, la réalité se limiterait aux environs de mille clichés. Quand on connaît les problèmes soulevés par une femme arabe pour être photographiée — elle croit qu'on vole son âme —, on a du mal à imaginer comment il a pu les convaincre de poser. Démobilisé en janvier 1919, il est nommé médecin-chef de l'infirmerie spéciale du Dépôt. C'est entre 1924 et 1926 qu'il entreprend des études sur *Les costumes drapés exotiques et la draperie antique*, qui lui servent à préparer ses cours sur la Draperie arabe, car, en plus de ses activités psychiatriques, il est aussi professeur associé d'esthétique et de drapé à l'École des beaux-arts de Paris. Loin du Maroc, il continue ainsi à vivre avec ces milliers de photos de femmes voilées et dévoilées tout à la fois, car il a dû en connaître certaines qui posaient pour lui moyennant quelques services, peut-être simplement médicaux ! Voir le visage d'une femme arabe est déjà un dévoilement, le moi le plus intime partiellement dénudé, infiniment plus révélateur que le reste du corps. En 1929, il publie un article sur *Du tissage, comme mode de travail pour les malades mentaux*, dans lequel il est le premier à montrer les rapports entre la main et l'esprit, le travail manuel, comme le tissage qu'il prend pour exemple, pouvant débloquer des centres nerveux du cerveau.

Tissage, tissus, voile, toujours la même obsession et autant de symboles du destin qui servent à désigner tout ce qui intervient dans notre vie ! Il fera plusieurs communications à la Société d'ethnographie de Paris sur les classifications des drapés. À la suite de deux opérations successives de la cataracte et d'une cécité progressive qui l'oblige à réduire ses activités de consultations à l'infirmerie, il devient dépressif et, en 1934, se suicide avec son revolver d'officier dans sa villa de Montrouge. La presse le qualifie alors de demi-fou. Plus tard, des auteurs intituleront leur livre *Passion des étoffes chez un neuropsychiatre*. Jacques Lacan le considéra comme son maître, et plusieurs de ses élèves seront marqués eux aussi par son enseignement clinique et médico-légal en psychiatrie. Tous ses travaux seront publiés et, en 1990, une première exposition publique au Centre Georges-Pompidou présentera une centaine de clichés photographiques effectués au cours de ses deux séjours marocains. Les photos sont magnifiques et d'une esthétique raffinée. Le film récent *Le Cri de la soie* s'est inspiré de sa vie mais en romançant la partie sentimentale qui reste secrète pour nous.

Relations religieuses et politiques

Le tchador islamique

On peut associer à cette évocation du voile des femmes musulmanes marocaines, le *tchador*, ce voile islamique qui a aujourd'hui des incidences politiques et religieuses, créant des situations parfois tragiques dans les pays occidentaux, avec le conflit d'une religion qui impose le voile et d'une laïcité qui le rejette.

Dans les pays islamisés, il est étonnant de voir, par exemple en Iran, des jeunes femmes travaillant sur un ordinateur, la tête entièrement enveloppée du voile noir islamique. En Libye, les speakerines de la télévision sont enveloppées dans la *milâya* ; les femmes d'Arabie Saoudite se voilent de la tête aux pieds dans leur pays, mais s'habillent à l'occidentale à l'étranger, portant même des jeans ajustés et des pulls moulant leurs poitrines, vêtements interdits en Iran aujourd'hui. Pourtant, il n'existe en réalité aucune prescription obligatoire du port du voile dans le Coran, si ce n'est un verset d'une sourate, qu'on invoque comme preuve de cette obligation : « Dis aux croyantes de baisser leurs regards, d'être chastes, de ne montrer de leurs atours que ce qui en paraît. Qu'elles rabattent leurs voiles sur leur gorge ! Qu'elles montrent seulement leurs atours à leur époux, ou à leur père, ou au père de leur époux, ou leurs fils, ou aux fils de leur époux, ou leurs frères, ou aux fils de leurs frères, ou aux fils de leurs sœurs ou à leurs femmes, ou à leurs esclaves. » Dans ce texte, il est question de pudeur, il n'est pas mentionné de se voiler le visage mais simplement de rester modeste, de dissimuler son corps, « ses atours », sous le voile et particulièrement la gorge et non le visage.

Le port du voile qui couvre le visage est préislamique, symbole de modestie et de respect. Mais il a aussi dans les pays chauds l'utilité de se protéger le visage des violences du soleil. D'ailleurs, si on se réfère aux miniatures orientales, persanes ou indiennes, et nous leur donnons la valeur de documents, on remarque que les femmes de la haute société ne sont pas voilées à l'extérieur de leur maison. Si elles le sont, c'est davantage pour protéger leur visage du soleil, du vent et du sable brûlants, que pour affirmer leur asservissement à l'homme. En Iran, dans la région de Bandar-e-Abbas en bordure du golfe Persique, où la chaleur et le degré d'humidité sont les plus élevés, les femmes sunnites, pour se protéger le visage, portent un masque rouge en épais coton brodé, et seules deux fentes soulignées de noir laissent apparaître leurs yeux cernés de khôl. L'aspect est saisissant. Cette coutume serait préislamique. Chez les femmes bédouines d'Arabie Saoudite, le *burqa*, parfois en cuir décoré de pièces d'argent et de perles, couvre entièrement le visage comme un masque de *commedia dell'arte*. Il est parfois recouvert en plus d'un grand voile noir ne laissant apparaître que les yeux à travers une fine gaze noire. Dans les marchés, on voit les bédouines, accompagnées de leur mari ou de leur frère, entrer dans les boutiques des bijoutiers comme de véritables catafalques ambulants, l'or étincelant des bijoux et le noir des voiles faisant un contraste surprenant.

Ce qui est curieux aussi c'est la façon très originale dont les femmes musulmanes de l'île d'Anjouan, aux Comores, dissimulent leurs visages. Elles s'enveloppent dans des cotonnades légères imprimées de pois rouges sur un fond blanc avec quelques rayures rouges. Pour se voiler des regards indiscrets, leur bras caché à l'intérieur de ce voile rabat devant leur visage le pan supérieur de cette étoffe, de manière à placer juste devant leurs yeux une partie d'une bande rouge, dans laquelle se trouve dissimulée une fente à peine perceptible. Ces femmes en rouge et blanc complètement enveloppées dans ce voile font penser à de joyeux fantômes ou à un tableau abstrait animé.

Cet enveloppement complet du corps n'est en rien comparable au tchador qui laisse apparaître tout le visage, mais le symbolisme est le même. On retrouve cette tradition lointaine du voile dans la voilette de nos mères, ce petit voile de coton ajouré, fixé sur le chapeau et qu'elles abaissaient pour dissimuler leur visage, comme certains tatouages d'indiennes d'Amérique du Sud imitent un réseau de fils entrelacés.

Dans l'Inde du Nord, le voile est un prolongement d'un pan du sari et aide les femmes, dans une région théâtre de nombreuses invasions, à se dissimuler aux regards indiscrets des étrangers. Cette adaptation du sari assure à la femme une grande indépendance. S'il est lié au départ à ce besoin de protection et de modestie, ce sont l'exclusion des femmes musulmanes de la vie politique et la misogynie des hommes qui ont justifié, plus tard, le port du grand voile blanc (tout noir pour les femmes bédouines), les enveloppant, à l'extérieur de la maison, de la tête aux pieds, ne laissant apparaître par deux fentes en forme d'amande que leurs yeux brillants, toujours maquillés de khôl.

Les problèmes de l'émancipation de la femme musulmane tiennent symboliquement à la liberté de porter ou non le voile. Un poète iraquien Djamil Sidqi az-Zahäoui s'adresse à ses compatriotes femmes en proclamant : « Déchire ton voile, Iraquienne, dévoile-toi : la vie veut le changement, déchire-le, brûle-le, n'hésite pas, il n'a été pour toi qu'un faux écran. » En 1936, le chah d'Iran édicta une loi interdisant le port du voile mais, avec l'arrivée de Khomeiny au pouvoir, le port du tchador devint obligatoire dans toutes les classes de la société. On se souvient des scènes de violences de la part de jeunes mollahs enturbannés, lorsqu'une femme transgressait cette loi dans la rue. Cette obligation était plus une opposition à l'occidentalisation qu'un fanatisme religieux, mais, hélas, le retour à l'intégrisme musulman, dans certains pays islamiques, fit reculer toutes les tentatives d'émancipation de la femme dont le rejet du port du voile ou du simple tchador était le symbole le plus visible. En Iran, peu à peu, les femmes reconquièrent avec courage leur place dans la vie publique. Elles osent le maquillage et remplacent le grand voile noir par des cotonnades blanches imprimées de motifs floraux, du genre des anciennes cotonnades appelées « persannes » d'origine indienne.

Il est vrai que certains hommes, comme les Touaregs, portent encore aujourd'hui un grand voile pour se protéger du soleil, du vent et du sable. Nous avons vu que les Arabes les appellent « les hommes voilés ». Le *litham*, ce voile de coton indigo très foncé, cache presque entièrement leur visage, ne laissant apparaître que leurs yeux, souvent bleus. Ils ne s'en séparent jamais, ni le jour, ni la nuit, ni pour boire, ni pour manger, l'écartant juste à la hauteur de la bouche. D'après une légende, la raison, en dehors de la protection, serait d'ordre moral : des hommes revenant vaincus d'un combat, pour cacher leur honte à leurs femmes, se seraient voilé le visage avec leur turban de coton teint en bleu indigo, et depuis ils l'ont gardé pour se protéger du soleil brûlant et du regard des autres. Cette dissimulation ne serait-elle pas finalement une forme d'hypocrisie de cacher son visage et ses sentiments tout en observant ceux des autres non voilés ?

Relations d'exclusion et de transgression

Les tissus aux rayures horizontales ou verticales

Un tissu de coton rayé est composé de raies colorées qui se détachent sur un fond uni. On appelle aussi bayadère le même tissu à rayures multicolores (à ne pas confondre avec une danseuse de l'Inde !). Ces bandes peuvent être dans le sens vertical ou horizontal. Michel Pastourneau, spécialiste de la symbolique occidentale, dans sa petite *Histoire des rayures et des tissus rayés*, se demande pourquoi si longtemps les tissus rayés furent infamants et jugés, au Moyen Âge, « étoffes diaboliques », réservées aux costumes des bâtards, des serfs et des condamnés à mort.

Ils seront encore longtemps les étoffes des bagnards, des valets avec leur gilet rayé, des bourreaux et, hélas, si près de nous, des déportés de la dernière guerre. Les rayures verticales peuvent symboliser les barreaux d'une prison, un enfermement, une exclusion. Si on prend le sens large du mot rayer, faire des raies, il correspond aussi à l'acte de détériorer, d'éliminer, d'annuler au moyen d'un trait. Avec la rencontre verticale et horizontale de rayures, on obtient une grille, angoissante pour un prisonnier, mais qui peut être aussi un signe de protection. Michel Pastourneau le pense lorsqu'il s'interroge sur le pyjama rayé : « Nos pyjamas ne sont-ils pas rayés pour nous protéger pendant la nuit, lorsque nous nous reposons, fragiles et dérisoires, de tous les mauvais rêves et des interventions du Malin ? » C'est peut-être pour cette raison que nous portons souvent des chemises de jour ou de nuit et des caleçons rayés, et que dans la salle de bains nous utilisons des serviettes de bain rayées. Si nos draps de blanc pur sont devenus colorés, ils sont rarement imprimés de rayures, alors que c'est toujours le cas des toiles à matelas qui serviront aussi à garnir des sièges rustiques ou réaliser des stores en coutil plus épais.

Il y aura des transgressions d'interdit au moment de la Révolution française. Ce retour aux bayadères se produit avec la Révolution américaine et son drapeau aux treize rayures rouge et blanc qui apparaissent comme le symbole de la liberté et envahissent la mode vestimentaire. Michel Pastourneau le confirme : « Dès lors, partout sur le Vieux Continent, c'est un déferlement de rayures. Robes, vestes, justaucorps, manteaux, redingotes, gilets, jupons, corsages, bas, culottes, pantalons, tabliers, rubans, écharpes : tant à la cour qu'au village, la plupart des pièces du vêtement sont ou peuvent être rayées. » Les sans-culottes de la Révolution porteront des pantalons et des gilets rayés à l'imitation de la cocarde tricolore ou du bonnet de la Liberté. Les marins porteront un surquois rayé blanc et bleu marine, appelé aussi marinière, et les femmes de la Belle Époque iront se baigner avec des maillots d'une seule pièce aux rayures proches de celles des toiles des tentes ou des parasols qui les protègent du soleil sur la plage. Leurs petits enfants seront habillés en costume marin, signe d'une classe bourgeoise aisée.

On retrouve cette mode des rayures dans certains tableaux des impressionnistes, avec les maillots portés par les rameurs des bords de la Marne ou les maillots de corps un peu canailles des faubouriens fréquentant les guinguettes. Cette mode « bord de mer » ou « bord de Marne », évoquant le temps des vacances et du soleil de l'été, va s'appliquer aux tissus d'ameublement, aux draps, aux stores, etc. À des moments de mode passagère, certains tissus en coton rayé reprendront leur mauvaise signification d'exclusion, et il y aura alors coexistence des bonnes et des mauvaises rayures. Par exemple, les costumes des gangsters américains, aux rayures larges et aux couleurs violentes, style Al Capone des films policiers de cette époque, dévaloriseront tous les autres costumes rayés, même les plus discrets et les plus chic de la mode anglaise.

Aujourd'hui, presque tous les tabous sont tombés. Les tissus rayés se retrouvent dans toute la décoration intérieure, de la salle de bains au salon, en housses de canapés ou de chaises, en doubles rideaux ou couvre-lits et dans tous les styles, du classique au rustique en passant par l'exotique. Les tissus à petites ou grandes rayures font varier l'espace à leur fantaisie. Tendus à la verticale, ils ont le pouvoir de donner l'illusion d'agrandir les petites pièces, placés en horizontale, ils élargissent une pièce trop étroite.

Les imprimés vont s'inspirer des rayures tissées mais permettent des effets de lignes brisées ou floues, imitant les irrégularités d'un pinceau, impossibles à réaliser en tissage. Les rayés en noir et blanc ont un effet optique étonnant, mais tous les contrastes de couleurs sont possibles : rouge-blanc, bleu-blanc, vert-blanc, vert-jaune, etc. En habillement, certaines rayures de couleurs très contrastées seront jugées vulgaires dans certains milieux et de bon goût dans d'autres. Comme pour l'ameublement, les robes aux rayures verticales amincissent les femmes un peu fortes.

En compétition sportive, on différencie les deux équipes de joueurs de football et l'emblème de leur club, par leurs maillots et leurs shorts, rayés de couleurs différentes, et le sens horizontal, vertical ou diagonal de leurs rayures. Par exemple, les joueurs de la Juventus de Turin portent un maillot composé de rayures verticales noir et blanc alors que les maillots du Paris-Saint-Germain sont rouge et bleu. On pense aux blasons des joutes du Moyen Âge. Les bayadères se rapprochent aussi des raies des anciennes bannières, symbole de protection et d'identification. On peut aussi penser que les rayures se voient mieux de loin que l'uni. D'où peut-être les rayures des costumes de bagnards pour les identifier de loin en cas d'évasion ! Cet aspect visuel de la rayure vue de loin va se retrouver dans la signalisation automobile pour avertir d'un danger, avec des rayures rouges et blanches, et aussi dans les bandes blanches sur fond noir des passages pour piétons.

Certains tissus rayés appelés pékin ou pékinés ont chaque rayure placée dans un sens différent, en long par un effet de chaîne et en travers par un effet de trame. La rayure, qui fait l'effet de chaîne à l'endroit, fait l'effet de trame à l'envers et réciproquement. On peut aussi opposer une armure (contexture) différente dans chaque rayure ; par exemple, une opposition de point satin brillant dans une bande et de point toile plus plat dans l'autre bande. Tissus caméléons avec leurs effets de trompe l'œil, confusion entre l'envers et l'endroit, le mat et le brillant, cette confusion devait plaire aux artistes comme Buren avec sa phobie des rayures, ou à ceux du mouvement op'art tel Vasarely. Dans un de ses dessins à l'encre de 1938, appelé Zèbre, ce dernier a réalisé en blanc et noir un jeu hallucinant de réseaux de traits ondulatoires, prolongement des raies du zèbre dans le fond blanc du papier et on ne sait plus où se trouve le vrai zèbre. En Afrique, on dit que le zèbre est un animal noir à rayures blanches alors qu'en Europe on le voit blanc à rayures noires. Toujours cet effet en trompe l'œil des bayadères. Michel Pastoureau le remarque aussi dans sa conclusion : « Non seulement la rayure montre et cache à la fois, mais elle est tout ensemble la figure et le fond, le fini et l'infini, la partie et le tout. Par là même, toute surface rayée apparaît souvent incontrôlable, presque insaisissable. Où commence-t-elle ? Où finit-elle ? Où se situent les vides et les pleins, les ouvertures et les fermetures ? »

Lorsque les rayures sont construites à la fois dans le sens vertical et dans le sens horizontal, se croisant à leur rencontre, on obtient un damier qui est la fermeture totale, la grille de la cage, mais aussi le carrefour de toutes les rencontres, droite, gauche, haut et bas. Dans le symbolisme, on peut dire que les rayures verticales sont un signe d'ascension, de montée vers le ciel, d'air, de chaud et d'évasion, et celles horizontales, l'image de la ligne d'horizon de la terre qui est une fermeture, le froid et l'enfermement. Comme par hasard, les rayures des révolutionnaires sans-culottes étaient verticales et celles des bagnards et exclus, horizontales. On constate aujourd'hui que ces rayures horizontales ont tendance de plus en plus à s'atténuer dans l'habillement. Mais les tendances de la mode peuvent changer cette situation. On l'a vu au cours des siècles passés. Tout recommence.

Relations ambiguës avec l'art moderne

La bâche, la toile de coton, le jeans détournés de leurs usages

On peut découvrir dans l'art ancien et moderne de nombreuses peintures ou tapisseries dans lesquelles les tissus de coton, unis ou façonnés, toiles ou velours, sont représentés avec plus ou moins de réalisme, aussi bien dans l'habillement que dans les drapés des tissus d'ameublement. Ce n'est pas mon propos. Des livres d'art permettent la découverte de ces tissus-images, tissus-mémoire des styles du passé et du présent.

Si la copie de motifs anciens domine dans les tissus imprimés d'aujourd'hui, des artistes contemporains continuent de s'intéresser au support textile, mais sans souci de la reproduction industrielle, que permettent la gravure, la linogravure, l'eau-forte, la lithographie ou la sérigraphie. Ces artistes passionnés par les textiles se situent pareillement hors des recherches d'avant-garde liées à la tapisserie contemporaine.

La frontière entre ces disciplines est fragile. Tout dépend de la démarche personnelle de l'artiste, surtout s'il utilise dans son œuvre plastique des techniques d'impression sur tissu, en sérigraphie, en thermo-impression ou des techniques anciennes de teintures en réserves comme le *plangi* africain ou l'ikat indonésien. Pour les uns, ça peut être un travail d'artisan, avec une pièce unique ou une production de petites séries d'imprimés artisanaux ; pour d'autres, ce sera un travail d'artiste avec une démarche plus intellectuelle, considérant le tissu non seulement comme une matière à travailler et à transformer, mais en analysant les rythmes propres à cette matière, à un tissu serré ou lâche, se déroulant et se dépliant autour de nous, nous enveloppant et nous protégeant et auquel nous ne prêtons plus attention. C'est le rôle des artistes de nous faire prendre conscience des objets usuels qui nous entourent et de leur donner une nouvelle présence dans notre vie quotidienne.

Chez les artistes que j'ai sélectionnés, parmi tant d'autres, le tissu de coton industriel ou artisanal, neuf ou usagé, uni ou teint, mais toujours utilitaire et fonctionnel, va être transformé, métamorphosé par la nouvelle vie que va lui donner l'artiste, selon sa sensibilité, sa personnalité et ses propres moyens d'expression. Aujourd'hui, après le cri de Kandinsky en 1910, « Tout est possible », l'art est libre : liberté de la matière, de la technique, de la forme. C'est cette liberté qui va faire d'un simple tissu de coton une œuvre d'art, qui va le revaloriser et le recréer dans une autre dimension.

Aujourd'hui le textile est donc entré dans l'art moderne avec la fascination de ses métamorphoses possibles ; le tissu est un matériau caméléon apte à toutes les transformations. On peut jouer avec l'ombre et la lumière, le matériel et l'immatériel, l'opaque ou le transparent, en le pliant, détissant, enveloppant, assemblant, ajoutant, collant, froissant, déchirant, brûlant, coupant, détramant ou en le teignant, pigmentant, éclaboussant, tachant, imprégnant, renouant alors avec l'art magique des teinturiers. Pierre Restany, à propos de l'œuvre de Gérard Deschamps, écrit : « Du chiffon à l'oripeau, de la guenille à la défroque, la gamme des possibilités expressives est grande, le tissu jouant à la fois par la qualité de sa matière et de ses couleurs, et par son pouvoir d'évocation anecdotique. »

Gérard Deschamps utilise dans son œuvre toutes sortes de chiffons de coton, de bâches, de sous-vêtement féminins, tous usagés, froissés, décolorés par le temps. En général, le coton domine par rapport aux tissus de laine ou de soie utilisés. Les bâches tissées en gros coton serré et épais inspirent aussi Viallat qui les assemble, tend et peint. « Dans le tissage, écrit-il, fils de chaîne et fils de trame s'entrecroisent, s'écrivent avec les vides plus ou moins importants que la maille sous-tend. » Et plus loin à propos de ces supports textiles, tous en coton, il précise : « Qu'il s'agisse d'encre, de bleu de méthylène ou de peinture acrylique, de goudron, de gélatine ou de différents colorants mordants, que le support soit une bâche, une toile de tente, une toile à matelas, un drap ou bien des tissus déjà imprimés, il se produit une profonde imprégnation de la teinture dans les supports. [...] J'utilisais des draps qui avaient des qualités de capillarisation très grande. La couleur filait dans la trame et s'éparpillait très loin. Je peignais des toiles recto verso et les superposais mouillées. » Christian Jacquard suspend les toiles de bâches dans le vide, tous les deux sont des artistes du mouvement Support/Surface.

Les toiles grossières des bâches seront parfois laissées brutes mais le plus souvent pilées, tendues, amidonnées, teintées, déchirées, investissant l'espace comme des sculptures éphémères du vent, comme aussi les structures-tensions de Vera Szekely, toiles de coton tendues par des fils et soutenues par des baguettes de bois pour les tendre comme les voiles gonflées d'un immense trois-mâts. Même démarche de déformation, dans l'œuvre réalisée en 1979 par un artiste sensible au textile, Daniel Graffin, dans *Les Mallarmé' Météorite*. Sa mise en espace de sangles de coton tendues au plafond, sur sept mètres de hauteur, par des blocs de marbre de Carrare, évoque par sa disposition une sorte de carcasse de bateau en construction. On peut aussi ajouter à cette liste les toiles à sac d'Alberto Burri, qui lui servent de matière brute, avec leurs taches, leurs coutures, leurs déchirures, leurs rapiècements, fragments assemblés comme un bas-relief sur des fonds noirs ou blancs, ou encore les toiles de coton plissées, enduites de kaolin ou de plâtre, de Piero Manzoni.

La toile de coton rayée constitue l'essentiel du matériau de Buren et rappelons que les tissus rayés étaient appelés au Moyen Âge « l'étoffe du diable ». Lia Cook, une artiste de San Francisco en Californie, utilise des toiles blanches dont elle transforme la structure afin de mieux l'appréhender. Elle les lave pour que les fils rétrécissent et se resserrent, puis les presse pour que les fils se compressent, s'aplatissent, elle les martèle pour, dit-elle, « que la surface s'abaisse et se soulève. Je veux faire ressortir les formes que recèle la toile, la modeler, l'imprimer ». La toile devient alors pour elle un paysage textile qu'elle expose.

Les toiles de coton brutes peuvent servir aussi à l'empreinte du pinceau vivant des *Anthropométries* d'Yves Klein, que Restany qualifiait de suaires. Souvent la texture particulière de la toile de bâche se révèle, pour l'artiste, forme et structure, très proche des *Texturologies* de Dubuffet. Comme le précise Florence de Méridieu, dans son

Histoire, matérielle et immatérielle, de l'art moderne, qui souligne bien les rapports des artistes contemporains avec les tissus : « L'étoffe teinte devient peinture, et la peinture — inversement — redevient étoffe, toile, support. C'est ce que démontrent encore de manière éclatante les sérigraphies de Warhol et celles surtout de Rauschenberg. Des patchworks aux matelas, des toiles libres aux collages, ce dernier a manifesté une science singulière de l'étoffe. Étoffes brutes, malmenées par l'usage qui en est fait, imprégnées tels des suaires. »

Le coton hydrophile, coton brut, comme les éponges bleues d'Yves Klein, intervient enchevêtré, tressé, absorbant ou refusant le pigment. Florence de Méridieu à propos de l'œuvre de Manzoni le confirme : « Coton parfois tressé jusqu'à constituer des écheveaux ou des nattes parfaitement ordonnés. Natté, peigné, cardé, filé, sous forme de mèches, de peluches, de balles, le coton est susceptible de toutes les transformations, de toutes les colorations et pigmentation aussi. » Je n'évoque pas ici les empaquetages gigantesques de Christo puisqu'il utilise le plus souvent un tissu de nylon, mais d'autres artistes ont emballé des objets, comme des housses traditionnelles, avec des toiles blanches de coton. Je pense aussi au *Manteau* (*Demeure V*) d'Étienne-Martin qui correspond à un assemblage de toiles lourdes (anciennes bâches), rabattues et pliées sur des portants, soutenus par des cordages de gros coton et de sangles. Cette œuvre, qui renoue avec la tradition du textile en architecture avec les tentes des nomades, devient aussi une magnifique sculpture textile : tissus, cordage, nœuds se confondent dans l'ensemble de cette structure presque végétale, puisque composée en grande partie de fibres de coton.

Sonia Delaunay a fait à la Sorbonne une conférence sur *L'Influence de la peinture sur l'art vestimentaire*. Il est vrai que des grands couturiers, par exemple Yves Saint Laurent, ont basé une ou plusieurs de leurs collections sur une interprétation en textile et en architecture vestimentaire de l'œuvre d'un grand peintre ; Mondrian dans la collection Saint Laurent de 1965 et Picasso dans celle de 1979. D'autres, au contraire, se sont inspirés d'artistes plus anciens comme l'Espagnol Velasquez. Mais le vêtement a aussi été un support dans l'art contemporain. Par exemple, en 1972, Kermarrec présentait deux pièces intitulées *Mon pantalon*, la toile peinte et son modèle, un de ses pantalons en toile de coton : l'objet textile réel et sa copie.

Vers les années 70, le jeans, dont nous avons raconté l'histoire extraordinaire, sera décoré, personnalisé par les hippies qui le décaperont, broderont, rapiéceront, le transformant en un véritable patchwork, avec souvent des broderies de pin-up très sexy sur les fesses ou *I love you* ! En 1973, la firme Levi-Strauss and Company a d'ailleurs organisé un concours des plus beaux jeans décorés et les a présentés dans une exposition itinérante mondiale. Le terme de *Denim-Art* a été créé au cours de cette manifestation d'un véritable art populaire, c'est-à-dire une forme d'art par le peuple pour le peuple, correspondant au désir de libérer l'art et de le sortir des musées et des galeries pour devenir un art de la rue et du quotidien. Un Douanier Rousseau transposé sur les fesses et les jambes des jeans avec souvent des broderies d'hommes et de femmes nus et le serpent pas loin, symboles d'Adam et Ève avant la pomme, l'innocence première : une tapisserie vivante, animée au rythme de la marche de chacun. Il s'agissait, dans tous les thèmes évoqués, d'une synthèse du folklore américain, celui qu'on retrouve aussi dans les patchworks du début du siècle.

Une participante au concours Levi's s'exprimera ainsi : « Je crois que ce que j'ai réalisé sur mes jeans, c'est le prolongement de moi-même, la façon dont je pense et dont je ressens les choses. » Plus tard, des artistes s'en serviront comme support de leurs créations. Le mythe du blue jeans a été célébré dans le mouvement pop' art et des hyperréalistes des années 70. C'est le cas d'une compression murale de jeans réalisée par César en 1976, des jeans découpés, troués à la hauteur du genou de Joseph Beuys, des rapiéçages et assemblages de Robert Rauschenberg. Les artistes n'ont pas fini de nous étonner !

Les rideaux de mousseline, tulle ou organza de coton : l'immatériel et l'invisible

On sait que les ailes d'un papillon, la nacre d'un coquillage ne possèdent pas physiquement les couleurs que notre œil perçoit. Ce chatoiement coloré purement optique est dû au phénomène de la diffraction des rayons lumineux. C'est par ce principe d'interférence et de diffraction de la lumière qu'une bulle de savon incolore nous révèle toute la gamme des couleurs du spectre solaire. Ce même phénomène peut se produire lorsque les rayons lumineux viennent frapper le réseau des fils ajourés d'un fin tissu de coton.

L'effet technique de la moire fait apparaître sur un tissu une multitude d'ondulations, visibles uniquement par la réfraction de la lumière, due à l'écrasement du tissu par un mouvement de bas en haut d'un rouleau en pierre. Deux rideaux d'organza de coton superposés vont provoquer le même effet de moire. Sur le plan optique, il s'agit d'un processus d'interférence entre les pleins et les vides de la contexture ajourée des deux réseaux de la toile, provoquée par un léger décalage dû aux mouvements du vent dans les rideaux ou au déplacement de la personne qui regarde. Des artistes contemporains de l'op'art ont joué avec cet aspect changeant par superposition. Une grande partie de l'œuvre de Vasarely est basée sur cette recherche de la moire, de « surfaces illusionnistes ». Il raconte que, vers 1913, enfant, s'étant blessé à l'avant-bras, il fut obligé de garder le lit pendant un jour ou deux. Sa blessure avait été pansée avec de l'organdi de coton, un tissu léger et clair à la texture régulière mais qui peut se déformer au moindre geste. Il précise : « Je contemple ce micro-univers toujours pareil, pourtant autre. Je joue avec, en tirant un à un les fils croisés de la trame... Dans les années qui suivent, les réseaux linéaires exercent sur moi une attraction de plus en plus forte, les jeux bizarres des moirages, les subtilités des gravures anciennes, les métamorphoses qui s'opèrent derrière des grillages de torsion, des cordes vibrantes du cymbalum, les faisceaux complexes des fils sur le métier à tisser ou sur les machines peigneuses dans les filatures, la gamme des trames d'imprimerie sous la loupe ; les sillons fuyant des terres labourées, l'ondulation des câbles du télégraphe observés d'un train en marche, que sais-je encore, j'en oublie sûrement. » C'est depuis sa première jeunesse, en s'amusant avec ce tissu de gaze, qu'il eut la passion d'accumuler des réseaux de traits horizontaux ou verticaux, tantôt croisés, figuratifs au départ, abstraits par la suite. Vasarely recomposera l'effet de moirage des deux rideaux de tulle superposés par l'effet cinétique d'un dessin réalisé sur une feuille transparente, posée sur un même dessin fixe. Il suffit de bouger le calque pour obtenir des effets de moire surprenants.

À son tour, Raphaël Soto jouera avec des superpositions de deux trames régulières, en donnant à l'une d'elles une rotation latérale engendrant des concentrations de points et de croisements de lignes, qui reconstituent la surface d'une façon imprévisible et aléatoire. Patrice Hugues, grand amoureux des textiles et de leur langage, jouera lui aussi avec les transparences de deux voilages placés l'un derrière l'autre à une certaine distance, mais en enfermant préalablement, dans les mailles de chaque tissu, des images photographiques avec la technique de la thermo-impression, créant ainsi des tissus-images qui bougent en même temps que le déplacement du spectateur et nous font entrer dans un univers onirique.

Une nappe de coton blanc damassé ton sur ton, selon l'éclairage, ne laissera apparaître que la contexture unie du tissu, ou les lignes en léger relief de l'armure différente du dessin Jacquard, contraste subtil réalisé avec le fil de coton, devenu un peu plus brillant dans le fond en satin.

Cette réinvention d'un tissu aussi banal que celui de la bâche industrielle, ou les métamorphoses d'une simple toile blanche très fine, nous ont conduit à évoquer les autres rapports particuliers qu'on peut avoir avec un modeste tissu de coton, ainsi avec la simple toile des draps de notre lit.

Puissent ces quelques réflexions vous faire considérer autrement, dans votre vie quotidienne, un tissu de coton.

LEXIQUE

La terminologie des mots techniques en textile est difficile, les tisserands utilisant des termes différents pour le travail de la soie, de la laine ou du coton. Nous utiliserons ceux du coton, mais ils peuvent avoir des analogies dans le travail d'autres fibres textiles.

1. PRÉPARATION

— *Égrenage* : procédé d'abord manuel puis mécanique pour séparer les fibres de la fleur de coton de la graine.

— *Battage* : pour ouvrir les flocons de coton.

— *Cardage* : opération ayant pour but de démêler les fibres de coton en les parallélisant et en éliminant les matières étrangères qu'elles contiennent.

— *Filage* : ensemble des opérations ayant pour but la formation d'un fil retordu à un brin ou deux. Anciennement à l'aide d'un fuseau et d'une quenouille, puis à l'aide d'un rouet, aujourd'hui mécaniquement.

— *Ourdissage* : opération de la préparation des fils de la chaîne par disposition parallèle de fils d'une longueur uniforme et l'enroulage de tous ces fils, bien séparés en fils impairs et pairs, sur le cylindre de la chaîne (l'ensouple).

— *Encroix ou envergeure* : double séparation des fils de la chaîne en deux nappes, impaire et paire, préparée au moment de l'ourdissage et maintenue sur la chaîne au moyen de deux baguettes (appelées baguettes d'encroix, symbolisées par un X majuscule) Cet ordre parfait des fils de la chaîne permet de retrouver facilement un fil cassé, sans le croiser avec un autre.

2. TISSAGE

— *Le métier à tisser* est un instrument plus ou moins perfectionné sur lequel sont tendus les fils de la chaîne et où l'on peut, par divers procédés, manuels ou mécaniques, obtenir le passage de la trame entre les deux nappes des fils séparés de la chaîne.

— *La chaîne* est le groupe de fils longitudinaux tendus après l'ourdissage entre les deux montants cylindriques du métier, appelés ensouples. Le premier cylindre porte la chaîne et celui placé devant le tisserand, le tissu fini, enroulé au fur et à mesure de l'avancement du tissage.

— *Le rentrage* est le passage des fils de la chaîne individuellement dans les mailles (ou lisses), fixées sur chaque cadre qui supporte les mailles. Pour le point toile, le rentrage est le plus simple : un fil de la chaîne pris, un fil laissé, il suffit de deux cadres (ou lames) regroupant tous les fils pairs de la chaîne sur un cadre, tous les fils impairs sur un autre. Il existe des rentrages nécessitant dix cadres.

— *Le harnais* est l'ensemble des organes du métier, cadres et maillons, destinés à actionner les fils de chaîne.

— *Trame* : fil disposé transversalement aux fils de la chaîne dans la composition d'un tissu.

— *La canette* est la petite bobine placée à l'intérieur de la navette pour introduire le fil de trame dans ceux de la chaîne.

— *Foule* : intervalle des deux nappes de fil de la chaîne entre lequel est lancé la navette garnie de la canette. L'ouverture de la chaîne (ou foule) peut se réaliser soit avec un métier à tisser à pédales qui actionnent les cadres, soit un système à mécaniques d'armure, soit le système plus complexe de la mécanique Jacquard.

— *Mécanique d'armure* : mécanique placée sur le côté du métier produisant la levée ou la baissée de chaque lame sur laquelle se regroupe dans les maillons une partie des fils de chaîne.

— *Mécanique Jacquard* : Machine placée au-dessus du métier dans laquelle un ensemble de crochets, reliés à des aiguilles actionnées par une série de cartons perforés, assurent la levée de chaque fil de chaîne suivant la programmation du dessin (mise en carte).

3. LA TEINTURE EN UNI OU PAR DIFFÉRENTS PROCÉDÉS DE RÉSERVE, comme le batik, l'ikat, le plangi, etc. Ces techniques ont déjà été décrites au cours du livre. Le teint en fil correspond à l'expression utilisée pour désigner un tissu exécuté avec des fils teints

en écheveaux avant tissage, le teint en pièce correspond à la teinture après tissage.

— *Impression sur tissu* par différentes méthodes que nous avons déjà décrites, permettant de reporter un motif sur un tissu.

— *Apprêts* : l'apprêt d'un tissu modifie son toucher et sa solidité, par encollage, ratinage, pressage, mercerisage, etc.

4. LES TEXTURES OU ARMURES, LES NOMS ET LES USAGES DES PRINCIPAUX TISSUS DE COTON DANS LE MONDE :

— *La texture ou l'armure* correspond au système d'entrecroisement des fils de chaîne et de trame, suivant des règles nettement définies en vue de la production d'un tissu particulier.

Par exemple on utilise en coton toutes les textures classiques du tissage : toile, sergé, reps, façonné, velours, satin, tulle, dentelle, broderie, patchwork, appliqué, etc. C'est le relief ou la surface plate et lisse de l'armure, la qualité du coton employé doux ou rude, le serrage des fils de trame, lâche ou serré, qui vont différencier l'aspect de chaque tissu. Par exemple, avec le calicot, la plus classique des cotonnades en point toile, on peut en choisissant un fil de coton fin, normalement serré, s'en servir pour l'impression ; par contre dans l'utilisation ancienne de toile à voile ou aujourd'hui de toiles de bâches ou de tentes, on tisse avec la même armure un fil plus gros et plus serré. La percale est elle aussi une toile de coton fin et serré qui lui donne un aspect raide et brillant proche de l'effet des *chintz* glacé. Ces variations de poids, de reliefs sont valables pour toutes les autres armures classiques.

5. NOMS DES PRINCIPAUX TISSUS EN COTON :

Toute espèce d'étoffe réalisée en coton est désignée sous le nom général de cotonnade. Ce qu'on désigne comme « croisés de coton » sont des tissus solides dont la qualité varie suivant le compte plus ou moins grand en chaîne et en trame et la finesse du fil utilisé. L'armure est soit la toile, soit le sergé avec ou sans envers mais ils sont tous de la même famille :

— *Le calicot* : originaire de la ville de Calicut en Inde, est le tissu le plus répandu et le plus utilisé dans le monde, puisque c'est lui qui fut utilisé en point toile serré comme support pour l'impression des indiennes et en armure sergé, c'est le tissu du pantalon *Jeans*, comme il l'a été aussi pour le costume Mao portés, tous les deux, par des millions d'hommes et de femmes. Il correspond aux *long-cloths* anglais et aux *gray long-cloths* américain (calicots écrus) ou *White long-cloths* (calicots blancs). Les *drillinggs* ou *twilled-cottons* sont des croisés américains.

— *Le madapolam*, originaire de la ville du même nom, située dans la province de Madras, est un calicot, mais plus lisse et plus fort, les fils étant plus fins en chaîne et en trame et filés dans une qualité de coton supérieur à longues fibres.

— *La percale* est un genre de calicot mais encore plus fin et serré qu'on fabriquait à l'origine à Madras et à Pondichéry. Les percales d'Alsace sont les plus fines et légères et on les compare à un tissu de soie.

— *La cretonne* est encore une variété de calicot mais tissé avec des fils plus gros et très serré. Pour sa solidité, imperméabilité et durée on l'utilise pour les uniformes des gendarmes sous le nom de gabardine.

— *Le coutil* est une toile très forte, en armure sergé à l'origine en lin et chanvre, mais aussi tissé en pur coton. Par sa solidité, leur surface mate et raide et son prix bas, on l'utilise pour la confection de vêtements de travail et en literie, rayés souvent bleu et blanc et en torchon « essuie-verres ».

— *La longotte* est encore une variété de calicot en point toile mais plus gros et plus lourd, destiné souvent à l'impression.

— *Par indiennes*, on désigne les calicots peints à la main en Inde ou imprimés au bloc gravé, puis imités en Perse et en Europe. Depuis la fin du XVIIIe siècle, les indiennes sont imprimées au rouleau en cuivre gravé et aujourd'hui au laser. En Angleterre et aux États-Unis on les appelle : *prints, chintz* et ont souvent un apprêt de glaçage.

— *Guinée, baffetas, boutanes*, sont les noms des anciennes indiennes de traite, souvent teintes en bleu indigo uni et qui ont ensuite été exclusivement fabriquées pour le marché africain sous forme de pagnes imprimés.

— *Le basin* désigne plusieurs sortes de tissus rayés, dont les bandes, verticales ou horizontales, forment des côtes en opposant une bande en point sergé et une bande en point toile. Les teinturières africaines l'utilisent comme fond pour leurs teintures en réserve en indigo, les deux armures différentes ne prenant pas la teinture de la même façon.

— *Le madras* est à l'origine un tissu de coton, tissé avec un effet de damiers noirs et rouges, aujourd'hui il désigne toute cotonnade légère et bon marché dont les dispositions des bandes colorées, formant des carreaux, réguliers ou irréguliers, varient suivant la mode.

— *La cotonnine* est une toile en gros fil de coton dont on faisait des voiles, particulièrement pour les galères.

— *Le guingamp ou guingan* est originaire de la ville de Pondichéry. Il s'agit d'une grosse toile composée de rayures bicolores, blanches et bleues indigo, alternées. En France, c'est un tissu rayé ou à carreaux qui reçoit un apprêt de glaçage.

— *La mousseline* est un tissu originaire du Bengale, bien que son nom dérive de la ville de Moussoul en Asie. Elle est réalisée avec des fils de coton très fin et il faut autant de fils en chaîne qu'en trame. Il y a des mousselines unies et d'autres sont brochées ou brodées. Saint-Quentin et Tarare se sont spécialisées dans cette production qui sert pour rideaux, voilages en ameublement, parfois aussi en couture pour, entre autres, les robes de mariée.

— *L'organdi* est une mousseline unie ayant un apprêt particulier qui lui permet de résister au froissement.

— *Le plumetis* est une mousseline de coton brodée après tissage de semis de petits pois.

6. AUTRES NOMS

La liste des autres tissus en coton est longue, aussi nous contenterons-nous de les énumérer avec une brève description :

— *Tariatane* : tissu léger, tissé très clair, soutenu par un apprêt pour lui donner du corps.

— *Jaconas* : tissu fin et léger mais très serré qui se situe entre la percale et la mousseline.

— *Nansouk* : tissu encore plus fin que le jaconas utilisé surtout en lingerie.

Bourgran : tissu grossier servant aux tailleurs pour garnir l'intérieur des parties du vêtement qui a besoin de soutien, comme les cols.

— *Nankin* : étoffe d'origine chinoise, lisse et serrée très solide, tissée avec des fils teints.

— *Flanelle* : imitation de la flanelle de laine en coton.

— *Siamoise* : étoffe rayée ou à carreaux, à l'origine en soie et coton, aujourd'hui tout coton.

— *Matelassé* : tissu piqué et parfois rembourré (piqués de Marseille).

— *Finette* : tissus utilisés pour doublure en armure sergé.

— *Chafarcani* : indienne du Levant.

— *Colonne* (ou colonnette) : famille des tissus connus sous le nom de « rouenneries ». Ces tissus sont unis, rayés, à carreaux ou écossais, tissés dans le point toile.

— *Canevas de coton* : toile très claire divisée en petits carreaux pour être utilisée pour les ouvrages de broderie ou de tapisserie à l'aiguille.

— *Serpillière* : même principe mais en fils de coton plus gros et plus floche.

— *Façonné*, broché, lancé en coton : tissus fabriqués avec la mécanique Jacquard.

— *Damassé* : tissus damas pour ameublement ou linge de table et de toilette souvent ton sur ton, en utilisant une chaîne en lin et une trame en coton pour accentuer l'effet de relief du dessin et des effets des deux matières, l'une mate et l'autre brillante. Le décor est le plus souvent floral, et certains motifs multicolores.

Il y a aussi la levantine, la caroline, la futaine, la popeline, le boucassin, la grisette, le cambric, la boutane, le zéphir, le vichy, la toile d'avion, etc.

D'autres tissus de coton portent le nom de l'armure classique, utilisée aussi bien pour des tissus de laine que de soie : piqué de coton, satin de coton, gaze de coton, velours côtelé de coton, batiste de coton, etc.

7. USAGES, DES LANGES AU LINCEUL :

— *utilitaire* : mèches de cierge et de lampe, courroies, drap de lit, taies, torchon, serviette, mouchoir, nappe, toiles à matelas, toiles à voile, toiles à stores, toiles à bâches, toiles à tentes, filet de pêche, hamac, linceul, etc.

— *vêtements* : layette, doublure, vêtements « bleus de travail », pagnes, kimonos, robes en tissus unis ou imprimés, toile tailleur, etc.

— *tissus d'ameublement* unis ou imprimés, toile à matelas rayés, percale, voilage, dentelle, passementerie, dessus-de-lit, piqué, patchwork, etc.

8. EXPRESSIONS FAMILIÈRES ET FIGURÉES, LIÉES AU COTON :

— *Élever un enfant dans du coton* : l'élever trop mollement.

— *porte coton* : valet de garde-robe, un mauvais coton.

— *cet homme jette un vilain coton* : il perd son crédit, sa réputation, se dit aussi : il file un mauvais coton.

Il y aura du coton : on se battra, allusion au coton poudre, substance explosive qu'on obtient par l'action de l'acide nitrique sur le coton, on l'appelle aussi poudre coton.

— *Son menton commence à se couvrir du premier coton ou ses joues commencent à se cotonner* : allusion aux poils qui viennent aux joues et au menton des adolescents qui ressemblent au duvet de coton.

— *donner du coton* : donner du mal à faire en parlant d'un ouvrage, on dit aussi : *c'est coton* : c'est difficile à réaliser.

— *cheveux cotonnés* : cheveux très courts et très frisés comme ceux d'un Africain.

BIBLIOGRAPHIE

Revues :

— *Cahiers Ciba*, Bâle :

L'Inde, ses teinturiers, n° 3, mai 1946.

Histoire de l'indigo, n° 38.

Le Coton, n° 43, sept. 1952.

Manchester et l'industrie cotonnière, n° 91, février 1962.

— Debien G., « Une indigoterie à Saint-Domingue à la fin du XVIIIe siècle », *Revue d'Histoire des Colonies 1940-1946*, pp. 1-49.

— Lucien Naegelin, « Festival des tissus », *L'Alsace*, février 1998, pp. 55-69.

— « L'industrie textile en Alsace », *Bulletin de la Société industrielle de Mulhouse*, janvier 1990, n° 816.

Expositions :

— « La tenture des anciennes et nouvelles Indes », Aix-en-Provence, 1984.

— Exposition « Sublime indigo », Centre de la Vieille Charité, Marseille, 22 mars - 31 mai 1987. Musées de Marseille/éditions Vilo, Paris.

— « Histoire du jeans », Palais Galliera, musée de la Mode et du Costume, Paris-Musées, exposition 25 octobre 1994 - 12 mars 1995.

Livres par ordre chronologique :

— Savary des Brusions, *Dictionnaire de commerce*, Paris, 1723.

— Jardin E., *Le Coton*, Paris, Bruxelles, Genève, 1881.

— Leduc Bernard, *Sur l'histoire de l'industrie des toiles peintes*, IIIe Congrès scientifique de France, 1885.

— Montagne Ch., *Histoire de la Compagnie des Indes*, Paris, 1899.

— Lecomte J., *Le Coton*, Paris, 1900.

— Kaeppelin P., *La Compagnie des Indes orientales et François Martin*, Paris, 1908.

— Levy, *Histoire économique de l'industrie cotonnière en Alsace*, Paris, 1912.

— Depitre, *La Toile peinte en France* au XVIIe et XVIIIe siècles, Paris, 1912.

— Belevitch-Strankevitch, *Le Goût chinois en France au temps de Louis XIV*, Paris, 1912.

— Capus G. et Bois D., *Les Produits coloniaux, origine, production, commerce*, Paris, 1912.

— Bourilly V.L., *La Contrebande des toiles peintes en Provence* au XVIIIe siècle, Toulouse, Privat, 1914.

— Jumelle H., *Les Cultures coloniales. Plantes industrielles et médicinales*, Paris, 1916.

— Hjalmar F., *Le Périple de la mer Erithrée*, Göteberg, 1927.

— Monteil C., *Le Coton chez les Noirs*, Paris, 1927.

— Clouzot H., *L'Histoire de la manufacture de Jouy et des toiles imprimées en France*, Paris, Bruxelles, 1928, 2 vol.

— Martin G., *L'Ère des Négriers, Nantes* XVIIIe *siècle*, Paris, 1931.

— Ffister R., *Les Toiles imprimées de Fostat et de l'Hindoustan*, Paris, 1938.

— Jouveau-Dubreuil, *Le Commerce du coton à Pondichéry aux* XVIIe-XVIIIe *siècles*, Pondichéry, 1938.

— Chabault H., *L'Industrie des indiennes à Avignon et Orange*, Avignon, 1938.

— D'Allemagne H.R., *La Toile imprimée et les indiennes de traite*, Paris, 1942, 2 vol.

— Roy J., *Une capitale de l'indiennage*, Nantes, 1948.

— Baulant, *Lettres de négociants marseillais : les frères Hermite (1750-1612)*, Paris, 1953.

— Chaigne D., *Le Coton et l'industrie cotonnière*, « Que Sais-je » no 90, Paris, 1961.

— Mollat M., *Sociétés et Cie de commerce en Orient et dans l'océan Indien*, Paris, 1970.

— Chassagne S., *La Manufacture des toiles imprimées de Tournemine-les-Angers*, Paris, 1971.

— Anquetil Jacques, *Afrique noire*, Dessain et Tolra, 1977.

— Chassagne S., *Oberkampf, un entrepreneur capitaliste du siècle de lumière*, Paris, 1980.
— Macé de Lépinay F., *Le Patrimoine industriel des Antilles*, Monuments Historiques, Architecture d'Outre-Mer, octobre-novembre 1981.
— Desrosiers S., *Le Tissu comme un être vivant*, Ceteclam, 1982.
— Kieffer J.I., *Anquetil-Duperron, l'Inde en France au XVIIIe siècle*, 1983.
— Chassagne S., *Les Ouvriers en indiennes de l'agglomération rouennaise (1760-1860)*, 1984.
— Boilatt P.D., Abbé, *Esquisses sénégalaises*, Karthala, Paris, 1984.
— Chassagne S., *Naissance de l'industrie cotonnière en France*, EHESE, Paris, 1986.
— Meyer J., *Esclaves et Négriers*, Paris, 1986.
— Biehn Michel, *En jupon piqué et robe d'indienne, costumes provencaux*, Jeanne Laffitte, 1987.
— Chelna Desai, *Ikat textiles of India*, Chronicle Books, San Francisco, 1988.
— Viseux Micheline, *Le Coton, l'impression*, Éditions de l'Albaron, 1991.
— Gillow John et Barnard Nicholas, *Textiles traditionnels de l'Inde*, Thamas et Hudson, Londres, 1991.
— Anquetil Jacques, *Les Routes de la soie*, Jean-Claude Lattès, 1992.
— Bonneville Françoise de, *Rêves de blanc*, Flammarion, 1993.
— Roux Annie, *Le Textile en Provence*, Edisud, 1994.
— Méridieu Florence de, *Histoire matérielle et immatérielle de l'Art moderne*, Bordas-cultures, 1994.
— *Andrinople, le rouge magnifique*, ouvrage collectif, Éditions de la Martinière, Paris, Musée d'impression sur Étoffes, Mulhouse, 1995.
— Pastoureau Michel, *Rayures, une histoire des rayures et des tissus rayés*, Seuil, 1995.
— Berenson Kathryn, *Boutis de Provence*, Flammarion, 1996.
— Anquetil Jacques, *Mémoires d'un tisserand*, Nil, 1997.
— Lukas Yann, *Lorient, Histoire d'une ville*, Éditions Palantines, 1997.
— Fohlen Claude, *Histoire de l'esclavage aux États-Unis*, Librairie Académique Perrin, 1998.
— Crété Liliane, *La Traite des nègres sous l'Ancien Régime*, Librairie Académique Perrin, 1998.
— Coquet Michèle, *Textiles africains*, Adam Biro, 1998.

Mes remerciements vont à tous ceux qui m'ont aidé avec enthousiasme à réaliser ce livre, en particulier pour le Sud des États-Unis à Kala Denjoy qui a pu interroger sa mère, Eleanor Deland, sur son arrière-grand-père, Charles Adams, un « prince marchand » du coton et qui a traduit les chansons cotonnières et le journal du contremaître Alonso Humphrey.

TABLE DES MATIÈRES

III - L'ANGLETERRE ET LA RÉVOLUTION INDUSTRIELLE

IV - LES DÉBUTS DE L'INDUSTRIE COTONNIÈRE EN FRANCE

VI - Les routes des grands centres cotonniers jusqu'au XIXe siècle

VII - L'aventure des premiers entrepreneurs d'indiennage en France

VIII - Les Amériques et les Antilles françaises

IX - L'Afrique

X - La nouvelle géographie du coton dans le monde et les nouvelles créations textiles

XI - En guise de conclusion : les relations humaines particulières avec certains tissus de coton

Impression réalisée sur CAMERON par
BRODARD ET TAUPIN
La Flèche
en février 1999

Édition exclusivement réservée
aux adhérents du Club
Le Grand Livre du Mois
15, rue des Sablons
75116 Paris
réalisée avec l'aimable autorisation des Éditions Lattès

Imprimé en France
Dépôt légal : février 1999
N° d'impression : 1956V
ISBN 2-7028-3209-1